BIBLIOTHÈQUE DU VOYAGEUR

LE GRAND GUIDE DU BELIZE, DU GUATEMALA ET DU YUCATÁN

Traduit de l'anglais par Vera Gayraud,
Emmanuelle Garcia, Bruno Porlier et Bruno Krebs ;
adapté par Élisabeth Boyer, Gilles Guérard et Patrick Jézéquel

GALLIMARD

Aucun guide de voyage n'est parfait. Des erreurs, des coquilles se sont certainement glissées dans celui-ci, malgré toutes nos vérifications. Les informations pratiques, adresses, numéros de téléphone, heures d'ouverture, peuvent avoir été modifiés ; certains établissements cités peuvent avoir disparu. Nous serions très reconnaissants à nos lecteurs de nous faire part de leurs commentaires, de nous suggérer des corrections ou des compléments qui pourront être intégrés dans la prochaine édition.

Insight Guide, Guatemala, Belize & the Yucatán
© Apa Publications GmbH & Co, 2000
© Éditions Gallimard, 2002, pour la traduction française.

Dépôt légal : mai 2002
N° d'édition : 98104
ISBN : 2-74-240774-X

Imprimé à Singapour

CEUX QUI ONT FAIT CE GUIDE

Le titre *Insight Guide : Guatemala, Belize & the Yucatán* est le fruit de la collaboration de nombreuses personnalités réunies par **Huw Hennessy** pour le compte des éditions Apa, installées à Londres (nous donnons ici l'équivalent français des pages écrites primitivement en anglais). Collaborateur au BBC World Service pour l'Amérique latine, **Nick Caistor** a signé les pages d'histoire relatives aux trois destinations. **Krystyna Deuss**, qui travaille à Londres au Guatemalan Indian Centre, est l'auteur des « Mayas des Hautes Terres » et des « Couleurs du Guatemala ». On doit à **Iain Stewart**, journaliste de voyages pour l'Amérique centrale, les pages consacrées au monde maya aujourd'hui, à la gastronomie et aux sports de plein air. « Sur la route des cyclones » a été écrit par **Peter Hutchison**, journaliste spécialisé dans les voyages en Amérique latine. **Phil Gunson**, correspondant du *Guardian*, a rédigé « La faune et la flore guatémaltèques ». La biologiste **Ellen McRae** vit à Caye Caulker. Elle est l'auteur des pages traitant de la faune et la flore ainsi que de la barrière de corail du Belize. Les pages « La côte du Yucatán » et « Les bienfaits relatifs de l'industrie touristique » sont signées **Barbara Mac Kinnon**, membre de la Sian Ka'an Biosphere Reserve. Spécialiste des questions mayas, **Neil Rogers** s'est occupé des pages « Vestiges du passé » et « Le Belize : un modèle pour l'écotourisme ? ». L'archéologue **Simone Clifford-Jaeger** est l'auteur de « Tikal, joyau de la couronne maya ».

Les itinéraires au Guatemala ainsi que les pages relatives à Rigoberta Menchú, aux églises d'Antigua Guatemala, au lac Atitlán et au culte de Maximón ont été écrits par **Iain Stewart**, cité plus haut, qui a également réuni les informations pratiques du Guatemala.

Ian Peedle, écrivain voyageur, a rédigé « Les musiques et les danses du Belize » ainsi que l'ensemble des itinéraires du même pays. **Jo Clarkson**, écrivain voyageur spécialisé dans l'Amérique centrale, s'est chargé de collecter les informations pratiques touchant à cette destination. Leur travail s'est enrichi de la participation de **Tony Perrottet, Karla Heusner** et **Tony Rath** à l'*Insight Guide : Belize*.

Les itinéraires et les informations pratiques du Yucatán ont été écrits par **John Wilcock**, collaborateur de longue date des Insight Guides. **Chloe Sayer**, qui s'est spécialisée dans l'histoire et la culture mexicaines, a signé les pages relatives à l'architecture de la péninsule.

On doit à **Andreas Gross**, à **Jamie Marshall** et à **Mireille Vautier** la plus grande partie des nombreuses photographies dont s'orne ce livre.

Vera Gayraud (le Guatemala, le Belize), **Emmanuelle Garcia** (le Belize, le Yucatán), **Bruno Porlier** (pages ayant trait à la nature) et **Bruno Krebs** (le zoo de Belize City) ont assuré la traduction en français du *Grand Guide du Guatemala, du Belize et du Yucatán*. Pour les éditions Gallimard, le suivi éditorial de l'ensemble de l'ouvrage a été confié à trois collaborateurs de la Bibliothèque du Voyageur : **Élisabeth Boyer** (pages traitant du Belize et du Yucatán), qui a collaboré à de nombreux guides de voyages et qui a préparé la publication de l'ouvrage d'art intitulé *La Méso-Amérique*, de Christian Duverger (Flammarion, 1999) ; **Gilles Guérard** (partie générale « Histoire et société », pages consacrées au Guatemala), responsable du suivi éditorial, dans la même collection, des titres *Moscou, Russie, Java, Nouvelle-Zélande* ; et **Carole Saturno** (informations pratiques), à qui l'on doit, dans la collection Guides-Gallimard, la mise à jour de *Monde Maya* ; ainsi qu'à **Patrick Jézéquel**, responsable d'édition à la Bibliothèque du Voyageur. Enfin, la lecture-correction de l'ensemble des textes a été faite par **Isabelle Haffen** et **Agathe Roso**.

T A B L E

DES MATIÈRES

Légendes cartographiques

▬▬ ‒ ‒	Frontière internationale
‒ ‒ ‒ ‒	Frontière intérieure
⊖	Poste frontière
⎯•⎯	Parc national/réserve
‒ ‒ ‒ ‒	Route maritime
✈ ✈	Aéroport international/régional
🚌	Gare routière
❶	Office du tourisme
✉	Bureau de poste
⛪ ✝ ☦	Église
✝	Monastère
☾	Mosquée
✡	Synagogue
🏰 🏛	Château
∴	Site archéologique
∩	Grotte
𝟏	Monument
★	Curiosité

HISTOIRE ET SOCIÉTÉ

Désormais séparés par des frontières qui apparaissent comme des accidents de l'histoire coloniale, le Guatemala, le Belize et le Yucatán ont été le berceau de la civilisation des Mayas. La permanence de ce peuple et de sa culture, plusieurs siècles après l'effondrement de sa société, imposait de réunir ces trois contrées dans un même ouvrage. C'est sur la côte pacifique, entre le Mexique et le Salvador, qu'ont été retrouvées les plus anciennes traces d'implantations de Mayas, qui vivaient alors de la pêche et de l'élevage. Vers 2000 av. J.-C., la région était parsemée de villages, et les Mayas réalisaient déjà des poteries rudimentaires. Les premiers édifices de pierre, aux fonctions civiles et religieuses, furent érigés autour de 750 av. J.-C., près de Nakbé, dans le Petén, à l'extrémité nord du Guatemala.

Progressivement, ces premiers groupes gagnèrent en importance et essaimèrent jusqu'à former un réseau de cités-États dont la vie religieuse et politique était centrée autour de temples cérémoniels. L'architecture pyramidale et les stèles au décor finement sculpté révèlent une civilisation considérée par de nombreux experts comme la plus avancée que l'Amérique ait connue. Les ruines de Chichén Itzá, d'Uxmal, de Palenque, de Copán, de Tikal, de Calakmul et d'El Mirador constituent les plus impressionnants vestiges archéologiques du continent.

Passionnés par les astres, les Mayas étudièrent les étoiles et développèrent plusieurs systèmes calendaires reliés entre eux. Par leur précision et leur complexité, ceux-ci n'ont rien à envier au calendrier grégorien occidental. Plus que tout, les Mayas cherchèrent à maîtriser le temps : chaque jour, chaque instant, chaque activité de la vie, de la naissance aux semailles, faisait l'objet d'un rite sacré, décrit dans le *Chilam Balam*, le grand livre maya. Les mariages royaux et les guerres étaient de même planifiés à l'aide d'un calendrier qui permettait de placer l'événement sous les meilleurs auspices. Les Mayas mirent également au point une écriture glyphique, qui était utilisée dans les bas-reliefs et les codex narrant les détails des cérémonies avec une rigueur toute mathématique. Artistes et artisans accomplis, ils produisirent en outre de véritables chefs-d'œuvre en céramique, en pierre fine et en métal, ainsi que de merveilleux tissages.

Dans le courant du IXe siècle apr. J.-C., la civilisation maya s'effondra et toutes les cités furent progressivement abandonnées, puis envahies par la végétation. Les grands prêtres et les familles régnantes perdirent le pouvoir, tandis que la population se dispersait à travers la région, et

Pages précédentes : jeunes filles de Nebaj dans les Hautes Terres du Guatemala ; travailleurs saisonniers des champs de canne à sucre de la côte pacifique ; costumes chatoyants du triangle Ixil ; le lac Atitlán, dans son écrin volcanique. À gauche, El Castillo, la plus grande pyramide de Chichén Itzá.

revenait à une organisation en unités domestiques, fondées sur l'agriculture et l'élevage. De nombreuses théories ont été avancées pour expliquer ce déclin : sécheresse, morcellement politique, invasion, épidémies, etc. Les études les plus récentes suggèrent que le phénomène se serait étalé sur un siècle, et qu'une surexploitation du sol aurait provoqué une catastrophe écologique. Des découvertes faites sur le site de Copán, au Honduras, viennent confirmer cette hypothèse.

Mais les Mayas ne disparurent pas en même temps que leur civilisation. Rien qu'au Guatemala, ils sont aujourd'hui plus de six millions, dont la plupart demeurent attachés à des coutumes et des croyances ancestrales, qui ont plus ou moins bien résisté au métissage forcé provoqué par la conquête espagnole. Les Mayas vivent majoritairement dans les zones rurales du Guatemala et dans le sud-est du Mexique. Dans les villages, la musique et la danse sont réservées aux jours de fête, tandis que les rituels et les jeux costumés qui mettent en scène des événements historiques (comme la Conquête) ou mythiques (issus du *Popol Vuh*) sont toujours pratiqués au son de l'éternel et incontournable marimba, sorte de xylophone maya.

Au Guatemala, la sanglante période de Violencia, qui a vu s'opposer dans les années 1960 à 1990 l'armée à la guérilla, a laissé de profondes séquelles au sein du peuple maya. Plus de 80 % des victimes se dénombrèrent en effet dans ses rangs. La répression militaire de l'insurrection communiste se transforma en un véritable génocide, au cours duquel des villages mayas furent rayés de la carte, et leurs habitants assassinés en masse, ou contraints à l'exil. Dans le cadre du règlement du conflit, l'Onu a mis en place une Commission d'éclaircissement historique (CEH) chargée de parvenir à une paix durable et d'établir les différentes responsabilités dans les hostilités.

Depuis plusieurs années, on assiste cependant à un regain d'optimisme et de vitalité culturelle au sein du peuple maya, qui se manifeste notamment par la création d'organismes combinant tourisme, développement économique et protection de l'environnement. Mis en place dans les années 1980, le projet El Mundo Maya se fixe ainsi pour objectif d'identifier et de protéger les différents sites historiques, mais aussi d'établir des liens entre eux. Sa finalité est de permettre aux habitants de se retrouver autour d'une identité collective et de les impliquer dans l'exploitation touristique des sites. Exactement à l'opposé de la station balnéaire de Cancún, au Mexique, ville-champignon sans âme bâtie de toutes pièces pour le tourisme international, El Mundo Maya a été conçu dans le respect de l'environnement et des traditions mayas. Le projet, bien avancé, rencontre cependant quelques critiques, qui tiennent essentiellement à la répartition de la manne financière, car les régions dépourvues de patrimoine archéologique s'en trouvent automatiquement écartées.

Aux côtés des Mayas, l'autre groupe important est constitué par les Ladinos, qui ont subi l'influence culturelle des différents pays d'Amérique du Sud et se considèrent avant tout comme des Latins. De fait, ils s'avèrent grands consommateurs de séries télévisées brésiliennes et mexicaines, ainsi que de théâtre argentin. Mais c'est incontestablement

À droite, une jeune vendeuse de fleurs du marché de Chichicastenango, dans les Hautes Terres du Guatemala.

par le biais de la musique que la multitude des influences se révèle le mieux. Mérengué de Saint-Domingue, salsa colombienne ou cubaine, Latin house d'Argentine, hip-hop hispanique californien (prononcer « rip-rop »)... tous les sons semblent s'être donné rendez-vous dans les bus, les bars et les lieux publics de l'aire maya.

En grande majorité d'origine européenne, l'élite politique et économique du Guatemala est constituée par un petit nombre de familles citadines qui entretient des liens économiques et intellectuels avec l'Espagne et la diaspora hispanique émigrée aux États-Unis, et particulièrement à Miami, en Floride.

Un autre apport culturel imprègne la côte caraïbe, où vivent d'importantes communautés de Garífunas. Plus qu'un simple genre musical, le reggae y est un style de vie à part entière, directement importé de Jamaïque et mâtiné de calypso en provenance de Trinidad. Le métissage des traditions est tel qu'il n'est pas rare non plus de voir des Garífunas pratiquer une partie de cricket. Héritiers d'une surprenante histoire, ils sont les descendants d'esclaves africains marrons qui ont fait souche avec les Indiens Caraïbes avant de parvenir au Belize. Enfin, quelques communautés mennonites, également installées au Belize, viennent parfaire cette mosaïque de cultures. Cette communauté religieuse, dont l'origine remonte au XVIe siècle, en Hollande, s'est installée dans la région à la fin des années 1950.

Outre ce patrimoine historique et culturel, la région possède une faune et une flore exceptionnelles. Berceau de la civilisation maya, le Petén abrite une forêt subtropicale en grande partie protégée par un réseau de parc nationaux. Au large du Belize, la barrière de corail de la mer des Caraïbes fait partie des plus beaux sites de plongée sous-marine du monde, tandis que le Yucatán possède des plages de réputation internationale. Au sud du Guatemala, les Hautes Terres sont encadrées par la cordillère volcanique de la Sierra Madre, qui longe le Pacifique, et par la chaîne calcaire des montagnes Cuchumatanes. En plaine et dans les régions montagneuses, de vastes lacs, tels ceux d'Atitlán ou Izabal, jettent une note apaisée dans ce paysage heurté. Enfin, comme pour compléter ce riche tableau, le Yucatán recèle des régions désertiques et de vastes marécages, les mangroves, qui servent de sanctuaire aux lamantins. Le monde maya possède la plus grande étendue de forêt tropicale d'Amérique centrale, de plus en plus luxuriante à mesure que l'on descend vers le sud et que l'on gagne en altitude. Arbre sacré des Mayas, le gigantesque *ceiba* domine la canopée.

Les nombreuses réserves naturelles de la région abritent une faune d'une incroyable diversité, qui compte notamment des jaguars, des ocelots, des tapirs et des singes. Avec du temps et de la patience, certains visiteurs auront peut-être la chance d'observer un quetzal, oiseau rare et emblème du Guatemala, ou une harpie féroce, un très rare aigle des forêts tropicales. La faune sous-marine de la mer des Caraïbes n'est pas moins variée, avec des requins gris à pointe noire, des dauphins, des raies mantas et quantité d'autres espèces. Enfin, sur la côte pacifique, on peut également, à la nuit tombée, observer la ponte des tortues.

À droite, vue du village de San Francisco el Alto, au Guatemala.

CHRONOLOGIE

La période préhispanique
Vers 10 000 av. J.-C. Les plus anciens fossiles animaux : des os de mammouth (Loltún).
Vers 2000 av. J.-C. Premiers indices de sédentarisation des Mayas (Cuello, Loltún, Maní).
1000 av. J.-C. Vestiges de villages à Ocos, sur la côte pacifique du Mexique.
700 av. J.-C. Indices de peuplement plus importants, à Kaminaljuyú.
500 av. J.-C. Premiers ensembles monumentaux, notamment à Tikal. Influences olmèques.
300 av. J.-C. Début du préclassique récent.

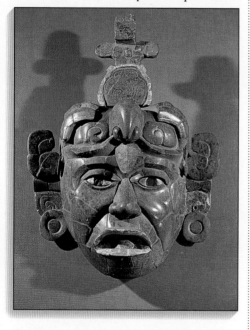

Constructions monumentales au Guatemala, céramiques izapa, et premiers hiéroglyphes. Apogée probable d'El Mirador et de Nakbé.
100 apr. J.-C. Des sites comme El Mirador et Cerros sont déjà abandonnés.
250 Début de la période classique. Hégémonie de Tikal au Petén. Plus vieilles stèles datées, notamment la Stela 29 de Tikal (292 apr. J.-C.).
455-495 Règne de Cu Ix, quatrième roi de Copán, au Honduras.
700-850 Apogée des Mayas dans toute la région, notamment à Uxmal et à Kabah (Yucatán), ainsi qu'à Palenque (Chiapas).
850-900 Déclin des sites classiques mayas. La dernière inscription connue à Palenque date de l'an 799.

900 Début de la période postclassique et émergence de sites fortifiés au Yucatán (Uxmal et Chichén Itzá), ainsi que de plusieurs cités rivales dans les Hautes Terres du Guatemala.
1250 Chute de Chichén Itzá, et essor de Mayapán, au Yucatán. Au Guatemala, Quichés, Cakchiquels et Mam dominent. Tulum, sur la côte orientale du Yucatán, s'affirme comme un pôle commercial important.
1440 Déclin de Mayapán et éclatement du pouvoir maya en petites principautés.

La conquête espagnole
1512 Deux Espagnols naufragés, Gonzalo Guerrero et Jerónimo de Aguilar, s'établissent parmi les Mayas du Yucatán. Guerrero et sa femme maya donnent le jour aux premiers métis (*mestizos*).
1517 Arrivée de Francisco Hernández de Córdoba au Yucatán.
1519 Hernán Cortés débarque sur l'île de Cozumel, au large du Yucatán. Début de la conquête espagnole du Mexique.
1523 Sanglante conquête du Guatemala par Pedro de Alvarado, qui écrase les armées mayas, notamment quichés.

La période coloniale
1527 Fondation de la première capitale espagnole du Guatemala. Francisco de Montejo part à la conquête du Yucatán.
1541 Antigua devient la capitale du Guatemala.
1542 Fondation de Mérida, qui devient la capitale du Yucatán.
Années 1540 Les moines franciscains entreprennent l'évangélisation des Mayas. L'évêque Diego de Landa publie la *Relación de la cosas de Yucatán*, sur les mœurs des Mayas. Dans le même temps, il organise des persécutions ainsi que d'immenses autodafés de manuscrits et sculptures mayas (1562).
1576 Rapport de Diego García de Palacio à Philippe II d'Espagne sur les ruines de Copán.
Début du XVIIᵉ siècle Les boucaniers anglais colonisent l'embouchure du Belize et commencent à exploiter les forêts.
1697 Chute d'Itzá, la dernière place forte maya.
1739 Redécouverte d'un manuscrit maya, à Vienne. Emporté à Dresde, il prend le nom de Codex de Dresde.
1746 Le père Antonio de Solis découvre le site de Palenque, au Chiapas.
1765 « Code de Burnaby », première Constitution du futur Honduras britannique (Belize).
1786 Antonio del Río explore Palenque pour la couronne espagnole. Son récit, illustré par

J.-F. de Waldeck, suscite un intérêt considérable lors de sa parution en anglais (1822). Beaucoup, comme Waldeck, pensent que la civilisation maya vient d'Europe.

Mouvements d'indépendance
1798 Bataille de Saint George's Caye, entre les flottes britannique et espagnole. Victorieux, les Anglais renforcent leur présence au Belize.
1821 L'Amérique centrale arrache son indépendance à l'Espagne. Le Guatemala, le Honduras, le Nicaragua et le Salvador forment les Provinces-Unies de l'Amérique centrale. Le Yucatán et le Chiapas s'en séparent en 1823 et rejoignent le Mexique. La fédération éclate en 1839.
1841 *Incidents of Travel in Central America, Chiapas and Yucatán*, écrit par John Stephens, et illustré par Frederick Catherwood, remporte un immense succès.
1847 Guerre des Castes au Yucatán. La révolte maya durera plus de 50 ans.
1859 Une convention signée entre le Royaume-Uni et le Guatemala fixe les frontières du Honduras britannique. Le Guatemala la dénoncera ensuite régulièrement.
1861 L'abbé français Brasseur de Bourbourg publie la première traduction du *Popol Vuh*, livre sacré des Mayas Quichés.
1862 Le Belize devient colonie britannique.

L'époque moderne
Années 1880 Le Britannique Alfred Maudslay entreprend les premières fouilles scientifiques des sites mayas.
1893 Le Mexique renonce à ses prétentions sur le Honduras britannique.
1911 Renversement du président mexicain Porfírio Díaz.
1923 Les socialistes révolutionnaires gouvernent le Yucatán.
1924 Le gouverneur progressiste du Yucatán, Felipe Carrillo Puerto, est assassiné.
1930 Jorge Ubico devient dictateur du Guatemala. Essor de la banane, orchestré par la United Fruit.
1937 Le président mexicain Lázaro Cárdenas lance une vaste campagne de redistribution des terres dans le Yucatán.
1944-1954 Au Guatemala, les présidents Arevalo et Jacobo Arbenz Guzmán mettent sur pied une réforme agraire et tentent de réduire le pouvoir des compagnies américaines.
1954 Un coup d'État soutenu par la CIA renverse Arbenz Guzmán. Dictature militaire et début de la guerre civile.
1976 Tremblement de terre au Guatemala : 23 000 morts et plus d'un million de sans-abri.
1981 Le Belize devient indépendant.
1982 Des guérilleros forment l'Unité nationale révolutionnaire guatémaltèque. Le dictateur Ríos Montt intensifie la guerre. Des milliers de Mayas sont tués ou poussés à l'exil.
1986 Retour d'un gouvernement civil au Guatemala avec l'élection du démocrate chrétien Vinicio Cerezo Arévalo.

1992 Rigoberta Menchú reçoit le prix Nobel de la paix pour son action en faveur des Mayas.
1994 Le 1er janvier, le Mexique rejoint les États-Unis et le Canada au sein de l'ALENA. Le même jour, les Mayas Lacandons et les zapatistes se soulèvent dans le Chiapas.
1996 Élection du président Álvaro Arzú. Un accord de paix met fin à plus de trente ans de guerre civile au Guatemala. Le bilan s'établit à deux cent mille morts ou disparus, essentiellement des Mayas.
1998 L'ouragan Mitch balaye l'Amérique centrale, causant d'énormes dégâts et pertes en vies humaines.
2001 Marche pacifique des zapatistes du sous-commandant Marcos sur Mexico.

Pages précédentes : réplique d'une fresque maya, Bonampa, Mexique. A gauche, masque maya en jadéite, période postclassique ; à droite, Rigoberta Menchú, prix Nobel de la paix 1992.

LES RACINES MAYAS

Le territoire ancestral des Mayas s'étend sur cinq pays d'Amérique centrale : le sud du Mexique, le Guatemala, le Belize ainsi qu'une partie du Honduras et du Salvador. Vaste de plus de 300 000 km², il comprend des milieux naturels très diversifiés. Du nord au sud se succèdent le vaste plateau calcaire du Yucatán, dépourvu de cours d'eau en surface, les profondes forêts tropicales des plaines centrales du Chiapas, du Belize et du Petén, les montagnes et les volcans des Hautes Terres du Guatemala et du Salvador, et enfin les plaines fertiles de la côte sur le Pacifique. Contraints d'adopter des modes de vie différents en fonction de leur environnement, les différents groupes mayas partageaient néanmoins le même système de croyances, les mêmes langues, ainsi qu'une structure sociale et une architecture communes.

L'histoire de la civilisation maya, qui commence deux millénaires avant notre ère, se divise en trois grandes périodes : le préclassique (2000 av. J.-C. - 250 apr. J.-C.), le classique (250-900) et le postclassique (900-1541).

LA PÉRIODE PRÉCLASSIQUE

Le préclassique, dite période formative, vit la mise en place des éléments caractéristiques de la culture maya. Les premiers groupes humains étaient des nomades, au mode de vie simple, axé sur la cueillette, la chasse et la pêche. Vers 2000 av. J.-C., ils se fixèrent dans les Hautes Terres du Guatemala et le long des côtes pacifique et caraïbe, où les ressources naturelles étaient abondantes et régulières. Cette sédentarisation s'accompagna d'une émergence de l'agriculture et de la domestication de plantes (maïs, avocatier, cacaoyer). On a découvert la trace de villages vieux de quatre mille ans, où des figurines de terre cuite utilisées pour les cultes de la fertilité ont été mises au jour. Parallèlement, les villages de pêcheurs apparurent, comme celui d'Ocos (1500 av. J.-C.), sur la côte pacifique du Guatemala. Las Charcas, au centre du Guatemala, montre que, dès le Vᵉ siècle av. J.-C., les villages avaient sensiblement gagné en importance. C'est de cette époque également que date la céramique, dont on a trouvé des spéci-

À gauche, une représentation de la cité de Río Azul à son apogée, musée d'Archéologie de Guatemala Ciudad ; à droite, inscriptions glyphiques de la stèle 31 de Tikal, Guatemala.

mens à Las Charcas. Le style maya se reconnaît à ses motifs géométriques peints en rouge et blanc ou gravés à l'aide de coquillages.

L'influence des Olmèques dans l'émergence de la culture maya ne doit pas être négligée. Cette civilisation, établie sur la côte du golfe du Mexique, était déjà fort évoluée dans les domaines de l'art, de l'architecture et des sciences. Les archéologues ont retrouvé en pays maya des têtes en basalte de style olmèque. De même, les Olmèques avaient élaboré une écriture glyphique, ainsi qu'un calendrier et un système de numération par barres et par points, que les Mayas reprirent et développèrent. Vers 400 av. J.-C. cette influence s'estompa.

Au préclassique récent (300 av. J.-C.-250 apr. J.-C.), les Mayas pratiquaient la culture irriguée, connaissaient l'écriture et étaient capables d'ériger des édifices. Des villes de plusieurs milliers d'habitants surgirent sur la côte pacifique et dans les Hautes Terres, tandis que de gros bourgs apparaissaient dans le Petén (El Mirador, Ceibal, Nakbé). Avec l'essor de ces centres, la stratification sociale s'accusa. L'essentiel de la population était composé de paysans vivant en petites cellules familiales, dans des huttes en torchis élevées sur des monticules à proximité de cours d'eau. La société était gouvernée par une élite religieuse et militaire, aux pouvoirs dynastiques, qui fit bâtir des centres cérémoniels et des palais décorés de stèles destinées à rehausser son prestige. La plus ancienne date de 36 av. J.-C. (stèle 2 de Chiapa de Corzo). À la fin du préclassique récent, certaines villes, comme Kaminaljuyú, dans les Hautes Terres guatémaltèques, connurent un essor important. Grand centre de production d'obsidienne, la ville commerçait avec tout le territoire maya et même avec Teotihuacán, au Mexique.

La civilisation maya classique

La côte pacifique et les Hautes Terres, qui avaient été les principaux foyers de développement de la culture maya au préclassique, passè-

Des rois divinisés

On estime que les Mayas étaient près de 5 millions à l'ère classique. Très hiérarchisée, la société avait à sa tête un roi détenteur du titre de *ahau* (« seigneur »), ou *Mahk'ina* (« grand soleil »), et tirait son pouvoir de source divine. Souverain tout-puissant, sur les plans politique, militaire et religieux, le roi conduisait l'armée sur le champ de bataille et garantissait la pérennité de l'ordre du monde par le biais d'offrandes ou d'autosacrifices. Avec un aiguillon de raie ou une pointe d'obsidienne, il se perçait l'oreille, la langue ou le pénis. Puis, son sang était brûlé ou répandu au sol. Par ce rituel, il

rent sous la domination de Teotihuacán. L'implantation de comptoirs et de colonies mexicaines dans ces régions engendra une interpénétration d'éléments mayas locaux et d'éléments mexicains. La culture maya classique prit alors son essor dans les Basses Terres.

Le classique fut une ère de progrès dans les domaines de l'art, de l'architecture et des sciences. L'usage de l'écriture glyphique et du calendrier se généralisa, tandis que l'architecture connaissait sa phase la plus féconde avec une abondance de variantes stylistiques locales. Mais l'un des traits marquants de la période fut la structuration du système politique en cités-États dirigées par des souverains divinisés.

entrait en communication avec les dieux et les ancêtres, et intercédait en faveur de la communauté. Dans le temple des Inscriptions de Palenque (Mexique), qui sert de tombeau au roi Pacal, le souverain, la tête renversée en arrière, tombe dans la gueule d'un monstre terrestre. Un serpent bicéphale s'enroule autour de l'arbre cosmique qui s'élève au-dessus de lui et au faîte duquel se tient l'oiseau quetzal.

Les autres charges de l'État étaient réparties entre les membres de la famille du souverain, tandis que le reste de l'élite dirigeante était constitué de chefs de guerre, de prêtres et d'administrateurs. Au sein des classes intermédiaires, on dénombrait les catégories dépositaires d'un savoir-faire (devins, scribes, architectes et artisans) et les commerçants. Enfin, les classes inférieures comprenaient essentiellement des paysans, qui étaient tenus de contribuer à la construction des grands édifices publics. Ceux-ci étaient érigés à la seule force des bras, car les Mayas ignoraient la roue et n'utilisaient ni chariot ni animaux de trait.

UN MODÈLE D'URBANISME ET D'ARCHITECTURE

L'implantation urbaine des Mayas illustre un type d'organisation politique fortement centralisé et une société divisée en classes sociales. En dépit d'un tissu d'habitation relativement peu

centres, à proximité des champs. À Tikal (Guatemala), les archéologues ont ainsi mis au jour des milliers de monticules d'habitations dispersés autour du noyau central. Ils estiment à plus de cent mille la population totale de l'agglomération à son apogée, au VIIIᵉ siècle de notre ère.

La plupart des grands sites, tels Palenque, Bonampack, Copán, Tikal, Piedras Negras et Uxmal, ainsi qu'une partie de Chichén Itzá, furent construits pendant le classique récent (600-900 apr. J.-C.). Chacun développa son propre style à partir d'archétypes architecturaux communs témoignant d'un fort attachement aux croyances religieuses et à l'astrologie. Destinés à l'élite, les palais étaient des

dense, et de la dispersion des édifices, les villes étaient pourvues de toutes les fonctions religieuses, administratives, politiques et économiques. La morphologie du terrain dictait l'agencement des centres cérémoniels, des édifices publics ainsi que des palais, érigés le plus souvent sur des éminences et non au cœur de la cité. Toutefois, les bâtiments se regroupaient parfois autour de cours ou de places, et formaient ainsi de petites unités reliées par des chaussées. Les habitants vivaient quant à eux dans des hameaux dispersés autour de ces

À gauche, réplique du temple de Rosalila, musée de la sculpture maya, à Copán (Honduras) ; ci-dessus, détail de la stèle 12 de Piedras Negras, Guatemala.

constructions basses et allongées comprenant une succession de pièces exiguës, et ouvrant sur des cours dallées de pierre.

Figure emblématique de l'architecture maya, le temple haut consistait en une sous-structure pyramidale à degrés, pourvue d'un escalier de façade vertigineux menant à un petit sanctuaire. Celui-ci se composait de deux ou trois pièces aux murs intérieurs peints de couleurs vives et aux portes ornées de linteaux en bois sculpté. Une crête faîtière décorée de bas-reliefs en stuc coiffait l'édifice et accentuait sa solennité. Enceintes sacrées, les temples-pyramides servaient probablement aux cérémonies religieuses, notamment aux sacrifices rituels. Mais ils étaient aussi et surtout des monuments

LES CODEX MAYAS

À l'époque classique, les Mayas consignaient leur savoir dans des manuscrits appelés codex. Ceux-ci étaient formés d'une longue bande de papier d'écorce de figuier, ou de peau d'animal, recouverte de stuc et pliée en accordéon. Les scribes y peignaient des figures et textes hiéroglyphiques. Ouvrages sacrés appartenant au clergé maya, les codex comprenaient des tables d'astronomie décrivant les cycles de Vénus et d'autres corps célestes. Les chamans consultaient également les codex pour savoir quelles divinités devaient être vénérées les dif-

férents jours de l'année, et quels sacrifices ou offrandes il convenait de faire.

À l'arrivée des Espagnols, au XVIe siècle, les Mayas possédaient des centaines de manuscrits. Une bonne partie disparut, victime de la furie des évangélisateurs, notamment lors du célèbre autodafé organisé en 1562 au Yucatán par l'évêque Diego de Landa. Les aléas de l'histoire eurent raison des autres, à l'exception de quatre spécimens. Trois sont connus sous les noms des villes qui les abritent : Dresde, Madrid et Paris, tandis que le quatrième, le codex Grolier, porte le nom de l'association de bibliophiles qui contribua à son identification dans les années 1970. Les quatre codex datent de l'ère postclassique. Ils sont essentiellement

écrits en cholti, une langue disparue aujourd'hui et qui se lit de gauche à droite.

Probablement écrit entre 1200 et 1250, le codex de Dresde, ou *Codex Desdensis*, est le plus important et le plus complexe des quatre. Il semble qu'il soit arrivé en Europe sous le règne de Charles Quint, au début de la conquête du Mexique. Constitué d'une bande d'écorce unique de plus de trois mètres, il aurait été réalisé par cinq scribes au moins. S'y voient une série de dieux, d'êtres humains et d'animaux, entourés de glyphes et peints à l'aide de pigments noir, jaune et rouge. Le codex de Dresde est un recueil de données astronomiques et rituelles contenant des tables d'éclipse solaire, des calculs de la révolution de Vénus, ainsi que les divinités associées aux phases des différents cycles et des prédictions.

Le codex de Madrid, conservé au musée de l'Amérique, est aussi appelé *Tro-Cortesianus*. Il se compose de deux fragments, le Troano et le Cortesiano, du nom de leurs anciens propriétaires. Le manuscrit fut coupé en deux pour être vendu à des collectionneurs, mais il a pu être recomposé en 1880. Deux fois plus long que le codex de Dresde, il s'avère cependant moins bien conservé. Il présente des horoscopes et des almanachs utilisés par les prêtres dans les cérémonies et les prédictions. On y trouve notamment décrits les rituels associés à différentes activités comme la chasse, l'apiculture ou le commerce, ainsi qu'une partie consacrée aux rituels à effectuer lors de la période clé de cinq jours qui conclut l'année solaire.

Le codex de Paris est particulièrement intéressant de par les données astronomiques qu'il contient. Y sont notamment représentés les dieux qui gouvernent les *katun* (cycle de vingt ans). Les glyphes qui entourent ces figures centrales mentionnent les prédictions et les cérémonies observées.

Le codex Grolier, conservé à la bibliothèque nationale d'Anthropologie de Mexico, n'est pas présenté au public car beaucoup d'experts contestent son authenticité. Il fut découvert en 1971 dans une grotte du Chiapas, et pourrait avoir été écrit vers 1230 apr. J.-C. À l'instar de celui de Dresde, ce manuscrit traite essentiellement des mouvements de la planète Vénus.

Plus qu'un simple témoignage historique, les codex sont des œuvres d'art à part entière. Ils témoignent de l'habileté des scribes mayas, qui combinaient l'écriture et la représentation picturale de divinités, d'animaux et d'autres créatures. Mais après des siècles de recherche, ils gardent encore nombre de leurs secrets.

dynastiques dédiés à tel souverain, et abritaient parfois son tombeau (temple des Inscriptions de Palenque, temple I de Tikal).

Sur la place en face du temple, les Mayas érigeaient une stèle décorée d'un portrait du souverain et d'une relation des principaux événements de son règne (intronisation, naissance des héritiers, victoires militaires...). Le culte des stèles, lié à celui des ancêtres, illustre l'intérêt que portaient les Mayas à l'Histoire et à l'écoulement du temps en général. Certains sites classiques possédaient même des observatoires, comme le Caracol de Chichén Itzá, d'où les prêtres-astronomes scrutaient les corps célestes. Les révolutions de Vénus, notamment, étaient suivies de près car cette planète était associée à la guerre, et sa position dans le ciel pouvait décider à engager un combat. De même, les édifices sacrés et les stèles étaient orientés selon le mouvement des astres.

Apparu dès le préclassique, le terrain de jeu de balle constitue un élément important des sites classiques, qui en possédaient tous au moins un, situé à proximité du temple principal ou du palais. De dimensions variables, il était constitué d'une aire centrale prise entre deux talus parallèles qui servaient de surfaces de rebond. Les joueurs se renvoyaient une balle en caoutchouc à l'aide de leurs hanches et de leurs coudes, en évitant qu'elle touche le sol de leur propre terrain, délimité par des disques de pierre, les *marcadores*. Quant aux rares spectateurs, issus de l'élite, ils prenaient place dans des tribunes au-dessus des talus. Plus qu'un sport, le jeu de balle était un rituel qui symbolisait le combat entre les forces vitales et celles de la mort. Cette idée est présente dans le *Popol Vuh*, qui décrit l'origine de l'humanité. Vainqueurs des puissances infraterrestres sur un terrain de jeu de balle, les deux héros civilisateurs furent sacrifiés et prirent l'aspect du soleil et de la lune. On trouve ainsi exprimé un thème important de la pensée méso-américaine : l'aspect régénérateur de la mort, qui permet le renouveau et apporte la vie. Cette idée est sous-jacente à la pratique des sacrifices humains et certains prétendent même que le capitaine de l'équipe perdante était sacrifié.

Longtemps, les Mayas ont été décrits comme un peuple pacifique, uniquement préoccupé d'art et de science. Les découvertes récentes ont montré qu'à l'instar de leurs voisins ils formaient un peuple guerrier qui pratiquait de temps à autre les sacrifices humains.

UNE CULTURE EN DÉCLIN

Au IXe siècle, l'extraordinaire épanouissement de la culture maya commença à montrer des signes de décadence, parallèlement à un déclin démographique. Les grandes cités-États cessèrent d'élever des édifices même redevinrent des villes moyennes, voire des villages. Les raisons du phénomène restent mal établies mais l'on sait que le processus s'étendit sur près d'un siècle et eut des causes variées. Les archéo-

logues évoquent la surpopulation, l'appauvrissement des sols, la déforestation ou une grande sécheresse, mais aussi les guerres endémiques, le déplacement des réseaux commerciaux et les incursions de peuples mexicanisés. Quelles qu'en soient les raisons, les grands centres des Basses Terres centrales du Guatemala et du Mexique semblent avoir été abandonnés, alors que dans le nord du Yucatán s'affirmaient des villes comme Uxmal, Labna et Chichén Itzá.

Au postclassique, le foyer culturel maya se déplaça donc vers les Basses Terres septentrionales, dans la région Puuc. Les Mayas Putun du Tabasco, déjà influencés par la culture toltèque, s'implantèrent et introduisirent des éléments architecturaux, iconographiques

À gauche, détail du codex de Madrid, découvert au XIXe siècle, musée de l'Amérique, Madrid ; à droite, figurine en terre cuite d'un souverain maya de l'ère classique, musée national d'Anthropologie, Mexico.

et cultuels nouveaux. Avec l'aide des Toltèques, ils s'emparèrent de Chichén Itzá, lieu
de pèlerinage important où l'on vénérait les
divinités de la pluie au bord d'un *cenote*
(« puits naturel »), et en firent leur capitale.

Vers l'an mille, Chichén Itzá s'affirma
comme le creuset d'un syncrétisme culturel
entre les peuples autochtones, les Putun et les
Toltèques. Ces derniers apportèrent le culte
de Kukulkán, le serpent à plumes vénéré par
les Mexicains sous le nom de Quetzalcóatl. On
le trouve abondamment représenté, notamment sur les colonnes du temple du Castillo,
de style maya-toltèque. Entre 1204 et 1224, la
domination toltèque cessa à Chichén Itzá, sans

continuèrent à bâtir des temples et d'autres édifices, ils ne possédaient pas l'habileté technique
de leurs prédécesseurs. La maçonnerie était
recouverte d'une couche de stuc pour masquer
les imperfections. Avec le développement du
commerce maritime, des cités apparurent sur la
côte orientale de la péninsule, à l'image de la
forteresse de Tulum, qui surplombe la mer des
Caraïbes. À l'instar de Mayapán, les structures y
étaient en maçonnerie grossière, avec des murs
évasés. Les peintures murales et les inscriptions
trahissent une forte influence mexicaine.

En 1441, une famille noble de Mayapán, les
Xiú, se révolta contre la dynastie régnante. La
cité fut pillée et abandonnée. Quand les Espa-

doute à la suite des attaques de groupes mexicanisés de la tribu des Itzá. Il semble que le
site ait été abandonné peu de temps après.

LE TEMPS DU MORCELLEMENT

À la chute de Chichén Itzá, Mayapán s'imposa
dans la péninsule et maintint sa domination
pendant tout le postclassique récent (1250-1500).
Fondée entre 1263 et 1283 par des Itzá avec le
soutien de mercenaires mexicains, cette cité
commerçante comptait douze mille habitants.
Comme tous les grands centres de l'époque,
elle était dotée de murailles et semble avoir
servi de sanctuaire à un groupe de guerriers qui
rançonnait les tribus alentour. Même si les Itzá

gnols arrivèrent dans le Yucatán au siècle suivant, ils trouvèrent une série de cités-États per-
pétuellement en lutte les unes contre les autres.

Les Mayas des Hautes Terres du Guatemala
subirent le même sort. Entre 1200 et 1250, des
groupes putun atteignirent les Hautes Terres,
où ils formèrent de petits États dotés de capitales fortifiées. Le Quiché, avec sa capitale,
Utatlán, imposa sa domination aux Cakchiquels et aux Mam. Quand, en 1475, le roi Qui-
cab fut vaincu par les Cakchiquels, les groupes
des Hautes Terres retrouvèrent leur autonomie. Comme au Yucatán, les Espagnols
découvrirent à leur arrivée des royaumes en
conflit permanent, et exploitèrent ces divisions pour asseoir leur pouvoir.

LA COSMOLOGIE ET LES DIEUX

Selon les anciens Mayas, le cosmos et l'humanité furent créés par les dieux dans le but de se sustenter. Les hommes s'acquittaient de cette tâche par leurs actions rituelles, en vue d'obtenir une terre fertile, des pluies suffisantes pour les récoltes, la victoire à la guerre, l'assurance que le soleil et la lune continueraient à se lever et que la succession des jours ne s'arrêterait pas. L'échange rituel créait une dynamique sur laquelle reposait la bonne marche de l'univers. Les Mayas considéraient que ce dernier était formé de trois plans superposés : le ciel, la terre et l'inframonde, qui s'étendaient dans les

chthoniennes et les ancêtres. Arbre sacré, le *ceiba* (kapokier) était placé au centre de cet univers « feuilleté », dont il traversait les trois parties principales.

Il est difficile de rendre compte du nombre exact de dieux mayas, ainsi que de leurs attributs, car ils ne constituaient pas des entités individualisées, mais des êtres au caractère complexe et multidimensionnel. Selon toute vraisemblance, chacun d'entre eux présentait quatre aspects différents, correspondant aux quatre coins du monde. Ils étaient pourvus d'une contrepartie de l'autre sexe ainsi que de deux aspects, céleste et infraterrestre, à l'image du dualisme sous-jacent à la pensée maya.

quatre directions de l'espace, nord, sud, est, ouest. La terre était représentée comme un quadrilatère plat, entouré d'eau, avec un Bacab (divinité anthropomorphe) placé à chaque point cardinal et identifié à une couleur : rouge pour l'est, noir pour l'ouest, blanc pour le nord et jaune pour le sud. Les Bacab soutenaient le monde céleste, qui se divisait en treize strates, chacune identifiée à un dieu. Sous la surface de la terre, l'inframonde, composé de neuf strates, abritait les divinités

À gauche, autel ou trône en forme de jaguar, El Castillo, Chichén Itzá ; ci-dessus, reproduction d'une fresque de Uaxactún, par Antonio Tevedaf, musée d'Archéologie, Guatemala Ciudad.

Au sommet du panthéon trônait Itzamna, le dieu solaire créateur de toute chose, souvent présenté sous les traits d'un dragon ou d'un serpent céleste. Il symbolisait la force vitale et le principe générateur de l'univers, associé à la terre, au maïs, à la semence et au sang. Sa compagne Ixchel, la femme arc-en-ciel, identifiée à la lune, était la déesse de la médecine, de la divination, des naissances et du tissage. Parmi leur descendance, qui constituait le panthéon maya, figuraient notamment Chac, divinité de la Pluie, associée aux points cardinaux, Yum Kaax, le dieu du Maïs, et le dieu K, protecteur du pouvoir royal, reconnaissable à la hache fumante plantée dans son front et à sa jambe en forme de serpent.

Le calendrier maya

L'observation du ciel et le calcul du temps, fondé sur le mouvement des astres, revêtaient une importance capitale pour les Mayas. Au cours des siècles ils élaborèrent deux computs différents mais liés, et d'une extrême précision : le *tzolkin*, cycle sacré de 260 jours, et le *haab*, ou année vague, de 365 jours. Le *tzolkin* était divisé en treize mois de vingt jours nommés et associés à un chiffre de 1 à 13. Si le choix d'une durée de 260 jours reste inexpliqué, certains anthropologues ont souligné qu'elle correspond à la période de gestation humaine. Chaque jour avait une charge sym-

bolique qui conditionnait le choix du nom d'un nouveau-né ainsi que les forces appelées à régir sa destinée. Les prêtres mayas utilisaient également le calendrier pour prédire l'avenir et déterminer la date propice à un grand événement. Dans certains villages du Guatemala, on a toujours recours au cycle de 260 jours pour la divination. L'année vague, quant à elle, reposait sur le cycle solaire et se divisait en dix-huit mois de vingt jours auxquels s'ajoutait une période de cinq jours appelée *uayeb*. Cette phase de transition, considérée comme dangereuse, nécessitait de nombreux rituels de purification afin que la nouvelle année commençât sous de bons augures. Enfin, le *tzolkin* et le *haab* se combi-

naient pour former un autre cycle de 18 980 jours, soit cinquante-deux ans, correspondant d'une certaine façon à notre siècle.

À l'ère classique, les Mayas conçurent également un système pour calculer des dates sur une période historique et distinguer les différents cycles de cinquante-deux ans. Ce système, le Compte long, était axé sur les unités de temps suivantes : le *kin* (jour), le *uinal* (mois de vingt jours), le *tun* (année de 360 jours), le *katun* (20 *tun*) et le *baktun* (20 *katun*). Le cycle entier faisait treize *baktun*, soit 5 125 ans, et débutait à la naissance du monde, le 4 Ahau 8 Cumku (13 août 3114 av. J.-C.). La plupart des monuments mayas portent, inscrite en hiéroglyphes, le nombre de jours écoulés entre cette date et la construction de l'édifice. Comme toute fin de période, surtout si elle est très longue, la fin du premier grand cycle, qui tombe le 23 décembre 2012, est considérée par les Mayas comme extrêmement critique.

L'écriture maya

De tous les peuples d'Amérique, les Mayas furent les seuls à développer une écriture suffisamment raffinée pour permettre l'expression d'une pensée complexe. Élément de base de ce système, le glyphe accompagnait les représentations des dieux ou des rois sur les édifices, les objets en céramique, et surtout les codex. Ces manuscrits en papier d'écorce étaient recouverts d'une fine couche de chaux et pliés en accordéon. Les Mayas considéraient l'écriture comme sacrée, et seule l'élite y avait accès. Lors de la conquête espagnole, le sens des glyphes fut perdu et il fallut des siècles d'efforts aux archéologues pour les déchiffrer. Des progrès récents ont permis de porter à 60 % la proportion de signes intelligibles.

Le premier à essayer de comprendre l'écriture maya fut l'évêque franciscain Diego de Landa, qui christianisa le Yucatán au milieu du XVIᵉ siècle. Ce personnage ambigu, que les sources coloniales dépeignent comme violent et cruel, organisa un autodafé lors duquel il fit torturer des Indiens et brûler quantité de codex. Pourtant, il manifesta un intérêt certain pour la culture et la langue des Mayas, et rédigea un livre, la *Relation des choses du Yucatán* (1566), qui ouvrit la voie au déchiffrement de l'écriture glyphique. L'ouvrage comporte notamment des indications sur le calendrier, accompagnées de la reproduction de glyphes, ainsi qu'un chapitre sur l'écriture où Landa décrit ce qu'il pensait être un alphabet maya.

Il fut le premier à suggérer que l'écriture des codex étaient étroitement liée au langage parlé des Mayas.

Les efforts faits après Diego de Landa pour décrypter les glyphes furent souvent entravés par des préjugés racistes. En effet, les Européens ne pouvaient concevoir qu'une civilisation eût atteint un tel niveau d'habileté technique et artistique sans rien devoir à l'Ancien Monde. Ils s'orientèrent donc vers la recherche d'un point de contact hypothétique entre le Nouveau Monde et les civilisations européennes de l'Antiquité, et développèrent de nombreuses théories fantaisistes. Aux XVIIIe et XIXe siècles, il y eut ainsi plusieurs tentatives pour prouver que le maya dérivait d'une langue indo-européenne, qui, d'une manière ou d'une autre, aurait traversé l'Atlantique.

Au cours des années 1840, la redécouverte des sites mayas par John Lloyd Stephens et les magnifiques gravures exécutées par Frederick Catherwood donnèrent un nouveau souffle à la recherche épigraphique. Mais c'est à l'abbé Charles André Brasseur de Bourbourg que l'on doit l'avancée la plus importante, avec la découverte d'une copie du manuscrit oublié de Diego de Landa, dans une bibliothèque de Madrid (1862). Ce manuscrit aida Brasseur à déchiffrer partiellement le calendrier et à mettre au jour le système de numérotation fondé sur un point pour les chiffres de 1 à 4, une barre pour le 5 et un coquillage pour le zéro. Empreint des préjugés de son époque, il restait toutefois convaincu que les Mayas n'avaient pas pu élaborer ces théories seuls, et voyait dans leur écriture la « preuve » qu'ils descendaient de la civilisation perdue de l'Atlantide.

À la fin du XIXe siècle, l'anthropologue anglais Alfred P. Maudslay effectua plusieurs incursions en territoire maya, et en rapporta des moulages de plâtre ainsi que des dessins précis des glyphes. À partir de ces documents, l'épigraphiste Eric Thompson put mettre en lumière le système calendaire extraordinairement complexe utilisé par les Mayas au classique. Mais il restait convaincu que les glyphes étaient des signes idéographiques, c'est-à-dire des symboles qui exprimaient des concepts mais restaient dépourvus de valeur phonétique.

À la fin des années 1940, le Russe Yuri Knorosov réinterpréta les observations de Diego de Landa et proposa une méthode pour comprendre la grammaire et la construction phonétique de l'écriture maya. Il montra que, outre des glyphes logographiques, elle possédait des glyphes syllabiques et des glyphes logosyllabiques (c'est à dire composés de logogrammes et de signes syllabiques renforçant le premier son du mot). La méthode de Knorosov s'avéra féconde et inspira à l'Américain David Kelley un livre axé sur la lecture phonétique des symboles. D'autres chercheurs travaillèrent dans ce sens et l'on découvrit que les inscriptions ne concernaient pas seulement l'astronomie ou la religion mais qu'elles relataient aussi des événements historiques liés aux familles régnantes.

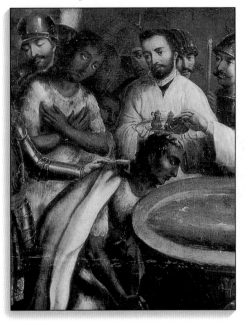

L'ÈRE ESPAGNOLE

Partie de Cuba en 1517 sous les ordres de Francisco Hernández de Córdoba, la première expédition espagnole au Yucatán se vit infliger de lourdes pertes par les Indiens. Deux ans plus tard, Hernán Cortés fit dire sur l'île de Cozumel la première messe jamais prononcée sur le continent américain. Au Yucatán, il fut rejoint par Jerónimo de Aguilar, prisonnier des Mayas depuis l'échouage de son navire (1511), qui devint son interprète, ainsi que par doña Marina, sa future maîtresse et également interprète. Les conquistadores se dirigèrent ensuite vers l'Empire aztèque, au nord, qui fut rapidement soumis. Après deux échecs succes-

À gauche, Francisco de Montejo, fondateur de Mérida; à droite, des missionnaires dominicains baptisent des Mayas.

sifs, en 1527 et en 1534, ils parvinrent finalement à conquérir le Yucatán, en 1540. Deux ans plus tard, Francisco de Montejo, un ancien lieutenant de Cortés, fit bâtir la ville de Mérida, à l'emplacement de la cité maya de Tiho, et éleva une cathédrale sur les ruines d'un temple.

Cependant, en 1523, la conquête du Guatemala avait été confiée à un lieutenant de Cortés, Pedro de Alvarado, qui accomplit sa tâche avec une férocité devenue légendaire. Après avoir passé une alliance avec les Cakchiquels, il mit en déroute les Quichés, tua leur chef Tecún Umán, et avança sur leur capitale, Utatlán, qu'il fit brûler non sans avoir anéanti

Quauhtemallā.

la famille royale. Puis, Alvarado se retourna contre les Cakchiquels, et enleva leur capitale, Iximché. Après avoir soumis de façon tout aussi efficace les autres groupes indiens des Hautes Terres de l'Ouest, il fonda Santiago de los Caballeros, la première capitale espagnole (1524). Celle-ci fut transférée trois ans plus tard par son frère à Ciudad Vieja, près de l'actuelle Antigua.

Les Hautes Terres de l'Est (province de Verapaz) résistaient encore aux armées d'Alvarado. Mission fut confiée au dominicain Bartolomé de Las Casas de soumettre pacifiquement la région. À la mort d'Alvarado (1541), la majorité des Mayas du Guatemala se trouvaient ainsi placés sous le joug espa-

gnol. À l'instar du Yucatán, cependant, quelques poches de résistance maintinrent leur autonomie. Tayasal, capitale d'un groupe itzá du lac Petén Itzá, dans le nord du Guatemala, ne devait tomber qu'un siècle et demi plus tard, en 1697.

Dans l'ensemble, le bilan de l'arrivée des Espagnols s'avéra catastrophique pour les Mayas. À partir de leurs bases urbaines, les conquistadores étendirent leur domination, soumirent ou éliminèrent les souverains, confisquèrent leurs terres, forcèrent le peuple à travailler pour eux et imposèrent leur système de gouvernement. La religion indigène fut interdite, tandis que des franciscains étaient envoyés pour répandre le message chrétien. Pis encore, les virus (rougeole, variole...) apportés par les Européens décimèrent des populations entières, dépourvues de résistance. Les Mayas du Yucatán et du Chiapas n'acceptèrent jamais entièrement l'autorité espagnole et se soulevèrent à plusieurs reprises.

LA VIE SOUS LE JOUG ESPAGNOL

La phase de conquête étant globalement terminée au milieu du XVIᵉ siècle, vint le temps de l'exploitation des colonies. Siège de la vice-royauté, Mexico et Veracruz constituaient une zone d'activités et d'échanges de premier ordre avec la métropole. Situés à grande distance de ces centres de pouvoir, le Yucatán et le Guatemala (d'où le Honduras et le Chiapas étaient gouvernés) eurent à subir de nombreux abus. Mais cet éloignement permit aux Mayas de préserver leur mode de vie, qui ne fut jamais totalement anéanti.

L'une des premières mesures prises par l'administration coloniale fut de concentrer la population indigène dans des villes et villages appelés *reducciones*. Conçus sur le modèle espagnol, ils s'organisaient autour d'une place qui concentrait les symboles du pouvoir : la mairie (*ayuntamiento*), l'église et le marché. Les *reducciones* permettaient de contrôler la masse indigène, reléguée dans les quartiers les plus éloignés du centre ou les hameaux périphériques. Ils facilitaient la perception des taxes et l'évangélisation, et mettaient à disposition des colons une réserve de main-d'œuvre pour les travaux communaux. Intégrés de force à la société coloniale, les Mayas se trouvèrent placés en bas de l'échelle sociale.

Dès la fin du XVIᵉ siècle, la pression foncière se fit sentir et les Espagnols commencèrent à usurper les meilleures terres au détriment des

Indiens. Pour survivre, ces derniers se virent contraints de louer leur force de travail au sein des grands domaines, les haciendas. Ainsi débuta au Guatemala le transfert en masse des travailleurs des Hautes Terres vers les grandes plantations de la côte Pacifique.

Les Mayas obtinrent des postes administratifs mineurs dans les villages nouvellement créés, mais sans pouvoir réel. Ils réussirent néanmoins à maintenir leurs traditions et leur organisation sociale parallèlement au système espagnol. L'autorité dans les villages les plus reculés était ainsi toujours détenue par les *principales* (« anciens »). Parallèlement, les *cofradías* (confréries religieuses), introduites par les Espagnols, usèrent de leur rôle au sein de l'Église pour mettre sur pied des systèmes d'entraide, des travaux en commun dans les champs de maïs et des transferts de terres entre les villageois. Les confréries semblent même avoir concouru au maintien des pratiques religieuses traditionnelles en les masquant. La participation des Indiens aux processions et au culte des saints traduisait, aux yeux des religieux, leur acceptation de la doctrine chrétienne. Mais cette foi n'était pas exclusive et les Mayas continuèrent à pratiquer leurs rites et à vénérer leurs divinités dans la clandestinité.

L'INFLUENCE DES BOURBONS

Au cours des deux siècles et demi qui suivirent la Conquête, l'isolement du monde maya au regard des centres d'intérêt de l'Espagne épargna dans une certaine mesure aux Indiens les ravages de la colonisation qui avaient cours dans l'empire. Le Yucatán était une région essentiellement agricole, tandis que le Guatemala était pourvu de richesses minières, mais sans commune mesure avec celles du Mexique.

La position des Mayas se détériora à partir de la seconde moitié du XVIIIe siècle, lorsque la monarchie des Bourbons décida de regagner le contrôle effectif de ces colonies à l'esprit rebelle. Jusqu'en 1776, le royaume de la Nouvelle-Espagne était divisé en provinces que dirigeaient des gouverneurs nommés par le roi. À l'échelon géographique inférieur, les administrateurs de région avaient pris trop

À gauche, cette lithographie du XVIe siècle montre le cruel Pedro de Alvarado à l'assaut des Cakchiquels, au Guatemala ; à droite, Pedro de Alvarado (1485-1541), le conquérant du Guatemala.

d'autonomie au goût de la couronne, et leur gestion était jugée abusive. La monarchie décida de supprimer leurs postes et de subdiviser les régions en unités plus petites, les *intendencias* et les *partidos*, avec à leur tête des intendants nommés par le roi. Les fonctionnaires indigènes furent démis de leurs postes et remplacés par des Espagnols ou des *criollos* (créoles d'origine espagnole nés en Amérique). Ces mesures furent accompagnées d'une redistribution des terres au profit des grands propriétaires et au détriment des propriétés communales mayas.

Quand la lutte pour l'indépendance commença en Amérique latine, au cours des pre-

mières décennies du XIXe siècle, les Mayas furent les spectateurs et les laissés-pour-compte d'un conflit qui n'était pas le leur mais celui d'une aristocratie créole défendant ses privilèges contre la métropole. Quels que fussent les maîtres du pays, les Indiens étaient toujours considérés comme la lie de la société. Leurs coutumes et leurs croyances étaient ignorées quand elles n'étaient pas méprisées, et la grandeur passée de leur civilisation n'était plus qu'un vague souvenir. Dans ce contexte hostile, la culture maya montra finalement une belle vitalité et parvint à préserver nombre de ses caractéristiques, en particulier sa langue, ses croyances et ses structures sociales.

VESTIGES DU PASSÉ

Grâce au travail méticuleux entrepris par les archéologues depuis plus d'un siècle, le fabuleux héritage intellectuel et spirituel de la civilisation maya nous est mieux connu. Parmi la cinquantaine de cités-États découvertes dans

le Petén, Tikal, Palenque, Calakmul et Caracol sont autant de témoins de la splendeur d'une société dont les souverains divinisés légitimaient leur pouvoir par des édifices monumentaux. Parvenus à leur apogée à l'ère classique, le commerce, la religion et l'art ont par ailleurs laissé quantité de témoignages glyphiques et architecturaux. Sur des supports en jade, en pierre ou en argile, les artistes représentaient des scènes de la mythologie ou du monde surnaturel, mais aussi des chroniques royales ainsi que des épisodes de la guerre ou de la vie quotidienne.

ARCHÉOLOGUES CONTRE PILLEURS

Les textes glyphiques qui ornent les parois des tombes apportent de passionnants éclairages sur la civilisation maya. Malheureusement, ils sont souvent détériorés par les pilleurs qui revendent leurs trouvailles sur le marché illégal et lucratif de l'art précolombien. Les gouvernements régionaux et les archéologues se trouvent ainsi engagés dans une course contre la montre pour trouver et protéger les sites non encore répertoriés. Pour cela, ils utilisent les photographies prises par les satellites, qui permettent de voir à cinq mètres sous terre et de distinguer ainsi les caractéristiques naturelles de la topographie anthropique.

▶ *Les remarquables stèles de Copán, au Honduras, se caractérisent par une profusion de motifs.*

▶ *Après un long travail de restauration, les immenses temples de Tikal ont retrouvé leur gloire passée.*

▲ *Le couvert de la jungle a aidé à préserver les temples de Tikal jusqu'à l'arrivée des premiers explorateurs.*

▶ *Le vaste réseau de cavités et de grottes du Belize et du Yucatán a révélé de superbes céramiques mayas.*

◄ La célèbre pyramide à cinq étages d'Edzná est un croisement entre une structure pyramidale maya et un palais de style puuc.

▲ Les fresques colorées qui ornent les murs des temples fournissent quantité d'informations sur la vie quotidienne des Mayas.

EXPÉDITIONS ARCHÉOLOGIQUES

L'archéologie en pays maya débuta avec les expéditions de John L. Stephens et Frederick Catherwood (1839-1842). La découverte des ruines d'immenses cités perdues dans la jungle passionna les chercheurs, et les superbes lithographies de Catherwood connurent un large succès en Europe et en Amérique du Nord. Dans les années 1880, Alfred Maudslay et Teobert Maler rapportèrent des photographies et des moulages de glyphes qui firent avancer la connaissance de l'écriture maya. Les archéologues Thompson, Morley, Tozzer, Joyce et Maler organisèrent de nouvelles expéditions. Mais il fallut attendre les années 1950 pour déchiffrer des glyphes. De nos jours les chercheurs s'efforcent d'éclaircir les dernières zones d'ombre de cette civilisation mystérieuse.

▲ Au XIXᵉ siècle, les lithographies de Frederick Catherwood captivèrent le monde entier.

► Des jades habilement travaillés ont été retrouvés dans une cache d'Altún Há, dans le nord du Belize.

LE MONDE MAYA AUJOURD'HUI

Survenu brutalement au IXᵉ siècle de notre ère, l'effondrement de la civilisation classique maya reste un mystère pour les historiens. Aucune catastrophe naturelle – séisme, inondation ou éruption volcanique – ne semble devoir être invoquée. Certains avancent l'hypothèse d'une révolte populaire contre les classes dirigeantes, ou d'une famine provoquée par la surexploitation des sols. D'autres enfin suggèrent que des prophéties liées aux hasards du calendrier pourraient avoir déclenché une insurrection... Quoi qu'il qu'en soit, il est établi qu'en 909 toutes les cités situées au cœur du pays maya avaient été désertées. Mais le peuple, lui, devait survivre à la disparition de sa civilisation.

MAYAS ET LADINOS

Les neuf millions de **Mayas** qui vivent répartis entre le Guatemala, le Mexique, le Belize et le Honduras représentent 50 % de la population de cette région. Loin de constituer une entité homogène, ils parlent quelque trente langues, dont vingt-trois rien qu'au Guatemala, et se définissent comme catholiques, protestants, voire évangéliques. Nombre d'entre eux continuent cependant à observer des rites séculaires qui, mêlés au culte chrétien, dessinent les contours d'un syncrétisme profondément original. Ainsi, les Mayas continuent par exemple à se référer au calendrier *tzolkin*, qui compte deux cent soixante jours, tout en célébrant les fêtes du calendrier chrétien. Après des siècles d'oppression, ce métissage qui imprègne la société guatémaltèque dans son ensemble constitue comme une revanche de la culture maya.

Il n'existe pas de définition stricte de la population *ladina*, le terme couramment employé pour désigner les métis (*mestizo* est un mot peu usité en Amérique centrale), mais une série de critères. Outre le port de vêtements occidentaux et l'usage de l'espagnol comme langue courante, elle se caractérise par une identification à la culture latino-américaine plutôt qu'amérindienne. Être maya en Amérique cen-

trale peut en effet s'avérer très lourd à porter, ce qui pousse nombre d'entre eux à abandonner leur langue et leur mode de vie traditionnel pour venir grossir les rangs des Ladinos installés à la périphérie des villes. De fait, les élites dirigeantes se recrutent presque exclusivement parmi les descendants d'Européens, à l'image d'Alvaro Arzú, président du Guatemala de 1996 à 2000. Mais selon une prophétie chamanique, l'année 2012 verra cependant un citoyen maya se faire élire à la magistrature suprême...

Aux côté des Mayas et des Ladinos, qui représentent près de 99 % de la population, la région abrite divers petits groupes, comme les Garífunas, les mennonites...

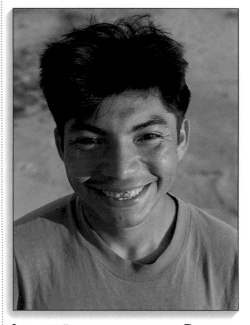

LA MOSAÏQUE CULTURELLE DU BELIZE

Les créoles, qui représentent moins d'un tiers de la population du Belize (250 000 habitants), forment un groupe essentiellement urbain. Noirs ou métis, ils descendent d'esclaves africains et d'Européens, et s'identifient plus à la Jamaïque et aux Antilles qu'à l'Amérique latine. Amateurs de reggae, de soca, de calypso et autres rythmes caraïbes, les créoles se sont ouverts ces dernières années aux courants musicaux afro-américains comme le rap et le R&B. Dans le même temps, le basket a gagné du terrain au détriment du cricket.

L'étonnante histoire des Garífunas (ou Garínagus), parfois appelés les Caraïbes noirs,

Pages précédentes : combats de buffles à Tizimin, dans l'État du Yucatán. À gauche, membres de la cofradía de San Gaspar, à Chajul, dans le triangle Ixil, au Guatemala ; à droite, un jeune Maya d'Akumal, dans la péninsule du Yucatán, où l'influence espagnole prédomine.

trouve sa source au XVIᵉ siècle, quand deux navires venus d'Afrique échouèrent sur l'île de Saint-Vincent. Les esclaves nigériens libérés firent souche sur place et se mêlèrent aux Kalinagos, un groupe d'Indiens caraïbes. Exilés par les Anglais sur l'île de Roatan (1797), au large du Honduras, ils essaimèrent plus tard dans toute la région. Aujourd'hui, les dix-sept mille Garífunas que compte le Belize sont presque tous installés autour de Dangriga, mais ils sont encore plus nombreux à vivre au Honduras et même aux États-Unis. On recense également quelques villages garífunas au Guatemala et au Nicaragua.

Les métis représentent environ 45 % de la population du Belize, une proportion qui s'est

Enfin, parmi les vingt-cinq mille Mayas dénombrés au Belize, figurent quelques centaines de Q'eqchi' originaires du Guatemala, qui se sont implantés dans le sud-est du pays, aux côtés des Mopan. Au nord, dans la région d'Orange Walk, vivent plusieurs milliers de Yucatèques, auxquels s'ajoutent quelques groupes d'Icaiché, dans les environs de Botes.

Pour compléter cette mosaïque complexe, il faut encore mentionner les communautés mennonites, des anabaptistes arrivés du Mexique vers 1958, ainsi que des vagues plus récentes de Nord-Américains, d'Européens, d'Indiens, de Chinois et même des ressortissants du Moyen-Orient.

accrue sensiblement ces dernières années. À l'époque où de multiples conflits ravageaient l'Amérique centrale, des cohortes de réfugiés sont en effet venus grossir le nombre déjà important de *mestizos* hispanophones que compte le pays. Ainsi, dans les années 1980, la guerre civile au Salvador s'est soldée par des milliers de morts et des dizaines de milliers d'exilés, ainsi que par l'afflux de quatre mille réfugiés qui ont lourdement pesé sur les infrastructures du Belize. La plupart d'entre eux se sont établis comme fermiers ou petits exploitants propriétaires autour du site maya de Lamanaï. Les autres émigrés vivent pour la plupart dans la partie nord du Belize ainsi que dans le département de Cayo.

LES GROUPES MAYAS DU GUATEMALA

Par contraste, la population du Guatemala, composée à 99,8 % de Mayas et de Ladinos, apparaît bien plus plus homogène. Outre ces deux grands groupes, le pays compte près de cinq mille Garífunas, une poignée de créoles, quelques milliers d'Européens et de Nord-Américains, ainsi que des Chinois concentrés dans l'est du pays. Enfin, moins d'une centaine de Xinca, groupe indigène non maya, vivent le long de la côte pacifique.

Mais la principale caractéristique du Guatemala est avant tout le grand nombre de groupes mayas, qui se traduit par une exceptionnelle richesse linguistique. Outre l'espagnol et le garífuna, vingt et une langues indigènes y sont parlées. Les Mayas vivent pour la plupart dans les Hautes Terres occidentales, entre la frontière mexicaine et la capitale, où ils représentent près de 80 % de la population. C'est dans cette région à l'abri des influences hispaniques et nord-américaines que les traditions restent les mieux préservées. Descendants du célèbre guerrier Tecún Umán, qui combattit en 1535 le conquistador Pedro de Alvarado (près du site actuel de Quetzaltenango), les Quichés forment le groupe le plus important, avec plus d'un million d'individus. Très bien adaptés à la vie moderne, ils ont la réputation d'être des entrepreneurs et des

constitue le meilleur endroit pour découvrir un village traditionnel mam. Parmi les autres groupes mayas d'importance figurent enfin les Cakchiquels (Kaqchikel), qui vivent entre Antigua et le lac Atitlán, ainsi que les Q'eqchi', présents au nord du lac Izabal, en Alta Verapaz et dans le sud du Petén.

LES MAYAS DU MEXIQUE

La plupart des Mayas du Mexique vivent à l'extrémité sud du pays, dans l'État du Chiapas et dans la péninsule du Yucatán. À l'instar de leurs cousins des Hautes Terres du Guatemala, les Mayas du Chiapas affichent une fidélité

négociants audacieux. Rigoberta Menchú, lauréate du prix Nobel de la paix en 1992, est issue d'une famille quiché.

À l'ouest et au nord de Quetzaltenango s'ouvre le pays mam, qui comprend certaines des plus hautes terres du Guatemala, dans la Sierra Madre et les montagnes Cuchumatanes. Huehuetenango, la principale ville mam, se trouve à l'extrémité occidentale du pays, tout près de l'ancienne capitale mam, Zaculeu. Dans les environs, Todos Santos Cuchumatán, célèbre pour sa race de chevaux et sa fête,

À gauche, vénérable membre d'une cofradía guatémaltèque ; ci-dessus, femmes mayas des Hauts Plateaux du Guatemala.

sans faille envers les traditions. La situation est en revanche tout autre dans la péninsule du Yucatán, où la pression en faveur d'une intégration à la société *mestiza* s'est faite plus vive.

Nombre d'anthropologues estiment que par leurs coutumes et leur habillement, les quelque quatre cents Lacandons qui survivent dans la jungle lacandone du Chiapas présentent la plus grande similitude avec les anciens Mayas. Il semble en fait que les Lacandons soient issus d'un mouvement de population en provenance de la péninsule yucatèque et du Petén au cours du XVIIIᵉ siècle. La disparition de la forêt et le prosélytisme des prêtres évangéliques ont eu raison de cette culture profondément originale en à peine une génération.

Un passé encore très présent

Il est impossible de saisir la société maya contemporaine sans connaître le contexte historique de la région. Même si la décadence de leur brillante civilisation fut bien antérieure à l'arrivée des Européens, la conquête espagnole constitua un désastre pour les indigènes. Plus encore que les fusils, les maladies infectieuses apportées par les conquistadores firent des ravages parmi la population, qui fut exterminée à 90 % en quelques décennies. Cortés, Alvarado et leurs successeurs surent en outre habilement tirer parti des divisions entre tribus, s'alliant tour à tour avec les uns et les autres.

En 1992, lors de la célébration du cinq centième anniversaire de la découverte de l'Amérique par Christophe Colomb, les Amérindiens ont ainsi manifesté un peu partout sur le continent pour rappeler qu'ils n'avaient, eux, pas grand-chose à célébrer. À Quetzaltenango, une conférence alternative consacrée aux peuples indigènes de la planète accueillit plusieurs milliers de participants venus du monde entier, tandis que des manifestations importantes étaient organisées à Guatemala Ciudad et à Sololá. Pour nombre d'observateurs, ce nouvel activisme survenant après les années noires des guerres qui ont ravagé la plupart des pays d'Amérique centrale marque le début d'un réveil identitaire, d'ailleurs stimulé par l'attribution du prix Nobel de la paix à Rigoberta Menchú.

Des statistiques alarmantes

En pays maya, les inégalités sociales suivent sensiblement la ligne de démarcation entre les différents groupes ethniques. Par certains aspects, les statistiques évoquent même celles de l'Afrique du Sud à l'époque de l'apartheid. Ainsi, chez les Mayas, l'espérance de vie à la naissance est de quarante-huit ans pour un homme (quarante-neuf ans pour une femme), tandis que chez les Ladinos, elle s'élève à soixante-six ans (soixante-sept ans pour une Ladina). Ces chiffres, parmi les plus bas du monde, rivalisent avec ceux de régions dévastées par le virus du sida en Afrique subsaharienne ou en Afghanistan. Selon les estimations du gouvernement guatémaltèque, 81 % des Mayas vivent au-dessous du seuil de pauvreté, et 75 % sont illettrés. Au Mexique, dans le Chiapas et le Yucatán, les chiffres sont un peu meilleurs, mais ils restent très nettement inférieurs aux moyennes nationales.

Sur un autre plan, la question de la propriété foncière s'avère un facteur déterminant de disparités sociales. Au Guatemala comme au Mexique, les meilleures terres sont contrôlées par quelques riches familles, tandis que les zones moins fertiles, parcellisées à l'extrême, sont cultivées par des légions de *campesinos* (« paysans »). Cette exploitation du moindre espace arable n'est pas sans causer de sérieux problèmes d'environnement, car elle accentue l'érosion naturelle et appauvrit les sols déjà très sollicités par les techniques du brûlis ou de l'écobuage. Des milliers de Mayas vivant dans les communautés reculées (certains ne parlant pratiquement pas l'espagnol) se sont ainsi retrouvés acculés au départ, parfois pour les États-Unis, à la recherche d'un hypothétique eldorado. L'excellent film de Gregory Nava, *El Norte*, dresse un tableau particulièrement réaliste de ce processus d'émigration. Même dans un pays faiblement peuplé et possédant des terres très fertiles comme le Belize, des conflits ont éclaté entre le gouvernement et les Mayas au sujet de projets d'exploitations forestières publiques dans le district de Toledo.

Une faible participation politique

La participation de la population à la vie politique constitue un autre défi à l'intégration des

Mayas. Une majorité d'entre eux, en effet, perçoit le droit de vote comme une pratique *ladina* servant à élire un Ladino pour diriger un État... *ladino*. Malgré le travail d'organisations comme la fondation Rigoberta Menchú, qui s'efforce de recenser les électeurs, et de groupes qui tentent de faire émerger des leaders politiques indiens, la participation des Mayas aux élections guatémaltèques de 1999 est restée faible. En conséquence, le projet de réforme de la Constitution dans un sens qui leur soit plus favorable a été abandonné.

QUELQUES RÉUSSITES

Face à la persistance des attitudes discriminatoires, divers groupes indigènes mènent la lutte en faveur de l'égalité des droits. C'est au Guatemala, où les Mayas sont les plus nombreux, que les changements les plus notables ont été observés. Suite à l'accord sur les droits des indigènes, signé en 1995, des centaines d'écoles ont été ouvertes, où les enfants mayas peuvent étudier dans leur propre langue. En outre, la population dans son ensemble a redécouvert une liberté d'expression depuis longtemps oubliée, et exprime en public ses désaccords et ses opinions.

Dans la province du Chiapas, au Mexique, le mouvement zapatiste du sous-commandant Marcos a réussi à porter la discrimination, le racisme et les conflits fonciers sur le devant de la scène. Lors de la fameuse marche sur Mexico, en mars 2001, il a su pleinement utiliser les médias du monde entier pour dénoncer la situation des Indiens mexicains et se faire entendre jusque dans l'enceinte du Parlement. Mais leur revendication d'autonomie se heurte aux vieux réflexes centralisateurs de la classe politique et l'issue des négociations reste incertaine.

LA PERMANENCE DES TRADITIONS

Le fonctionnement très autonome de la société maya explique pour une large part sa faible participation aux enjeux politiques nationaux. Depuis des siècles, les différentes communautés ont préservé leurs traditions en excluant les « étrangers » des affaires du village. Comme autrefois, les *costumbres* (« coutumes ») continuent à régir la vie du village et

À gauche, les mennonites constituent une communauté à part entière du Belize ; ci-dessus, les Garífunas offrent un autre aspect de l'étonnant patchwork ethnique du Belize.

à garantir la pérennité des traditions. La communauté est dirigée par les *principales*, représentés par l'*alcalde* (équivalent du maire), les *cofradías* (confréries religieuses), les *aj q'ijab* (prêtres), les *zahorines* (chamans) et les *curanderos* (guérisseurs). Dans les petites villes, où l'influence de l'État est plus affirmée, comme à Chichicastenango ou à Sololá, deux conseils municipaux coexistent, l'un *ladino* et l'autre maya.

Si les traditions mayas ont survécu au fil du temps, c'est aussi par le biais de la *costumbre*, la coutume au sens large, qui englobe la mentalité, les croyances, etc. Dans le cadre de la *costumbre*, le dispositif juridique repose plus

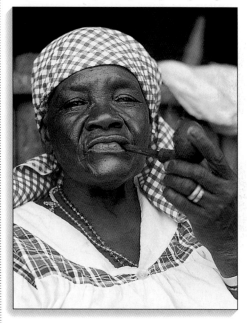

sur la confession et la compensation que sur la punition, pour les délits mineurs. La corruption et l'inertie du système politique au Mexique et au Guatemala, ainsi que la distance physique (éloignement des centres de pouvoir) et culturelle (langue utilisée) entre le système judiciaire et les communautés amérindiennes n'encouragent pas les Mayas à recourir aux procédures légales. Cette défiance se traduit parfois, comme chez les Ladinos, par des actes de justice collective d'une violence radicale, notamment des lynchages. De telles pratiques, et les déficiences des États, illustrent le long chemin à parcourir avant l'émergence d'une véritable démocratie participative et égalitaire en Amérique centrale.

QUELQUES TRAITS DE LA SPIRITUALITÉ MAYA

Personnage éminent de la société maya, le chaman met en relation le monde des vivants et celui des ancêtres, le monde réel et celui des esprits, à l'aide de visions obtenues grâce à l'ingestion d'alcools rituels (rarement hallucinogènes, excepté la fleur du nénuphar blanc). Il s'agit en général de la *chicha*, une boisson proche de la bière à base de maïs fermenté. Dans la vie quotidienne, ses services sont souvent requis par le biais de petites annonces, pour résoudre des catastrophes climatiques, comme ce fut le cas en 1998, lors de la grande

sécheresse et des incendies qui ont sévi dans le pays. L'univers est perçu sous l'aspect d'une stratification de couches perméables, gouvernée par un panthéon hiérarchisé et fondée sur une genèse (*Popol Vuh*) ainsi qu'une eschatologie.

La conception maya du monde s'inscrit dans une histoire cyclique ponctuée d'épisodes diluviens. Le rôle de l'*aj q'ijab*, gardien du calendrier, est de préserver l'ordre de l'univers grâce à ses calculs temporels. Le calendrier *tzolkin* de 260 jours, le calendrier solaire de 365 jours (*haab*), et le Compte long, qui couvre une époque de 5 125 ans, constituent les trois axes spatio-temporels. Un cycle de cinquante-deux ans s'écoule avant qu'un jour

donné du *haab* coïncide avec un jour précis du *tzolkin*. C'est cette roue cyclique qui permet à l'équilibre de se rétablir après le chaos, dans une éternelle alternance.

Nulle part mieux que dans les sites archéologiques des plateaux occidentaux (Iximché, K'umarcaaj, El Baúl ou Zaculeu) ne se révèle cette conception de l'univers toujours prégnante. Des chamans et des *aj q'ijab* s'y rendent à des dates précises pour effectuer des offrandes, révérer Tiox-Mundo et parfois chanter les textes sacrés du *Popol Vuh*. Momostenango, l'un des hauts lieux de la spiritualité maya, accueille chaque année pour le *Guaxaquib Batz* (nouvel an) des centaines de *costumbristas* lors de cérémonies rituelles.

Une visite à Chichicastenango ou Sololá le dimanche matin est souvent l'occasion d'observer une procession d'hommes aux visages graves, revêtus de leurs plus beaux atours et portant haut leur emblème d'argent : ce sont les membres d'une *cofradía*. Chaque ville possède en général plusieurs confréries, placées sous la coupe d'un saint patron. Être *cofrade* constitue un immense honneur, auquel seuls certains peuvent prétendre, et qui confère un statut social élevé. Mais les charges ne sont pas moins importantes, car les membres doivent supporter des contributions financières considérables, destinées principalement à l'organisation des fêtes et des célébrations de la communauté. Ces manifestations ostentatoires, où l'image même du ou des saints patrons de la *cofradía* est en jeu, sont l'occasion de dépenses d'apparat.

Si les *cofradías* (appelées *cargo* au Chiapas) sont intégrées au fonctionnement local de l'Église catholique, elles jouent également le rôle fondamental de garantes des traditions mayas. La quote-part qui incombe aux membres d'une communauté fait en effet partie intégrante de la *costumbre*, et permet de maintenir la cohésion du groupe. Jusqu'aux années 1950, l'Église a toléré (parfois difficilement) ces pratiques, mais depuis, l'Action catholique et les missions évangéliques s'opposent à ces cultes « païens » et désuets. Aujourd'hui, beaucoup de jeunes protestants ou évangéliques renoncent à intégrer les *cofradías* en raison de cette condamnation, et à cause des implications financières.

À gauche, un Maya occidentalisé du Yucatán, où seules les femmes continuent à porter le costume traditionnel ; à droite, la fameuse parade de la Semana Santa, à Antigua.

METS ET BOISSONS

Élément constitutif de la chair humaine, selon la mythologie maya, le maïs conserve un caractère sacré. Dans les villages les plus traditionnels, un ou plusieurs épis (blanc, jaune, rouge et noir) sont suspendus à l'entrée de la maison pour protéger le foyer. Présent à tous les repas, le maïs est le principal héritage précolombien de la cuisine actuelle, et sa consommation s'est répandue bien au-delà de la sphère indienne. Sur tous les marchés et à chaque coin de rue, des vendeurs proposent des épis grillés à déguster avec un peu de sel ou de citron vert.

Aux côtés du maïs, les haricots noirs et rouges (*frijoles*) constituent l'autre ingrédient de base. Et si le monde doit à l'Amérique nombre d'aliments, comme le maïs, le piment, la tomate, la courge (*calabaza*), la pomme de terre et le chocolat, les Indiens reçurent en échange le riz, les produits laitiers, le poulet, le porc, le bœuf et le saindoux (*manteca*), grâce auquel ils se mirent à faire frire les aliments, en plus de la traditionnelle cuisson à la broche ou à la vapeur. Depuis ce premier métissage, l'art culinaire a continué à se développer et à s'enrichir au contact des cuisines nord-américaines ou européennes. L'influence caraïbe est aussi très forte sur la côte orientale. Parmi les spécialités de la région, on pourra déguster les nombreuses préparations à base de maïs, dont les tortillas et les *tamales*, le *rice 'n' beans*, « riz et haricots » bélizien ou sa variante yucatèque, les *moros y cristianos*, les fruits tropicaux, les poissons et crustacés ainsi que les eaux-de-vie locales à base de canne à sucre.

DU MAÏS ET DES HARICOTS

Où que l'on soit en pays maya, le repas s'accompagne de petites galettes fines à base de maïs, les tortillas, qui font également office d'assiette ou de cuillère. La tortilla est modelée à la main (au Guatemala) ou dans une presse (au Mexique) et cuite sur un plateau en terre ou en métal, le *comal*. Partout dans la campagne guatemaltèque, le tapotement étouffé des mains des femmes qui façonnent les galettes annonce le début de la journée. Tout juste cuites, les tortillas conservent un goût fumé

À gauche, antojitos, tortillas garnies de viande, Retalhuleu, côte pacifique du Guatemala ; à droite, table de l'hôtel Marqués, à Valladolid, Yucatán.

ainsi qu'une texture épaisse et souple. Elles sont servies enroulées dans un linge en coton afin de conserver leur chaleur. Et les autochtones n'hésitent pas à renvoyer celles qu'ils jugent trop dures ou trop sèches.

Au Mexique, la tortilla sert aussi de base à une multitude de plats délicieux : les *enchiladas* sont farcies de viande hachée ou de fromage et agrémentées d'une sauce au piment, à la tomate et aux oignons ; fourrées au fromage fondu, les *quesadillas* sont parfois servies avec du *mole*, une sauce aigre-douce à base de cacao, de piments et de sucre ; les tacos, des tortillas frites et pliées, sont garnies de poulet ou de viande hachée de bœuf ou de porc, ainsi

que de fromage et de salade ; grillées et croustillantes, les *tostadas* accompagnent souvent les crudités. À cette liste non exhaustive s'ajoutent également quantité de variantes. Au Yucatán, les plus répandues sont les *papadzules*, ou *tortillas yucatecas*, qui sont farcies de porc ou d'œuf dur, garnies d'une sauce de graines de courges et d'*epazote* (épice proche de la coriandre), et servies avec une purée de tomate, ainsi que les *panuchos*, petites tortillas frites fourrées de haricots, de dinde ou de poulet, de tomate, de laitue et d'oignon.

D'origine très ancienne, le *tamal* est une pâte de maïs cuite à la vapeur dans une feuille de banane ou un épi de maïs, parfois agrémentée de petits morceaux de viande. Au Guatemala, on trouve sur tous les marchés des *chuchitos*, de petits *tamales* dont la pâte s'est durcie et qui constituent des en-cas consistants. Les *tamales* servis les jours de fête au Yucatán sont appelés *to'owloche* (« roulé dans une feuille de maïs »), tandis que les petits *tamales* ronds farcis de viande de porc portent le nom de *chacbi-wah*.

Au Belize, les habitudes alimentaires diffèrent selon les ethnies. Les Ladinos se nourrissent de tortillas, de *tamales* et de tacos alors que les créoles affichent une préférence pour des plats tels que le *rice 'n' beans*, une préparation de haricots et de riz cuisinée avec de l'huile de noix de coco. Il peut être accompagné de viande, de poisson ou de crustacés.

Le second ingrédient de la cuisine locale est le haricot (*frijoles*). Le plant pousse en s'enroulant autour de la tige de maïs et parvient à maturité plus tard. Tous les repas incluent une portion de *frijoles*, première source de protéines d'une majorité de la population, pour qui la viande est un luxe. Il en existe deux variétés, les noirs, très répandus au Guatemala, et les rouges, ou *pintos* (« peints »). Les premiers peuvent être servis entiers, accompagnés d'un peu de saumure, d'oignon ou d'ail. Mais le plus souvent, ils se consomment *refritos*, réduit en purée puis frits, tout comme les haricots rouges. Ils se présentent alors comme un pain de *frijoles*, pouvant être relevé de crème ou d'une saucisse épicée (chorizo).

FRUITS ET LÉGUMES

Les marchés de la région regorgent de fruits et légumes aux couleurs éclatantes et aux formes généreuses. Mais, paradoxalement, la cuisine locale ne semble pas tirer le parti optimal de cette extraordinaire variété de produits.

Cultivée depuis l'époque préhispanique, la courge, ou *calabaza*, l'un des légumes les plus consommés, arrive derrière le piment (*chile*), très riche en vitamine C, et domestiqué vers 5000 av. J.-C. Il en existe plus de cent variétés qui se différencient par leur taille, leur couleur et leur caractère épicé. Chaque région du Mexique possède ainsi son propre piment, notamment le Yucatán, où pousse le *habanero*, réputé l'un des plus forts. Bien que le *chile* soit consommé entier dans certains plats, il est surtout servi en sauce (*salsa*). Au Guatemala, celle-ci est appelée *picante* (épicée) et on en trouve une bouteille sur toutes les tables de restaurants, comme au Belize. Chez les Mexicains, chaque établissement propose des sauces maison, qui marient quatre ou cinq ingrédients de base : piments, tomates, oignons, ail, jus de citron et eau. Diverses variétés de piments peuvent être associées, parfois avec d'autres épices (clous de girofle, cannelle, coriandre...). Le *mole*, par exemple, qui accompagne le poulet, la dinde, le poisson et les *quesadillas*, comprend des piments, des épices et... du chocolat.

Beaucoup moins consommés sont les autres légumes cultivés : les carottes, les choux, les radis, les épinards, les brocolis (exportés en Amérique du Nord), les haricots verts, les poivrons, les aubergines. Spécialités locales, le *chayote* ou le *pacaya*, au goût très amer, se dégustent grillés ou cuits avec de la sauce tomate au Guatemala.

Les différents microclimats permettent également la culture de quantité de variétés de fruits. Présente partout, la banane se consomme comme un fruit ou en accompagnement de plat. Elle est alors frite et agrémentée de crème. Pastèque, avocat, goyave, mangue, *sapote*, ananas et papaye sont aussi très répandus, tout comme les oranges, les pamplemousses, les framboises, les myrtilles et les fraises. La plupart se consomment également en jus, ou *licuado*, et sur les marchés, de nombreux étals proposent de petits sachets de fruits précoupés en dés très rafraîchissants, quoique risqués pour un intestin occidental. Enfin, sur les côtes pacifique et caraïbe, on sert la noix de coco, tout juste tombée de l'arbre, avec une paille.

Un peu de protéines...

Consommés depuis l'ère préhispanique, la dinde, le cochon sauvage, le tatou et l'iguane cèdent désormais le pas au poulet, au porc et au bœuf. Généralement grillée, frite ou cuite à l'étouffée, la viande est parfois bouillie (*caldo*). Au Guatemala, le bouillon de légumes au bœuf ou au poulet accompagné de riz est un plat très populaire à la campagne, où il offre une rare alternative aux tortillas et *frijoles*. Spécialité du Yucatán, la viande (porc, poulet, etc.) *al pibil* marine dans une préparation (*recado*) de jus de fruits (pamplemousse, orange ou citron vert), d'ail, de piments, de cumin, de safran et de

de choix. Le bar, le mérou, le requin et le barracuda se dégustent grillés avec une sauce... piquante. Quant aux coquillages et aux crustacés, ils sont presque toujours au menu. Le plat le plus courant est le *ceviche* (dés de poisson cru ou fruits de mer marinés dans du jus de citron vert, des oignons, des piments et des épices).

À la carte ou au menu ?

C'est au Mexique que l'on trouve la cuisine la plus variée. Au Belize, sur la côte et dans les *cayes*, le poisson et les crustacés abondent et sont bon marché mais à l'intérieur du pays, en dehors des hôtels de catégorie supérieure, le

graines d'*achiote*. Puis les morceaux sont enveloppés dans des feuilles de banane et cuits à la vapeur ou rôtis. Autre spécialité yucatèque, le *poc chuc* consiste en des côtes de porc grillées nappées de sauce d'orange amère. Moins chers que la viande, les œufs sont une source de protéines très répandue. L'une des préparations les plus courantes est la *ranchera*, avec de la sauce tomate, des piments, des oignons, des tortillas et des *frijoles*.

Dans les régions côtières des Caraïbes et du Pacifique, les fruits de mer occupent une place

À gauche, les marchés sont les meilleurs endroits pour s'approvisionner en fruits et légumes; ci-dessus, l'élégant restaurant La Pigua, à Campeche.

choix reste limité. Au Guatemala, il existe une différence sensible entre les régions peu visitées, où la nourriture est souvent simple (œufs, haricots, tortillas...), mais consistante et bon marché, et les endroits touristiques (Antigua, Panajachel), qui proposent un choix de cuisines locale et internationale, à des prix plus élevés.

Parmi les différents types d'établissements, les « restaurants » ont une carte variée et vendent parfois du vin, mais leurs prix sont un peu élevés. Plus populaires, les *comedores* servent une cuisine locale bon marché. Nombre de vendeurs de rue proposent des plats à consommer sur place ou à emporter, mais dont l'hygiène est parfois douteuse. Les chaînes de restauration rapide nord-américaines ainsi que leurs équivalents locaux, comme « Pollo Campero », ont envahi les grandes villes, où l'on trouve aussi quantité de restaurants chinois.

La viande restant une denrée de luxe pour la majorité de la population, notamment au Guatemala, la cuisine locale compte de nombreux plats végétariens. Dans les grandes villes et sites touristiques, les restaurants proposent des spécialités à base de riz, haricot, fromage, maïs, avocat et autres légumes. Beaucoup sont tenus par des étrangers et servent de la nourriture végétarienne internationale, mais certains établissements cherchent à perpétuer la tradition culinaire centraméricaine en n'utilisant que des ingrédients locaux ainsi que des substituts de

viande, tels que le soja ou le gluten. Ailleurs, les tortillas et *frijoles* constitueront un repas équilibré et consistant, à compléter par des fruits.

Se désaltérer

Sodas, jus et sirops de fruits… les boissons non alcoolisées sont très prisées des gens du cru, qui ne boivent guère d'eau pour étancher leur soif, bien qu'il soit facile de s'en procurer. Préférez l'eau en bouteille, *agua pura* ou *agua purificada*. Au Guatemala, *aguas* signifie soda. Très populaires, les *aguas frescas* sont des sirops ou des jus de fruits, sucrés et allongés avec de l'eau du robinet et de la glace. Il existe une multitude de parfums, dont l'*agua de*

Jamaica, à la fleur de Jamaïque, et la *horchata* ou *agua de arroz* (« eau de riz »), surtout au Yucatán. Toutes les grandes marques de sodas sont disponibles dans la région aux côtés des productions locales.

Les *licuados* sont des jus de fruits frais mixés avec des épices (vanille, muscade…), et allongés avec de l'eau (*licuado de agua*) ou du lait (*licuado de leche*), que l'on trouve dans les marchés et les terminaux de bus, sauf au Belize. Les jus de fruits frais (*jugos*) sont moins répandus, à l'exception du jus d'orange, vendu partout.

Grands producteurs de café, avec des plantations étalées entre 600 et 1 500 m, le Chiapas et le Guatemala produisent des grains aux saveurs très variées. L'Antigua, qui pousse sur un sol volcanique, aux alentours de la ville éponyme, est connu dans le monde entier pour son acidité et son arôme particulier, corsé et parfumé. Malheureusement, le meilleur de la production est exporté et, sur place, le café s'avère le plus souvent fade et très sucré. Quant au thé (*té negro*), il reste peu consommé, à l'exception du Belize, marqué par l'influence anglaise. Ailleurs, il s'agit le plus souvent d'infusions : de *manzanilla* (camomille), de *pericón* (plante locale) ou de *jamaica*. « Boisson des dieux », le cacao revêtait une telle importance à l'époque préhispanique qu'il était aussi utilisé comme monnaie. Originaire de la région, il était très prisé de la noblesse, qui le buvait non sucré.

L'industrie de la bière est particulièrement développée au Mexique, où l'on trouve d'excellentes marques locales et nationales, et dans une moindre mesure au Guatemala. Les bières de la région, généralement blondes et légères, se boivent avec un peu de sel. Au Mexique, on peut savourer la Bohemia, la Montejo, la Dos Equis ou la Sol ainsi que quelques brunes, dont la Tres Equis et la Negra Modelo. Au Guatemala, la marque Gallo prédomine, mais on trouve aussi la Cabro et la Moza (brune). Au Belize, une seule marque produit quatre variétés de bières.

Le rhum est le plus répandu des alcools forts de la région, mais le Mexique est également célèbre pour sa tequila. La *blanco* est la plus jeune, la *reposado* a entre deux et douze mois et l'*añejo* est la plus vieille. Le Mexique et le Guatemala produisent aussi leurs eaux-de-vie, dont le mescal, à base d'agave, et l'aguardiente, à base de canne à sucre, sont les plus fameuses.

À gauche, cuisine créole typique – poisson, fruits de mer et riz ; à droite, spécialité de La Fonda de la Calle Real, une des meilleures tables d'Antigua.

LES SPORTS DE PLEIN AIR

Le Mexique, le Belize et le Guatemala attirent depuis longtemps les touristes – surtout venus d'Amérique du Nord – qui viennent profiter du soleil qui y brille toute l'année et de leurs vastes stations balnéaires. Ce qui les a peut-être conduits à négliger le riche patrimoine architectural et culturel de ces pays. Cependant, ces dernières années, l'ouverture de parcs naturels à l'intérieur des terres a stimulé une demande pour une troisième forme de tourisme : la recherche de l'aventure.

Le pays maya occupe la partie occidentale de l'isthme centre-américain, partagé entre Hautes et Basses Terres. L'existence de deux façades maritimes rapprochées, les contrastes de pluviosité du climat tropical et la variété du relief expliquent la mosaïque des milieux bio-climatiques qui se succèdent sur de courtes distances.

Riche d'une trentaine de volcans, de plusieurs sommets dépassant 4 000 m, ainsi que de vastes forêts tropicales et subtropicales humides largement préservées, le pays maya recèle également de grandes étendues de savanes ainsi qu'un envoûtant réseau de grottes calcaires. À ce cadre naturel exceptionnel, il convient d'ajouter la double façade maritime, sur l'océan Pacifique et la mer des Caraïbes, bordée par la seconde barrière de corail au monde... Tant d'attraits ont fait de la région un véritable paradis pour les amateurs de randonnée, de plongée sous-marine et de spéléologie et, au-delà, pour quiconque recherche le frisson de l'aventure.

Les gouvernements et les offices du tourisme du Mexique et du Guatemala commencent à peine à prendre conscience du potentiel de la région, et à lui faire la promotion qu'elle mérite, tant en Europe qu'aux États-Unis. Le Belize, en revanche, a été plus rapide à développer ses ressources, et ne le cède en Amérique centrale qu'au Costa Rica en matière d'écotourisme. Le pays possède un nombre important, et en croissance constante, d'excellentes agences spécialisées dans les sports nautiques ou de plein air.

À gauche, plongée avec tuba dans le parc national de Laguna Chankanab ; à droite, la planche à voile est l'un des nombreux sports nautiques pratiqués dans la région de Cancún.

RANDONNÉES DANS LES HAUTES TERRES GUATÉMALTÈQUES

De la jungle à la montagne en passant par le littoral, les possibilités qu'offre le pays maya au randonneur pédestre s'avèrent exceptionnelles. Principale attraction du Guatemala, le spectaculaire paysage des Hautes Terres alterne pics altiers, vallées verdoyantes et pinèdes impénétrables.

Dans ce paysage sauvage surgit parfois un village traditionnel en adobe blotti autour d'une église coloniale blanchie à la chaux. Bénédiction pour le randonneur, un maillage serré et parfaitement entretenu de pistes et de

sentiers, empruntés par les villageois pour rejoindre les marchés ou les champs éloignés, permet de sillonner la région. D'un confort simple, les *hospedajes* (« pensions ») constituent un mode d'hébergement répandu, et la plupart du temps, les gros villages possèdent des *comedores* où l'on sert une cuisine locale pour un prix très modeste.

Les montagnes situées au nord de Huehuetenango, non loin du village traditionnel de Todos Santos Cuchumatán, l'un des plus beaux du pays, concentrent quelques-uns des meilleurs treks d'altitude du Guatemala. Les paysages splendides des Cuchumatanes sont en effet parcourus par une multitude de sentiers qui fournissent prétexte à de superbes balades, en particulier celle qui permet de relier en six heures Todos Santos Cuchumatán à San Juan Atitán, un village mam tout aussi traditionnel.

Les environs des villages de Nebaj, Chajul et Cotzal, dans le triangle Ixil, offrent également matière à de passionnantes randonnées, qui alternent les sommets rocailleux, les prairies et les vallées ponctuées de fermes, de champs de maïs et de torrents. De Nebaj, une balade permet de rallier Acul et de revenir par une *finca* italo-guatémaltèque, où l'on produit l'un des meilleurs fromages du pays.

Étape indispensable d'un voyage au Guatemala, la région du lac Atitlán est un site de renommée mondiale pour la randonnée. Sur

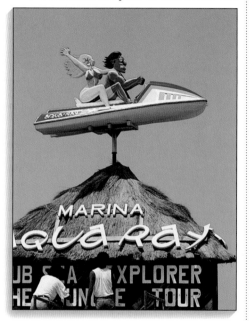

tout le pourtour du lac, un réseau de sentiers serpente sur les pentes des volcans. Il relie les treize hameaux riverains, qui surgissent au milieu d'un patchwork de champs de maïs, de jardins potagers et de plantations d'avocatiers ou de figuiers. Le tour du lac s'effectue en trois jours, mais il est possible de se contenter de la portion la plus belle, entre Santa Cruz la Laguna et San Pedro la Laguna, d'une durée de cinq heures.

JOYAUX DE LA JUNGLE

Les possibilités de randonnées offertes par les montagnes Mayas, au Belize, s'avèrent encore plus exceptionnelles. À cette altitude moins élevée, la végétation subtropicale plus dense s'épanouit en d'épaisses forêts d'acajous et de *ceibas* (kapokiers) encombrées d'épiphytes et de fougères géantes. La série de réserves créées pour protéger ces massifs offre de belles occasions aux amoureux de la faune, qui auront peut-être le loisir d'y observer des oiseaux de proie et des tapirs, voire, avec beaucoup de chance, un jaguar. À ce titre, le village de Maya Center constitue un bon point de départ pour l'exploration du Cockscomb Basin Wildlife Sanctuary, une réserve naturelle consacrée à la préservation de ce félin. Outre quelques balades de courte durée, d'excellents guides locaux proposent un trek de deux jours jusqu'au sommet du mont Victoria, le point culminant du pays (1 120 m).

Située à l'extrémité nord-ouest des montagnes Mayas, une autre destination de premier choix pour les randonneurs est le Mountain Pine Ridge, qui abrite notamment la rivière Macal, les étangs du Río On et les chutes de Thousand Foot (« Mille Pieds », soit 300 m). Plus au sud, nichées au cœur de la forêt tropicale, à proximité de la frontière guatémaltèque, se dressent les vastes ruines de Caracol. D'innombrables sentiers forestiers, praticables à pied ou à VTT, sillonnent la région. Cascades, sommets escarpés et torrents impétueux... elle offre prétexte à de multiples sports de plein air (canyoning, tubing), que vous n'aurez aucun mal à organiser sur place. San Ignacio possède en effet de bonnes agences de trek ainsi que des loueurs de vélos, et constitue un excellent lieu de séjour pour les voyageurs à petit budget. Ceux qui désirent plus de confort opteront pour les luxueux chalets situés dans la réserve, en pleine jungle.

Berceau de la civilisation maya, la grande forêt de basse altitude située à cheval sur la frontière entre le Guatemala et le Mexique abrite les vestiges de douzaines de cités précolombiennes, en particulier dans la réserve de la Biosphère maya, au Guatemala. À Flores, des agences proposent les services de guides expérimentés, ainsi que l'équipement nécessaire pour effectuer des randonnées dans la jungle. La plus fameuse de ces marches est celle qui permet de rejoindre le site d'El Zotz en deux ou trois jours. Parmi les autres excursions que compte la région figurent celle qui mène du village de Carmelita aux vestiges de Nakbé et d'El Mirador, et celle qui relie Uaxactún aux ruines spectaculaires de Río Azul. Pour accéder au site de Piedras Negras, il faut faire appel à une agence qui organise la descente en rafting du Río Usumacinta à travers la jungle.

Côté mexicain, la randonnée en forêt fournit également prétexte à la découverte de splendides ruines cachées. Outre sa faune sauvage remarquable, la grande réserve de Calakmul sera ainsi l'occasion de visiter l'immense cité maya du même nom, l'une des plus grandes découverte à ce jour, dont la population atteignait cent mille personnes à l'époque classique.

À L'ASSAUT DES VOLCANS

Le Guatemala compte plus de trente volcans, égrenés en une chaîne qui sépare la côte pacifique des Hautes Terres. Le plus beau festival « son et lumière » que l'on puisse imaginer a pour cadre le sommet de ces géants en activité, qui réservent de magnifiques points de vue. Aucun équipement particulier n'est nécessaire pour en entreprendre l'escalade, à l'exception de bonnes chaussures de randonnée et, en cas de bivouac au sommet, de vêtements chauds. Si vous souhaitez effectuer l'ascension du Tajumulco ou du Tacaná, qui dépassent 4 000 m, une période d'acclimatation au pays et à l'altitude peut s'avérer nécessaire pour éviter le mal des montagnes, dont sont victimes certaines personnes dès 3 300 m. Aux premiers troubles (migraines…), une redescente immédiate s'impose.

Le plus spectaculaire des volcans actifs est sans conteste le Pacaya (2 550 m). En éruption permanente depuis 1965, il projette un torrent de lave, de gaz et de roches dans le ciel au-dessus de Guatemala Ciudad. Les circuits pour assister à ce festival pyrotechnique partent de la capitale ou d'Antigua. La région d'Antigua compte elle aussi plusieurs volcans fort courus. Très actif, le Fuego (3 763 m), dont la dernière éruption remonte à 1999, présente certaines difficultés qui réservent son escalade aux montagnards chevronnés. Il faut compter sept bonnes heures pour atteindre le sommet. Les moins expérimentés pourront se rabattre sur l'Agua (3 766 m), qui ne présente guère de difficulté et attire de nombreux randonneurs. L'ascension, au départ de Santa María de Jesús, dure environ six heures.

Des trois volcans qui encerclent le lac Atitlán, le San Pedro (3 020 m) est de loin le

À gauche, le scooter des mers est un des sports les plus populaires de la côte caraïbe mexicaine ; à droite, pêche au gros.

plus facile à escalader. La randonnée, qui dure environ six heures, part de San Pedro la Laguna, où des guides proposent leurs services. Par comparaison, l'ascension de l'Atitlán (3 537 m) et du Tolimán (3 158 m) s'avère nettement plus ardue. Des guides l'organisent à partir de Santiago Atitlán ou San Lucas Tolimán.

À Quetzaltenango, le randonneur a le choix entre plusieurs ascensions, en particulier celle du Santa María, dont la silhouette dessine un cône presque parfait. Le Chicabal (2 900 m), avec son magnifique lac de cratère niché au sommet, constitue également une randonnée de choix. Les expéditions pour le Tajumulco

(4 220 m), point culminant de l'Amérique centrale, partent de cette même ville. Enfin, parmi la douzaine de volcans éteints que comptent les Hautes Terres orientales, l'ascension de l'Ipala (1 650 m) s'impose comme une évidence. Cette balade de deux heures part du village d'Aguas Blancas et ne présente aucune difficulté. Elle débouche sur un superbe lac de cratère aux berges boisées, où l'on peut se baigner.

DESCENTE EN EAUX VIVES

Hormis dans le Yucatán, le pays maya offre d'exceptionnelles possibilités de rafting (descente de rapides en canoë), sport que l'on peut pratiquer tout au long de l'année, quelle que soit la saison. Pas moins d'une douzaine de superbes rivières, classées de « 1 » (facile) à « 5 » (très difficile), sillonnent le Guatemala et le Belize. Au Guatemala, une descente d'une journée du Río Naranjo coûte près de soixante-cinq dollars par personne, tandis qu'une expédition de trois jours sur le Río Cahabón revient à deux cent vingt dollars. L'une des plus belles descentes de la région, organisée par l'agence Maya Expeditions de Guatemala Ciudad, emprunte le Río Usumacinta, qui sépare le Mexique du Guatemala. Elle longe les ruines de Yaxchilán et de Bonampack avant de s'achever à Piedras Negras. Le Belize compte également un remarquable choix de

sèdent un excellent réseau de pistes. Avec ses agences spécialisées comme Maya Mountain Bike Tours ou Old Town Outfitters, qui organisent des circuits accompagnés autour de la ville et du lac d'Atitlán, Antigua s'avère un camp de base idéal. Les différents parcours longent les volcans et les sources chaudes avant de se perdre dans les champs de maïs et les plantations de café dispersées au milieu d'un paysage exceptionnel.

Pour explorer les collines qui encerclent le lac Atitlán, une bonne option consiste à louer des vélos à Panajachel. Plus à l'ouest, niché au cœur d'un cirque sauvage de hautes montagnes et de volcans, Quetzaltenango est un

rapides que l'on peut descendre en bateau pneumatique ou en canoë, en particulier dans le district de Cayo. De nombreuses agences se sont spécialisées dans ce type d'expéditions. La vallée de la Macal reste l'endroit le plus couru, mais la Sibun et Mopan attirent de plus en plus d'amateurs de kayak, de canoë et de canot pneumatique. Dans le Sud, enfin, les régions de South Stann Creek, Placencia Lagoon et Big Falls offrent également toutes facilités pour pratiquer ces sports.

LA PETITE REINE EN PAYS MAYA

Paradis des amateurs de VTT, les Hauts Plateaux du Guatemala et l'ouest du Belize pos-

autre bon point de départ pour les randonnées à VTT. On peut louer des vélos à l'agence Xela Sin Limites.

AUX PORTES DE L'INFRAMONDE

Points de contact avec Xibalba, l'inframonde – ou royaume de la peur –, les grottes occupaient une place fondamentale dans le système de croyance des Mayas. Tous les sites majeurs étaient construits à proximité d'une grotte naturelle ou, plus rarement, artificielle. Même si elles ne servirent jamais d'habitations permanentes, toutes les cavités découvertes dans la région ont révélé des traces de présence humaine. Dans l'entrée ou au plus profond des galeries, on a retrouvé des poteries, des sculptures, des foyers, des pétroglyphes et parfois même des squelettes complets accompagnés de pots, de cristaux et d'objets divers, qui témoignent de cultes pratiqués voilà plus d'un millier d'années.

À de rares exception près, les plus belles grottes ne sont malheureusement accessibles qu'aux spéléologues avertis. De tous les sites aménagés pour la visite, le plus beau est sans conteste celui de Jungle Branch Lodge, au Belize, à 21 km au sud de Belmopan, sur Hummingbird Highway. Installé au bord de la rivière, à mi-chemin de la grotte de Saint Herman et du parc national de Blue Hole, le com-

Barrière australienne, elle est discontinue, même si, en de multiples endroits, les récifs affleurent à la surface sans interruption sur des kilomètres. A cheval sur les eaux territoriales mexicaines, béliziennes, guatémaltèques et honduriennes, elle s'étend des Bay Islands, au Honduras, à Puerto Morelos, au Mexique. Au fil du récif s'égrènent des centaines d'îles coralliennes de toutes tailles (*cayes*), des chaînes et des pics sous-marins, ainsi que quatre atolls. En 1996, les réserves béliziennes se sont vu attribuer le statut de patrimoine mondial par l'Unesco.

Cancún et Isla Mujeres, à la pointe nord du Yucatán, sont depuis longtemps connus des

plexe propose des hébergements pour toutes les bourses, du dortoir au bungalow. Enfin, le Yucatán possède lui aussi de remarquables cavernes, à Loltún, Balankanché et Dzitnup.

LA BARRIÈRE DE CORAIL

Deuxième au monde par la taille, la barrière de corail qui longe la côte caraïbe du pays maya recèle d'exceptionnelles possibilités de plongée sous-marine. Comme la Grande

À gauche, l'un des sentiers parfaitement balisés du Cockscomb Basin Wildlife Sanctuary, au Belize ; ci-dessus, vue impressionnante d'un deltaplane au-dessus du lac Atitlán.

plongeurs et possèdent des écoles de bon niveau. Mais cette région tend à être victime de son succès, à l'image du célèbre site de Garafon Reef, à la pointe sud d'Isla Mujeres, sérieusement dégradé par le passage répété des plongeurs et des bateaux. D'une manière générale, la plupart des sites intéressants frisent la surpopulation, particulièrement en pleine saison.

Plus au sud, l'île de Cozumel est également un site de première importance. Le récif de Palancar et son mur corallien, en particulier, ont été rendus mondialement célèbres par l'équipe Cousteau. Depuis son passage, les écoles de plongée ont poussé comme des champignons. Point d'embarquement pour

Cozumel, la localité de Playa del Carmen possède également des fonds intéressants dans ses environs, pour la plongée de surface ou en profondeur. Là aussi, les écoles sont légion.

Poursuivant en direction de Tulum, la route longe une série de plages où le tourisme se développe rapidement. La région compte quelques beaux sites de plongée, en particulier dans les *cenotes* (bassins d'eau douce). Cette expérience de spéléologie aquatique relativement périlleuse requiert une excellente technique ainsi qu'un bon encadrement. Des cours sont dispensés à Puerto Adventuras, Akumal, mais Tulum s'avère dépourvu d'infrastructures.

Plus au sud, la route parvient ensuite à la section du récif-barrière qui dépend de la biosphère Sian Ka'an. Des plongées en surface peuvent être organisées à partir de Punta Allen, au nord de la réserve. La partie mexicaine s'achève à l'atoll Banco Chinchorro, situé 20 km au large, un joyau bien préservé, désormais classé parc national.

Un éden aquatique

Par le nombre et la variété des sites autant que par l'excellente préservation de sa faune et de sa flore marines, le Belize s'affirme comme l'une des meilleures destinations de l'hémisphère nord pour la plongée. Le pays possède également un encadrement d'excellent niveau. Si l'on trouve une belle section de récifs entre San Pedro et Caye Caulker, les amateurs de sensations fortes s'assureront d'un bateau équipé de couchettes pour explorer les atolls du large. L'un de ceux-ci, Lighthouse Reef, recèle le célèbre Blue Hole (« trou Bleu »), une caverne effondrée semblable à un cratère de bombe. Plusieurs épaves sont accessibles aux plongeurs et la zone comprend également la réserve marine de Half-Moon Caye, la plus ancienne du pays (1982). La plupart des *cayes* du sud du Belize constituent de très bonnes bases de plongée, en particulier Tobacco Reef, Columbus Reef et South Water Caye. Là encore cependant, c'est un vaste atoll situé au large, Glover's Reef, qui possède les fonds les plus remarquables. Ils sont visibles de la surface avec un masque et un tuba, mais la plongée avec bouteilles permet de descendre le long du superbe mur corallien. Les amateurs apprécient avant tout sa faune pélagique, en particulier les requins-baleines que l'on rencontre parfois durant leur migration, en octobre. En comparaison, la petite façade maritime dont dispose le Guatemala sur la mer des Caraïbes recèle peu de fonds intéressants. Du reste, la plupart des amateurs de plongée se rendent en excursion aux sites de Hunting Caye ou Sapodilla Caye (Belize), qui sont accessibles à partir de Río Dulce ou Lívingston. Le pays dispose pourtant d'atouts indéniables. Ainsi, une plongée dans le lac Atitlán, qui se conclut par le moment fort d'une remontée à la surface au milieu d'un cirque de volcans, constitue une expérience inoubliable. À Guatemala Ciudad, une école de plongée organise également des sorties dans le Pacifique, pour plongeurs expérimentés uniquement.

Enfin, les trois îles honduriennes de Roatán, Utila et Guanaja, accessibles du Guatemala et du Belize en avion ou en bateau, cachent de remarquables fonds marins. Utila possède une douzaine d'écoles de plongée qui proposent des formules très bon marché pour découvrir les splendides murs de corail de la côte nord (dix sorties pour cent vingt dollars). À peine plus chères, les agences de Roatán organisent des plongées au-dessus des merveilleux murs de corail de la côte ouest. Guanaja, quant à elle, a été durement touchée par l'ouragan Mitch, en 1998, mais ses récifs ont peu souffert.

À gauche, bac sur le Xunantunich, Belize ; à droite, la minuscule Queen Caye, près de Sapodilla Caye.

SUR LA ROUTE
DES CYCLONES

Régulièrement dévastée par les éruptions, les tremblements de terre et les cyclones, la terre ancestrale des Mayas a au moins autant souffert des désastres naturels que des catastrophes provoquées par l'homme. Il est même possible de distinguer une étonnante symétrie entre l'histoire et la géologie de la région, carrefour stratégique où les forces contraires du nord et du sud donnent parfois l'impression d'engendrer dans un même élan secousses politiques et environnementales. Les convul-

sions de la nature ont souvent concouru à façonner l'histoire locale de manière dramatique en ravageant les capitales, en déplaçant les populations et en ruinant les économies. Mais la violence de ces cataclysmes a également sculpté les paysages grandioses qui font l'originalité du Guatemala, du Belize et du Yucatán. L'activité constante du volcan Pacaya constitue même une attraction touristique majeure, qui attire des curieux du monde entier.

Le spectacle de désolation laissé par l'ouragan Mitch, en octobre 1998, s'inscrit au bas d'une longue liste de catastrophes naturelles qui ont marqué l'histoire de la région. L'une des plus anciennes dont on ait conservé une

trace, le grand cyclone de 1780, balaya les Antilles orientales, et provoqua la mort d'environ vingt mille personnes.

Ces tempêtes tropicales naissent généralement dans le golfe du Mexique avant de se jeter sur l'Amérique centrale. Situé à l'ouest de la route habituelle des cyclones, le Belize a pu éviter la majorité des cyclones de ces trente dernières années, mais ceux qui l'ont frappé directement se sont montrés particulièrement dévastateurs.

En 1961, Belize City fut entièrement rasée par l'ouragan Hattie. Une nouvelle capitale, Belmopan, fut alors édifiée pour accueillir dans des bâtiments modernes toutes les administrations du pays. Six ans plus tôt, la ville de Sarteneja avait déjà été détruite par l'ouragan Janet, et plus tôt encore, en 1931, un autre cyclone avait provoqué la disparition d'environ 15 % de la population.

Si le Honduras et le Nicaragua ont subi les dégâts les plus importants lors du passage de Mitch, des pluies torrentielles n'en ont pas moins provoqué inondations et glissements de terrain au Guatemala. Quelque deux cent soixante victimes ont été déplorées dans la catastrophe, qui a anéanti les habitations de vingt-sept mille personnes. Il est impossible d'évaluer les conséquences à long terme du désastre, mais la destruction de la récolte de bananes a été estimée à plus de 95 %, et à plus de la moitié pour le maïs et les haricots, aliments de base des Mayas et des *mestizos*.

Sous la croûte terrestre, les mouvements des plaques tectoniques continentales provoquent convulsions sismiques et éruptions volcaniques, secouant cette partie du monde avec une extrême violence. Le Guatemala se trouve au cœur de l'activité tellurique de la région, entre les côtes caraïbe et pacifique, tandis qu'une chaîne de volcans se déploie dans le sud-ouest du pays. La côte pacifique d'Amérique centrale comprend l'une des zones tectoniques les plus sensibles du continent. C'est là, en effet, que la petite plaque des Cocos s'enfonce sous la pression de la puissante plaque caraïbe, plus à l'est.

En 1541, la veuve de Pedro de Alvarado venait à peine d'être nommée gouverneur de Ciudad Vieja, la nouvelle capitale coloniale, quand le volcan Agua ensevelit la ville sous un torrent d'eau et de boue. L'événement fut du reste enregistré avec une certaine satisfaction par les Mayas Cakchiquels. Les Espagnols déplacèrent alors leur capitale à Antigua, 8 km plus au nord, mais en 1773, un tremblement de terre les obligea une nouvelle fois à déménager, vers le site de Guatemala Ciudad.

L'actuelle capitale elle-même a été pratiquement rasée à plusieurs reprises par des séismes en 1917, 1918 et 1976. Avec un épicentre situé à Chimaltenango, cette dernière secousse, d'une puissance terrifiante (7,5 degrés sur l'échelle de Richter), tua près de vingt-cinq mille personnes et en jeta un million à la rue. Elle mit également en lumière une corruption gouvernementale endémique, alors même que la population se trouvait en proie à une situation d'extrême détresse.

Située au Chiapas, dans le sud du Mexique, la Sierra Madre marque le début d'une chaîne

convient idéalement à la culture du café, indissociable de l'histoire et de la société guatémaltèques depuis la fin du XIXe siècle.

Leur sombre beauté conserve une allure menaçante, mais la plupart des trente-trois volcans qui dominent les Hautes Terres du Guatemala sont éteints, ou depuis longtemps en sommeil. Quelques-uns veillent pourtant, comme le Pacaya, qui surplombe le village de San Vicente Pacaya, au sud de Guatemala Ciudad. En éruption presque constante depuis 1965, il alterne de petits jets de gaz ou de vapeur, ainsi que des explosions capables de propulser des débris à 12 km d'altitude. Même si ce type de manifestations reste assez rare, le

volcanique qui s'étire tout au long de la côte pacifique et dans les Hautes Terres occidentales du Guatemala. Épine dorsale de l'isthme centraméricain, ses sommets déchiquetés hérissent le cœur du pays maya, qu'elle sépare en plateaux d'altitude et en zones tropicales. Cette arête médiane et la proximité des deux côtes qui la frangent contribuent à créer une vaste palette de microclimats. La richesse des sols volcaniques, nourris par des cendres vieilles de plusieurs millions d'années,

À gauche, une image satellite de l'ouragan Mitch, qui a dévasté l'Amérique centrale en 1998; ci-dessus, le San Pedro, l'un trois volcans qui entourent le lac Atitlán.

Pacaya vomit quotidiennement des coulées de lave, et ses abords immédiats se trouvent souvent assombris par un voile de cendres. De temps à autre, les villages des environs doivent être évacués, comme ce fut le cas en 1996, lorsqu'une éruption d'une violence inaccoutumée projeta un fleuve de lave long de 1,5 km et recouvrit de cendres la ville d'Escuintla, située plus de 10 km à l'est du Pacaya.

Le spectacle offert par l'activité du Pacaya est encore plus impressionnant la nuit, lorsque son panache orange, visible de loin, illumine la pénombre. Mais le Guatemala compte d'autres volcans, inactifs ceux-là, qui offrent de leur sommet un panorama tout aussi spectaculaire.

Le Guatemala, le Belize et le Yucatán

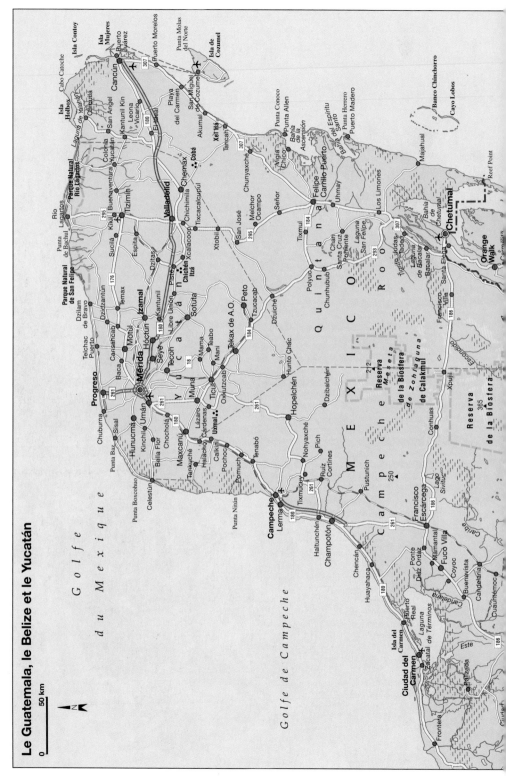

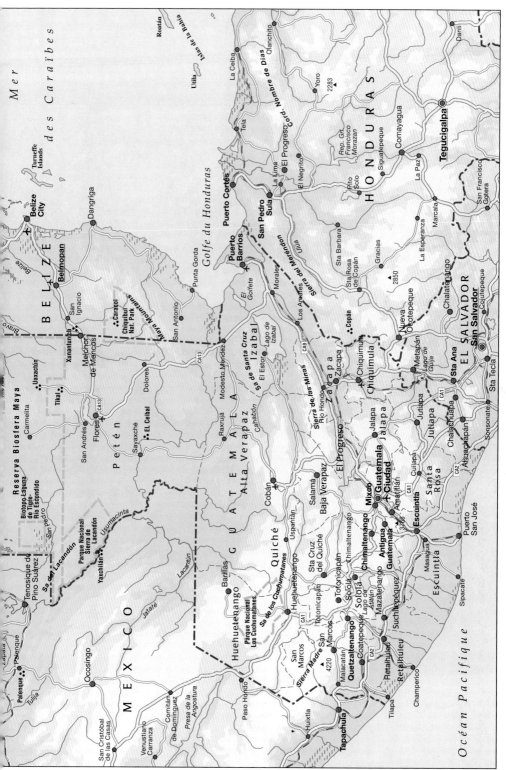

LE GUATEMALA

Berceau historique et cœur du monde maya contemporain, le Guatemala compte près de six millions de Mayas, qui représentent 60 % de la population. Ce sont les traits culturels de cette population qui confèrent au pays toute sa singularité. En Amérique latine, seuls la Bolivie et l'Équateur ont une population majoritairement indienne.

Sur une superficie relativement réduite, le Guatemala offre une exceptionnelle variété de paysages. De vastes forêts tropicales recouvrent la plaine du Petén, région encore peu peuplée qui occupe le tiers septentrional du pays. Cette végétation luxuriante abrite une faune et une flore exceptionnelles, ainsi que quelques-uns des plus beaux sites archéologiques mayas. L'Est juxtapose plusieurs systèmes géophysiques : la forêt ombrophile, les gorges du Río Dulce, la côte caraïbe, au climat humide, et même un petit désert, non loin de Chiquimula. Par contraste, la partie sud du Guatemala, où vit la majeure partie de la population, s'avère extrêmement montagneuse, avec une alternance de massifs calcaires et de volcans, dont certains sont encore actifs. C'est entre Guatemala Ciudad, la capitale, et Quetzaltenango, la deuxième ville du pays, que vit la majorité de la population, sur des terres rendues fertiles par les cendres rejetées sporadiquement lors des éruptions volcaniques. Au sud de la chaîne montagneuse, les plages de sable noir (d'origine volcanique) de la côte pacifique sont bordées par d'immenses plantations de cannes à sucre, de bananiers, d'ananas et de cotonniers.

D'un manière générale, le Guatemala jouit d'un climat fort agréable, avec une alternance de journées chaudes et de nuits douces, et connaît plusieurs périodes de floraison. Quelques exceptions viennent cependant nuancer ce tableau. Dans les Hautes Terres, de Guatemala Ciudad à Antigua en passant par le lac Atitlán et Chichicastenango, l'altitude varie de 1 300 à 2 100 m, et les températures oscillent entre 18 et 28° C. L'humidité n'est jamais vraiment un problème, et une tenue légère s'avère appropriée dans la journée. Au-dessus de 2 100 m, en revanche, les nuits éant particulièrement fraîches, il est recommandé de se munir de vêtements chauds, surtout si l'on envisage l'escalade d'un volcan. Sur les côtes caraïbe ou pacifique, et dans la jungle du Petén, la chaleur et l'humidité atteignent des extrêmes, avec des températures souvent supérieures à 30 °C tout au long de l'année. Pour visiter les ruines de Tikal, dans le Nord, mieux vaut donc se préparer psychologiquement à ces conditions climatiques.

Pages précédentes : le lac Atitlán est considéré comme l'un des plus beaux du monde ; jour de marché à Chichicastenango. À gauche, l'église de San Andrés Xecul, près de Quetzaltenango, arbore une façade aux couleurs éclatantes.

Le Guatemala connaît deux saisons bien distinctes, *el invierno* (l'hiver) et *el verano* (l'été). La première, qui dure de mai à octobre, est aussi la saison des pluies. Les averses, le plus souvent de courte durée, surviennent en fin d'après-midi, et le reste de la journée la température est très agréable. Après la pluie, le ciel « lavé » offre généralement une lumière incomparable. Cette période, qui met en valeur les paysages, est idéale pour les photographes. L'été, de novembre à avril, est la période la plus chaude, avec des maximales de températures en mars et en avril. Paradoxalement cette saison connaît néanmoins des nuits relativement fraîches en décembre et en janvier, avec d'occasionnelles gelées et chutes de neige en altitude. Dans la majeure partie du pays, cependant, l'été est la meilleure période pour voyager au Guatemala.

La population rurale des Hautes Terres, majoritairement indienne, vit en communautés dispersées. Aux côtés des religions catholique et évangélique, introduites par des missionnaires, les Mayas ont conservé leurs croyances ancestrales, et célèbrent les rites et les fêtes religieuses avec un syncrétisme chatoyant. L'agriculture de subsistance prédomine dans des champs appelés *milpas*, en particulier la culture du maïs, qui jouit du statut de plante sacrée.

Historiquement, le Guatemala a toujours été la clé du pouvoir en Amérique centrale. Les anciennes villes commerçantes d'El Mirador et Kaminaljuyú offrent de remarquables témoignages du rôle de cette région dès la période préclassique maya. Plus tard, à l'époque classique, la cité de Tikal leur succéda. Quand les conquistadores espagnols débarquèrent, en 1523, c'est au Guatemala qu'ils installèrent leur première capitale, et Antigua devint par la suite une ville phare de la colonie espagnole, juste après Mexico, au nord, et Lima, au Pérou. Aujourd'hui, le Guatemala, qui compte douze millions d'habitants, est la plus peuplée des sept nations d'Amérique centrale. Principal centre industriel et commercial du pays, la capitale, Guatemala Ciudad, connaît une croissance constante, et affiche deux millions d'habitants.

Depuis toujours, le pouvoir économique et politique est détenu par les *mestizos* (métis), appelés Ladinos, au détriment des Mayas. Ils contrôlent également l'armée, qui a longtemps occupé au Guatemala une place démesurée, jusqu'au rétablissement d'un gouvernement civil, à la fin des années 1990. Même pour un voyageur peu averti, les différences entre les deux parties de la population sautent aux yeux. Que ce soit dans le domaine de la musique, de la télévision, du cinéma, de la scolarisation, du mode de vie ou des usages vestimentaires, les Ladinos sont profondément imprégnés par la culture de l'Amérique latine et des États-Unis.

Après trente-six années d'une guerre civile sanglante entre les différentes guérillas et le gouvernement soutenu par l'armée, le pays connaît la paix, depuis les accords signés en 1996. De même que ses voisins d'Amérique centrale, qui ont vu la fin de leurs conflits internes au cours de la décennie écoulée, le Guatemala mise aujourd'hui sur une phase nouvelle de développement. Mais entre l'énorme besoin de justice sociale et le solde des comptes du passé, les défis restent importants.

À droite, une mère et sa fille à Joyabaj, dans les Hautes Terres occidentales.

HISTOIRE MODERNE DU GUATEMALA

Les conditions de la proclamation d'indépendance du Guatemala par l'oligarchie créole, le 15 septembre 1821, ont depuis l'origine pesé sur la destinée du pays. Beaucoup plus que l'affirmation d'un nationalisme, elle répondait en effet au souhait des grands propriétaires de s'affranchir de la tutelle économique espagnole. Mais pour l'immense majorité de la population, l'indépendance ne fit que remplacer une oppression par une autre. Le pouvoir et les terres restèrent entre les mains d'une élite raciste, usant de violence pour garantir ses avantages, tandis que les Indiens se voyaient exclus des processus de décision.

Dès l'année suivante, le général mexicain Augustín Iturbide envahit le Guatemala et se proclama empereur d'un territoire s'étendant du Honduras au nord du Mexique. Cet État éphémère s'écroula en 1823, lorsque les provinces du Guatemala, du Honduras, du Salvador et du Nicaragua constituèrent une fédération des Provinces-Unies d'Amérique centrale, avec pour premier président le Guatémaltèque Manuel José Arce.

D'UN DICTATEUR À L'AUTRE

Premier d'une longue lignée de dictateurs populistes, le général hondurien Francisco Morazán prit la tête d'une troupe de rebelles et s'empara de Guatemala Ciudad en 1829. Il réforma le pays en commençant par abolir les privilèges de l'Église, puis il mit en place une réforme agraire qui accrut les surfaces cultivables. En 1833, la capitale de la Fédération fut transférée à San Salvador. Le Guatemala passa alors aux mains de Mariano Galvez, puis de Rafael Carrera, qui décida de s'émanciper de la fédération. Malgré les efforts de Morazán, celle-ci se disloqua finalement en 1839, au terme d'une lutte fratricide entre les conservateurs et les libéraux. Les frontières entre les différents États devaient longtemps rester une source de conflits.

Fils d'un Indien et d'une Noire, parvenu au pouvoir à vingt-cinq ans, Rafael Carrera gou-

Pages précédentes : une famille attend le passage de la procession à Retalhuleu, sur la côte pacifique. À gauche, gravure d'une plantation de café en 1885 ; à droite, le général Justo Rufino Barrios, féroce dictateur de 1873 à 1885.

verna le pays de manière autoritaire jusqu'à sa mort, en 1865. Son successeur Vicente Cerna se contenta de continuer sa politique. Président de 1873 à 1885, Justo Rufino Barrios tentera de moderniser le pays en l'ouvrant au progrès (téléphone, électricité), et surtout en s'attaquant à l'Église et aux communautés indiennes. Ce faisant, il renforcera la position des grands propriétaires. Barrios mourra au combat, au Salvador (1885), en tentant de réaliser son rêve d'unir les pays d'Amérique centrale.

Pays essentiellement agricole, le Guatemala tirait l'essentiel de ses recettes à l'exportation de la cochenille et de l'indigo. À la fin du XIXe siècle, sous l'égide de la toute-puissante

United Fruit Company (UFCO) de Boston, ces produits cédèrent le pas aux plantations de cacaotier, de caféier et de bananier.

Les premières décennies du XXe siècle furent marquées par une série de coups d'État militaires. Parvenu au pouvoir en 1931, le général Jorge Ubico gouverna de façon martiale tout en laissant s'accroître la mainmise des États-Unis sur la vie économique et politique jusqu'à son renversement, en 1944. Le pays connut enfin une certaine stabilité, mais au prix d'une violation systématique des libertés individuelles et de la Constitution. Après son départ, une nouvelle Loi fondamentale fut adoptée et Juan José Arévalo fut élu président, en 1945.

UNE TENTATIVE RÉFORMISTE

Juan José Arévalo mit en place d'importantes réformes dans les domaines de l'éducation, de la propriété foncière, de la législation du travail et du droit syndical. Cette modernisation de la vie publique suscita une résistance particulièrement vive dans les secteurs conservateurs de la société. Après avoir déjoué pas moins de vingt-huit coups d'État en six ans d'exercice du pouvoir, Arévalo déclara : «Au Guatemala, il y a deux présidents, et l'un passe son temps à effrayer l'autre avec une arme.» Son successeur, le colonel Jacobo Arbenz Guzmán, réformiste lui aussi, s'attaqua à la toute-puissance des grands

L'AVÈNEMENT DES MILITAIRES ET LA GUERRE CIVILE

Au cours des trente années suivantes, le Guatemala vit se succéder les gouvernements militaires. Castillo Armas fut lui même assassiné dans son palais en 1957, et le pays se trouva plongé dans une spirale de violence. La suspension des partis politiques et des syndicats ainsi que la répartition de plus en plus inégale des richesses suscitèrent l'émergence de guérillas en divers points du territoire. Le gouvernement répondit notamment par la création de groupes paramilitaires d'extrême droite chargés des basses besognes. La population indienne, accu-

propriétaires fonciers et de la United Fruit. Surnommée *el pulpo* («la pieuvre»), celle-ci avait en effet pris le contrôle des chemins de fer, de la radio, du télégraphe et même des compagnies d'électricité, tout en ayant recours à des méthodes esclavagistes dans ses plantations. Par décret, Arbenz Guzmán contraignit l'UFCO à céder une partie de ses terres, dont 20 % seulement étaient exploitées, à l'État. Ulcérés par cette politique «communiste», les États-Unis organisèrent promptement un coup d'État, et le président fut renversé en 1954 par le colonel Carlos Castillo Armas, appuyé par la CIA. Avant d'être chassé, Arbenz Guzmán avait eu le temps de procéder à la plus importante réforme agraire qu'ait connue le pays.

sée de protéger les membres de la guérilla mais en réalité prise entre deux feux, fut la principale victime de la répression orchestrée par l'armée. Ce fut le cas également de l'Église catholique, après l'adoption de la «théologie de la Libération», dont les thèses sociales étaient en rupture avec la politique conservatrice du gouvernement, à la fin des années 1960. Entre 1978 et 1983, treize prêtres furent assassinés, et plus d'une centaine quittèrent le pays.

En mars 1982, une junte militaire renversa le gouvernement de Lucas García et porta au pouvoir le général Ríos Montt. Lui-même fut déposé en août de l'année suivante par son Premier ministre, Mejía Victores, qui déclara : «Le Guatemala n'a pas besoin de prières supplémentaires. Il a besoin d'exécutions.» La lutte anti-insurrectionnelle prit alors une tournure sans précédent, les destructions de villages, le meurtre et la torture devenant pratique courante. Fuyant la terreur, des milliers de personnes quittèrent le pays pour s'entasser dans des camps le long des frontières. Le Guatemala traversait les pires heures de son histoire.

TENTATIVES DE RÉSOLUTION DU CONFLIT

En 1984, le général Oscar Mejía Victores instaura une Assemblée constituante, qui s'empressa d'édicter une nouvelle Loi fondamentale. Les élections libres organisées l'année mées à Mexico en 1991 donnèrent peu de résultats. Face à la détérioration de la situation, Jorge Serrano tenta un coup de force en 1993. Après avoir dissous l'Assemblée et la Cour suprême, le président annonça qu'il gouvernerait par décret. Condamné par la communauté internationale et bientôt lâché par l'armée et la classe politique, il démissionna en juin 1993.

Après une phase transitoire, des élections législatives furent organisées en 1995. La victoire du PAN (Partido de Avanzada Nacional), parti porte-parole des hommes d'affaires progressistes, fut suivie, l'année suivante, par l'élection à la présidence de son leader, Alvaro

suivante virent l'arrivée au pouvoir du démocrate-chrétien Vinicio Cerezo Arévalo, premier président civil depuis trente ans. Durant tout son mandat, celui-ci s'efforça de mettre fin à la guerre civile, mais sans grand résultat. Son successeur, Jorge Serrano, élu en 1990, parvint à amorcer le dialogue entre les forces armées et l'URNG (Union révolutionnaire nationale guatémaltèque, regroupant les différentes guérillas). Mais les négociations enta-

À gauche, gravure de Panzós, dans la plaine orientale, avec ses toits de chaume caractéristiques de l'habitat maya (XIXᵉ siècle) ; ci-dessus, confrérie de Santiago Atitlán, l'un des villages les plus traditionalistes du Guatemala (début du XXᵉ siècle).

Arzú. L'effet fut immédiat sur le climat des négociations, et dès le mois de mars 1996, l'URNG accepta le cessez-le-feu. Au mois de décembre, un accord de paix fut signé avec le gouvernement.

Dès lors, le gouvernement s'efforça de faire appliquer les accords. Les guérilleros ont rendu leurs armes, ont formé leurs propres partis politiques et se sont progressivement réinsérés dans la société civile. Dans le même temps, l'armée a été réformée et les très controversées milices d'autodéfense ont été dissoutes. Une nouvelle Constitution a été élaborée, afin, notamment, de permettre la partitipation des Indiens à la vie politique. En février 1997, une « commission d'éclaircissement historique »

UN CHRISTIANISME MULTIFORME

Pays majoritairement catholique, le Guatemala a connu dans les années 1970 et 1980 une forte croissance du nombre d'évangéliques et de protestants. Le phénomène a été particulièrement sensible au sein de la population maya, qui considère l'Église romaine comme trop éloignée de sa tradition et de ses centres d'intérêt.

Historiquement, le catholicisme fut imposé par les conquérants espagnols, puis repris par leurs successeurs à la tête du pays. Depuis près de cinq siècles, l'Église n'a guère tenté de tou-

cher véritablement la population indigène dans les campagnes. Les traductions de la Bible en langues vernaculaires restent rares, et peu d'efforts ont été réalisés pour expliquer le sens de la liturgie.

Dans les années 1950, l'Église s'engagea résolument dans la lutte anticommuniste, dans le camp de l'armée et des forces de répression. Au fur et à mesure que le pays rentrait dans une spirale de violence, l'Église fut ainsi de plus en plus considérée avec suspicion par la population. Malgré cela, de nombreux prêtres catholiques s'investirent aux côtés des Mayas, accordant leur soutien à des organisations paysannes et à des projets de développement. Ces activités tournées vers le peuple attirèrent l'attention de l'armée, qui vit dans ces religieux des « communistes » et des fauteurs de trouble. Les milices paramilitaires perpétrèrent alors une série de meurtres de prêtres. Le phénomène prit une telle ampleur qu'au début des années 1980 l'Église se retira totalement des Hautes Terres tenues par la guérilla, afin de protester contre la répression, et pour sa propre sécurité. Le vide ainsi créé devait placer les Mayas des Hautes Terres seuls aux prises avec l'armée et les rebelles.

Les baptistes et les autres missionnaires venus des États-Unis adoptèrent une autre attitude. Dès le départ, ils vécurent au sein des communautés indigènes, apprirent leurs langues et traduisirent la Bible. Ils prônèrent une éthique de vie stricte, axée sur le devoir, le travail et le respect de la famille, qui séduisit les austères Mayas. Grâce à leur message évangélique, ils s'attirèrent de nombreuses adhésions au sein d'une population traditionnellement encline à accorder une grande place aux questions morales et religieuses. En fonction des efforts moraux accomplis ici-bas, le fidèle se voyait promettre une vie meilleure dans l'autre monde. Pour de nombreux Mayas, qui se sentaient exclus de tous les échelons de la société, un tel discours devait avoir une réelle portée. La prohibition de l'alcool et la condamnation de la vie pécheresse leur permit également de se démarquer des catholiques, plutôt discrets sur ces questions. Enfin, ils prirent parti clairement en faveur de l'armée contre la guérilla, accusée de prendre en otage la population dans le seul dessein de poursuivre sa lutte.

Au début des années 1980, les Églises évangéliques étaient devenues puissantes au Guatemala, comme devait l'illustrer l'arrivée au pouvoir du général Efraín Ríos Montt. Membre de la secte évangélique El Verbo (« la Parole »), il fut le premier président protestant du Guatemala. Condamné par la communauté internationale pour sa répression féroce de la guérilla, son credo sévère et sans compromis, « loi et ordre », lui a pourtant apporté les suffrages de nombreux Guatémaltèques. Longtemps favori pour l'élection présidentielle de 1995, Ríos Montt s'est vu évincer de la course en raison de son coup d'État de 1982. Mais le courant d'opinion qu'il incarne continue à séduire de larges couches de l'électorat. À l'issue des élections de 1999, remportées par le FRG (Frente Republicano de Guatemala), il fut lui-même porté à la présidence du Congrès, preuve que les évangélistes représentent toujours une force politique.

(CEH) a été mise en place pour enquêter sur les atteintes aux droits de l'homme commises pendant la guerre civile, et déterminer les responsabilités. Cette phase du processus de paix, toujours en cours, se révèle indispensable au rétablissement des bases d'une société entravée par le poids de la honte et de la rancune.

RETOUR SUR LES ANNÉES DE VIOLENCE

Pour tous les observateurs, la guerre civile trouve son origine dans le renversement d'Arbenz Guzmán, en 1954. Le gouvernement du colonel Castillo avait alors rédigé une liste noire de plus de quarante mille hommes poli-

naire du peuple armé (ORPA). La victoire de Fidel Castro à Cuba leur offrit à la fois un modèle et un allié fournissant un soutien logistique. En février 1982, les différents groupes de la guérilla se rassemblèrent au sein de l'Union révolutionnaire nationale guatémaltèque (URNG) afin de coordonner leur lutte.

La guerre atteignit son paroxysme à la fin des années 1970 et au début des années 1980, à l'époque où Rigoberta Menchú publia son célèbre témoignage : *Moi, Rigoberta Menchú*, traduit en plusieurs langues. Plusieurs milliers de personnes étaient alors tuées chaque année, dont la majorité était des paysans mayas (83 % des victimes selon la CEH), qui n'étaient en

tiques, syndicalistes, intellectuels, etc. qui se trouvèrent pour la plupart emprisonnés ou forcés à l'exil. La commission d'éclaircissement historique date en revanche de 1962 le début véritable de la guerre. En réaction, la gauche mit sur pied plusieurs organisations, dont certaines allaient constituer les noyaux de la guérilla. Dans les années 1960, les groupes les plus importants étaient l'Armée révolutionnaire des pauvres (ERP) et l'Organisation révolution-

À gauche, Efraín Ríos Montt, président du Guatemala de 1982 à 1983, se servit de l'évangélisme comme d'une arme politique ; ci-dessus, le mémorial de Nebaj, voué à la mémoire des trente ans de guerre civile.

rien concernés par le conflit. L'attention de la communauté internationale commença alors à se porter sur le pays. La politique de la terre brûlée et les violations des droits de l'homme dont s'était rendu coupable le gouvernement attirèrent à la guérilla et aux partis de gauche un soutien accru.

DES NÉGOCIATIONS DIFFICILES

Avec le retour du gouvernement civil, en 1986, les premières tentatives de négociation virent le jour. La guérilla commença à comprendre qu'elle ne pourrait renverser le gouvernement par la force, mais le dialogue fut long à se mettre en place, car les militaires rechignaient à négocier avec les « subversifs ». Progressivement, malgré leurs réticences, les représentants de l'armée acceptèrent finalement de participer aux discussions qui s'échelonnèrent sur plusieurs années, à Mexico dans un premier temps, puis en Norvège. L'attribution du prix Nobel de la paix à Rigoberta Menchú, en 1992, devait plus tard conduire la communauté internationale à exercer une pression accrue sur les différentes parties pour les amener à trouver une solution.

Les mouvements révolutionnaires attendaient des accords de paix qu'ils garantissent des changements importants au Guatemala, concernant avant tout la promotion des droits des populations indiennes. Les généraux, quant

à eux, craignaient avant tout d'être tenus pour seuls responsables des deux cent mille morts de la guerre. En outre, l'une de leurs principales préoccupations était d'éviter une épuration et une réforme de l'armée et de la police.

LE PRIX DE LA PAIX

Les accords furent signés en décembre 1996, grâce à la pression conjointe des États-Unis et de l'Europe, et surtout grâce à la profonde aspiration à la paix de la population guatémaltèque. Leur mise en application, en revanche, fut beaucoup plus lente, même si le processus semble irréversible. Les guérilleros ont rendu leurs armes et ont été réintégrés dans la société.

Ils ont formé un parti politique qui s'est présenté aux dernières élections. Les forces armées ont par ailleurs été réduites, et les civils ont vu leur poids augmenter dans les processus de décision. Mais la violence reste endémique dans certaines régions du pays.

En outre, le rapport de la CEH, qui mène l'enquête sur trente-six ans de violation des droits de l'homme, continue à diviser le Guatemala. Si certains prônent des sanctions à l'encontre de ceux qui ont été impliqués dans les exactions, d'autres préconisent l'oubli et le pardon afin de rompre avec le cycle infernal de la rancune et des représailles.

LE RETOUR DE RÍOS MONTT

Les élections législatives et présidentielle tenues fin 1999 ont révélé la permanence de la popularité dont jouit l'ancien dictateur Efraín Ríos Montt. Séduits par son discours sur « la loi et l'ordre », les Mayas des zones rurales et les classes moyennes citadines lui ont apporté un large soutien. Bien qu'au début des années 1980, à l'époque où il était au pouvoir, cette politique ait conduit le pays dans une spirale de violence, de nombreux Guatémaltèques semblent convaincus de sa capacité à sortir le pays du chaos. Utilisant comme base d'appui les multiples et populaires Églises évangéliques en plein essor, Ríos Montt a construit un puissant mouvement politique baptisé le FRG (Front républicain guatémaltèque). Cette formation a semblé sur le point de le porter au pouvoir lors des élections de 1995, mais la classe politique, inquiète du retour du dictateur, a modifié la Constitution afin de lui barrer la route.

Au cours des années suivantes, Efraín Ríos Montt s'est efforcé de raffermir ses positions. Le candidat de son parti, Alfonso Portillo, a ainsi réussi à vaincre le candidat du PAN à la succession d'Alvaro Arzú, lors de l'élection présidentielle de 1999. Le nouveau président s'est engagé à poursuivre l'application des accords de paix, mais devra également rapidement faire face au défi que représente l'extension de la pauvreté, et répondre au besoin de sécurité de la population s'il veut conserver sa confiance. Ríos Montt, pour sa part, a été élu à la présidence du Congrès, mais il continue d'être la cible des associations humanitaires.

À gauche, le président Alvaro Arzú, qui signa les accords de paix avec la guérilla en 1996; à droite, Rigoberta Menchú, symbole des discriminations dont est victime la population maya.

RIGOBERTA MENCHÚ

Ni chef d'État, ni sportif, ni artiste ou vedette de cinéma, la personnalité guatémaltèque la plus célèbre au monde n'est autre que la principale défenseur des droits de l'homme, l'Indienne maya quiché Rigoberta Menchú. La lauréate du prix Nobel de la paix en 1992 est un personnage très controversé au Guatemala, du fait de son travail fort médiatisé pour la défense des indiens. Portée aux nues par la majorité des Mayas et par la gauche, elle est accusée par ses détracteurs d'être une ancienne guérillera dissimulée, coupable d'avoir manipulé l'opinion internationale contre son pays.

Née en 1959, près d'Uspantán, dans le Quiché, Rigoberta Menchú a raconté son histoire dans *Moi, Rigoberta Menchú*, publié en 1983. Usant d'un langage simple et direct, elle dresse un portrait sévère de la société guatémaltèque, rongée par les inégalités ethniques, la disparité des dispositifs de santé et d'éducation, la pauvreté, les mauvaises conditions de travail et le mode de vie des Mayas. Elle décrit les violences dont fut victime la communauté indienne durant la guerre civile. Accusés de sympathiser avec la guérilla, son père, sa mère et son frère furent eux-mêmes assassinés par les militaires. Dans son ouvrage, Rigoberta Menchú déclare n'avoir jamais reçu d'éducation scolaire, et raconte qu'elle et sa famille durent partir travailler dans les plantations de la côte pacifique pour survivre, avant d'être contraints de fuir au Mexique, dans les années 1980.

Moi, Rigoberta Menchú s'est vendu à des millions d'exemplaires à travers le monde, projetant son auteur sur le devant de la scène. Le visage de Rigoberta Menchú devint familier au siège des Nations unies, à Genève, où elle venait informer des droits bafoués des Mayas de son pays, et établir des réseaux de soutien en faveur des minorités indiennes. De cette période est issu le second volet de son autobiographie, non traduit à ce jour en français.

La prix Nobel revint au Guatemala en 1994, portée par un fort courant de sympathie. Mais la parution, en 1998, d'une biographie écrite par David Stoll (*Rigoberta Menchú et l'histoire de tous les pauvres Guatémaltèques*) vint tempérer cet enthousiasme. L'auteur y accusait Rigoberta Menchú d'avoir inventé de grandes parties de son témoignage : il affirma qu'elle avait suivi une scolarité dans un couvent, et qu'elle n'était jamais allée travailler dans les plantations de la côte pacifique. En outre, les spoliations de terres dont fut victime sa famille auraient moins eu pour cause le racisme et la répression militaire que des querelles internes... David Stoll allégua également le passé guérillero de sa famille et mit en doute l'histoire de son frère mort de malnutrition. À la suite de cette parution, Rigoberta Menchú reconnut avoir suivi quelques années de scolarité dans un couvent, mais elle resta silencieuse sur les autres affirmations.

En dépit de ces ombres, force est cependant de rappeler que le récit de Rigoberta Menchú est corrélé par ceux de nombreux Mayas. Interrogées dans le cadre de la commission d'éclaircissement historique (CEH) mise en

place en 1997 afin de faire la lumière sur la période de Violencia, de nombreuses victimes ont raconté les spoliations de terres, les meurtres et la torture, l'exil forcé vers les plantations des grands propriétaires, la fuite vers les campements mexicains... Le témoignage et le travail de Rigoberta Menchú, dont même David Stoll reconnaît qu'ils méritent le prix Nobel pour l'impact qu'ils ont eu, ont concouru à mettre fin à un carnage qui a coûté la vie à plus de cent mille Guatémaltèques.

Soutenue par ses nombreux sympathisants, Rigoberta Menchú, avec sa fondation, continue à lutter pour une justice politique et sociale. D'aucuns voient en elle une future candidate à la présidence du Guatemala.

LES MAYAS DES HAUTES TERRES

Cœur du pays maya, la région des Hautes Terres s'étend des portes de Guatemala Ciudad à la frontière mexicaine. Deux chaînes de montagnes la traversent : los Altos Cuchumatanes, au nord, et la Sierra Madre, au sud. Cette dernière est constituée d'une série de volcans qui alterne hauts plateaux et bassins. C'est dans les villes et les villages que vit la majorité des cinq millions de Mayas du Guatemala, en tentant de maintenir un fragile équilibre entre son mode de vie ancestral et les contraintes de la société moderne.

LA FAMILLE

Traditionnellement, l'unité domestique de base est la famille étendue. Les fils mariés s'installent avec leur famille dans la maison parentale, ou dans des constructions adjacentes, lorsque l'économie du ménage le permet, mais il n'est pas rare de voir deux ou trois couples cohabiter. La propriété, les droits et les pouvoirs se transmettent de père en fils, ce qui soude très fortement les générations, et entrave l'accès à l'autonomie des jeunes hommes. Ceux-ci n'ont finalement le choix qu'entre devenir commerçant ou émigrer aux États-Unis. Dès qu'ils en sont capables, les enfants participent eux aussi à la vie de la maisonnée. Les filles les plus âgées aident leur mère pour les travaux domestiques et s'occupent de leurs cadets. Elles s'initient en outre au tissage ou à l'artisanat. De leur côté, les garçons accompagnent leur père aux champs et sur les marchés. Peu d'enfants sont scolarisés au-delà de l'école primaire, surtout dans les zones rurales reculées.

Cette division sexuelle des tâches est à la base de l'économie villageoise. Les hommes cultivent le maïs, le haricot noir et la courge sur un lopin appelé *milpa*. Quand l'espace le permet, d'autres cultures destinées à la vente s'y ajoutent (carotte, avocat, oignon), mais la taille des lopins ne permet guère d'en tirer des revenus substantiels. Le problème foncier remonte en fait à la fin du XIXe siècle, époque où beaucoup de villages furent contraints d'abandonner les meilleures terres au profit des planteurs de café. En outre, le partage traditionnel des

Pages précédentes : labeur harassant dans une milpa. À gauche, cortège à Chichicastenango ; à droite, le labourage se fait toujours à la main.

parcelles entre les fils réduit leur taille à chaque génération. Dans ces conditions, l'autosuffisance s'avère difficile à atteindre, même avec l'apport supplémentaire procuré par la vente d'artisanat réalisé par les femmes. Les migrations saisonnières dans les grandes plantations de coton et de café de la côte deviennent une nécessité.

LA RELIGION

La religion est fondamentale dans la vie des Mayas, pour qui beaucoup d'actes quotidiens possèdent une dimension sacrée. Bien que la plupart se proclament catholiques, leur pra-

tique incorpore de nombreux rites précolombiens. La résonance entre certains éléments des deux religions a en effet facilité le syncrétisme au moment de la conquête espagnole. Ainsi, de l'encens, considéré comme la nourriture préférée des dieux, et utilisé comme offrande dans certaines cérémonies des anciens Mayas. La croix était aussi un symbole important, associé à la terre. Elle était représentée sous la forme d'un quadrilatère du centre duquel partaient quatre chemins en direction des points cardinaux. Aujourd'hui encore les cérémonies mayas débutent par une salutation aux quatre points cardinaux. Enfin, si le culte des saints a pris une telle ampleur c'est parce que ceux-ci se trouvèrent associés aux divinités mayas. Tout comme elles, ils ont des caractéristiques humaines et des fonctions spécifiques. Intégrés au panthéon maya, les saints sont vénérés avec les ancêtres et les divinités préhispaniques, selon une logique très pragmatique. L'enchevêtrement des deux religions est perceptible au sein des confréries, creuset de ce syncrétisme.

LES CONFRÉRIES RELIGIEUSES

Le système des *cofradías* fut introduit par les Espagnols au moment de la conquête pour promouvoir le catholicisme. Les prêtres considéraient les confréries comme un moyen de propager la foi et leur fonction sociale fut rapi-

dement élargie, notamment à l'organisation des festivités religieuses. Les nobles espagnols en visite se plaignaient de ce que le culte des saints s'accompagnait de danses « sauvages », d'idolâtrie et d'une abondante absorption d'alcool. Aujourd'hui encore, les confréries gardent un caractère syncrétique, comme à Chichicastenango, où les *cofrades* (membres des *cofradías*) font des offrandes aux divinités mayas sur les marches de l'église, avant de vénérer les saints catholiques à l'intérieur.

Chaque confrérie a la charge d'organiser les rites et les processions associés à son saint patron, ainsi que de veiller à l'entretien de ses attributs (effigie, vêtements, étendard…). La maison du chef de la *cofradía* sert de chapelle

pour les fidèles. L'image du saint y est déposée sur un autel décoré de bougies, de fleurs, de maïs, de haricots et de divers objets. Élus tous les ans, les membres évoluent au sein d'une hiérarchie stricte dominée par le chef de confrérie. Ce poste confère un statut social important, surtout lorsqu'il s'agit de la confrérie du saint patron du village. Il est souvent occupé par un *sacerdote* (chaman maya).

Même si certains villages comme Nebaj, Chichicastenango et Santiago Atitlán possèdent encore une dizaine de confréries, leur influence décline depuis les années 1950, époque où l'Action catholique prit son essor au Guatemala. Dans sa volonté d'extirper tout paganisme, ce mouvement a usurpé nombre des fonctions des confréries, comme l'entretien de l'église. Aujourd'hui, les tensions sont considérables entre les *cofrades* d'une part, et les prêtres de l'Action catholique et les protestants de l'autre, qui leur reprochent leur consommation d'alcool et leurs rituels chamaniques.

Le déclin du système est dû aussi aux dépenses excessives engendrées par les fêtes des saints, auxquelles toute la communauté contribuait autrefois. Aujourd'hui, un village typique comprend des groupes évangéliques toujours plus nombreux, des membres de l'Action catholique et des *costumbristas* (« traditionalistes ») en régression. Au sein des confréries, les jeunes ne veulent plus supporter la charge financière, et la rotation se fait de plus en plus difficilement. Il arrive qu'un chef de *cofradía* occupe le poste plusieurs années de suite car personne ne se présente pour le remplacer.

LES CHAMANS

Les traditionalistes prient à l'église et, en parallèle, rendent des cultes sur des autels situés dans les montagnes. Ces rites sont du ressort du *sacerdote*, qui fait le lien entre les hommes et les divinités, les saints catholiques et les ancêtres du monde surnaturel. Cette capacité lui est octroyée par le dieu du jour de sa naissance, mais elle lui est révélée plus tard dans la vie, souvent au cours d'un rêve. Le *sacerdote* développe ensuite son don au contact des aînés et apprend notamment à utiliser le calendrier rituel de deux cent soixante jours pour la divination. Il lui revient de fixer les jours propices aux cérémonies, d'expliquer le passé et de prédire l'avenir. Il peut également jeter et révoquer des sorts, donner des conseils et veiller au bien-être de la communauté.

Les chamans sont particulièrement nombreux à Quetzaltenango et Totonicapán, au sein de la confrérie de Maximón (ou San Simón). Ce personnage très puissant est représenté par une statuette en bois vêtue à l'européenne. Ambivalent, il peut être bienfaiteur ou malfaisant. Chez les Kanjobal de Huehuetenango, les cérémonies pour la fertilité de la terre ou pour invoquer la pluie se sont maintenues. Le *sacerdote* prie pour la communauté, tandis que l'on procède à des offrandes d'encens, de bougies, d'aliments, voire de sang. Un dindon est même parfois sacrifié. Si la pluie tarde à venir ou si les récoltes sont détruites par le froid, le chaman est blâmé. Dans le passé, il arrivait qu'il fût emprisonné pour ne pas avoir accompli son travail correctement.

Dépositaires de la tradition, les *sacerdotes* ont payé un lourd tribut à la guerre civile, mais depuis les années 1990 la religion ancestrale connaît un regain parmi les jeunes intellectuels mayas, qui n'hésitent plus à proclamer leur foi.

LE COSTUME ET SES TENDANCES

Les tenues bleu turquoise, rose fuchsia, rouge éclatant, vert ou jaune des Hautes Terres du Chiapas et du Guatemala sont un ravissement pour les yeux. Plus qu'un simple vêtement, elles sont le vecteur d'une histoire et d'une culture.

Le costume féminin actuel n'a guère changé depuis l'époque préhispanique. Il consiste en un *huipil* (blouse rectangulaire), un *corte* (jupe) enroulé autour de la taille, une ceinture, un ruban à cheveux et un *tzut* (pièce de tissu carré aux multiples fonctions) ou un châle. Sur les sculptures classiques et postclassiques, les femmes portent des coiffures élaborées et des *huipiles* descendant jusqu'aux genoux. Ce style de vêtement est encore usité par les confréries de Santiago Atitlán, Nebaj et Sololá.

Si le coton, cultivé avant l'arrivée des Espagnols, reste très largement employé, la laine et la soie, introduites au XVIe siècle, se sont bien implantées. Les fibres industrielles sont désormais la règle, mais la plupart des éléments du costume sont fabriqués à la main, à l'aide d'un métier de ceinture, ou *telar de centura*, d'origine préhispanique. Seule la jupe est confectionnée sur un métier droit à pédales manipulé par les hommes, qui fut introduit par les Espagnols.

À gauche, la tenue de ces jeunes garçons de Santiago Atitlán mêle des éléments traditionnels et modernes ; à droite, cofrade de Chajul, dans le triangle Ixil.

Les motifs et les couleurs revêtent un aspect symbolique tiré de la mythologie et de la cosmologie. Ainsi, les lignes brisées représentent le serpent, animal lié à la fertilité et à la création du monde. Les *huipiles* et les *tzutes* sont souvent illustrés de colibris, messagers des ancêtres, ou de singes descendants d'une humanité antérieure, celle des hommes de bois. Le losange, représentation de l'univers, le *ceiba*, arbre sacré et axe du monde, ainsi que le maïs, sont aussi très fréquents. Chaque village possède ses canons esthétiques, mais la tisserande peut recourir à des motifs originaux. La tenue constitue un bon indicateur de la situation sociale ou matrimoniale. Ainsi, à

Zinacantán (Chiapas), les célibataires portent des vêtements plus colorés et leur blouse est ornée de pompons plus volumineux.

De plus en plus de femmes cessent de confectionner elles-mêmes leurs vêtements. Les *huipiles* tissés sur des métiers droits à pédales ou faits à partir de pièces achetées dans le commerce (surtout dans la région de Totonicapán), et ornés de broderies, sont beaucoup moins onéreux que ceux tissés sur les métiers de ceinture, aux motifs traditionnels. Les ceintures et les châles rayés en fibres synthétiques aux couleurs éclatantes se substituent aux pièces traditionnelles, tandis que la forme de la jupe évolue. En certains endroits (Chichicastenango), les jeunes filles la raccourcissent jusqu'aux genoux, alors que dans les régions de Quetzaltenango et d'Alta Verapaz, les femmes adoptent la jupe plissée de style européen.

L'évolution du vêtement a commencé dans les années 1980, quand des milliers de Mayas fuirent leur village pour la sécurité relative des grandes villes. L'anonymat des textiles de Totonicapán permettait de ne pas être considéré comme un partisan de la guérilla. En outre, les jeunes filles étant de plus en plus nombreuses à quitter la maison familiale pour aller étudier ou travailler en ville, il devint socialement acceptable de s'habiller à l'occidentale ou d'adopter la tenue d'autres villages.

un Ladino que pour un Indien. Le costume traditionnel est donc souvent remplacé par une tenue occidentale, qui correspond mieux à ce style de vie.

Toutefois, autour du lac Atitlán, les Mayas portent encore le pantalon rayé maintenu par une large ceinture à laquelle s'ajoute parfois une pièce de laine enroulée autour des hanches. À San Juan Atitlán, ils portent des *capixays* (long vêtement ouvert sur les côtés) en laine qui rappellent la chasuble des ordres religieux espagnols, tandis qu'à Todos Santos Cuchumatán, le pantalon rayé blanc et rouge se porte avec un surpantalon noir. À Santiago Atitlán, les hommes brodent sur leurs panta-

Ces évolutions sont manifestes à Guatemala Ciudad, Quetzaltenango et Totonicapán. Mais autour du lac Atitlán, à Nebaj et à Chajul, et parmi les Mam de Huehuetenango, la tenue traditionnelle reste la norme. Les jupes sont tissées à la main et les petites filles sont entièrement vêtues du costume villageois.

Au contraire du vêtement féminin, le vêtement traditionnel masculin n'est plus porté que dans de rares villages. Qu'ils commercent dans les grandes villes, travaillent dans les plantations, tentent leur chance aux États-Unis ou servent dans l'armée, les hommes ont toujours entretenu plus de contacts avec le monde extérieur. Du fait de la discrimination raciale, il est plus avantageux d'être pris pour

lons des figures anthropomorphiques et zoomorphiques tirées des mythologies locales.

Dans certains villages, comme San Juan Sacatepéquez et Chichicastenango, l'habit traditionnel se porte dans le cadre des *cofradías*. Les surpantalons, les bermudas noirs finement brodés, les capes et les vestons s'y inspirent de la mode espagnole des XVIIIe et XIXe siècles.

ARTISANATS ET MARCHÉS

Si l'artisanat apporte une contribution importante à l'économie villageoise, il profite essentiellement aux grossistes, des Ladinos en général. La réputation de certains villages, spécialisés dans un type d'article, s'étend à tout le pays. Momostenango est connu pour les couvertures en laine, San Pablo la Laguna et San Juan Cotzal pour les cordes en fibre d'agave, et Santiago Atitlán pour les *petates* (nattes de roseaux). Totonicapán est la ville des ustensiles de cuisine en faïence, alors qu'à Chinautla on fabrique des bacs à fleurs ainsi que des crèches et des figurines qui seront revendus au marché de Guatemala Ciudad. Dans les années 1970 et 1980, des coopératives d'artisanat furent créées avec l'aide de capitaux et de travailleurs étrangers pour rationaliser et valoriser la production. La plupart ont disparu, à l'exception de la coopérative Santa Ana à Zunil, maintenant gérée par un comité de femmes.

FÊTES ET CÉRÉMONIES

Autre moment fort de la vie communautaire, les fêtes et les cérémonies donnent lieu à des manifestations bruyantes et colorées. Le plus souvent liées au catholicisme, elles puisent aussi dans la tradition maya.

Chaque ville, chaque village célèbre une fois par an son saint patron. Les festivités, organisées par la municipalité, durent trois à cinq jours, et donnent lieu à l'élection de « reines du festival » ainsi qu'à des bals. De leur côté, les commerçants envahissent la place centrale et financent des groupes de musiciens. L'une des formations les plus répandues est le marimba,

Le principal débouché pour l'artisanat reste le marché. Dans les Hautes Terres, où l'habitat est dispersé, la plupart des villages accueillent un marché hebdomadaire, sur la place centrale, qui permet de maintenir les liens sociaux. C'est d'ailleurs le jour du marché que se réunit le conseil municipal. Ceux qui ont une dimension régionale, comme à Tecpán, Sololá, San Francisco el Alto et Totonicapán, attirent une foule qui vient parfois de très loin à pied, le dos ployé sous des charges amarrées à l'aide du *mecapal* (lanière de cuir posée sur le front).

À gauche, marché aux bestiaux de San Francisco el Alto ; ci-dessus, acteurs costumés dans la danse de la Conquête, à Chichicastenango.

du nom de l'instrument national du Guatemala. Il s'agit d'un xylophone dérivé du balafon africain et introduit au XVIe siècle par les esclaves noirs. Le marimba est joué simultanément par au moins trois musiciens, et lors des fêtes il n'est rare de voir plusieurs groupes jouer à trente pas les uns des autres. Souvent, le chalumeau (famille de la clarinette), le violon, la guitare, le *tupe* (petit tambourin carré constitué de deux peaux tendues) et le *tun* (long fût de bois frappé avec deux baguettes) se mêlent au concert !

Pour faire bonne mesure, les pétards, les fusées, les *bombas* (« bombes »), voire les *toritos* – taureaux en structure de bambou, d'où partent des fusées – font partie intégrante de la fête. Mais celle-ci ne saurait être complète sans les danses masquées. Certaines sont de tradition préhispanique, mais les danses de la Conquête comptent parmi les plus représentées. Introduites par les Espagnols, elles transposent dans le Nouveau Monde le thème de la lutte contre les infidèles lors de la reconquête de l'Espagne sur les Maures. La danse du Cerf (*Baile del Venado*) est quant à elle rattachée à un mythe préhispanique. Une troupe forme une ronde qui délimite un espace où sont interprétées des saynètes. Le seul endroit où elle soit exécutée chaque année est Santa Eulalia.

Car ces représentations ont un coût élevé – essentiellement la location des costumes –, et

exigent une longue préparation, notamment pour apprendre les textes. Également préhispanique, le spectaculaire *Palo volador* est exécuté au Mexique comme au Guatemala : quatre hommes se jettent dans le vide du haut d'un mât de 20 m, les pieds attachés à une corde qui se déroule en faisant tourner la structure pyramidale située en haut du mât, sur laquelle se tient un cinquième danseur.

Parallèlement, la confrérie en charge du saint patron organise la procession, point culminant de la fête. Le saint est exposé dans la cour, puis dans l'église avant d'être porté à travers la ville sur un lourd catafalque, parfois décoré de plumes colorées et de miroirs. Les autres saints le suivent, aussi richement parés, ainsi que les

danseurs masqués et les musiciens qui ponctuent les différentes phases de la procession.

Les fêtes liturgiques

Les grandes fêtes liturgiques – la Toussaint et la semaine sainte – donnent lieu à des manifestations particulières. La fête des Morts est un culte domestique. Chaque famille se prépare à honorer ses défunts, parfois une semaine avant la Toussaint, en repeignant et en fleurissant les tombes. La nuit du 1er novembre, elle se retrouve au cimetière, à la lumière de la bougie, pour partager nourriture et alcool avec les morts, qui ne sont jamais aussi proches qu'alors. Les transistors et les cartes à jouer font bon ménage avec les offrandes disposées sur les sépultures. Temps de recueillement, la Toussaint est l'occasion d'exprimer la douleur mais aussi la joie, qu'accompagne parfois un groupe de marimba ou une chorale. À l'extérieur, la fête bat son plein, dans les manèges forains ou au bal. À Todos Santos Cuchumatán, la Toussaint, qui est aussi la fête annuelle du village, donne lieu à une spectaculaire course de chevaux, tandis que Sumpango et Santiago Sacatepequez organisent des festivals de cerfs-volants dans les cimetières.

En comparaison, les festivités de la semaine sainte apparaissent beaucoup plus orchestrées, surtout dans les grandes villes comme Guatemala Ciudad et Antigua. Les rues sont envahies par les nombreuses processions du Christ et de la Vierge qui effectuent le chemin de croix. À Antigua, d'immenses catafalques, nécessitant de quarante à quatre-vingts porteurs, sont portés ainsi vers la place centrale. Ils sont entourés des membres des confréries habillés en Romains, en Juifs ou en pénitents. Le cortège foule des parterres de fleurs et de sciure colorée représentant des scènes de la vie du Christ et d'autres symboles chrétiens. Nombre de communautés mayas organisent également des représentations de la Cène, de la Passion et du vendredi saint.

L'année liturgique est ainsi ponctuée de tableaux fastueux et hautement colorés, dans une symbolique ancestrale qui relie les religions maya et catholique. À l'image des processions du Christ et de Maximón, qui se croisent sur la place de l'église de Santiago Atitlán, le vendredi saint, cette rencontre est parfois électrique.

À gauche, le festival de cerfs-volants de Sumpango, en août ; à droite, le premier homme fait de maïs, peinture murale de Fernando Castro Pacheco.

DES HOMMES DE MAÏS

Avec la courge et le haricot, le maïs a toujours été un produit de base de l'alimentation maya. Depuis l'époque préhispanique, la manière de le cultiver et de le cuisiner a peu changé. La préparation des champs débute en mai, peu avant les premières pluies : les anciennes tiges de maïs sont brûlées, la terre est retournée, des sillons sont tracés et les semailles sont enfouies à l'aide d'un bâton. La récolte, en novembre, réunit souvent plusieurs familles du village, ce qui permet de resserrer les liens communautaires. Si les pluies sont suffisantes, la production suffit à la consommation familiale, mais le surplus est généralement peu abondant, sauf pour ceux qui possèdent de grandes parcelles.

La consommation de maïs est importante car il constitue l'unique ingrédient de presque toutes les préparations de base dans les Hautes Terres. Dans la plupart des villages, le moulin a remplacé la pierre à moudre (*metate*) et le pilon (*mano*), qui servaient traditionnellement à écraser les grains. Le résultat obtenu est ensuite bouilli jusqu'à l'obtention d'une pâte qui sert à la confection de *tamales*. Mélangée avec de l'eau et un peu de chaux, la farine de maïs sert par ailleurs à la confection des tortillas, petites galettes qui sont cuites ou grillées sur un plateau en fer ou en terre. Les femmes utilisent également l'eau de cuisson du maïs pour préparer un bouillon généralement mélangé avec du piment, l'*atole*, et qui, fermenté, devient une boisson alcoolisée.

Au-delà de son rôle nutritionnel, le maïs occupe une place symbolique pour les Mayas. Cette céréale est en effet la matière première qui sert à façonner leurs ancêtres, les hommes de maïs. Le *Popol Vuh*, récit historico-mythique écrit vers 1560, raconte comment les dieux tentèrent par quatre fois de créer des êtres de raison qui pourraient les vénérer et les sustenter. Ils commencèrent par créer des êtres sans bras ni jambes, les animaux. Réalisant qu'ils ne pouvaient s'exprimer, ils les destinèrent au service de l'homme. Puis ils donnèrent vie à des créatures d'argile, mais qui se révélèrent stupides et incapables de se tenir debout. Les dieux les dissolurent dans l'eau. Ils créèrent ensuite des êtres de bois, dotés de la parole. Las, ceux-ci «n'avaient rien dans leur cœur et dans leur esprit, aucun souvenir de leurs créateurs», et ne pouvaient donc pas les vénérer. Ils furent détruits à leur tour, à l'exception des singes, qui continuent d'habiter les forêts.

La quatrième tentative fut la bonne : « Seuls le maïs jaune et le maïs blanc entrèrent dans la composition des bras et des jambes des hommes, nos premiers pères… » À l'époque classique, plusieurs dieux incarnaient le maïs. Yum Kaax en était le protecteur, tandis qu'Itzamna, le créateur et dispensateur de vie, appelé « D » par les archéologues, était notamment associé à la fécondité, aux graines et à la semence.

La dimension sacrée du maïs s'est perpétuée chez les Mayas des Hautes Terres au travers des cérémonies pour la fertilité du sol et le succès des récoltes. Dans son livre *Hombres de maíz* (« Hommes de maïs »), le Guatémaltèque Miguel Ángel Asturias a brillamment décrit

l'importance rituelle de cette céréale. Asturias, qui fut le premier Latino-Américain a recevoir le prix Nobel de littérature (1967), a fait de la problématique maya son principal sujet. Dans *Hombres de maíz*, il a utilisé le *Popol Vuh* et le livre de *Chilam Balam* pour brosser un tableau complexe de la vie des indigènes, de leur attachement à la terre, et de leurs difficultés à s'adapter au monde moderne : « Oui, la terre était une grande mamelle, un énorme sein auquel étaient accrochés tous ces hommes affamés de récolte, assoiffés d'un lait qui avait vraiment le goût de lait de femme, pareil à celui que l'on savoure en suçant la jeune canne de maïs. Une bénédiction de semailles. C'est tout à fait ça qu'on observera aux premières averses ».

LA FAUNE ET LA FLORE GUATÉMALTÈQUES

Doté d'une grande variété de climats et de milieux, et situé dans une zone intermédiaire entre l'Amérique du Sud et l'Amérique du Nord, le Guatemala jouit d'une biodiversité remarquable. Ce constat positif doit être nuancé par les sérieuses dégradations et destructions à grande échelle engendrées par l'accroissement des activités humaines. Heureusement, depuis les années 1950, des efforts de plus en plus importants ont été consentis afin de préserver les écosystèmes les plus représentatifs. Aujourd'hui, plus de quarante zones protégées ont été établies, et des dizaines d'autres sont actuellement en cours d'étude.

Le Guatemala peut être divisé en trois ensembles géographiques. Au centre, le pays est traversé par deux grandes chaînes montagneuses qui alternent avec des hauts plateaux. Au sud, ces chaînes dévalent jusqu'à l'océan Pacifique en une étroite bande de terre de 50 km de large. Au nord, enfin, s'étend la grande plaine du Petén. À ce tableau s'ajoute une autre plaine plus petite située dans l'est du pays, qui part de la petite façade maritime sur les Caraïbes et s'étire le long des vallées des *ríos* Polochic, Dulce et Motagua.

Comme l'ensemble de l'isthme centraméricain, le Guatemala se trouve sur la ceinture de feu du Pacifique, ce qui lui vaut d'être très vulnérable aux secousses sismiques. Parallèlement à la côte ouest s'égrène une chaîne de trente-trois volcans, la plupart actifs, qui abrite le Tajumulco (4 220 m), point culminant de la région. Les précipitations varient de 500 à 5 000 mm au cours de l'année. Combinées aux variations d'altitude ainsi qu'à d'autres facteurs, ces conditions définissent plus d'une dizaine de biotopes, qui vont des milieux semi-désertiques et de savane à la forêt ombrophile, où les précipitations sont quasi constantes.

PARMI LES ARBRES

Le nom Guatemala dériverait du terme *quauhtemallan*, qui signifie « parmi les arbres » en dialecte nahuatl. De fait, en dépit de la disparition

À gauche, des nymphéas sur le Río Dulce, dans les plaines tropicales de l'Est; à droite, la curiosité naturelle du singe-araignée, ou atèle, fait de lui l'un des singes les plus couramment rencontrés dans les forêts guatémaltèques.

de 40 % des forêts en trente ans, elles couvrent encore un tiers de la surface du pays. Ainsi des sylves du Petén, qui font partie de la plus grande forêt tropicale humide subsistant en Amérique centrale. Par la diversité de leur flore et de leur faune, ces écosystèmes comptent parmi les plus riches du monde. Situés à la limite septentrionale de l'ère d'extension naturelle des forêts tropicales humides, les massifs du Guatemala sont cependant moins densément peuplés que ceux d'Amérique du Sud. Entre autres végétaux remarquables, on y trouve des arbres à caoutchouc, de très hauts feuillus (jusqu'à 30 m) comme l'acajou, et plus de cinq cent espèces d'orchidées.

AUTOUR DES MANGROVES

Les mangroves, que l'on rencontre sur les côtes du Pacifique et des Caraïbes, constituent des milieux très particuliers, balayés par la marée deux fois par jour. La flore, dominée par le palétuvier rouge (*Rhizophora mangle*), doit en effet pouvoir tolérer l'alternance de l'eau de mer et de l'eau douce. Nombre d'animaux trouvent quant à eux avantage à venir se reproduire dans les mangroves, qu'il s'agisse de poissons, de crustacés (les crabes y sont légion) ou d'oiseaux (aigrettes, hérons, cigognes, canards, martins-pêcheurs, etc.), parfois en grandes colonies. Mammifère marin menacé, jadis prisé pour sa chair et aujourd'hui protégé, le lamantin d'Amérique du Nord fréquente les estuaires, où il fraye aux côtés des crocodiles, des iguanes et des loutres. Toute cette faune peut être observée dans le Biotopo Chocón Machacas, une réserve située sur la rive nord du Río Dulce.

Non loin de là, sur la péninsule qui sépare la baie d'Amatique du Honduras, le Biotopo Punta de Manabique abrite une essence rare de palmier – le confra (*Manicaria sacciera*) –, ainsi que des plages où viennent pondre les tortues marines. Pour leur malheur, leurs œufs sont souvent volés car une croyance locale leur attribue des vertus aphrodisiaques, ce qui ajoute aux menaces pesant sur ces fragiles reptiles.

La réserve comprend sept zones protégées, notamment le Biotopo el Zotz, au nord, dont le nom signifie « chauve-souris » en maya. Les chauves-souris frugivores qui y vivent offrent en effet chaque soir un magnifique spectacle, lorsqu'elles surgissent par milliers des grottes qui percent les falaises émergeant de la forêt. Au nord-ouest, durant la saison des pluies (de mai à novembre), le Río Escondido en crue forme le plus grand marais d'eau douce d'Amérique centrale. Ce type d'écosystème a presque entièrement disparu de la région à la suite du drainage des terres à des fins agricoles.

La réserve de la biosphère maya abrite quelques-unes des espèces les plus remar-

UNE RÉSERVE GÉANTE

En 1989, le gouvernement décida de classer « réserve de la biosphère maya » l'ensemble des territoires situés au nord de 17° 10" de latitude, et couvrant une superficie d'un million d'hectares, voire près de deux millions si l'on inclut la zone tampon déjà très dégradée. Cette immense partie du Petén couvre 15 % du territoire national, et possède des frontières communes avec deux autres réserves d'importance, au Belize et au Mexique. Elle est gérée par le CONAP (Conseil national des zones protégées), l'organisme qui contrôle tous les parcs nationaux ainsi que les *biotopos* (zones de protection scientifique) du Guatemala.

quables du Guatemala, parmi lesquelles le plus gros mammifère de la région, le tapir de Baird. Trapu et court sur pattes, ce cousin du rhinocéros, dont le poids varie entre 900 et 1 300 kg, est pourvu d'une courte trompe en guise de museau. Présent généralement aux abords des cours d'eau, c'est un animal farouche, difficile à observer sans l'assistance d'un guide car il détale le plus souvent sans demander son reste lorsqu'on l'approche. Quant au pécari, une espèce de cochon sauvage, il fourrage le sol forestier à la recherche de sa nourriture. Porcs-épics, opossums et tatous sont les autres habitants de la réserve, tout comme le cerf de Virginie et le jaguar, qui est le plus gros félin des Amériques. Mais plus que ces hôtes discrets des denses couverts forestiers, ce sont les bruyants singe-araignée et singe hurleur que le visiteur a le plus de chances de rencontrer. Le singe hurleur (appelé localement *zaraguate*) doit son nom aux puissantes vocalises émises par le mâle, doté de cordes vocales hypertrophiées.

Quant à la gent ailée, elle constitue l'un des attraits majeurs de la région. Ainsi, le parc national de Tikal, qui couvre moins de 6 % de la surface totale de la réserve de la biosphère maya, abrite à lui seul plus de trois cents espèces d'oiseaux, allant des minuscules colibris aux toucans, perruches et perroquets flamboyants, tel le spectaculaire ara macao. Autre

journée pour les contempler est généralement le petit matin. S'adjoindre les services d'un guide local offre de bonnes chances de réaliser les meilleures observations, surtout pour les ornithologues novices. En effet, si par moments la forêt semble totalement assoupie, l'arrivée soudaine de groupes mélangés de petits oiseaux met à rude épreuve les talents d'identification. Il est conseillé de prendre en note l'aspect général de chaque espèce plutôt que de s'attacher à en observer tous les détails ; cela évitera d'en manquer beaucoup d'autres. Les colonnes de fourmis et les arbres fruitiers attirent souvent nombre de volatiles ; rester un instant à proximité de celles-là ou de

espèce rare mais très étudiée que l'on ne rencontre que dans cette région, le dindon ocellé possède un plumage aux couleurs éclatantes.

DE PRUDENTES OBSERVATIONS

Les ornithologues amateurs venus des régions tempérées de la planète sont souvent très surpris de la variété des oiseaux qui peuplent les forêts tropicales. La meilleure heure de la

À gauche, le coati est un habitant familier du parc de Tikal, que l'on rencontre fréquemment ; ci-dessus, beaucoup plus rare est le dindon ocellé, doté d'un magnifique plumage et présent dans les forêts de plaine tropicales.

ceux-ci donne souvent de meilleurs résultats que de se déplacer dans la forêt.

Il est par ailleurs vivement recommandé de porter des chaussures montantes, un pantalon et une chemise à manches longues pour se protéger des insectes, et de s'enduire abondamment de crème répulsive. Enfin, dernier conseil, regardez toujours où vous mettez les pieds... Les risques de tomber sur un serpent sont faibles au Guatemala, car ceux-ci s'enfuient généralement à l'approche de l'intrus (à moins qu'ils ne se trouvent acculés ou qu'on leur marche dessus). Toutefois, il est préférable de s'en tenir à distance, car si la plupart ne sont pas dangereuses, de rares espèces peuvent s'avérer mortelles, tel le redoutable fer-de-lance, l'un des serpents les plus venimeux d'Amérique latine, qui vit tapi au sol dans les forêts.

L'ÉCOTOURISME, UNE CHANCE POUR L'AVENIR

Conservation International a mis sur pied au Guatemala l'Alianza Verde (Alliance verte), une initiative visant à promouvoir, dans la réserve de la biosphère maya, un tourisme écologiquement responsable. Cet organisme international à but non lucratif agit pour la protection des richesses biologiques de la Terre, notamment des forêts vierges tropicales, en

aidant les populations locales à améliorer leur qualité de vie. Mettant à profit tous les ressorts possibles (scientifiques, économiques, politiques et sociaux), Conservation International tente d'organiser des actions impliquant les communautés locales. L'une de ces initiatives récentes fut la création du réseau des Caminos Mayas, des pistes permettant aux visiteurs d'observer la faune, tout en découvrant les ruines mayas et en participant à la récolte des fruits de la forêt. En créant pour les habitants des sources de revenus alternatives, le programme vise à réduire la destruction de la forêt par les fermiers à des fins de subsistance. À Guatemala Ciudad, des organisations comme Wildlife and Conservation and Rescue Asso-

ciation accueillent les bénévoles qui souhaitent participer à ce type d'actions.

ULTIME REFUGE

Située au sud du Petén, près de San Augustín et de la frontière avec le Honduras, la chaîne de montagnes Sierra de Las Minas est classée « réserve de biosphère » et « parc national ». Elle est connue pour son haut degré d'endémisme (espèces vivantes connues nulle part ailleurs), et certains experts estiment qu'elle abriterait des animaux non encore répertories par les scientifiques.

La sierra est le bastion de nombreux oiseaux menacés, notamment le quetzal (voir page ci-contre), l'emblème national du Guatemala, et constitue la seule région du pays où ait été observé ces dernières années l'aigle harpie (*Harpia harpija*), l'un des plus grands rapaces du monde. Jaguars et cerfs s'y rencontrent également – les premiers se nourrissant des seconds – ainsi que d'autres félins comme les pumas.

Avec des sommets culminant à plus de 3 000 m, cette réserve renferme les plus vastes forêts ombrophiles subsistant dans le pays. Il s'agit d'un type de milieu très localisé, soumis tout au long de l'année à de fortes précipitations. Baignés par un air frais d'altitude et constamment noyés au milieu du brouillard, des arbres chétifs y forment une forêt vierge en miniature, parsemée de fougères arborescentes. Les mousses épiphytes qui recouvrent toute la végétation donnent à l'ensemble une atmosphère étrange.

UN APERÇU DE LA RICHESSE NATURELLE

À ceux qui n'ont pas l'occasion de visiter le Petén ou l'est du pays, une visite à la réserve de San Buenaventura de Atitlán, près de Panajachel, donnera un bon aperçu de la flore et de la faune du Guatemala. Celle-ci abrite une ferme de lépidoptères, où vingt-cinq espèces de papillons et cinquante espèces d'orchidées peuvent être observées. Des essences autochtones, notamment des arbres fruitiers, ont été plantées pour attirer les oiseaux, que l'on peut observer d'un réseau de chemins, de ponts de corde et de plates-formes surélevées.

À gauche, l'ara macao, ou ara rouge, une espèce menacée que l'on peut encore rencontrer dans les forêts de piémont; à droite, le quetzal resplendissant raffole des avocats sauvages.

LE QUETZAL

Considéré par beaucoup comme l'un des plus beaux oiseaux des tropiques, le *Pharomacrus antisianus*, auquel les Indiens ont donné le nom de quetzal, est communément appelé quetzal resplendissant par les naturalistes. Le Guatemala l'a choisi comme emblème national.

L'oiseau, qui a la taille d'un pigeon (soit environ 30 cm), doit sa beauté au contraste des couleurs vives de son plumage. La teinte rouge carmin de la partie inférieure du corps s'oppose au vert irisé de la nuque, de la gorge et de la poitrine, tandis que l'ensemble de son plumage est rehaussé de tons métalliques vifs. Une fine crête de plumes court sur le sommet de son crâne, de son petit bec jaune jusqu'à sa nuque, tandis qu'une longue barbe flottante, aux extrémités effilées, protège les ailes. Mais les plumes les plus remarquables sont celles qui recouvrent la partie centrale de la queue et qui forment au repos une traîne recourbée en faucille, longue de 60 cm (soit deux fois la longueur de son corps). Lorsque l'oiseau prend son envol, elles dessinent deux pans verts qui ondulent gracieusement dans les airs. Vu d'en bas, le blanc neigeux du duvet de la queue se détache sur le plumage incarnat du ventre. La femelle, moins colorée que le mâle, ne possède pas cette traîne. Quant au ramage du quetzal, il est à la hauteur de son plumage : plein et profond, il ruisselle en un flux subtil d'une douceur qui rivalise avec celle du chant du rossignol.

Comme on peut le voir sur les sculptures précolombiennes, le quetzal était étroitement associé au culte du dieu aztèque Quetzalcóatl. Ses plumes étaient utilisées dans les rituels religieux et guerriers. Il en était de même chez les Mayas, pour qui le guide spirituel du grand dieu Tecún Umán n'était autre qu'un quetzal, qui continua à combattre même après avoir été tué par les Espagnols. Et selon la légende maya, sa couleur rouge écarlate proviendrait du sang des guerriers de la bataille de Xela. Lors des grandes occasions, l'empereur Moctezuma revêtait un manteau orné de plusieurs milliers de plumes de quetzal. Les oiseaux étaient élevés dans le palais de l'empereur, à l'intérieur d'immenses volières aux barreaux d'or.

Placé sur la liste des espèces en voie de disparition, le quetzal vit dans les forêts pluviales, entre 1 500 et 3 000 m. Présent dans toute l'Amérique centrale, il est menacé par la destruction de son habitat naturel ainsi que par les chasseurs de plumes. L'un des meilleurs sanctuaires pour l'observer est le biotope Mario Dary Rivera, au Guatemala. La découverte d'un quetzal constitue néanmoins un véritable événement, car le volatile s'avère presque impossible à repérer : il est solitaire, son plumage vert le dissimule aisément, et sa gorge d'un rouge lumineux ressemble de loin à une fleur.

Le quetzal est un oiseau grimpeur, de la famille des trogonidés. Il est arboricole et habite la première strate de la forêt. Son régime se compose de fruits, d'insectes, d'escargots et de lézards. L'oiseau est monogame

et les couples nichent dans les cavités des arbres des forêts de versants ou dans ceux qui bordent les clairières. Le trou de son nid est vertical et assez profond pour dissimuler les oisillons et leurs parents, à l'exception de la traîne du mâle qui dépasse largement – et que l'on prend souvent, sur un tronc couvert d'épiphytes, pour deux feuilles de fougère.

Dans le fond lisse de la cavité, la femelle pond deux ou trois œufs durant la période de ponte, de mars à juin. Elle couve toute la nuit et une partie du jour puis, au milieu de la journée, le mâle la remplace. Quand il quitte les œufs, il s'élance au-dessus des arbres. Au sommet de son ascension, il décrit des cercles puis replonge prestement vers les feuillages.

ITINÉRAIRES
AU GUATEMALA

Par la beauté et la multitude de ses sites mayas, l'architecture baroque de ses cités coloniales, sa richesse et sa singularité culturelle, ainsi que la splendeur de ses montagnes et de ses vallées, le Guatemala constitue sans nul doute l'une des destinations phares de l'Amérique centrale.

Sur une superficie équivalente à un cinquième de la France, le pays offre une exceptionnelle palette de paysages. Aux steppes des Hautes Terres occidentales, parsemées de petits villages sommeillant à l'ombre d'églises blanchies à la chaux, succède au nord une vaste plaine couverte de forêt tropicale, où émergent parfois les ruines d'une cité maya.

Typique des cités latino-américaines, la capitale, Guatemala Ciudad, est le plus important pôle urbain d'Amérique centrale, et celui qui concentre le plus de pauvreté et de pollution. Surnommée « Guate » par ses habitants, la ville s'avère dépourvue de charme, mais elle possède de bons musées et mêle avec bonheur architecture moderne et édifices historiques. Pour séjourner, la plupart des visiteurs lui préfèrent néanmoins Antigua.

Antigua présente en effet de multiples avantages par rapport aux autres villes guatémaltèques. Cette bourgade propre et reposante s'enorgueillit d'une architecture coloniale remarquable, classée patrimoine de l'humanité par l'Unesco. Les élégants édifices associés aux espaces verts des places publiques créent une atmosphère propice à la détente, tandis que les nombreux bars, restaurants, musées et librairies de la ville fournissent autant d'occasions de se divertir. D'Antigua, plusieurs excursions peuvent être réalisées, notamment l'escalade d'un des volcans qui cernent la ville, en particulier le Pacaya, l'un des plus actifs d'Amérique centrale. La statue sacrée de Santo Maximón, à San Andrés Itzapa, ou les plantations de café et les marchés de la campagne environnante, fournissent autant d'autres motifs de promenades.

Antigua se trouve à l'orée des Hautes Terres occidentales – également appelées Altiplano –, où vit la majeure partie des Mayas du pays. Niché au creux d'un merveilleux écrin volcanique, le lac Atitlán constitue à juste titre l'une des principales attractions touristiques du Guatemala. Outre Panajachel, petite ville balnéaire, une dizaine de villages mayas se sont installés sur ses berges. Plus au nord, le très coloré marché de Chichicastenango, qui présente l'essentiel des textiles et de l'artisanat indien du pays, vaut à lui seul le détour. De là, on accède à une série de villages aux marchés très animés, qui offrent une fascinante introduction à la culture maya. C'est le cas notamment de Zunil, où l'on peut admirer une statue de Santo Maximón et jouir d'un bain dans les sources chaudes de

Pages précédentes : au bord du lac Atitlán, des villageois attendent le bateau pour rejoindre leur pueblo. *À gauche, la silhouette imposante de l'Agua veille sur Antigua Guatemala.*

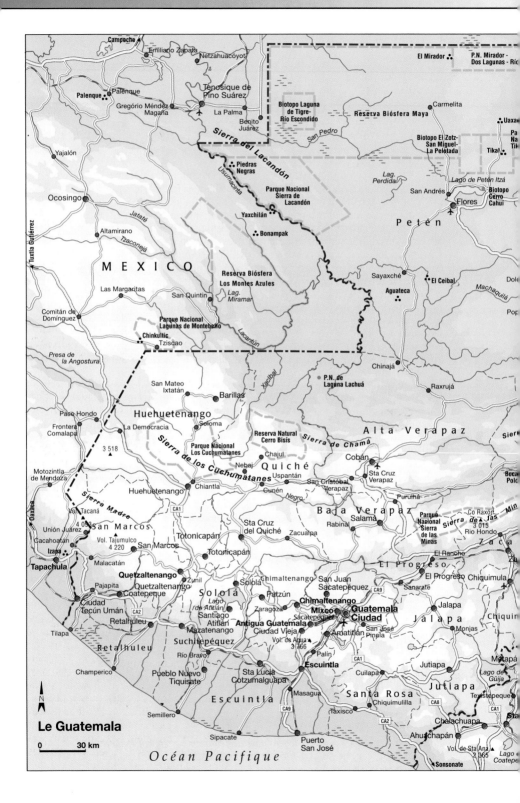

Le Guatemala

0   30 km

Océan Pacifique

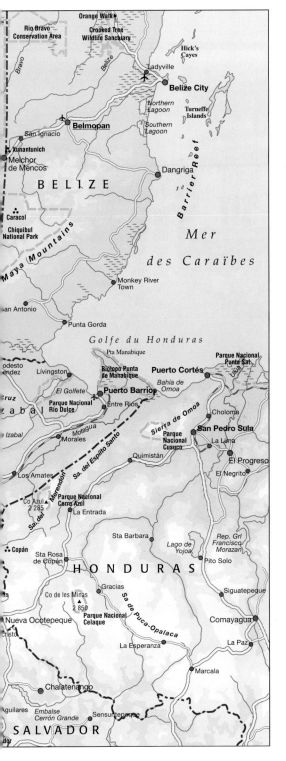

Fuentes Georginas. Non loin, San Francisco el Alto possède l'un des marchés les plus charmants du pays.

Au sud de l'Altiplano, la côte pacifique et ses plages de sable noir battues par les vagues reste relativement méconnue des touristes. Les stations balnéaires de Monterrico, Itzapa et Champerico sont pourtant prises d'assaut tous les week-ends par les Guatémaltèques en famille. L'occasion est idéale pour effectuer des rencontres, car ils sont alors beaucoup plus disponibles. Pour savourer un moment d'intimité sur la côte, mieux vaut évidemment venir en semaine. La température est toujours chaude et humide, et l'on trouve facilement des bungalows à louer en bord de mer. Les plus chanceux auront peut-être l'occasion d'observer des tortues marines venir pondre leurs œufs dans le sable au crépuscule.

À l'est du Guatemala, les abords du lac Izabal et du Río Dulce sont une étape idéale sur la route des Caraïbes. On peut s'y délasser dans des sources chaudes, admirer des chutes ou visiter une ancienne forteresse. Quant au village garífuna de Lívingston, sur la côte Caraïbe, il présente un singulier contraste culturel avec le reste du pays. Au-delà de la frontière avec le Honduras, une excursion s'impose aux ruines de Copán, joyau de l'art maya, sis dans un cadre enchanteur. À l'ouest, autour de Cobán, les Verapaces recèlent des trésors naturels, notamment les piscines de Semuc Champey et le biotope Quetzal, où vit le très rare volatile qui sert d'emblème national.

À l'extrême nord du pays, la jungle du Petén recouvre un tiers du Guatemala. Berceau de la civilisation maya à l'époque classique, cette région compte quelques sites de premier plan, telles Tikal, El Mirador et Piedras Negras. Elle sert également de refuge à quantité d'animaux (dont le jaguar, le tapir, le toucan et diverses espèces de singes). Le site de Tikal permet ainsi tout à la fois de découvrir la superbe architecture maya ainsi qu'une forêt magnifique. Des hôtels sont installés à proximité des ruines, mais on peut dormir à Flores ou El Remate. Ces deux petites cités lacustres sont le point de départ de nombreuses expéditions permettant de découvrir les dizaines de sites mayas enfouis dans la jungle.

GUATEMALA CIUDAD

Guatemala Ciudad présente peu d'attraits pour les touristes, hormis ses musées. Turbulente et bruyante en comparaison des autres villes du pays, « Guate » fait pourtant figure de petite capitale (deux millions d'habitants, banlieue comprise) à l'échelle du continent américain. De prime abord, ses ruelles vétustes et polluées décontenancent le voyageur. En outre, les rues commerçantes du centre, désertées à la tombée du jour, s'avèrent peu engageantes. Par contraste, la banlieue sud, où réside la frange aisée du pays, fait figure de havre de paix, même si les maisons se cachent derrière de hauts murs.

Néanmoins, un court séjour dans la capitale constitue le meilleur moyen pour saisir d'emblée la complexité sociale du Guatemala. Le reste du pays est en effet essentiellement rural, et la ville la plus importante, Quetzaltenango, ne compte que cent vingt mille habitants. Située à 1 500 m d'altitude, Guate jouit d'un climat doux et offre de nombreux buts de promenade. Il faut déambuler dans la luxueuse Zona Viva, ainsi que dans l'étonnant marché central d'El Terminal, où des Mayas et des Ladinos venus de tout le pays vendent leur production maraîchère. La ville possède également trois musées passionnants ainsi qu'une pléthore de restaurants, de bars et de boîtes de nuit.

UN DÉVELOPPEMENT TARDIF

Guatemala Ciudad ❶ est en fait la quatrième capitale du pays, bâtie à la suite d'une série de séismes qui détruisirent Santiago de los Caballeros, la future Antigua, en 1773. Elle s'élève près des ruines de Kaminaljuyú, qui fut, il y a deux mille ans, la plus importante cité maya des Hautes Terres, probablement alliée à Teotihuacán, au Mexique. Peuplée d'environ cinquante mille habitants, elle devait sa prospérité au commerce de l'obsidienne et des plumes de quetzal.

Désormais absorbés par les faubourgs de la Zona 7, à 3 km du centre de Guate, les vestiges des temples et des places de Kaminaljuyú n'offrent qu'un pâle reflet de son passé glorieux.

À l'exception d'un petit campement espagnol, le site de Guatemala Ciudad, situé au fond d'une profonde cuvette, resta quasi inoccupé, même après 1773. La nouvelle capitale ne se développa qu'après le tremblement de terre qui ravagea sa rivale Quetzaltenango, en 1902, et poussa de nombreux migrants à aller s'installer à Guate dans l'anarchie la plus totale. Les différentes vagues de *campesinos* qui les ont suivis depuis se sont agglutinées dans des *barrios* (quartiers) insalubres, au pied des falaises du nord de la ville et le long des axes routiers et ferroviaires.

UNE URBANISATION CHAOTIQUE

Comme nombre de villes des pays en voie de développement, Guatemala Ciudad fait face à d'insurmontables

Carte p. 112

Guatemala Ciudad

À gauche, étal d'artisanat maya, sur la Plaza Mayor de Guatemala Ciudad.

Cuit à l'eau puis enduit de beurre, de citron et d'épices, l'épi de maïs constitue l'une des friandises préférées des promeneurs. À Guatemala Ciudad, cet en-cas est vendu sur les marchés ainsi qu'à de nombreux coins de rue. Élevé au rang de mythe par les anciens Mayas, il reste un des éléments de base du régime alimentaire des Guatémaltèques.

Guatemala Ciudad

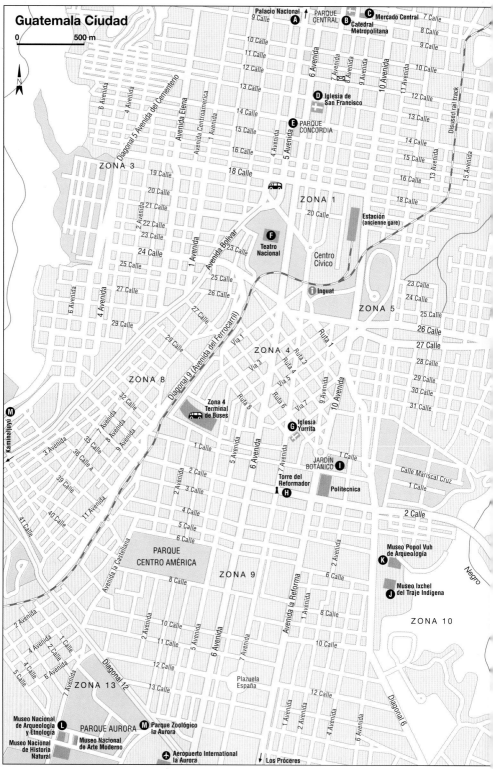

0   500 m

Palacio Nacional **A**
PARQUE CENTRAL
Catedral Metropolitana **B**
Mercado Central **C**
9 Calle
7 Calle
8 Calle
9 Calle
10 Calle
11 Calle
12 Calle
13 Calle
14 Calle
15 Calle
16 Calle

6 Avenida
7 Avenida
8 Avenida
9 Avenida
10 Avenida
11 Avenida

Iglesia de San Francisco **D**
PARQUE CONCORDIA **E**

12 Calle
13 Calle
14 Calle
15 Calle
16 Calle
18 Calle

13 Avenida
15 Avenida

Disused rail track

Diagonal 5 Avenida del Cementerio
Avenida Elena
Avenida Centroamérica
1 Avenida

ZONA 3
19 Calle
20 Calle
21 Calle
22 Calle
23 Calle
24 Calle
25 Calle
27 Calle
29 Calle

2 Avenida
4 Avenida
6 Avenida

ZONA 1
18 Calle
20 Calle

Estación (ancienne gare)

4 Avenida
5 Avenida

18 Calle

Avenida Bolívar
23 Calle

Teatro Nacional **F**

Centro Cívico

ZONA 5
23 Calle
24 Calle
25 Calle
26 Calle
27 Calle
28 Calle
29 Calle
30 Calle
31 Calle

Inguat **i**

25 Calle
26 Calle
27 Calle
29 Calle

ZONA 8
32 Calle

Diagonal 9 (Avenida del Ferrocarril)

ZONA 4
Ruta 1
Ruta 3
Ruta 4
Ruta 5
Ruta 6
Ruta 8
Vía 1
Vía 3
Vía 5
Vía 7
9 Avenida
10 Avenida

Kaminaljuyú **M**

3 Avenida
35 Calle
36 Calle a
39 Calle
40 Calle
41 Calle
11 Avenida

7 Avenida
8 Avenida
9 Avenida

Zona 4 Terminal de Buses

Iglesia Yurrita **G**

JARDÍN BOTÁNICO **I**

1 Calle
2 Calle
3 Calle

5 Avenida
6 Avenida
7 Avenida

Torre del Reformador **H**

Politécnica

Calle Mariscal Cruz
1 Calle
2 Calle

1 Calle
2 Calle
3 Calle
4 Calle
5 Calle
6 Calle

Avenida la Castellana

PARQUE CENTRO AMÉRICA

8 Calle

ZONA 9

Museo Popol Vuh de Arqueología **K**
Museo Ixchel del Traje Indígena **J**

2 Avenida
1 Avenida
5 Avenida
6 Avenida
7 Avenida

Avenida la Reforma
1 Avenida
2 Avenida
6 Calle
8 Calle
10 Calle

ZONA 10

Negro

2 Avenida
1 Avenida
4 Avenida
5 Avenida
6 Avenida

10 Calle
11 Calle
12 Calle
13 Calle

Diagonal 12

ZONA 13

Plazuela España

12 Calle

Diagonal 6

Museo Nacional de Arqueología y Etnología **L**
PARQUE AURORA
Parque Zoológico la Aurora **M**
Museo Nacional de Arte Moderno
Museo Nacional de Historia Natural
Aeropuerto International la Aurora ✈
Los Próceres

1 Avenida
2 Avenida
4 Avenida
6 Avenida

problèmes de salubrité, de sécurité et de partage foncier. La population aisée a depuis longtemps opté pour les banlieues éloignées et verdoyantes, tandis que dans le centre quantité d'immeubles magnifiques ne disposent pas de l'eau courante et tombent à l'abandon. Dans la journée, l'activité économique intense parvient presque à y masquer l'immense pauvreté d'une population marginalisée, qui vit à l'écart de tout confort et de toute sécurité. Pour les nouveaux migrants, le centre constitue en effet une zone de transit obligatoire avant de rejoindre les membres de leur famille ou de leur communauté déjà installés dans la ville. Hisser Guate à la hauteur de ses ambitions et de son potentiel touristiques constitue donc pour le gouvernement un énorme défi en matière d'urbanisation, de valorisation du patrimoine et de politique sociale.

SE REPÉRER DANS LA VILLE

Par bonheur pour les visiteurs, les sites intéressants se trouvent concentrés dans un périmètre relativement réduit : la Zona 1 (nord), la Zona 4 (centre) et les Zonas 9, 10 et 13 (sud).
À l'instar de la plupart des grandes villes latino-américaines, Guate est découpée selon un plan en damier, inspiré du schéma espagnol des *cuadras*, ces pâtés de maisons qui servent d'unité de mesure et de point de repère dans les déplacements. Les dénominations « rue » et « avenue » ne sont pas fonction des dimensions de la voie, mais de son orientation. Toutes les rues (*calles*) s'étirent d'est en ouest, tandis que les avenues (*avenidas*) courent du nord vers le sud. De temps à autre, les *barrancos* (ravins) qui surgissent au milieu du paysage urbain viennent cependant bousculer ce bel ordonnancement en provoquant des changements de nom inattendus.
Pour trouver une adresse, il s'agit de repérer d'abord la *zona*, puis la *calle* ou l'*avenida*, et enfin le numéro. L'adresse 10 C, 12-15, Zona 9 correspond ainsi à la Zona 9, dixième rue

(10 Calle), numéro 12-15 (ce qui signifie que l'adresse de la maison est le 15, situé entre la douzième et la treizième avenue). A priori complexe, ce système présente l'avantage de presque toujours permettre de se situer, en tenant compte de l'ordre croissant ou décroissant des rues et des avenues.
Les principaux repères de la capitale sont le Parque Central, au cœur de la Zona 1 et, dans la Zona 9, le Centro Cívico (centre administratif), ainsi que la Torre del Reformador, une copie réduite de la tour Eiffel.

LA ZONA 1

Bien qu'il soit situé dans la partie nord de la ville, le **Parque Central** (ou Plaza de la Constitución) est considéré comme le centre non seulement de Guatemala Ciudad, mais aussi du pays : toutes les distances sont en effet calculées de cet endroit. Le Parque Central est bordé par des édifices parmi les plus prestigieux et

Plan p. 108

Les militaires ont toujours joué un rôle de premier plan au Guatemala.

La coupole et les hautes voûtes de l'église San Francisco. Commencée en 1780, son édification prit plusieurs décennies en raison des séismes qui interrompirent les travaux à de multiples reprises. Construite dans le style néoclassique italien, elle a hérité de nombreuses œuvres qui étaient exposées à l'origine dans l'église San Francisco, à Antigua.

Ces noix de cajou orangées figurent parmi la multitude de fruits exotiques, de légumes et de fleurs que l'on trouve au Mercado Central.

À Guatemala Ciudad, l'espace public est envahi par les enseignes des grandes marques internationales.

les plus anciens de la ville, mais, étrangement, il ne brille par son animation que le dimanche, quand se tient un grand marché de textiles indiens, ainsi que les jours fériés. Ornée d'un énorme drapeau guatémaltèque, d'une immense fontaine et d'une petite flamme de la paix éternelle, cette place tire une certaine majesté des édifices qui l'entourent.

Au nord, le **Palacio Nacional ⒜**, construit par l'architecte Rafael Pérez de León entre 1939 et 1943, sous la dictature d'Ubico, fut le siège de la présidence jusqu'en 1998. Il a depuis été transformé en Museo Nacional de Historia. Sa sobre façade de pierre gris-vert contraste avec le décor intérieur, qui mêle les influences mauresque (mudéjar) et néoclassique. Dans le grand escalier, les immenses fresques d'Alfredo Gálvez Suárez présentent une vision idéalisée de l'histoire du pays, tandis que la salle de réception située à l'étage abrite un énorme lustre de cristal et de bronze orné de quatre quetzals de bronze. La visite s'achève par les deux cours de style mauresque plantées de palmiers.

Dominant l'est de la place, la **Catedral Metropolitana ⒝**, construite entre 1782 et 1809, présente un mélange de styles baroque et néoclassique. Son dôme de tuiles bleues et ses tours sont un ajout de 1868. Dépourvue de qualités architecturales particulières, cette lourde construction a tout de même résisté à deux tremblements de terre. L'intérieur, quelque peu austère, comprend trois nefs et pas moins de seize autels, dont certains peints à la feuille d'or.

Juste derrière la cathédrale, sur la 8 Calle, se dresse le **Mercado Central ⒞**, un bloc de béton souterrain bâti après le séisme de 1976. L'artisanat du pays s'y résume le long des étals, où l'on trouve textiles et articles de cuir ou de vannerie. Au niveau intermédiaire, consacré à l'alimentation, on peut déguster des *empanadas* (beignets salés ou sucrés) ou des *caldos* (soupes).

Plan
p. 108

Situé plus au sud, sur la 8 Avenida, juste après la 9 Calle, le **Café León** est l'endroit idéal pour prendre un rafraîchissement. Un peu plus loin, sur 12 Calle et 7 Avenida, se tient le **Correo** (poste centrale), un édifice couleur saumon dont la grande arche enjambe la 12 Calle.

Une *cuadra* à l'ouest, sur la 6 Avenida, au cœur d'un quartier commerçant envahi par les étals de nourriture et les néons, se dresse l'**Iglesia de San Francisco** ❿. Commencée en 1780, elle évoque un château néoclassique. L'intérieur renferme une étonnante collection de portraits de martyrs, ainsi que des reliques, tel le sacré-cœur de Trujillo et une représentation en liège de l'Ecce Homo. Un petit musée est consacré au moine franciscain Fray Francisco Vásquez.

Poursuivant vers le sud, la 6 Avenida longe le **Parque Concordia** ❶. L'unique espace vert de la Zona 1 est le royaume des prédicateurs évangélistes, des *limpiabotas* (petits cireurs de chaussures), des vendeurs à la sauvette et... des amateurs de philosophie. L'autre point de repère de la Zona 1 est la **Estación**, la gare désaffectée, sur 18 Calle et 9 Avenida. Le quartier étant très pauvre, il est vivement déconseillé de s'y promener le soir, et les voyageurs qui viennent y prendre un bus privé pour le Mexique, Cobán ou le Petén veilleront à leurs affaires. Quand le réseau ferroviaire sera réactivé, il est prévu d'implanter la nouvelle gare dans la Zona 18, dans le nord-est de la ville.

LE CENTRO CÍVICO

Coincée entre le vieux quartier de la Zona 1 et ceux plus guindés des Zonas 9 et 10, la Zona 4 abrite le complexe moderne du **Centro Cívico**. Ce centre administratif en béton comprend notamment **l'Inguat** (office du tourisme national), sur la 7 Avenida, près de la voie ferrée.

Le **Teatro Nacional** ❷, qui fait partie du Centro Cultural Miguel Ángel

Le Teatro Nacional, l'un des édifices les plus modernes de la ville.

*Les musées
de la capitale
possèdent
de magnifiques
collections
archéologiques.*

Asturias, occupe l'emplacement de l'ancienne forteresse espagnole San José, dont on aperçoit encore les remparts, sur le promontoire dominant l'entrelacs des axes routiers. De là, le panorama, magnifique, s'étend sur la ville et ses environs, jusqu'au volcan Pacaya. Réalisé en 1978 par l'architecte d'avant-garde Efraín Recinos, le Teatro Nacional évoque un paquebot, avec ses bâtiments bleu et blanc percés de hublots. Un théâtre de plein air, un petit auditorium et un petit musée de l'Armée complètent l'ensemble.

Le Centro Cívico compte d'autres édifices municipaux, comme le **Banco de Guatemala**, la **Municipalidad** (mairie) où l'on peut admirer des fresques de Carlos Mérida, ainsi que la **Corte Suprema de Justicia**.

Au sud de la Zona 4, sur Ruta 6, la curieuse **Iglesia Yurrita** ❻, ou église de Nuestra Señora de Las Angustias, mêle les styles byzantin, mauresque, néogothique et baroque… Son clocher penche depuis le séisme de 1976.

ZONAS 9 ET 10

Ces deux quartiers chics sont séparés par un élégant boulevard arboré, l'Avenida de la Reforma. La Zona 9, à l'ouest, comprend des bureaux, des restaurants et des hôtels. Son unique curiosité est la **Torre del Reformador** ❽ (1935), une copie réduite de la tour Eiffel érigée à la mémoire du président Rufino Barrios (1873-1885). À l'extrémité sud du boulevard, le **Parque el Obelisco** commémore l'indépendance du Guatemala.

De l'autre côté de l'Avenida de la Reforma, la Zona 10 présente plus d'intérêt. La grande bourgeoisie du pays y a élu domicile, et l'on y trouve des hôtels de grand luxe ainsi que des restaurants et des discothèques que l'on ne rencontre nulle part ailleurs au Guatemala. À deux pas de la Reforma, sur la Calle Mariscal Cruz, le **Jardín Botánico** ❶ présente un échantillon de l'extrême diversité de la flore locale, ainsi qu'un musée d'oiseaux empaillés, dont un quetzal.

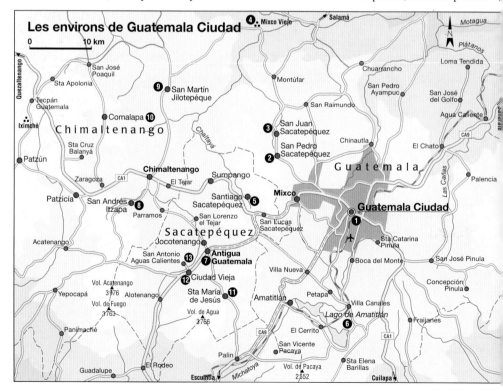

Les environs de Guatemala Ciudad

0   10 km

LES MUSÉES DE LA CAPITALE

Les deux principaux musées de la ville occupent le campus de **l'Universidad Francisco Marroquín**, en descendant vers la vallée du Río Negro, par la 6a Avenida. Le **Museo Ixchel del Traje Indígena ❶** (musée Ixchel du Vêtement indigène) est installé dans un temple néo-maya du début des années 1990. Ses superbes collections, très bien présentées, s'accompagnent de commentaires en anglais et en espagnol, et d'une projection de documentaires. Les murs sont décorés d'œuvres d'artistes mayas et le musée possède une boutique de textiles ainsi qu'une librairie.

Le **Museo Popol Vuh de Arqueología ❷**, adjacent au précédent, invite à une passionnante découverte de la civilisation maya depuis ses origines. Outre de remarquables céramiques, il renferme une réplique du codex de Dresde ainsi que de magnifiques urnes funéraires.

Plus au sud, dans le Parque Aurora (Zona 13), le **Museo Nacional de Arqueología y Etnología ❸** possède le plus important fonds d'art précolombien d'Amérique centrale. Ses stèles, sculptures, bas-reliefs, costumes et objets de jade s'avèrent d'un intérêt exceptionnel. Juste à côté, sur Diagonal 12, le **Parque Zoológico la Aurora ❹** fournit prétexte à une promenade agréable.

AUTOUR DE LA CAPITALE

Dans le nord-ouest de la ville, la Calle San Juan Sacatepéquez mène aux ruines de **Kaminaljuyú** (Zona 7), l'une des plus fameuses cités de l'ère préclassique, et l'un des centres où s'est développée l'écriture. Très urbanisé, le site ne passionnera que les mordus d'histoire, car la plupart des objets trouvés sur place sont exposés dans les musées de la capitale.

Traversant un paysage splendide, la route mène ensuite à **San Pedro Sacatepéquez ❷** et **San Juan Sacatepéquez ❸**, réputés pour leurs marchés (vendredi) où les femmes portent de chatoyants *huipiles*.

À 28 km au nord-ouest, les ruines de **Mixco Viejo ❹**, l'ancienne capitale des Mayas Pokoman, surgissent au milieu des montagnes. Le site comprend plusieurs temples et jeux de balle restaurés.

Santiago Sacatepéquez ❺, 15 km à l'ouest de Guatemala Ciudad, est quant à elle célèbre pour son festival de cerfs-volants, à la Toussaint.

À 30 km au sud de Guatemala Ciudad, le très beau mais très pollué **Lago de Amatitlán ❻** est un lieu de villégiature apprécié des *capitalinos*, qui viennent y faire des tours en bateau ou se baigner dans les piscines thermales le week-end. Les berges sont malheureusement gagnées par une urbanisation galopante. Au sud du lac se dresse le **volcan Pacaya** (2 552 m), en éruption presque constante depuis 1965. De nuit, les projections de lave forment un spectacle exceptionnel. L'escalade (deux heures et demie) ne présente pas de difficultés, mais il est conseillé de faire appel à une agence.

Cartes
pp. 108
et 112

Le festival de cerfs-volants de Santiago Sacatepéquez, tout près de Guate, est l'un des plus réputés.

Chaque année, la Toussaint est l'occasion de fêtes dans tout le pays. Des cerfs-volants, en bois ou en bambou recouvert de papier de soie multicolore, sont lancés dans les airs au-dessus des cimetières, afin de communiquer avec l'âme des morts. Mais certains spécimens atteignent de telles dimensions que le vent est insuffisant pour leur permettre de s'élever.

ANTIGUA GUATEMALA

Joyau de l'architecture coloniale, classée sur la Liste du patrimoine mondial par l'Unesco, **Antigua Guatemala ❼** est sans conteste la plus belle ville de tout le pays maya. De fait, cette cité d'environ trente-cinq mille habitants cumule les atouts. Son architecture élégante et ses rues pavées à la circulation rare offrent l'occasion de très agréables promenades. Elle occupe de surcroît un site exceptionnel, au creux d'une large vallée dont les pentes font alterner, suivant l'altitude, des pinèdes, des forêts ombrophiles, des plantations de caféiers et des *milpas* (champs de maïs). Trois superbes volcans dominent Antigua, au sud et au sud-ouest. Si l'Acatenango (3 976 m), le plus grand, ne présente pas de danger et peut même s'escalader, l'Agua (3 766 m) a détruit la ville à plusieurs reprises, et le Fuego (3 763 m) manifeste une activité constante. Enfin, Antigua jouit d'un climat doux et tempéré. Rien d'étonnant, donc, à ce que la ville accueille des visiteurs du monde entier. Elle leur doit une ambiance cosmopolite incomparable, ainsi qu'une pléthore de restaurants, de cafés et de bars tenus par des Américains et des Européens.

DÉSASTRES ET DESTRUCTIONS

Peu de villes au monde ont connu une genèse aussi tourmentée qu'Antigua. En 1524, l'Espagnol Pedro de Alvarado s'installa plus à l'ouest, à proximité d'Iximché, la capitale détruite des Cakchiquels (près de Tecpán). Trois ans plus tard, en butte aux attaques incessantes des Indiens, son frère, Jorge de Alvarado, transféra à Ciudad Vieja la capitainerie générale du Guatemala, qui gouvernait alors un territoire s'étendant du Chiapas au Honduras. Mais, en 1541, par suite de pluies diluviennes, un torrent de boue dévala le volcan Agua, détruisant la cité et emportant au passage une grande partie de ses habitants. En 1543, le site de la vallée de Panchoy, 5 km à l'est, fut finalement retenu par les Espagnols pour fonder une nouvelle capitale.

D'abord baptisée Santiago de Los Caballeros de Guatemala, Antigua s'affirma bientôt comme la plus grande ville entre Mexico, au nord, et Lima, au sud. De prestigieux édifices publics furent érigés, tandis que les ordres religieux édifiaient quantité d'églises, de monastères, de couvents et d'écoles. Dans la foulée, le clergé et les riches marchands se firent construire de somptueuses demeures. Une imprimerie, la troisième des Amériques, fut créée en 1660, et l'université San Carlos ouvrit ses portes en 1676.

Dès le départ, la colonie fut conçue suivant des principes ségrégationnistes. Très hiérarchisée, la société était divisée suivant des critères essentiellement ethniques. Le haut de la pyramide était occupé par les Espagnols, puis venaient les Blancs

Carte p. 112

Antigua Guatemala · Guatemala Ciudad

À gauche, vue d'Antigua et du volcan Agua.

Le célèbre arc de Santa Catalina Mártir fut construit en 1693 pour relier le couvent au terrain qu'il venait d'acquérir de l'autre côté de la rue. Les religieuses pouvaient ainsi gagner leur jardin sans être importunées par les regards. L'édifice dresse sa silhouette élégante au cœur de la vieille ville, avec pour toile de fond le volcan Agua.

LES ÉGLISES D'ANTIGUA

Joyaux de l'architecture coloniale, les nombreuses églises baroques d'Antigua se caractérisent par leurs murs épais, supportés par d'énormes contreforts et fondations. Ces efforts apparaissent comme les tentatives dérisoires des habitants pour protéger la cité contre les nombreuses secousses telluriques qui ont marqué son histoire. Le résultat est un étonnant mélange de puissance et de délicatesse. Du XVIᵉ au XVIIIᵉ siècle, en effet, Antigua fut secouée à une douzaine de reprises par les tremblements de terre. Celui de 1773 la détruisit complètement et provoqua l'exil presque complet de la population.

Paradoxalement, le désastre permit d'une certaine manière de préserver la ville des dégâts de l'industrialisation et de l'urbanisation des XIXᵉ et XXᵉ siècles. Soumise à un pillage en règle des autorités qui souhaitaient utiliser ses richesses pour bâtir la nouvelle capitale de Guatemala Ciudad, elle faillit d'abord disparaître complètement, mais les habitants restés sur place refusèrent d'exécuter les ordres de destruction des édifices encore debout. Aujourd'hui encore, la ville semble tout droit sortie du XVIIIᵉ siècle.

En dépit de rares détails antérieurs, le style dominant est le baroque ibéro-américain, qui s'illustre dans la décoration exceptionnellement chargée et exubérante des églises. Les connaisseurs mettent en avant une indéniable influence jésuite. Parfois appelé « churrigueresque », en référence aux œuvres des Churriguera, sculpteurs sur bois et architectes espagnols, ce style n'est cependant pas du goût de tout le monde et certains l'ont qualifié d'ostentatoire et kitsch.

En tout état de cause, les églises de la Merced et Santa Cruz, restaurées récemment, offrent de somptueuses illustrations de la fluidité et de la théâtralité du baroque ibéro-américain. Leurs façades remarquables ont été réalisées par l'application, sur les maçonneries extérieures, de couches successives de plâtre, selon la technique dite *ataurique*. La maçonnerie elle-même est composée de brique et de terre. Quant à la pierre, elle a été peu utilisée dans la région pour la construction, la roche locale, le basalte, d'origine volcanique, étant extrêmement dure à équarrir et à tailler.

La trentaine d'édifices religieux que compte Antigua témoigne de son pouvoir d'attraction auprès des congrégations religieuses à l'époque de sa splendeur, au milieu du XVIIᵉ siècle. Centre de pouvoir, la ville était également le point de départ des missions d'évangélisation lancées à travers les territoires vierges d'Amérique centrale. Les ordres religieux, exemptés d'impôts par la couronne, tirèrent profit de l'exploitation des richesses naturelles de la région (sucre, tabac, blé, cochenille et indigo), qui leur permirent de financer les édifices. En outre, ils bénéficiaient d'une main-d'œuvre gratuite, les Mayas, qui cultivaient la terre et bâtissaient les églises. Par une ironie de l'histoire, ces ouvriers parvinrent à introduire leur imagerie dans les superbes façades *antigueñas*. Le décor de la Merced (ci-contre) est ainsi enrichi d'épis de maïs, sacré pour les Mayas, tandis que des nénuphars blancs hallucinogènes ornent l'église San Fransisco.

nés au Guatemala, les Ladinos, les mulâtres, les esclaves originaires d'Afrique, et enfin les Mayas. Aujourd'hui encore, le Guatemala garde trace de cette stratification.

La ville connut un développement important après le séisme de 1717, qui détruisit nombre de bâtiments. De cette époque datent la plupart de ses édifices baroques, aux murs puissants censés résister aux tremblements de terre. Elle compta jusqu'à soixante-quinze mille habitants en 1773, quand une série de séismes suivis d'une vague d'épidémies eurent raison de sa prospérité. Le roi d'Espagne donna alors l'ordre de l'évacuer et de fonder une nouvelle capitale, dans la vallée de l'Ermita : Guatemala Ciudad.

Désormais appelée Antigua Guatemala (« Guatemala l'Ancienne »), la cité ne fut pourtant jamais totalement abandonnée, en raison de la fertilité de ses terres, propices à l'élevage de la cochenille (insecte dont on tire une teinture écarlate),

puis, à partir du XIXᵉ siècle, à la culture du caféier. Peu à peu, les *mansiones*, les riches demeures de son âge d'or, furent restaurées, et la ville fut repeuplée par la classe moyenne. Aujourd'hui, Antigua est une cité prospère, grâce en particulier au tourisme et aux nombreuses écoles de langues qui s'y sont implantées ces dernières années.

LA PLAZA MAYOR

Située au cœur d'Antigua, la **Plaza Mayor**, ou Plaza de Armas, attire les Antigueños aussi bien que les visiteurs de passage, qui vont y boire un verre ou simplement faire une pause à l'ombre, près de la fontaine qui agrémente son square, le **Parque Central**. La place fut dessinée par l'architecte italien Antonelli en 1543 et servit de point de départ au plan en damier de la ville.

Sur trois côtés, elle est bordée d'élégants édifices coloniaux qui furent pendant plus de deux cents ans l'épi-

Antigua ne compte plus ses écoles d'espagnol.

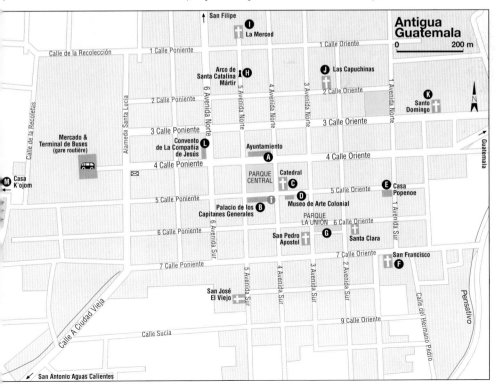

Le buste de Fra Bartolomé de Las Casas, devant l'église de la Merced.

Lavoir public, près de l'église Santa Clara.

centre du pouvoir espagnol en Amérique centrale. Au nord, on peut admirer l'**Ayuntamiento** Ⓐ, l'hôtel de ville, dont l'aspect n'a guère changé depuis 1743, malgré les séismes de 1773 et 1976. Deux musées y ont été aménagés. Le **Museo de Santiago**, ou Museo de Armas, renferme une collection d'art et d'artisanat coloniaux, ainsi que des armes datant de la conquête espagnole (épée d'Alvarado, massues mayas). Le **Museo del Libro Antiguo**, dédié au livre ancien, possède quant à lui des éditions et manuscrits originaux, ainsi qu'une reproduction de la première presse à imprimer du pays.

En face de l'hôtel de ville, le **Palacio de los Capitanes Generales** Ⓑ date du XVIᵉ siècle, mais fut profondément remanié par la suite. Ancien centre nerveux du pouvoir colonial en Amérique centrale, il abrite désormais la préfecture, l'hôtel de police et l'office du tourisme (Inguat). L'édifice conserve sa superbe façade à colonnade colossale, mais il a souffert de voir ses matériaux pillés lors de l'édification de Guatemala Ciudad.

Trônant sur le côté est de la place, la **cathédrale** Ⓒ fut construite en 1680 à l'emplacement d'une église du XVIᵉ siècle. Réchappé du séisme de 1717, l'édifice fut ravagé par le tremblement de terre de 1773. Seule une petite chapelle, appelée l'église de San José, est accessible de la place. Sa façade baroque date du XIXᵉ siècle. Le reste de la cathédrale, avec ses piliers d'origine qui se dressent à ciel ouvert, se visite à partir de la 5 Calle Oriente. Près des restes du maître-autel, un escalier mène aux cryptes, découvertes en 1935, où reposent les dépouilles de quelques-unes des personnalités les plus éminentes de l'histoire de la colonie (Bernardo Díaz de Castillo, Francisco Marroquín, Pedro de Alvarado).

Sur le côté ouest de la Plaza Mayor, on pourra prendre un rafraîchissement dans l'une des deux **librairies**, au cadre très agréable.

AU SUD-EST DE LA PLAZA MAYOR

En face de la cathédrale, sur la 5 Calle Oriente, le **Museo de Arte Colonial ❶** occupe l'ancienne université San Carlos, auparavant installée dans le couvent Santo Domingo. L'institution ne resta dans les lieux qu'une dizaine d'années, et fut déménagée à Guatemala Ciudad après le séisme de 1773. Conservé intact, le patio de style mauresque n'est pas sans charme. Le musée renferme quant à lui un cycle de peintures consacré à la vie de saint François d'Assise par Villalpando, ainsi qu'une *Passion du Christ*, de Tomás de Merlo.

Deux *cuadras* plus à l'est sur la 5 Calle Oriente, à l'angle de la 1 Avenida Sur, se dresse la **Casa Popenoe ❷** (1634), une superbe maison coloniale qui tient son nom du couple d'Américains qui la fit restaurer dans les années 1930. Amateurs passionnés, les Popenoe

effectuèrent de très importantes recherches pour réhabiliter l'édifice, alors en ruine, dans son style originel, et allèrent jusqu'à utiliser des matériaux et des techniques d'époque.

Situé plus au sud, au bout de la 1 Avenida Sur, sur la 7 Calle Oriente, le **couvent San Francisco ❸** a fait l'objet, dans les années 1960, d'une restauration destinée à le rendre résistant aux séismes, mais son résultat est très controversé. L'église abrite la sépulture du frère Pedro de San José Betancourt, un franciscain qui fonda, au XVIIe siècle, un hôpital pour les pauvres. Béatifié en 1981, il fait l'objet d'une grande vénération car la croyance populaire attribue à sa dépouille des guérisons miraculeuses, comme l'attestent de nombreux ex-voto. Un musée installé dans l'une des ailes de l'église est consacré aux actions de grâces rendues par les croyants, ainsi qu'aux reliques et objets personnels du frère Pedro.

Plan p. 117

La fameuse procession du Vendredi saint.

Pour retourner à la Plaza Mayor, il faut traverser le **Parque la Unión G**, une petite place pittoresque plantée de palmiers. Des Indiennes de tout le pays s'y rassemblent pour vendre leur production artisanale, tout en tissant ou en faisant sécher sur la pelouse le linge qu'elles viennent de nettoyer dans le grand *pila* (lavoir collectif). Sur le côté est de la place se dressent l'**église** et le **couvent Santa Clara**, fondés en 1699 par des religieuses originaires de Puebla (Mexique). Seuls subsistent l'église à façade baroque et le cloître à deux étages, le reste du couvent, détruit à plusieurs reprises par des séismes, subsiste à l'état de ruines. Conçu pour accueillir quarante-six religieuses, il était très prisé des femmes ayant fait vœu de retraite, mais qui désiraient un minimum de confort.

AU NORD DE LA PLAZA MAYOR

Plus au nord, dans la 5 Avenida Norte, l'**arc de Santa Catalina Már-**tir **H** (1693) est l'un des principaux symboles de la ville. Originellement, il fut construit pour permettre aux religieuses de se rendre de leur couvent, Santa Catalina Mártir, aux jardins situés de l'autre côté de la rue, en échappant aux regards du monde extérieur. L'arc fut restauré au XIXᵉ siècle.

Poursuivant dans la même direction, la 5 Avenida Norte rejoint bientôt une petite place située au croisement de la Calle Poniente. C'est là que se dresse l'**église de la Merced I** (1760), dont la façade baroque au décor de stuc évoque un gâteau à la chantilly. Reconstruite au XVIIIᵉ puis au XIXᵉ siècle à la suite de séismes, elle a été restaurée récemment et repeinte dans des tons de jaune et de blanc. La sculpture de Jésus de Nazareth qui orne l'extrémité de sa nef sud est l'œuvre d'Alonso de la Paz (1650). Les ruines du couvent adjacent renferment une fontaine qui passe pour être la plus grande d'Amérique centrale.

À cheval sur la 2 Avenida Norte et la 2 Calle Oriente, le **couvent de Las Capuchinas J** est entouré de très beaux jardins. Fondé au XVIIIᵉ siècle et détruit par un tremblement de terre, il conserve une splendide Torre del Retiro (« tour de retraite »). Cette curiosité architecturale abrite dix-huit minuscules cellules destinées aux retraites spirituelles et aux novices, disposées autour d'un patio circulaire.

Situé au sud-est, sur la 3 Calle Oriente, le **couvent de Santo Domingo K** est devenu un hôtel de luxe et un centre culturel. Offert aux Dominicains en 1541, le terrain fut en son temps le plus vaste occupé par un ordre religieux, et le monastère le plus riche de la ville. Des cours de théologie, de philosophie, d'art, de latin et de maya y étaient dispensés dans le collège, qui devint, en 1676, l'université San Carlos. Très endommagés par le séisme de 1773, les bâtiments ont bénéficié d'une superbe restauration, mais une partie du site a été laissée à l'état de ruine.

Offrandes et tapis végétal dans l'église de la Merced, lors de la Semaine sainte.

À Antigua, la Semaine sainte donne lieu à d'impressionnantes processions en costume qui défilent dans tout le centre. Les rues sont tapissées d'un décor végétal multicolore réalisé avec des pétales, du pollen et des graines. À cette occasion, la plupart des hôtels affichent complet, et nombre de pèlerins et de touristes sont obligés de résider à Ciudad Guatemala.

À L'OUEST DE LA PLAZA MAYOR

De la Plaza Mayor, en direction de l'ouest, la 4 Calle Poniente mène rapidement aux ruines du **monastère de la Compagnie de Jésus** ❶, sur la droite, à l'angle de la 6 Avenida Norte. L'église, de style baroque, fut abandonnée lorsque les Jésuites furent chassés du pays (1776), et au siècle suivant, elle fut transformée en fabrique de textile. L'endroit accueille aujourd'hui un petit marché de tissus.

Poursuivant dans la même direction, la 4 Calle Poniente pénètre dans la partie la plus « authentique », mais aussi la plus bruyante et la plus fréquentée d'Antigua. Le marché quotidien, la gare routière et les nombreux magasins contribuent à l'animation du quartier. Les rues sont encombrées de véhicules qui saturent l'air de leurs gaz d'échappement, tandis que les paysans des environs encombrent les rues avec leurs marchandises. Située étrangement à l'écart, derrière la gare routière, la **Casa K'ojom** ❷ (maison de la Musique) est dédiée aux musiques traditionnelles du Guatemala. L'institution abrite un fonds d'enregistrements sonores, une collection d'instruments particulièrement riche, ainsi qu'une importante documentation sur la vie des Mayas d'aujourd'hui.

AU NORD D'ANTIGUA

Les environs de la vieille cité recèlent de magnifiques paysages (pinèdes, plantations de caféiers, volcans), ainsi que d'intéressants villages indiens et *ladinos*. L'idéal pour découvrir la région est d'effectuer des excursions d'une demi-journée ou d'une journée à partir d'Antigua.

Au nord, la route de Chimaltenango passe par **Jocotenango**, une banlieue d'Antigua dont l'unique intérêt réside dans sa vieille église décrépite. Environ 4 km plus loin, une petite route sur la droite mène aux sources d'eau chaude de **San Lorenzo el Tejar**, prétextes à une halte des plus délassantes.

De retour sur la route de Chimaltenango, une voie secondaire mal entretenue, juste avant l'Interamericana, conduit à **San Andrés Itzapa** ❽, où un marché se tient le mardi. Le culte de Santo Maximón attire à San Andrés une population principalement *ladina*, plutôt défavorisée, au sein de laquelle on dénombre de nombreuses prostituées originaires de Chimaltenango. L'usage est d'allumer une ou deux bougies dans la chapelle de Maximón pour y demander le bonheur. Mais si le fidèle souhaite formuler une requête précise et importante, il procède à une *limpieza* (purification de l'âme avec de la fumée d'herbes), qui consiste à consommer un cigare et un verre d'*aguardiente* en compagnie de l'effigie de ce saint païen.

À 19 km au nord de **Chimaltenango**, capitale provinciale et point de départ des bus, le joli village de **San Martín Jilotepéque** ❾ est

Cartes pp. 112 et 117

PREPARADO CON AGUARDIENTE AÑEJO
"QUEZALTECA · ESPECIAL"
NUESTRO LICOR NUESTRA TRADICIÓN

Très prisé par les hommes, l'aguardiente l'est aussi par saint Maximón.

Instrument national, le marimba est présent à toutes les fêtes indiennes et métisses. Il s'agit d'un xylophone dérivé du balafon africain, qui fut introduit par les esclaves noirs. Le marimba est constitué d'une série de lames en bois de rose ou en palissandre reliées à un ensemble de résonateurs obturés. Il est joué par au moins trois personnes simultanément.

Carte
p. 112

réputé pour son marché (le dimanche) où l'on trouve de superbes *huipiles*, ainsi que des tissages de bonne qualité. Situé au nord-ouest de Chimaltenango, **Comalapa ⑩** maintient une très ancienne tradition de peinture populaire, ainsi qu'un artisanat varié (marché le mardi). L'église du village arbore une remarquable façade baroque, hélas très décrépite.

VOLCANS ET VILLAGES AU SUD D'ANTIGUA GUATEMALA

Dominée par quelques-uns des plus beaux volcans du pays, la région située au sud d'Antigua maintient des traditions fort vivaces.

Des bus partent toutes les heures d'Antigua pour le village de **Santa María de Jesús ⑪**, accroché au flanc nord de l'Agua, à 2 050 m d'altitude. Point de départ de l'ascension du volcan, il jouit d'un panorama superbe. L'habitat y est en torchis, et le *huipil* traditionnel y est toujours

L'Agua dresse sa silhouette élégante au-dessus d'Antigua.

Les montagnes et plateaux du monde maya résultent d'une tectonique complexe, combinant au centre des massifs anciens plissés et fracturés, au nord, un avant-pays calcaire et, au sud, la chaîne des volcans récents.

porté par les femmes. Santa María de Jesús possède un petit hôtel rudimentaire. Pour gravir l'**Agua** (3 766 m), il faut partir de la place centrale en direction de la colline, puis dépasser le cimetière et, à la sortie du village, suivre le chemin très bien signalé qui croise la route. Un refuge (souvent plein) et une petite chapelle ont été construits au sommet, mais les nuits y sont parfois très fraîches. La montée prend entre trois et cinq heures, et il faut compter entre deux et quatre heures pour la descente.

D'Antigua, des bus partent toutes les cinq minutes pour **Ciudad Vieja ⑫**, au nord-ouest de l'Agua. Le village, qui recèle une belle église du XIXᵉ siècle, se trouve à environ 2 km du site de la deuxième capitale du Guatemala. Il ne reste rien de l'ancienne cité, détruite en 1541 par un torrent de boue.

Étape incontournable pour les amateurs de textiles traditionnels, **San Antonio Aguas Calientes ⑬**, à 2 km de Ciudad Vieja, est le principal centre de tissage maya de la région. Des ateliers de San Antonio sortent quantité de pièces qui sont vendues à travers tout le pays. On trouve également sur place nombre de boutiques qui vendent le fameux *huipil* local, rouge avec des motifs floraux ou géométriques, ou organisent des cours de tissage.

Au contraire de celle de l'Agua, l'ascension des volcans **Fuego** (3 763 m) et **Acatenango** (3 976 m) s'avère éprouvante. Des vêtements chauds ainsi que de bonnes chaussures sont à prévoir, et il est conseillé de s'adresser à une agence pour s'assurer les services d'un guide. L'office du tourisme d'Antigua fournit des renseignements sur les excursions en groupe, qui prennent notamment en charge le retour jusqu'à Antigua. Le point de départ pour l'ascension des deux volcans est le village de **Soledad**, au sud-ouest de Ciudad Vieja. Il faut compter une journée de marche pour l'Acatenango, et au moins douze heures pour le Fuego, à ne conseiller qu'aux marcheurs aguerris.

LE CULTE DE MAXIMÓN

Le culte de Maximón, ou saint Simón, l'un des plus énigmatiques du Guatemala, est considéré par certains comme le croisement inattendu entre Judas, Pedro de Alvarado et certaines déités mayas. Maximón possède des attributs divers et ambigus. Il pourvoit aux pluies, guérit les malades, protège les devins et les amoureux, et prend parfois la forme d'un avocatier. Mais il manifeste aussi un caractère malicieux ou malveillant, et n'hésite pas à proférer des insanités ou à pousser les fidèles à la luxure. Il veille sur les femmes dont les maris sont absents... et ne rechigne pas à les mettre enceintes. C'est notamment cette attitude qui lui a valu l'opprobre de l'Église. En fait, Maximón est surtout l'incarnation de la dualité caractéristique de la pensée maya. Bon et mauvais à la fois, il réagit en fonction des offrandes qui lui sont faites et du comportement des fidèles à son égard.

Vénéré dans toutes les Hautes Terres, Maximón n'impressionne guère au premier abord. Il est représenté sous la forme d'une petite statue en bois, au corps trapu vêtu de multiples écharpes, et au visage *ladino* coiffé d'un chapeau. Des bénévoles s'assurent que son cigare est allumé et qu'il ne manque pas d'*aguardiente*. Il habite une maison sombre à l'air saturé de fumée de tabac, de bougies et d'encens, et au sol jonché de bouteilles vides, de crachats et d'offrandes.

Des multiples lieux de culte dédiés à Maximón dans les Hautes Terres, en particulier autour du lac Atitlán, les plus connus se trouvent à Zunil, San Andrés Itzapa et Santiago Atitlán. À Zunil, près de Quetzaltenango, Maximón est affublé de lunettes de soleil et d'un bandana rouge qui lui donnent l'air d'un boucanier. Les habitants viennent lui demander de l'aide avec des bougies de couleurs différentes pour indiquer leur requête : blanc pour la santé des enfants, jaune pour la protection des récoltes, vert pour la prospérité, rouge pour la chance en amour et noir pour jeter un sort à un ennemi ou s'en protéger. À San Andrès Itzapa, Maximón attire chaque jour des centaines de dévots en quête d'une guérison ou d'une protection contre leurs ennemis.

Des plaques de remerciements, provenant de tout le Guatemala et même du Mexique et du Salvador, recouvrent les murs de sa demeure. Il est très populaire auprès des prostituées.

À Santiago Atitlán, le culte de Maximón donne lieu à un face-à-face intense avec le Christ, lors de la Semaine sainte. Le corps symbolique du Christ en bière est porté hors de l'église par de jeunes Atitecos, au son d'une fanfare mélancolique. Sur la place noire de monde, la tension est à son apogée quand il se retrouve face à Maximón, venu d'une chapelle voisine. Deux traditions religieuses sont alors en présence : celle des Mayas traditionalistes et celle des prêtres de l'Action catholique.

Rendre visite à Maximón nécessite tout d'abord de trouver sa demeure, qui change chaque année (sauf à San Andrés Itzapa). Les enfants du village vous y conduiront pour quelques quetzals. En outre, munissez-vous de bouteilles d'alcool local ou de cigarettes, versez éventuellement un don et demandez la permission avant de prendre des photos.

La statue de Santo Maximón, à Santiago Atitlán.

LES HAUTES TERRES OCCIDENTALES

Cœur culturel du monde maya, les Hautes Terres occidentales concentrent leurs plus beaux paysages, façonnés par une importante activité sismique. La majestueuse chaîne de volcans qui, d'Antigua, s'étend vers l'ouest abrite quelques somptueux trésors. Outre le lac Atitlán, célèbre pour ses eaux où se reflètent trois volcans, et les montagnes Cuchumatanes, plus au nord, les environs de Quetzaltenango recèlent en effet des sources chaudes délassantes ainsi que de nombreux marchés villageois.

Les activités et les découvertes culturelles constituent l'autre atout de cette région, dont les habitants continuent de manifester un profond attachement à la tradition, à travers leurs cérémonies religieuses, leurs fêtes et leurs vêtements. Outre l'espagnol, une douzaine de langues sont parlées dans ces montagnes. Si l'occasion s'en présente, assister à une fête maya permet d'admirer des danses ayant un très fort contenu symbolique. Quantité de marchés méritent également le détour, notamment celui de Chichicastenango, qui compte parmi les plus prisés, celui, plus tranquille, de Chajul, ou le très coloré *día de mercado* de San Francisco el Alto.

EL LAGO DE ATITLÁN

De toutes les merveilles naturelles que compte le Guatemala, l'écrin volcanique du **lac Atitlán ❶** est probablement la plus belle. Long de 19 km pour une largeur de 12 km, il est jalonné de multiples baies aux contours irréguliers, et atteint par endroits des profondeurs abyssales. Autour, trois volcans aux flancs fertiles rendent ses rives propices à l'habitat et à la culture. De passage dans la région, Aldous Huxley s'extasia devant ce paysage unique au monde.

En fonction de l'atmosphère qu'ils recherchent, les voyageurs ont le loisir d'opter pour tel ou tel village. Des hôtels de luxe aux pensions plus rustiques, quantité d'établissements de toutes catégories ont en effet vu le jour autour du lac au cours de ces dernières années. Ainsi, Santa Cruz la Laguna s'avère paisible et reposant; San Pedro la Laguna constitue un paradis pour voyageurs grâce à son ambiance décontractée et à l'hospitalité de ses habitants; San Marcos la Laguna est considéré comme un bastion *new age*; et Santiago Atitlán s'avère un fief de la culture maya traditionnelle, malheureusement très touristique... Quant à Santa Catarina Palopó et San Antonio Palopó, ils sont célèbres pour leurs tissages fort recherchés. Parmi les treize villages plantés au bord du lac, Panajachel n'est certainement pas le plus beau, mais il offre le plus grand choix en matière d'infrastructures d'hébergement et de restauration. Pour cette raison, il constitue un excellent point de départ pour découvrir la région.

Carte p. 126

Guatemala
● Ciudad

À gauche, la silhouette du San Pedro surgit au milieu de la végétation.

Les poissons du lac, abondants, sont cependant peu variés. La perche truitée carnivore, introduite dans les années 1960, a exterminé les autres espèces, excepté la mojarra, petit poisson à la chair blanche, aux arêtes fines et nombreuses. La pêche s'effectue au fil, tôt le matin, à bord des cayucos, de petites embarcations taillées dans un tronc.

« Pana » attire autant d'artisans traditionnels que d'adeptes du new age.

« GRINGOTENANGO »

Située sur la rive nord du lac, **Panajachel ❷** est traditionnellement surnommée « Pana » ou, de manière plus caustique, « Gringotenango » (de l'espagnol *gringo*, qui désigne l'étranger, et du maya *tenango*, qui signifie « ville de »). Elle est dépourvue de curiosités majeures, mais son atmosphère décontractée séduit un flux sans cesse croissant de touristes, qui suscitent l'implantation envahissante de bars et de cafés. Panajachel a vécu ces dernières années un boom économique et

démographique qui lui a donné un nouveau visage. Le tourisme constitue désormais la principale source de revenus de la ville, dotée de nombreux hôtels et de restaurants, d'un bureau de poste, de banques, d'un marché quasi quotidien, de cabinets médicaux et même de services de navettes desservant tous les autres sites touristiques du pays en un temps record… ainsi que d'une profusion d'étals de tissus et de souvenirs.

Les habitants des alentours s'y rendent nombreux chaque jour pour faire du négoce. C'est de l'embarcadère de Panajachel que les *lanchas*,

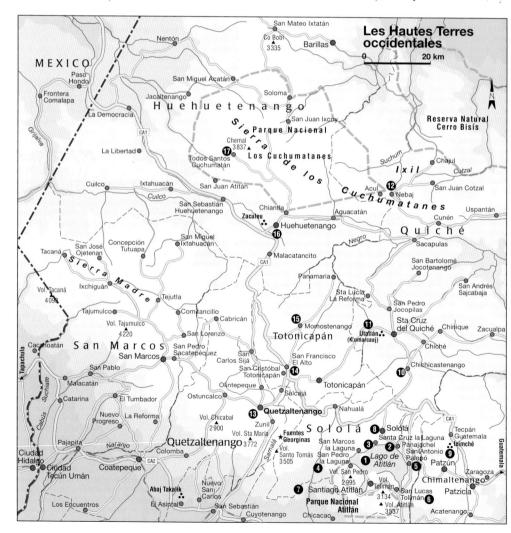

Les Hautes Terres occidentales

Carte
p. 126

ces petits bateaux privés aux moteurs puissants, mais aussi le ferry, plus lent, gagnent les autres villages disséminés autour du lac.

Simple village cakchiquel à l'origine, auquel vinrent plus tard s'agréger des Ladinos, Panajachel devint, dans les années 1960, la Mecque des hippies, qui considéraient le lac comme un immense champ d'énergie. Aujourd'hui, la plupart des hôtels et des commerces d'import-export sont tenus par des étrangers vêtus de tissus mayas adaptés au goût occidental.

LE NORD-OUEST DU LAC ATITLÁN

Relativement peu peuplée, la rive nord-ouest du lac s'avère idéale pour prendre quelques jours de repos. Les bateaux se rendant à San Pedro la Laguna font d'abord escale à **Santa Cruz la Laguna ❸**, situé en surplomb du lac. Quelques hôtels se sont néanmoins installés près de la rive, pour le plus grand bonheur des voyageurs indépendants amateurs de randonnées ou de plongée avec tuba.

D'autres hôtels ont ouvert récemment dans les petits villages voisins de **Jaibalito** et **Tzununá**, restés très traditionnels, et qui semblent vivre hors du temps. Baigné par les fragrances de *jocote*, de banane, de mangue et d'avocat, **San Marcos la Laguna** est un bourg un peu plus grand, mais tout aussi paisible. On y trouve un centre de méditation par le yoga, ainsi que quelques bons hôtels. **San Pablo la Laguna** ne possède pas de marché, mais s'est spécialisé dans la confection de cordages. Le village ne présente pas d'intérêt mais, du débarcadère, des panneaux indiquent la direction de la coopérative de tissage de *petates* (nattes en roseau) de San Juan la Laguna, à quelques kilomètres de là.

Après Panajachel, **San Pedro la Laguna ❹** est le principal village touristique du lac. Il est particulièrement populaire auprès des jeunes voyageant sac au dos, auxquels il doit son atmosphère bohème. Les restau-

rants et les hôtels y sont sans doute les meilleur marché du pays. Les maisons en adobe désormais coiffées de tôle et les constructions à étage des nouveaux riches (commerçants, transporteurs, émigrés revenus au pays) sont le signe que la population locale s'ouvre progressivement aux influences extérieures, nationales ou étrangères. Le village est aussi le meilleur point de départ pour une ascension du volcan San Pedro.

DE PANAJACHEL À SAN LUCAS TOLIMÁN

De Panajachel, une route permet de rejoindre Santa Catarina Palopó et San Antonio Palopó, au nord-est du lac. Il est également possible de prendre le bateau pour San Lucas Tolimán, qui fait escale dans ces deux villages.

Situé à 4 km de Panajachel, **Santa Catarina Palopó** est célèbre pour ses textiles. Tissés de bleu turquoise et de fuchsia, les *huipiles* des femmes y

Paysan de Santiago Atitlán dans sa milpa surplombant le lac.

Le relief escarpé et le manque de terres n'autorisent pas une production vivrière suffisante. Ces dernières années, le reflux des eaux a néanmoins permis d'accroître la surface cultivée. La culture de l'oignon, introduite dans les années 1960, a pu ainsi se développer.

L'HISTOIRE
DU LAC ATITLÁN

Selon certains chercheurs, la région serait soumise à une activité volcanique depuis au moins douze millions d'années, mais l'apparition du lac serait due à l'émergence d'un volcan situé à l'ouest, voilà quelque quatre vingt mille ans. Plus tard, les trois volcans actuels (San Pedro, Atitlán et Tolimán) donnèrent au lac sa forme de haricot. Puis apparut le Cerro de Oro, au pied du volcan Tolimán, où la légende rapporte que les Tzutujil auraient caché leur trésor à l'arrivée des Espagnols.

Longtemps évaluée à 320 m, la profondeur du lac atteindrait presque 600 m dans les fosses près de San Juan Tolimán, selon des études réalisées dans les années 1970. Les scientifiques estiment que l'écoulement des eaux se fait vers le Pacifique, par des infiltrations souterraines. Lors du séisme de 1976, des failles situées au sud-est du lac se seraient élargies, provoquant une baisse du niveau de l'eau d'environ 5 m. Le vent du lac, nommé xocomil, est à l'origine de nombreuses légendes, mais aussi de tempêtes bien réelles et de creux de 2 m, très redoutés pour les pêcheurs.

Si les premiers occupants de la région seraient arrivés il y a plus de vingt mille ans, il n'existe pas de preuve de l'existence d'un grand centre urbain durant la période préclassique ou même classique. Lorsque les Espagnols arrivèrent, en 1523, les rives du lac Atitlán étaient déjà peuplées par les Tzutujil et les Cakchiquels. Accrochée aux flancs du volcan San Pedro, la capitale tzutujil, Chuitinamit, a totalement disparu. Puis, au cours de la période coloniale, Santiago Atitlán s'affirma comme le principal village du lac, grâce à sa position sur l'axe reliant les Hautes Terres à la côte du Pacifique.

Au cours du XXe siècle, le paysage et l'économie du lac ont subi des bouleversements radicaux. Sololá devint accessible par la route dans les années 1930, ce qui permit trois décennies plus tard un afflux massif de hippies dans le tranquille village cakchiquel de Panajachel. Puis, dans les années 1970, Atitlán se transforma en un haut lieu de la lutte entre la guérilla et les forces régulières. Santiago, qui abritait une base militaire, fut notamment la cible d'exactions féroces de la part de l'armée.

Plus pacifique mais non moins crucial, le défi consiste aujourd'hui à préserver le mieux possible la région, livrée à l'appétit des promoteurs et au tourisme de masse. La pression démographique (cent mille personnes vivent sur les rives du lac) et le manque de terres mettent également en péril l'équilibre écologique de la cuvette.

Le reflux des eaux a heureusement permis d'accroître l'étendue des surfaces fertiles et, désormais, la culture de l'oignon complète les revenus de la pêche. Mais les champs de maïs ont également tendance à se multiplier, sous forme de minuscules parcelles cultivées à flanc de coteaux, fragilisant ainsi la stabilité des sols. En outre, les paysans déversent des quantités croissantes de pesticides dans les eaux, auxquels viennent s'ajouter toutes sortes de pollutions domestiques...

Le lac Atitlán au milieu de son écrin volcanique.

arborent des couleurs chatoyantes. Les paysans y pratiquent la culture de l'oignon et l'horticulture irriguée dans de minuscules parcelles égrenées le long des rives.

À **San Antonio Palopó ❺**, 5 km plus loin, les hommes portent encore le *traje*, le vêtement traditionnel, presque identique à celui des femmes. Le tissage, le tressage du jonc et la pêche constituent les principales activités. Le village possède en outre une église de style colonial non dépourvue de charme.

Plus au sud, caché dans une étroite anse du lac, **San Lucas Tolimán ❻** est desservi par l'Altiplano, un axe routier important auquel il doit son relatif dynamisme. Le village est dépourvu d'intérêt mais il est le point de départ idéal pour l'escalade de deux volcans : l'Atitlán et le Tolimán. Il est recommandé d'effectuer la randonnée en compagnie d'un guide (renseignements auprès des hôtels), car certains passages sont ardus.

SANTIAGO ATITLÁN

Comme son voisin San Pedro la Laguna, situé une dizaine de kilomètres plus à l'ouest, **Santiago Atitlán ❼** est peuplé de Mayas Tzutujil. Le terme, qui signifie « Fleur des nations », rappelle que Santiago est l'héritière de la capitale du royaume éponyme. De Panajachel, on peut s'y rendre directement en bateau. Le village doit sa célébrité à la statue de Maximón conservée religieusement par les habitants. Ici, en effet, la divinité locale tient la dragée haute à l'Église catholique et constitue même une source de revenus appréciable pour la confrérie de la Sainte-Croix, qui en a la charge. Les enfants mènent volontiers les visiteurs jusqu'à Maximón, à qui il est d'usage de faire des offrandes. On peut visiter l'église et le sanctuaire du père Stanley Rother, un prêtre américain qui vécut dans le village jusqu'à son assassinat, en 1981, pendant la période de la Violencia. Santiago

Carte p. 126

Les femmes et les petites filles de Santiago Atitlán ceignent leur tête d'un long ruban de tissu appelé tocoyal.

Jour de marché à Chichicastenango.

est réputé pour être un haut lieu de la résistance indienne, et se distingue également par le nombre de chapelles évangéliques qui s'y font concurrence (plus d'une trentaine).

LE MARCHÉ DE SOLOLÁ

Au nord du lac Atitlán, non loin de Santa Cruz la Laguna, **Sololá** ❶, l'une des plus importantes villes indiennes du pays, est pourvue de deux mairies, l'une *ladina* et l'autre maya. Malgré la proximité du lac, rares sont les visiteurs étrangers à s'y arrêter, comme l'atteste le marché du vendredi, entièrement tourné vers l'économie locale. La ville est pourtant un lieu privilégié pour se laisser envahir par les couleurs, les odeurs et les sons si typiques du pays maya.

À 28 km de Sololá se trouvent les **ruines d'Iximché** ❷, l'ancienne cité cakchiquel. Surplombant les plaines, le site offre une vue magnifique et sert toujours de lieu de culte. Mais il reste peu de chose des superstruc-

Jeune garçon s'apprêtant à stocker des épis de maïs, à Nebaj, dans le Triangle ixil.

Entre 1980 et 1982, la région s'est trouvée aux avant-postes de la stratégie de reconquête mise en place par l'armée et les « patrouilles d'autodéfense civile ». Prise en tenaille entre les forces régulières et la guérilla, la population a fui vers le Mexique ou vers les massifs montagneux, pour s'y terrer.

tures en adobe, sur lesquelles on a parfois relevé des traces de polychromie. Dans les années 1960, l'archéologue suisse Guillemin entreprit de restaurer quelques pyramides, *plazas* et jeux de balle.

Située à 3 km d'Iximché, la bourgade de **Tecpán** fut la toute première capitale du Guatemala. Son marché, presque aussi important que celui de Sololá, draine les villageois des montagnes environnantes.

LE MONDE QUICHÉ

Au-delà de Sololá, le département montagneux du Quiché s'étend de Chichicastenango jusqu'à la frontière mexicaine, au nord. Comme son nom l'indique, la région est habitée par les Mayas Quichés, le groupe linguistique le plus important du Guatemala.

Depuis la bataille de K'umarcaaj (près de Santa Cruz del Quiché), qui opposa en 1524 Alvarado aux Mayas, jusqu'aux massacres perpétrés dans les années 1980 par les militaires et les milices, le Quiché a souvent connu la tourmente. Enclavé au milieu des montagnes, il ne se dévoile pas facilement, et les routes qui le sillonnent à partir de Santa Cruz del Quiché sont en piteux état.

CHICHICASTENANGO

En quittant la Carretera Interamericana au carrefour de los Encuentros, on entre dans le Quiché par la route de **Chichicastenango** ❿, distante de 20 km. Cette petite ville d'altitude au passé glorieux connaît la plus importante affluence touristique de la région.

Deux fois par semaine, le jeudi et le dimanche, la calme « Chichi » se transforme en un gigantesque marché animé et bruyant. Dès l'aube, tous les commerçants des environs viennent installer leurs étals à la lumière de la chandelle, et à la levée du jour, les rues sont déjà envahies de camions et de bus. Ce marché est sans doute le meilleur endroit du

Guatemala pour acheter des *típicas* (textiles traditionnels), mais on peut y faire emplette de presque tous les produits de l'artisanat du pays.

Pour saisir au mieux l'atmosphère, les marches de l'église Santo Tomás (1540), où les Quichés brûlent du copal (résine de conifères), constituent un excellent point de vue. L'église est en effet un sanctuaire important pour les cultes mayas, fortement imprégnés de catholicisme. L'entrée principale étant réservée aux prêtres et aux *cofrades*, l'accès se fait par la porte de côté. L'ambiance est particulièrement magique le dimanche, quand les fidèles viennent prier et brûler des bougies. Des monceaux de fleurs et de bouteilles d'*aguardiente* recouvrent les autels dédiés aux saints et aux ancêtres, tandis que le prêtre officie en deux langues, au rythme des marimbas, flûtes et tambours. Mieux vaut s'abstenir de prendre des photos.

Non loin de l'église se dresse l'ancien monastère où, vers 1702, le frère Francisco Jimenez découvrit le *Popol Vuh*, le livre sacré des Quichés sur l'origine du monde, considéré comme l'œuvre littéraire majeure de l'Amérique précolombienne. Sur le côté sud de la place, le **Museo Rossbach** recèle une intéressante collection de céramiques et de jades préhispaniques. Sur le côté est, enfin, se dresse une petite église, el Calvario, où les fidèles vont brûler de l'encens et déposer des offrandes de fleurs.

L'autre lieu sacré de Chichicastenango se trouve à une vingtaine de minutes de marche du centre. Le chemin qui y mène part de la 9 Calle, dépasse un atelier de masques de bois, puis remonte une colline à travers une forêt de pins. **Pascual Abaj**, ou Turkaj, le dieu-monde, est en fait une idole de pierre noircie par les innombrables feux et bougies des cultes. Des fleurs et des plumes de poulet témoignent parfois d'un sacrifice récent. Quoi qu'il en soit, la vue sur la région vaut le détour.

Carte p. 126

Les vêtements du Triangle ixil comptent parmi les plus beaux du Guatemala.

Champs de maïs dans les Hautes Terres.

SANTA CRUZ DEL QUICHÉ

Quinze kilomètres au nord de Chichicastenango, **Santa Cruz del Quiché**, la préfecture du département, n'offre guère d'intérêt, mais elle se trouve à 3 km de K'umarcaaj, également appelée **Utatlán ⓫**. Peu de vestiges subsistent de l'ancienne capitale des Mayas Quichés, sise au sommet d'un éperon rocheux, dans un cadre superbe. La ville fut détruite en 1524 par Pedro de Alvarado, qui en profita pour faire brûler vifs deux princes locaux et prendre le contrôle des Hautes Terres.

K'umarcaaj accueille toujours d'importantes cérémonies mayas. Certaines se tiennent dans une chambre souterraine située sous la place, au bout d'un long tunnel. Le respect commande cependant de ne pas troubler leur déroulement. Dans tous les cas, il faut se munir d'une lampe de poche et prendre garde, car certains tunnels secondaires débouchent sur des abîmes.

Façade coloniale dans le centre de Quetzaltenango.

Les principaux édifices publics de la ville, qui ont résisté aux tremblements de terre, sont construits en pierre de lave taillée, dans le goût néoclassique. Le contraste est saisissant avec les petites maisons des rues avoisinantes, bâties en adobe suivant le style traditionnel des campagnes mayas.

Une route en bon état dessert les villages disséminés dans les collines de la Sierra de Chuacús, jusqu'à **Joyabaj**, 54 km à l'est de Santa Cruz del Quiché. Le moment idéal pour s'y rendre est le dimanche, jour de marché, et plus encore la deuxième semaine d'août, lorsque s'y tient l'une des plus belles fêtes mayas du pays : le *Palo volador*, un rite que l'on rencontre également au Mexique. Perchés au sommet d'un mât (*el palo*), des hommes sautent dans le vide, simplement retenus par une corde enroulée autour du mât. Celle-ci se déroule lentement, faisant tournoyer *el volador* jusqu'au sol.

LE TRIANGLE IXIL

Compris entre Nebaj, Chajul et San Juan Cotzal, le Triangle ixil est l'une des plus belles et des plus passionnantes régions du Guatemala. Restée très traditionnelle, elle est majoritairement peuplée de Mayas, qui ont énormément souffert de la période de la Violencia, dans les années 1970 et 1980. Aujourd'hui, le Triangle ixil – du nom de la langue locale – accueille de nouveau les visiteurs, et en particulier les randonneurs.

De Santa Cruz del Quiché, un circuit de quatre heures en voiture permet de gagner le Triangle ixil. La route passe par **Sacapulas**, où l'on tire du sel des rives du Río Negro (ou Chixoy) depuis l'époque préhispanique. Sacapulas possède une très jolie église ainsi qu'un restaurant réputé, le Río Negro. À l'est de Sacapulas, une route sinueuse et défoncée mène à **Uspantán**, dans la région natale de Rigoberta Menchú. De nombreux chapitres de son enfance prennent place dans un hameau au nord d'Uspantán, Chimel.

Nichée dans une vallée verdoyante entourée de montagnes, au nord de Sacapulas, **Nebaj ⓬** est la plus grande cité ixil. En 1530, elle fut prise par les Espagnols qui marquèrent la population au fer rouge et la réduisirent en esclavage. De nos jours, les femmes portent toujours de splendides vêtements finement tissés, et ornent leur chevelure de pompons en laine chatoyants. À l'opposé, la plupart des hommes revêtent les *ropas americanas*, pantalon et chemise ou tee-shirt, et ne retrouvent les tenues traditionnelles que les jours de fête. Véritable festival de couleurs, le marché n'est pourtant pas le meilleur endroit pour acquérir des tissus. Mieux vaut s'adresser directement auprès des femmes qui présentent leurs tissages dans les *hospedajes* ou dans les coopératives situées sur la place principale. À l'exception de son église, fort jolie, Nebaj ne possède pas de curiosités architecturales.

Les collines alentour, en revanche, invitent à de superbes balades. Une marche de deux heures mène ainsi au « village modèle » d'**Acul**, où la population fut installée de force par l'armée lors de la guerre civile. Au-delà du village, la Finca San Antonio, une exploitation italo-guatémaltèque, produit l'un des meilleurs fromages du pays. De Nebaj (prendre à gauche avant le pont sur la route de Chajul), une autre belle promenade conduit en une heure à la petite **Cascada de Plata** (« cascade d'Argent »).

Situées chacune à une heure de route de Nebaj, les deux autres localités du Triangle ixil gagnent à être visitées un jour de marché afin de bénéficier d'une meilleure desserte de bus. **Chajul**, qui accueille un marché le mardi et le vendredi, est le bourg le plus intéressant et le plus traditionnel. Les femmes y portent un *huipil* brodé d'animaux, des pompons dans les cheveux et des boucles d'oreilles en pièces de monnaie. Une belle basilique blanche orne la place principale, tandis que le cimetière situé au-dessus du village abrite des tombes blanchies à la chaux, dans le plus pur style de la région.

Sis au pied des montagnes Cuchumatanes, **San Juan Cotzal**, souvent appelé Cotzal, est peuplé de nombreux Ladinos : on y parle donc plus l'espagnol. Le marché s'y tient le mercredi et le samedi, mais le village ne dispose que d'une petite pension.

Carte
p. 126

Détail de l'église de San Andrés Xecul, 8 km au nord de Quetzaltenango.

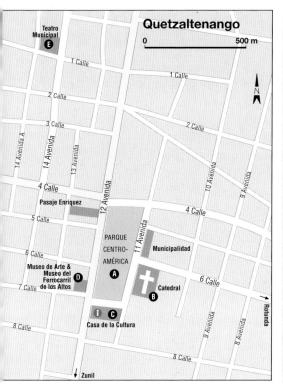

Quetzaltenango

0   500 m

Teatro Municipal **E**

1 Calle
1 Calle
2 Calle
3 Calle
2 Calle
4 Calle

14 Avenida A
14 Avenida
13 Avenida
12 Avenida
11 Avenida
10 Avenida
9 Avenida

Pasaje Enriquez
5 Calle
4 Calle

PARQUE CENTRO-AMÉRICA
6 Calle
Municipalidad

Museo de Arte & Museo del Ferrocarril de los Altos **D**   **A**
7 Calle
6 Calle
Catedral **B**

i **C**
Casa de la Cultura
8 Calle

9 Avenida
8 Avenida
Rotunda

8 Calle

Zunil

N

Les paniers de piments rouges séchés sont une image familière des marchés guatémaltèques.

Les silhouettes embrumées des montagnes Cuchumatanes.

QUETZALTENANGO

Située à 2 300 m d'altitude, non loin du superbe volcan Santa María, **Quetzaltenango ⑬** est la deuxième ville du pays (cent vingt mille habitants), et la préfecture du département du même nom. Les soirées et les matinées y sont particulièrement fraîches en décembre et en janvier. Son nom quiché, Xelajú, reste usité sous l'abréviation de Xela (prononcer « chéla »). Longtemps rivale de Guatemala Ciudad, Quetzaltenango fut la capitale d'un bref État indépendant au début du XIXᵉ siècle. Puis elle s'érigea en pôle économique et commercial important, grâce à l'essor des plantations de café, et vit naître la première banque du pays : le Banco de Occidente (1883). Presque anéantie par un séisme, en 1902, la ville conserve tout son charme, notamment dans le centre. Mais elle a renoncé à concurrencer la capitale depuis la destruction de la voie ferrée la reliant au port de Champerico.

Cœur de la cité, le **Parque Centroamérica ④** concentre les édifices publics qui symbolisent l'âge d'or de Xela. Au milieu du square rectangulaire, de curieux édifices à colonnades évoquent des temples grecs. Détruite par un séisme à la fin du XIXᵉ siècle, la **cathédrale ⑤** fut reconstruite en 1899 derrière la façade originelle (1535), mais suivant un axe légèrement décalé. Le bâtiment, qui abrite l'évêché des Hautes Terres, est coiffé de six dômes. On peut y admirer une représentation du Père éternel dans un coffret d'argent. Au sud de la place, la **Casa de la Cultura ⑥** abrite l'office du tourisme ainsi que des expositions consacrées à l'histoire de la ville, et un **musée d'Histoire naturelle** aux collections hétéroclites (animaux empaillés, instruments de musique, objets préhispaniques...). Juste à côté, le **Museo del Ferrocarril de los Altos** retrace la brève histoire de la voie ferrée qui desservait Xela dans les années 1930. À l'étage supérieur, le **Museo de**

Cartes pp. 126 et 133

Arte **❶** présente une petite collection d'art moderne. Situé au nord-ouest de la place, le **passage Enríquez** (1900) fut conçu sur le modèle des passages parisiens.

Un peu à l'écart du Parque Centroamérica, à l'angle de la 14 Avenida et de la 1 Calle, l'imposant **Teatro Municipal ❸** est de style néoclassique. Il fait face à une place où se dressent les bustes d'artistes guatémaltèques, tel celui du poète Osmundo Arriola (1886-1958).

AUTOUR DE QUETZALTENANGO

Les environs de Xela fourmillent de curiosités. Dix kilomètres au sud-est, le village traditionnel quiché de **Zunil** abrite une représentation de Santo Maximón. Le marché s'y tient le lundi, et la coopérative, située près de la *plaza*, vend des textiles de bonne qualité. Les sols volcaniques très fertiles ont permis le développement de la culture maraîchère. De Zunil, on peut gagner les sources chaudes de **Fuentes Georginas**, qui surgissent au milieu de la végétation luxuriante qui couvre les flancs du volcan Santo Tomás. Il est possible de passer la nuit sur place, dans l'un des sept chalets rustiques équipés de cheminées.

Une dizaine de kilomètres au nord de Xela, juste après Salcajá, une route secondaire mène à **San Andrés Xecul**, qui possède l'une des plus étonnantes églises du pays, avec sa façade jaune décorée de motifs naturalistes et religieux. De retour sur la route principale, plus au nord, le petit village de **San Francisco el Alto ❿** abrite chaque vendredi l'un des plus grands marchés du pays. Les rues sont envahies de commerçants qui vendent ou achètent toutes les marchandises imaginables (tissus, bestiaux...), dans un désordre indescriptible. Pour une vue d'ensemble, il est possible de monter sur le toit de l'église, moyennant un quetzal.

Dix-neuf kilomètres au nord de San Francisco, **Momostenango ❺** est également très prisé pour son marché dominical, spécialisé dans les ovins

et les *chamarras*, ces couvertures de laine tissée. La « Citadelle des autels » est aussi un important centre de culte maya, où des centaines de chamans se rassemblent pour enseigner leur savoir aux plus jeunes.

LE MASSIF DES CUCHUMATANES

Dominés par les sommets des montagnes Cuchumatanes, les paysages de l'extrémité ouest du pays s'avèrent spectaculaires. Au nord de Huehuetenango se dresse l'**Altiplano,** un vaste plateau d'altitude où les résineux cèdent la place à une végétation chétive qui sert de repaire aux coyotes, aux pumas, à de rares jaguars, sous le vol des oiseaux de proie. Dans les vallées, le climat plus clément permet la culture du maïs pour les besoins domestiques. Mais nombre d'habitants partent ailleurs à la recherche d'un travail, et certains vont jusqu'à émigrer aux États-Unis.

Les conquistadores ne portèrent jamais beaucoup d'intérêt à cette

Groupe de villageois se rendant à la fête de Todos Santos Cuchumatán.

La tradition se maintient malgré l'essor du tourisme et une émigration importante depuis les années 1980. Chaque année, tous les Todosanteros du Guatemala, même ceux qui vivent à l'étranger, reviennent au pays pour assister aux festivités de la Toussaint (Todos Santos).

Les femmes sont habituées à porter les charges les plus lourdes sur la tête.

Étal de tomates au marché de San Francisco el Alto.

région inhospitalière, qui resta à l'écart des échanges économiques. Cet enclavement privilégia la conservation de nombreux traits socioculturels. Pour le visiteur, l'inconfort du voyage et la rusticité des restaurants et des hôtels sont ainsi largement compensés par la beauté des lieux et la rencontre des habitants.

Point de départ pour gagner les Cuchumatanes, **Huehuetenango ⓰** est une préfecture agréable, située sur un axe routier important. À quelques kilomètres se trouve **Zaculeu**, l'ancienne capitale mam, occupée depuis la fin du préclassique. Si le stuc utilisé lors de la restauration de 1947 donne aux édifices un aspect sans doute fidèle aux originaux, le résultat est néanmoins contesté, car il manque singulièrement de grâce. Dotée de fortifications et située sur un plateau entouré de ravins, la cité résista six semaines aux Espagnols avant de tomber, en 1525.

Au nord de Huehue, une petite route file vers les premiers contre-forts des montagnes Cuchumatanes. Une douzaine de kilomètres plus loin, un point de vue permet d'admirer par temps clair la chaîne de volcans qui s'étire à travers toutes les Hautes Terres. Puis, à une heure et demie de Huehue, la route pénètre dans l'Altiplano. Elle dessert les villages de San Juan Ixcoy et Soloma (où l'on peut dormir), puis celui de **San Mateo Ixtatán**, où les femmes portent de splendides *huipiles* (marché le jeudi et le dimanche). Au fond de la vallée de San Mateo, des sources d'eau salée ont été aménagées par les habitants, qui recueillent le liquide dans des jarres, selon un rituel sacré.

TODOS SANTOS CUCHUMATÁN

Mais la principale attraction des Cuchumatanes est incontestablement le village mam de **Todos Santos Cuchumatán ⓱**, 50 km au nord-ouest de Huehue. De nombreux

changements l'ont marqué, entre les flux touristiques sans cesse croissants et l'émigration économique d'une grande partie de la population vers le nord du pays. Malgré tout, les hommes continuent de porter l'une des tenues traditionnelles les plus remarquables du Guatemala. Elle comprend une chemise rayée agrémentée d'un long col brodé, ainsi qu'un surpantalon de laine noire destiné à réchauffer les hanches et qui recouvre partiellement un pantalon rayé rouge et blanc. Tous les habitants arborent le même chapeau de paille.

Quelques hôtels et une école de langue se sont implantés à Todos Santos, et on peut faire de belles randonnées à partir du village. Une marche de six heures permet de rejoindre San Juan Atitán, d'où l'on peut prendre un pick-up pour Huehue. Beaucoup plus proches, les ruines postclassiques de Tecumanché, qui surplombent le village, servent toujours de lieu de culte.

LA FÊTE DE TODOS SANTOS

Carte
p. 126

La Toussaint est l'occasion de festivités hautes en couleur, qui se déroulent tout au long de la semaine précédant le 1er novembre, jour de la course de chevaux. La veille, au cours d'une nuit de musique, de danse et de libations, les cavaliers étrennent leur costume.

La course est menée à un train d'enfer à travers tout le village par les compétiteurs qui s'arrêtent de temps à autre pour boire de l'*aguardiente*. Leur stabilité se ressent de ces haltes et des excès de la nuit, et ils éprouvent toutes les peines du monde à se tenir en selle. Le vainqueur est celui qui parvient à rester le plus longtemps sur le dos de sa monture. Mais pour tous les participants, la course est source d'un prestige social qui justifie les dépenses occasionnées, notamment par la location du cheval.

Et le 2 novembre, les villageois vont se recueillir au cimetière... accompagnés d'un marimba.

À Todos Santos, la tenue des hommes est beaucoup plus colorée que celle des femmes.

LES COULEURS
DU GUATEMALA

Dans les villages des Hautes Terres du
Guatemala, les costumes chatoyants portés
par les Mayas illuminent les scènes de la vie
quotidienne. Les plus beaux textiles sont ceux

que les femmes
confectionnent
pour elles-mêmes et
pour leur famille.
Elles tissent des
pièces complexes sur
de simples métiers
de ceinture, dont
l'origine remonte
à l'époque
préhispanique.
Ils consistent en
une série de bâtons

de bois. Les fils verticaux de la chaîne sont
tendus entre deux ensouples, l'une accrochée
à un arbre ou à un pilier, et l'autre fixée à
une sangle que la femme place autour de
ses hanches afin de contrôler la tension de
l'ouvrage. Une ou plusieurs barres séparent
les deux nappes de fils de chaîne : la baguette
de lisse, qui contrôle les fils pairs et impairs,
la navette, qui fait passer les fils de la trame
entre les fils de la chaîne pour former le corps
du tissage, et le sabre, qui permet de tasser
la trame. La laine et surtout le coton naturels
restent largement utilisés dans les régions froides,
même s'ils sont de plus en plus remplacés
par des fibres synthétiques (coton mercerisé,
rayonne, laine acrylique), très colorées et
beaucoup moins
chères.
Les fils
métallisés,
argentés et
dorés, sont
aussi très
prisés.

▲ *De plus en plus
de femmes portent
des huipiles faits à
la machine, et réservent
leur tenue traditionnelle
pour l'église et les fêtes.*

*Le tzut, pièce de tissu
carrée, se porte lors des
cérémonies. Posé sur la
tête, il protège du soleil,
et jeté sur l'épaule, il
tient lieu de parure.* ▼

*Traditionnellement, le
coton était filé à la main
par les femmes mais,
de plus en plus,
les écheveaux
sont achetés tout prêts
sur les marchés.* ▼

*On cultive au
Guatemala les cotons
blanc et brun. Du fait
de sa rareté, ce dernier
est réservé aux tenues
de cérémonie.* ▼

▶ *Les
tisserandes
puisent leur
inspiration dans
un vaste répertoire
d'images sacrées
et profanes, anciennes
ou modernes.*

LES MOTIFS TRADITIONNELS

◀ *En perpétuant l'usage du métier de ceinture pour réaliser leurs propres tenues, les femmes préservent une tradition ancestrale.*

▲ *La vente d'objets d'artisanat aux touristes, tels ces bracelets de l'amitié, apporte un surplus de revenu non négligeable.*

◀ *Ces ceintures tissées et brodées du marché de Chuarrancho ont les couleurs chatoyantes des colorants chimiques.*

▲ *Certains villages conçoivent des motifs originaux, comme celui-ci, associé au culte solaire, à San Mateo Ixtatán.*

Dans les Hautes Terres, les motifs zoomorphes, naturalistes et géométriques qui ornent les costumes sont exécutés sans patron. Certains animaux introduits par les Espagnols (cheval, coq , paon...) ont inspiré les tisserandes, mais d'autres motifs relèvent de l'iconographie maya depuis des siècles et se réfèrent à la mythologie, comme ceux des *tzutes* de Santa María de Jesús (cerf, coyote, colibri, quetzal, animaux bicéphales). Les Mayas enrichissent leur palette en puisant dans des livres d'images ou dans la vie quotidienne, mais ils continuent à préférer les thèmes ancestraux pour les textiles de cérémonie. La technique du jaspe, résistante à la teinture, permet de reproduire des motifs comme l'arbre, la poupée, la lyre.

LA CÔTE PACIFIQUE

Observée sur une carte, la côte pacifique du Guatemala, longue de 300 km, semble l'endroit idéal pour lézarder sur des plages de sable fin frangées de cocotiers, à déguster cocktails et fruits de mer. La réalité s'avère plus nuancée, car la région est en fait une zone à vocation agricole plus que touristique. Plus que pour ses plages, elle est fameuse pour ses nombreux grands domaines, les *fincas*, où l'on cultive la canne à sucre, le coton ou la banane, et où l'on élève du bétail.

Le climat, très chaud et humide, ainsi que les plages de sable noir, attirent peu de touristes, hormis les autochtones, d'autant que les courants redoutables rendent la baignade dangereuse. Rien d'étonnant, donc, à ce que les hôtels et les restaurants soient plutôt rares sur la côte, quoi qu'il soit toujours possible de dénicher des établissements installés à l'écart par des étrangers. Enfin, les principales villes de la région ne sont guère plus que des carrefours commerciaux sans autre attrait pour le visiteur que la découverte d'un Guatemala très vivant.

Cependant, implantés au milieu des vastes ranches et des plantations de canne à sucre, d'importants vestiges archéologiques pipil permettent de découvrir cette culture. Autour de Santa Lucía Cotzumalguapa et de La Democracia, ainsi qu'à Abaj Takalik, nombre de sites méconnus recèlent des stèles très intéressantes. Une partie de l'écosystème typique de la région, les mangroves, subsiste autour de Monterrico, l'un des plus beaux endroits de la côte. Cette zone est également idéale pour observer des tortues marines ou admirer de multiples espèces d'oiseaux.

La Carretera del Pacífico, l'axe routier le plus rapide du pays, qui longe la côte à une vingtaine de kilomètres à l'intérieur des terres, est parcourue par des bus qui desservent les différentes villes. Une fois sur place, l'idéal est de se procurer un véhicule pour gagner les plages et les sites pipil, plus difficiles d'accès. Ainsi, à condition de disposer d'un peu de temps, la découverte de la côte peut s'avérer très dépaysante.

AUX CONFINS DU SALVADOR

Située à deux pas de la frontière avec le Salvador, la ville assoupie de **Ciudad Pedro de Alvarado** n'est guère perturbée par le trafic routier transfrontalier, l'essentiel de celui-ci passant par **San Cristóbal Frontera**, beaucoup plus au nord.

Les distractions touristiques s'avèrent plutôt rares dans cette partie du pays, et les petits villages de pêcheurs de Garita Chapina et de Las Lisas ne possèdent que quelques établissements rustiques. En poursuivant vers l'ouest sur la Carretera del Pacífico, on aperçoit soudain un panorama spectaculaire sur les volcans Moyuta et Cruz Quemada, aux portes des Hautes Terres.

Carte pp. 142-143

À gauche, les vastes champs de canne à sucre près de la côte pacifique.

Porte colorée à Retalhuleu. Cette petite ville est le pendant côtier de Quetzaltenango. L'histoire des deux cités dans les dernières décennies du XIXe siècle et au début du suivant, au moment de l'essor du café, présente bien des similitudes. Le splendide palais du Gouvernement, qui abrite la préfecture et la mairie, témoigne de cet âge d'or.

Plusieurs espèces de tortues marines viennent pondre sur les plages du Pacifique, près de Monterrico.

Située à près de 50 km du Salvador, **Chiquimulilla ❶** est un important centre de commerce du bétail. La ville, qui possède de nombreux magasins d'articles de cuir (sellerie, bagagerie...), peut constituer une halte intéressante. Quelques kilomètres plus loin, à Taxisco, une route sur la gauche permet de rejoindre **Monterrico**, peut-être le plus joli coin de la côte, idéal pour un séjour au bord de l'océan. Parvenu au village de La Avellana, il faut franchir en bac le canal d'eau douce de Chiquimulilla, qui isole la plage du reste des terres. La traversée s'effectue en douceur, à l'image de l'atmosphère paisible qui imprègne la côte.

LA RÉSERVE NATURELLE DE MONTERRICO

C'est d'ailleurs dans le canal et les marais alentour que se trouve le **Biotopo Monterrico-Hawaii ❷**. Classé réserve nationale, il abrite des hérons, des aigrettes et de nom-breux oiseaux migrateurs, ainsi que des iguanes, des crocodiles, des opossums, des ratons laveurs et des fourmiliers. Cependant, ce sont les trois espèces de tortues marines qui font de Monterrico un endroit si particulier. La tortue noire de la côte ouest pacifique et la tortue olivâtre, qui mesurent environ 1 m, viennent pondre sur les plages entre juillet et novembre, tandis que la tortue luth – qui peut atteindre 2 m – nidifie de la mi-octobre à février. Après une laborieuse remontée nocturne de la plage, les femelles creusent un trou dans le sable, où elles pondent entre quatre-vingts et cent œufs.

En dépit de la protection dont ils font l'objet, beaucoup d'œufs sont ramassés et revendus à un bon prix à des consommateurs convaincus de leurs vertus aphrodisiaques. Pour enrayer la menace, des environne-mentalistes ont donc installé des couveuses sur la plage, afin de récupérer une partie des œufs et de les mener à éclosion. Près de dix mille

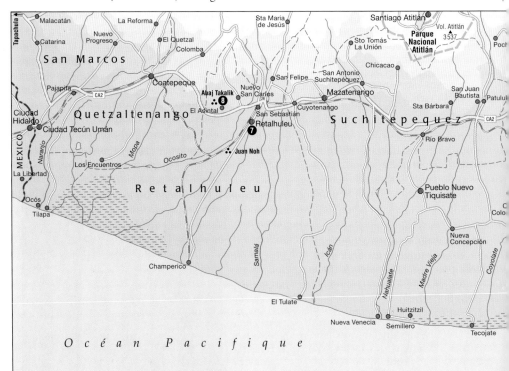

bébés tortues sont ainsi relâchés dans l'océan chaque année, parmi lesquels seules quelques dizaines parviendront à maturité et reviendront à Monterrico, les autres étant victimes de la sélection naturelle.

On trouve à Monterrico des hôtels pour tous les budgets, mais le choix de restaurants s'avère quant à lui limité. Ici comme partout sur la côte pacifique, la plus extrême prudence est de rigueur si vous souhaitez vous baigner, car les courants sont particulièrement traîtres.

SAFARI ET PLAGES...

De retour sur la Carretera del Pacífico, en direction du Mexique, à l'ouest, la route débouche sur le **Parque Auto Safari Chapín ❸**, au km 87, une attraction très populaire auprès des Guatémaltèques. On peut y voir des espèces endémiques (jaguars, tapirs) ainsi que des animaux exotiques (girafes, hippopotames...).

À 25 km au nord-ouest, **Escuintla** est une ville commerçante d'environ soixante-dix mille habitants, qui compte de nombreux hôtels. Une route permet de rejoindre **Puerto San José ❹**. Située à quelques heures de bus seulement de la capitale, c'est la station balnéaire la plus populaire de la côte, mais les plus beaux sites se trouvent dans ses environs.

À l'est, juste après le le nouveau port de conteneurs de Puerto Quetzal, la station huppée de **Likín** est surtout fréquentée par la bourgeoisie guatémaltèque. Au-delà, la petite station balnéaire d'**Itzapa**, qui fut en son temps le premier port du pays, est prise d'assaut les week-ends et les jours fériés, mais elle est déserte le reste du temps. L'atmosphère y est beaucoup plus décontractée qu'à Likín et l'on peut y louer des cabanes au bord de la mer. Des bus empruntent la route littorale qui traverse des paysages étonnants jusqu'à Monterrico, à 25 km de là.

Plaque évangélique fixée sur un véhicule : « Dieu est mon chauffeur. »

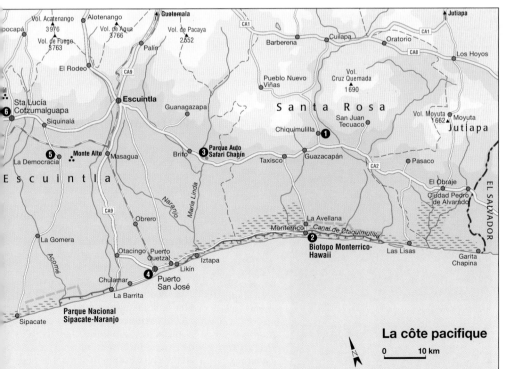

La côte pacifique

0   10 km

Carte
pp. 142-
143

À l'ouest de Puerto San José, **Chumular** est une autre station très appréciée des riches de la capitale. Elle possède une plage de sable noir, ainsi qu'un ou deux hôtels.

MERVEILLES ARCHÉOLOGIQUES

À l'ouest d'Escuintla, la Carretera del Pacífico mène à Siquinalá, d'où une route secondaire permet de gagner la paisible cité de **La Democracia ❺**, au sud. Sur la place centrale se tiennent les remarquables *Dioses Gordos* (« gros dieux »), des têtes en basalte d'influence olmèque provenant des ruines proches de **Monte Alto**.

Continuant vers le Pacifique, la route parvient à une minuscule plage appelée **Sipacate** (42 km).

Les sites archéologiques pipil les plus intéressants se trouvent aux environs de **Santa Lucía Cotzumalguapa ❻** (17 km de La Democracia), au milieu des plantations de canne à sucre. Pour les découvrir, il faut disposer d'un véhicule ou louer les services d'un taxi. Les Pipil ne bâtissaient pas de temples mais étaient de formidables sculpteurs, tirant le meilleur parti du basalte, abondant dans la région. Juste au nord de la ville, le site de Bilbao comprend deux stèles remarquables. Quantité de sculptures – connues localement sous le nom de *las Piedras* – sont dispersées dans la campagne environnante, mais beaucoup furent emportées en Allemagne et ailleurs lors de la découverte du site, à la fin du XIXᵉ siècle.

Perché au sommet d'une colline au nord de Santa Lucía Cotzumalguapa, **El Baúl** est un centre cérémoniel maya. Fréquenté par de nombreux chamans, l'endroit recèle deux sculptures. L'une est une stèle anthropomorphe couronnée datée de l'an 36 de notre ère, à l'expression dramatique. L'autre est une tête de pierre géante noircie par la fumée des offrandes : *velaciones* (bougies de couleur) et *copal* (résine de pin odorante). Plus loin, près de la Finca El Baúl, un petit musée présente une collection de têtes de pierre. Enfin, d'autres stèles ainsi que des poteries sont exposées dans un autre petit musée, rattaché celui-là à la Finca Las Ilusiones, à 2 km du centre ville.

RETALHULEU ET ABAJ TAKALIK

En direction de l'ouest, la Carretera del Pacífico traverse une série de bourgades avant d'arriver à **Retalhuleu ❼**, à 94 km. Souvent appelée « Reu » (prononcer Ré-ou), cette ville agréable possède une charmante place centrale, ainsi qu'un Museo de Arqueología y Etnología, riche de photos anciennes et de figurines anthropomorphes.

À l'ouest de Reu, près du village d'El Asintal, **Abaj Takalik ❽** est sans aucun doute le principal site archéologique de la zone côtière. D'influence olmèque, les temples ont malheureusement mal résisté aux outrages du temps, mais le petit musée se révèle assez intéressant.

À droite, l'heure de la sieste pour ce chauffeur, à l'ombre de son camion ; ci-dessous, les sculptures de La Democracia, qui utilisent la forme naturelle du rocher, sont datées du préclassique récent.

Ce style, diffusé jusqu'au Salvador, est dérivé de l'olmèque. Il comprend surtout des têtes humaines de grande taille et des hommes pansus. D'après les spécialistes, il s'agit sans doute de chefs mués en trophées et de statues d'ennemis sacrifiés.

L'EST DU GUATEMALA

Pour la plupart des visiteurs, l'est du pays ne constitue qu'une étape sans intérêt sur la route de Copán (Honduras) ou du Petén. D'une diversité de paysages étonnante, cette région qui alterne désert, marécages, montagnes arides ou humides, jungle, côte tropicale et même quelques volcans, gagne pourtant à être connue. Un réseau de réserves a été créé afin de préserver ces milieux naturels et les espèces menacées qui y vivent, tels le lamantin ou le quetzal, oiseau emblème du Guatemala.

L'Est se découpe en trois zones distinctes : les départements d'Alta Verapaz et de Baja Verapaz, au nord-est de Guatemala Ciudad ; le vaste département d'Izabal, qui comprend le Lago de Izabal et s'étend jusqu'à la côte caraïbe ; et enfin la zone montagneuse aride des départements de Chiquimula, Zacapa, El Progreso et Jalapa, surnommée El Oriente.

Relativement peu peuplée, la région ne compte aucune ville importante. On y dénombre une majorité de Ladinos, aux côtés desquels vivent des Kekchi et – sur la côte – des Garífunas. L'élevage et la culture de la banane et du tabac dominent en plaine, tandis que les plateaux sont dédiés au café et à la cardamome.

Historiquement, la Motagua, qui prend sa source dans le département d'El Progreso avant de se jeter dans la mer des Caraïbes, fut le principal axe commerçant de la région. Non loin de ses rives se trouvaient également les plus grands gisements de jade de tout le pays maya, qui furent l'objet de la rivalité entre Quiriguá et Copán. La visite des ruines des deux cités constitue un moment fort d'un séjour dans l'est du Guatemala.

Pour se rendre dans les Verapaces (« vraies paix ») de la capitale, il faut emprunter la Carretera al Atlántico puis, à El Rancho, prendre la direction de Cobán, au nord (à ne pas confondre avec Copán, située à la frontière du Guatemala et du Honduras). La route traverse les premières hauteurs des Verapaces.

LES VERAPACES

Si l'on excepte la ville de Flores, les départements jumeaux de la Basse-Verapaz et de la Haute-Verapaz furent la dernière région du pays à passer sous la domination espagnole. Après avoir victorieusement résisté aux pressions du royaume quiché pendant des décennies, les Kekchi et les Achís opposèrent une résistance farouche aux conquistadores. Baptisée « terre de guerre », la région fut finalement conquise pacifiquement, grâce au frère dominicain Bartolomé de Las Casas. En 1537, celui-ci obtint des autorités coloniales et religieuses le droit d'une présence exclusive sur ces terres, afin de les évangéliser. Peu à peu, les Dominicains étendirent leur influence en s'appuyant sur les commerçants et les caciques convertis.

Carte
p. 148

*À gauche,
les cités mayas
de Quiriguá et
de Copán recèlent
de magnifiques
stèles sculptées.*

*En 1595
fut décidée
la construction
d'une tour
à Río Dulce,
pour empêcher
les incursions
des pirates sur
le lac Izabal.
Reconstruite
en 1605, elle
fut remplacée
en 1651 par le
Castillo de San
Felipe, doté
d'un pont-levis
et de remparts.
Pendant
plusieurs
décennies,
pirates
et Espagnols
en découdront
à maintes
reprises,
entraînant
de nouvelles
modifications.*

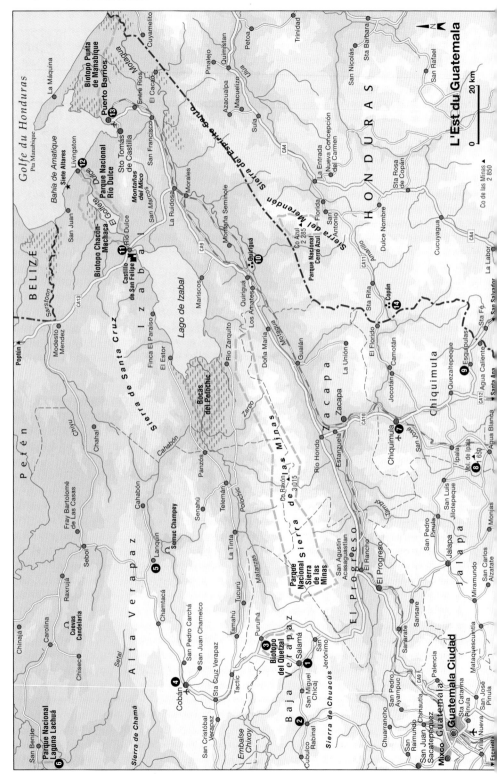

L'Est du Guatemala

Avec ses faux airs de Suisse, la région s'avère l'une des plus intéressantes du pays. Les forêts ombrophiles qui couvrent ses montagnes abritent en effet une faune riche et diversifiée, tandis que ses plantations de café donnent un nectar mondialement réputé. Enfin, les marchés de Cobán, Salamá, Rabinal et Cubulco plongeront les visiteurs dans un bain de couleurs.

SALAMÁ ET RABINAL

Chef-lieu du département de Baja Verapaz, **Salamá ❶** se trouve une soixantaine de kilomètres au nord-est de la capitale. Nichée à 950 m d'altitude, au milieu de plantations (orangeraies, oliveraies...) et de forêts de résineux, cette petite ville a un passé colonial, comme l'atteste sa superbe église du XVIIᵉ siècle, riche de quatorze autels dorés.

Fondé en 1537 par Bartolomé de Las Casas, le bourg achí de **Rabinal ❷**, 19 km plus loin, possède également une très belle église. Il est surtout célèbre pour le *Rabinal Achí*, une pièce dansée d'origine préhispanique dont le texte a été entièrement préservé. À Salamá comme à Rabinal, le marché du dimanche propose un vaste choix d'artisanat local (poterie, calebasses incisées ou peintes, bougies).

Perchée à 1 260 m d'altitude, 1 km au nord de Rabinal, l'ancienne cité achí de **Cahrup** (ou Kajyub) n'est plus que ruines. Elle fut bâtie avant l'arrivée des Espagnols par les Rabinaleb, pour résister aux assauts des Quichés. Au-delà de Rabinal, la route s'achève à **Cubulco**, l'un des rares villages où se perpétue le rituel du *Palo volador*, le 23 juillet.

LE BIOTOPO DEL QUETZAL

Classé réserve naturelle, le **Biotopo del Quetzal ❸** est également appelé Biotopo Mario Dary Rivera, du nom de son fondateur, assassiné en 1981 alors qu'il luttait contre les ravages provoqués par les bûcherons. Son accès se trouve au sud de Purulhá, sur la route de Cobán. La flore de la réserve est constituée par une forêt dense et humide, aux sous-bois envahis de fougères, de mousses et de lichens.

Le quetzal resplendissant, de son nom latin *Pharomacrus mocinno*, niche à 3 et 5 m du sol, dans des nids qui forment de petits tunnels destinés à laisser passer ses très longues plumes caudales. Le plumage vert du quetzal, représenté sur les billets de banque du Guatemala, a fait l'objet d'un commerce très ancien, mais le superbe volatile est aujourd'hui menacé en raison de la destruction partielle de son écosystème et du trafic dont il fait l'objet. C'est à l'aurore, entre mars et juin, que les chances de pouvoir l'admirer sont les plus grandes. Outre le quetzal, la réserve abrite près de 87 espèces d'oiseaux. Des cartes sont mises à la disposition des visiteurs pour leur permettre de se repérer tout au long des deux sentiers qui parcourent le *biotopo*.

Carte
p. 148

Statue de Manuel Tot, chef révolutionnaire maya de Cobán.

Un petit autel tout près de l'église du Calvario. L'église se trouve sur une petite colline au nord-ouest de Cobán, au bout d'une interminable volée d'escaliers. Les Indiens viennent déposer leurs offrandes sur de petits autels ou au pied de croix autour de l'édifice. Cette colline, qui offre le meilleur point de vue sur la ville, fait partie du Parque Nacional las Victorias.

COBÁN

Principal foyer de commerce des Verapaces, **Cobán** ❹ fut fondée en 1543 par Fray Bartolomé de Las Casas, et reçut plus tard le blason de « ville impériale ». Dans les années 1860, les immigrés allemands y développèrent la culture du café, aux côtés de celle de la cardamome. Au moment de l'entrée en guerre des États-Unis contre l'Allemagne, en 1917, la plupart d'entre eux furent expropriés sous la pression américaine. Cobán est située dans une vallée d'altitude très humide qui offre le climat idéal pour l'orchidée, cultivée dans des pépinières ouvertes aux visiteurs, comme le Vivero Verapaz, 2 km à l'ouest de la ville.

Les infrastructures hôtelières de Cobán ont connu un développement important ces dernières années, et offrent désormais un vaste choix aux visiteurs. Principale curiosité de la ville, la splendide cathédrale baroque Santo Domingo, édifiée

Les gorges de Semuc Champey sont envahies par une végétation luxuriante.

La principale curiosité de cette vallée est la formation de calcaire qui dessine un pont de 300 m. Au-dessus, des piscines naturelles sont alimentées par les eaux du Río Cahabón.

dans la seconde moitié du XVIe siècle domine la place principale. La cloche fendue à l'entrée tomba du clocher après avoir été frappée par la foudre.

Tout près de Cobán, San Pedro Carchá est connu pour son artisanat du cuir et du bois, ainsi que pour son orfèvrerie. Le collège Don Bosco abrite un musée régional consacré à la culture maya.

DE GROTTES EN LACS

Quarante-cinq kilomètres au nord-est de Cobán, les **grottes de Lanquín** ❺ forment un réseau exceptionnel de galeries souterraines, long de plusieurs kilomètres et décoré de stalactites aux formes étonnantes.

Situé au cœur de la forêt, à l'endroit où le Río Cahabón pénètre sous terre, **Semuc Champey** est un endroit unique. Des vasques calcaires creusées par les eaux de la rivière y dessinent un ensemble de superbes piscines naturelles alimentées par une petite cascade, où l'on peut nager et se délasser. De Lanquín, une randonnée de deux ou trois heures à travers des champs de maïs et de cardamome mène à Semuc Champey. Il est également possible d'effectuer le trajet en pick-up.

Au nord de Lanquín, une route en mauvais état traverse un paysage de montagnes, auxquelles succèdent des falaises calcaires spectaculaires, près du carrefour de Cruce del Pato. Situées à proximité du village isolé de Raxjurá, les **grottes de Candelaria** comptent parmi les plus impressionnantes de tout le Guatemala. Symboles de vie, elles servaient de lieu de culte aux divinités de la terre et de la pluie ; monde souterrain, elles incarnaient le domaine de la mort et de l'au-delà. Les grottes étant situées sur un terrain privé, avec des possibilités d'hébergement limitées, mieux vaut passer par l'agence Epiphyte Adventures, à Cobán.

Situé au nord de Cobán, sur la route du Petén, le **Parque Nacional Laguna Lachuá** ❻ est l'un des plus

Carte
p. 148

tranquilles et des moins visités d'Amérique centrale. Il comprend un lac de 220 m de profondeur, la Laguna Lachuá, qui aurait été créé par l'impact d'une météorite. De Cobán, un bus mène à la ville frontière de Playa Grande, située à la limite des montagnes Cuchumatanes. L'entrée du parc se trouve à quelques kilomètres, près du village de San Marcos. Il est possible de camper ou de louer sur place un hamac, mais il est nécessaire de prévoir de quoi manger, car il n'y a ni restaurant ni boutique sur place.

EL ORIENTE

Située au sud de la Carretera al Atlántico, la région d'El Oriente s'étire entre Guatemala Ciudad et les frontières du Salvador et du Honduras. Essentiellement peuplée de Ladinos, c'est une terre de *campesinos* (paysans), d'élevage et de culture du tabac. Les températures, qui frôlent souvent 40°C, y sont les plus chaudes du pays. Mais le voyageur qui emprunte la route pour se rendre aux ruines de Copán est récompensé par la vision d'un paysage grandiose de volcans et de montagnes.

La principale route qui dessert El Oriente quitte la Carretera al Atlántico en direction du sud, au carrefour de Río Hondo (où l'on trouve une station-service et un bon choix d'hôtels). Centre commerçant très actif, principalement tourné vers l'élevage, **Chiquimula** ❼ est à l'image des cités de la région : chaude, poussiéreuse et sans caractère. Étape obligée d'une excursion aux ruines de Copán, elle est très bien desservie par les bus.

Au sud de Chiquimula, le très ancien **volcan d'Ipala** ❽, dont le sommet érodé culmine à 1 650 m, possède un ravissant lac de cratère. En voiture, il faut prendre la route entre Agua Blanca et Ipala jusqu'au hameau d'El Sauce (km 26,5), où un sentier permet de gagner le cratère.

*Un bus de pèlerins
en route
pour la basilique
d'Esquipulas.*

Une fidèle se recueillant à la basilique d'Esquipulas.

L'autre solution est de faire la randonnée de deux heures qui part du village d'Agua Blanca, vers la Finca El Paxte, au nord, d'où une route mène au sommet.

ESQUIPULAS

Situé à 33 km au sud de Chiquimula, tout près de la frontière du Salvador, **Esquipulas ❾** attire des milliers de fidèles tout au long de l'année. Le week-end, la plupart des hôtels affichent complet et leurs prix s'envolent. L'objet de cette vénération est le célèbre Christ noir *El Cristo Negro*, abrité dans la vaste basilique néoclassique (1759). Chaque année, le 15 janvier, se déroule un pèlerinage qui passe pour le plus important de toute l'Amérique centrale et dont l'origine est antérieure à l'arrivée des Espagnols sur le continent. Autour de la basilique, des boutiques vendent toutes sortes de souvenirs du plus mauvais goût. Du couvent franciscain situé sur les hauteurs de la colline de Belén, le panorama sur la vallée est superbe.

Capitale du Trifinio, la ville connaît une activité débordante. Située en bordure du Salvador et du Honduras, la région fait en effet l'objet de programmes de développement impliquant ces deux pays ainsi que le Guatemala. C'est aussi à Esquipulas que se tiennent les – rares – sessions du Parlement centraméricain, depuis 1986.

IZABAL

Coincé entre la mer des Caraïbes, à l'est, le Belize, au nord, et le Honduras, au sud, le département d'Izabal est formé d'une plaine cernée de montagnes où règne une moiteur constante : au sud la Sierra del Merendón, à l'ouest la Sierra de Las Minas, et au nord la Sierra de Santa Cruz. Sa population hétéroclite comprend des Ladinos, des Garífunas, des Caribéens et des Kekchi. Au centre, les eaux du Lago de Izabal, le plus grand lac du pays, se jettent dans la mer en formant les gorges du Río Dulce.

Depuis plus d'un siècle, toute l'économie de la région est organisée autour de l'exploitation de la banane, exportée en Europe et en Amérique du Nord des les ports de Puerto Barrios et de Santo Tomás de Castilla. Le tourisme, centré autour de Río Dulce, tend néanmoins à occuper une place de plus en plus importante, avec le succès croissant que remportent les croisières sur le Lago de Izabal et El Golfete.

LES RUINES DE QUIRIGUÁ

La Carretera al Atlántico suit le cours de la Motagua à travers tout le département. Son tracé est également celui de l'ancienne route coloniale (Antigua – Verapaz – lac Izabal – Río Dulce), tombée en désuétude depuis la création de Puerto Barrios et le début de l'exploitation de la banane, à la fin du XIXe siècle.

De construction massive, la basilique néoclassique d'Esquipulas a déjà résisté à plusieurs tremblements de terre. Sa façade, imposante et éclatante de blancheur, est illuminée la nuit. Elle abrite un Christ noir sculpté en 1594 dans du bois d'oranger par le Portugais Quirio Catano. La renommée d'Esquipulas repose sur la vénération portée à cette statue.

Fondée au classique ancien (ve siècle), la cité de **Quiriguá** passa rapidement sous la domination de Copán et le resta jusqu'en 737, date à laquelle le roi de Quiriguá, Cauac-Ciel (ou Ciel à Deux jambes), mit à mort le souverain de Copán, 18-Lapin. Pour célébrer sa victoire et l'indépendance de la cité, il fit ériger de gigantesques stèles disposées autour d'une vaste place fermée de trois côtés par une acropole. La stèle E (10,66 m), la plus grande du monde maya, montre le roi Cauac-Ciel portant une coiffe raffinée. Le site comprend également d'étonnantes pierres sculptées zoomorphes figurant des tortues, des grenouilles ou des serpents.

LE LAC IZABAL

Au nord de Quiriguá s'étend le **lac Izabal**, le plus grand du pays (650 km^2), qui s'ouvre progressivement au tourisme. Pour ce qui est de son étymologie, les historiens hésitent entre le mot maya signifiant « où l'on sue constamment », et le nom d'Isabelle la Catholique, reine d'Espagne. À l'ouest, il est alimenté par la rivière Polochic, qui forme à son débouché sur le lac les **Bocas del Polochic**, une réserve naturelle peuplée de crocodiles, d'iguanes et d'une multitude d'oiseaux. La plupart des visiteurs séjournent néanmoins à l'extrémité est du lac, à **Río Dulce**, une bourgade bruyante et dépourvue de charme, mais dont les environs recèlent un excellent choix d'hôtels.

Près de la Finca El Paraíso, une très belle chute d'eau chaude peut faire l'objet d'une promenade, tout comme le canyon Boquerón, situé près d'El Estor.

À la fin du XVIe siècle, pour protéger le commerce entre la colonie et la métropole contre les incursions des pirates anglais, les Espagnols décidèrent d'édifier une citadelle à 3 km de Río Dulce. Rebaptisée **Castillo de San Felipe** , elle fut transformée en prison (1655), mais

Carte
p. 148

Le Castillo de San Felipe, à Río Dulce.

retrouva sa fonction dix ans plus tard, lorsque les « frères de la côte », établis sur l'île de la Tortue, dans les Caraïbes, reprirent leurs attaques.

LE SANCTUAIRE DES LAMANTINS

De Río Dulce, le fleuve du même nom chemine en direction de la mer des Caraïbes, en traversant El Golfete. Large de 6 km et long de 20, ce lac fait partie du **biotope Chocón-Machacas.**

Vaste de 7 200 ha, le biotope est constitué de forêt tropicale humide, de mangrove, de lagunes et de rivières à lent débit, habitat naturel du lamantin, un énorme mammifère marin malheureusement en voie de disparition. Les oiseaux vivent nombreux dans ce labyrinthe aquatique, tels les pélicans, les perroquets, les toucans, les oropendules et les pics-verts. Un sentier permet de découvrir la végétation d'acajous, de cèdres américains, de sapotiers, de concastes et de palmiers corossoliers.

Le bac quitte Lívingston pour Puerto Barrios.

LÍVINGSTON

Située au débouché du Río Dulce, dans la Bahía de Amatique, la petite ville garífuna de **Lívingston** ⓬ est également appelée La Buga (« la bouche »), en référence à sa position. Bien qu'elle se trouve sur le continent, elle n'est accessible qu'en bateau, de Puerto Barrios, du Honduras ou du Belize. La population, originaire de la Jamaïque, y parle le garífuna, un mélange de créole, d'anglais, de kekchi et de français. De tradition matrilinéaire, la communauté garífuna a vu le rôle des femmes en matière d'éducation ou de culte des ancêtres s'accroître encore sous l'effet de l'émigration masculine.

Petite ville du bout du monde, Lívingston ne compte que quelques rues. Les commerces y sont tenus par des Ladinos et des Asiatiques, tandis que les Garífunas vivent surtout de la pêche, ce qui ne va pas sans créer des tensions entre les

communautés. Dans l'ensemble cependant, l'atmosphère tropicale, bercée de rythmes reggae et de calypso, confère au lieu une nonchalance toute particulière, à mille lieues de l'ambiance des Hautes Terres. De nombreux artistes locaux exposent leurs peintures ou leur artisanat et l'on peut également effectuer de belles promenades en bateau aux **cascades de Siete Altares**, ainsi qu'à la très belle **Playa Blanca**. La spécialité locale, le *tapado*, est une délicieuse soupe de poisson et crustacés agrémentée de lait de coco, de coriandre et de banane plantain.

PUERTO BARRIOS

Situé au sud-est de la Bahía de Amatique, **Puerto Barrios** ❸ est le point de passage des nombreux visiteurs qui se rendent en bateau à Lívingston ou à Punta Gorda, au Belize. Créé à l'initiative du président Justo Rufino Barrios, à la fin du XIXe siècle, et développé par la United Fruit Company au début du XXe siècle, Puerto Barrios pris son essor grâce aux exportations de bananes, jusqu'à devenir l'un des plus importants ports du pays.

Le béton règne malheureusement en maître presque partout, mais la ville a conservé de son âge d'or quelques curiosités, comme l'Hotel del Norte, ou le cinéma-hôtel-restaurant-laverie A sus ordenes, un édifice du centre-ville typique de l'architecture caraïbe, avec des murs en bois. Les premières scènes du *Salaire de la peur* (1953), le célèbre film tourné par Henri Georges Clouzot avec Charles Vanel et Yves Montand, ont pour cadre Puerto Barrios.

THE UNITED FRUIT COMPANY

En 1901, la UFC obtint du gouvernement guatelmatèque de vastes concessions ainsi qu'une exemption d'impôts, en échange de la construction d'une voie ferrée reliant la capitale à Puerto Barrios. Peu à peu, elle

devint un véritable État dans l'État, sous influence nord-américaine. Pendant un demi-siècle, les tentacules de la « Pieuvre » s'étendirent à tous les secteurs de la politique et de l'économie.

En 1952, le président Arbenz osa décréter la redistribution des terres non exploitées des grands propriétaires aux paysans. La UFC, qui se vit confisquer 80 000 ha, joua alors de l'entregent d'un de ses dirigeants, Allen Dulles, président de la CIA et frère du chef du département d'État américain. Deux ans plus tard, Arbenz fut renversé par un coup d'État du colonel Castillo Armas, et la United Fruit Company récupéra ses terres.

Dans les années 1970, la United Fruit fusionna avec la Del Monte. Maître de 85 % des terres propices à la culture de fruits, elle fut condamnée pour monopole aux États-Unis. Depuis, elle ne conserve au Guatemala que son activité d'exportation fruitière, à Puerto Barrios.

Carte
p. 148

Splendide stèle sculptée de Quiriguá.

Le conditionnement des bananes cultivées dans la région de Quiriguá par la société Del Monte. Après le café, le sucre et le coton, ce fruit procure toujours l'une des principales rentrées de devises à l'exportation du Guatemala.

LES RUINES DE COPÁN

Située au Honduras, sur les rives du Río Copán, à 12 km seulement du poste frontière d'El Florido, au Guatemala, la cité de **Copán** ⓮ est l'une des plus impressionnantes de l'aire méso-américaine.

Les explorateurs John L. Stephens et Frederick Catherwood furent les premiers à visiter le site en 1839, alors qu'il était encore enfoui dans son écrin de végétation tropicale. Aujourd'hui, après plus de vingt ans de fouilles et de rénovations, Copán a retrouvé une grande partie de son éclat. Un nombre croissant de visiteurs qui se rendent au Guatemala font désormais le détour jusqu'à ce coin perdu, pour admirer les superbes stèles sculptées qui comptent parmi les plus belles de l'art maya. Copán est, avec Tikal, le site le mieux connu de cette civilisation.

D'après les historiens, la vallée aurait été habitée dès 1300 av. J.-C., mais la présence maya ne remonterait qu'aux environs de 400 apr. J.-C. À son apogée,

au VIIIe siècle, Copán comptait environ vingt mille habitants. Elle étendait sa domination sur toute la vallée de la Motagua et contrôlait le commerce du jade, de l'obsidienne, du cacao et des plumes de quetzal. C'est en 426 que Ma'h K'ina Yax K'uk Mo' (« Grand Seigneur du Soleil Quetzal Perroquet ») fonda une nouvelle dynastie qui resta au pouvoir pendant trois siècles. Sous son règne, Copán étendit son empire à tout le sud-est du pays maya, notamment Quiriguá. Mais en 737, Cauac-Ciel, le nouveau roi de Quiriguá, entra en rébellion. La capture et le sacrifice rituel du prestigieux souverain de Copán, 18-Lapin, portèrent un grave coup à la cité. C'est également à cette époque que la qualité de son architecture et de ses sculptures commença à décliner. Trois souverains de la dynastie se succédèrent encore sur le trône avant que Copán ne fût définitivement abandonnée, pour des raisons mystérieuses, au début du IXe siècle. Cette décadence coïncida avec celle de la civilisation maya des plaines, à la fin de la période classique. Une petite communauté continua cependant d'habiter la vallée.

Dernières d'une longue série, les fouilles archéologiques entreprises à partir de 1975 se sont inscrites dans le cadre d'un vaste programme de recherche. Aujourd'hui, une grande partie du site est restaurée, et de nombreux monuments ont été reconstitués. Plus de mille structures ont été mises au jour, dispersées sur une surface de 130 ha, qui correspond au noyau de la cité-État.

Avec ses stèles et ses panneaux ornés des plus fines sculptures en ronde bosse de toute l'aire méso-américaine, Copán s'impose dès le premier coup d'œil comme l'une des manifestations les plus achevées de l'art maya. Les tailleurs de pierre développèrent une technique de sculpture extrêmement raffinée, rendue possible par l'utilisation de la roche locale, une andésite verte très malléable, idéale pour réaliser des entrelacs de figures humaines, de mammifères et d'oiseaux.

Les sculptures présentent quantité de textes symboliques et d'images illustrant ce qu'Aldous Huxley a décrit comme « un extraordinaire intérêt pour le

La stèle H illustre le génie des sculpteurs de Copán.

temps ». Les scribes étaient révérés par les Mayas. La connaissance et la maîtrise des glyphes étaient indispensables à l'élite copanèque, car elles servaient à légitimer son pouvoir.

Il est possible de visiter Copán en faisant l'aller et retour en avion dans la journée de Guatemala Ciudad, mais il est préférable de consacrer du temps à l'excursion, en passant la nuit dans la ville voisine. La plupart des pièces visibles in situ sont des répliques, les originaux étant exposés au **musée de la Sculpture maya**. Il est d'ailleurs conseillé d'y effectuer une visite avant de découvrir le site.

Du **centre des visiteurs**, à l'entrée du parc archéologique, une longue allée mène à la **Gran Plaza**. Ce vaste espace ouvert, qui fut peut-être dallé, devait remplir des fonctions cérémonielles. Il conserve quelques magnifiques stèles sculptées. La plupart représentent le grand roi 18-Lapin (stèles A, B, C, D, F, H et 4), notamment la célèbre stèle B, qui le montre émergeant de la gueule du monstre terrestre, pour symboliser son accession au trône. La stèle A, ornée de sculptures et de cinquante-deux glyphes sur les côtés, s'avère particulièrement impressionnante, tandis que la stèle C, agrémentée de visages, se dresse à proximité d'un autel en forme de tortue.

Au sud du **Jeu de balle**, qui passe pour l'un des plus remarquables du pays maya, se dresse l'**escalier Hiéroglyphique**, bâti en 756 de notre ère, sous le règne du quinzième roi de la dynastie copanèque, Fumée-Coquillage. Formé de soixante-deux marches sculptées menant au sommet d'une pyramide, et décorées de six figures représentant les souverains de la ville, l'escalier Hiéroglyphique constitue la plus longue séquence d'écriture préhispanique connue. Les épigraphistes n'ont pas fini de la déchiffrer. Par suite de l'effondrement partiel de la structure sous la pression de la végétation, les archéologues ont à reconstituer un gigantesque puzzle de vingt mille glyphes. Au pied de l'escalier se trouve la stèle M, représentation probable du roi Fumée-Coquillage vêtu d'une cape de plumes. Juste devant se dresse un autel au décor zoomorphe, qui figure une tête entre les mâchoires d'un serpent.

En poursuivant au sud de la Gran Plaza, le visiteur parvient à l'**Acropole**, un énorme tertre artificiel de 30 m sur lequel se sont accumulées au fil des siècles un ensemble de pyramides, de terrasses et de petites places. La plupart des structures visibles aujourd'hui datent du règne de Soleil-Levant. Le **temple 11**, ou templo de las Inscripciones, s'orne de quantité de bas-reliefs. Il était considéré comme l'un des lieux les plus sacrés de Copán.

La visite se poursuit avec la **tribune des Spectateurs**, décorée de deux sculptures qui représentent le dieu de l'Orage sous les traits d'un singe. Puis, au milieu du patio Occidental, trône **l'autel Q**, un bloc de pierre orné de splendides bas-reliefs qui représentent les seize rois de la dynastie. Juste à côté se dresse la **pyramide 16**, la plus haute de la ville. Elle repose sur le temple Rosalilia (VIᵉ siècle), une structure primitive découverte en 1989 (une reproduction grandeur nature en est exposée au musée). La visite du tunnel creusé par les archéologues pour y accéder, ainsi que de celui qui mène à la tombe de Galindo, sous le **patio Oriental**, s'avère passionnante.

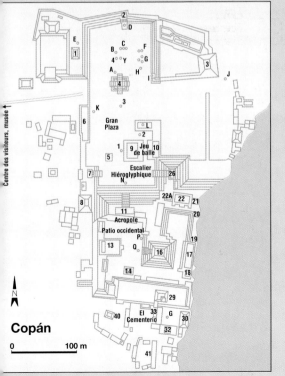

Copán

0   100 m

LE PETÉN

Couvert d'une forêt tropicale impénétrable sur la plus grande partie de son territoire, le Petén, qui représente un tiers de la superficie du pays, a vu naître et se développer l'une des plus brillantes cultures méso-américaines : la civilisation maya. Des sommets des pyramides de Tikal qui émergent au milieu de la jungle, le visiteur jouit d'un panorama sans pareil sur la plaine du Petén.

Durant la période la plus brillante de la civilisation maya, entre 750 av. J.-C. et 900 de notre ère, Tikal, Uaxactún, Yaxchilán et d'autres cités ont alternativement imposé leur autorité sur le Petén, ou conclu des alliances pour s'assurer le contrôle de la région. Après avoir développé un système d'écriture complexe, un calendrier d'une précision stupéfiante allié à de grandes connaissances astronomiques, un art raffiné et une architecture à couper le souffle, elles furent progressivement désertées. Les causes de ce déclin restent incertaines, et les historiens préfèrent évoquer plutôt une combinaison de facteurs sociaux et naturels (séisme, surpopulation, guerres, révoltes…). Quoi qu'il en soit, la jungle recouvrit peu à peu les temples, les palais et les places. Il fallut attendre les explorateurs du XIXᵉ siècle pour les voir sortir de l'oubli, puis le travail des archéologues pour les dégager de leur sarcophage végétal.

Jusqu'en 1697, et leur victoire sur la petite tribu isolée des Itzá, dernier groupe maya indépendant, qui vivait sur les rives du lac Petén Itzá, les Espagnols dédaignèrent la région. Le Petén resta quasi inaccessible jusque dans les années 1960, quand les chemins qui reliaient Guatemala Ciudad à Flores furent transformés en pistes carrossables. Elles ont été récemment goudronnées. À cette époque, la forêt vierge couvrait encore la majeure partie de la région, dont la population n'excédait guère quelques milliers d'habitants. Des projets gouvernementaux encouragèrent alors l'exploitation des ressources en bois et en pétrole, ainsi que l'établissement de colons pour défricher la terre et permettre l'agriculture et l'élevage. La population augmenta considérablement, pour atteindre cinq cent mille habitants, au détriment d'un massif qui diminua de moitié.

En réaction, de multiples réserves furent créées pour sauvegarder la forêt. En 1990, elles furent regroupées au sein de la Biosphère maya, qui couvre la moitié nord du Petén, soit un million d'hectares. Grâce à ces mesures, il est vrai tardives, la région reste l'un des meilleurs sites d'observation de la faune et de la flore centraméricaines. On y recense plus de quatre mille essences et espèces, dont des jaguars, des crocodiles, des tapirs, des ocelots, des pécaris et près de quatre cent cinquante sortes d'oiseaux résidants ou migrateurs.

Ainsi, une visite à Tikal est souvent ponctuée de surprenantes apparitions de toucans, de tapirs ou

Carte p. 160

Guatemala Ciudad ●

À gauche, les majestueuses crêtes faîtières de Tikal émergent au-dessus de la forêt tropicale.

Des villageois traversent en pirogue les eaux du lac Petén Itzá au milieu des nénuphars. Reliée à la terre ferme par un pont, l'île de Flores vit sous la menace constante de l'eau. On accède facilement en bateau à l'île de Petencito, qui abrite un jardin zoologique où sont rassemblés alligators, jaguars, coatis, belettes, pécaris, aras et perroquets.

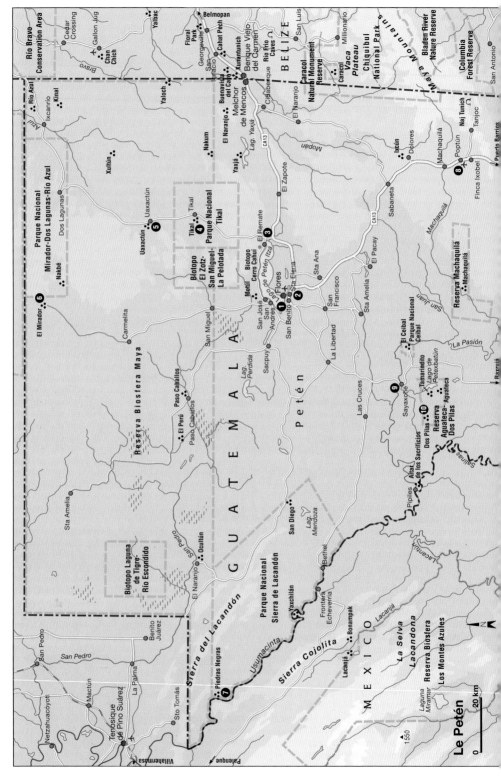

Le Petén

0   20 km

de perroquets. Lors d'une promenade, il est également courant d'apercevoir des singes-araignées sautant de branche en branche, d'entendre les cris de singes hurleurs, voire d'observer un dindon ocellé ou un renard gris furetant dans les fourrés. Région frontière, le Petén est resté en grande partie à l'état sauvage. Malgré le rapide développement du tourisme, les infrastructures (communications, hôtels, transports et restaurants) demeurent rudimentaires dès que l'on s'éloigne de Flores, la ville principale. Se rendre dans les sites mayas comme El Mirador ou Piedras Negras nécessite du temps ainsi qu'une bonne organisation. Le plus simple est évidemment de faire appel à une agence locale. Il faut également tenir compte du climat, car la saison des pluies (de mai à novembre, voire décembre) rend difficiles certains déplacements. Durant cette période, la circulation des bus entre Tikal et Uaxactún est parfois interrompue, seuls les 4x4 pouvant alors pratiquer la piste. Tikal et Flores, en revanche, sont accessibles toute l'année.

FLORES

Reliée au rivage par une chaussée de 500 m, **Flores** ❶ (cinq mille habitants) est située sur une île naturelle du lac Petén Itzá. Elle fut bâtie sur les ruines de Tayasal, cité itzá qui fut le dernier centre cérémoniel maya actif. Aujourd'hui tournée vers le tourisme, cette paisible cité est de loin la plus agréable du Petén. Les ruelles du centre regorgent de restaurants et d'hôtels. La meilleure façon de visiter Flores est d'emprunter la rue qui épouse le rivage, puis de remonter vers la place principale et sa cathédrale à deux dômes, typique de l'époque coloniale. Cette promenade dévoile une architecture superbe et contrastée, qui alterne vieilles demeures en bois ou en adobe aux couleurs vives et hôtels aux teintes pastel.

À l'autre bout de la chaussée qui mène à Flores, **Santa Elena** ❷ et

San Benito (cinquante mille habitants) ne présentent pas d'intérêt, mais concentrent banques, hôtels à petits prix et compagnies de transport (chaque bourg possède sa propre gare routière). Située dans une région encore relativement isolée du reste du pays, qui sert de plaque tournante au commerce de la drogue entre l'Amérique du Sud et les États-Unis, cette agglomération dégage une impression de bout du monde. Suivant la saison, les rues non pavées sont soit boueuses, soit poussiéreuses.

AUTOUR DE FLORES

Les rives du lac Petén Itzá offrent de nombreux buts d'excursion en bateau au départ de Flores. Plutôt que de passer par des agences, il est préférable de négocier directement avec les propriétaires des embarcations, nombreux devant l'hôtel Santana et au bout de la chaussée, du côté de Santa Elena. Les destina-

Carte p. 160

Le cheval reste le moyen de transport le plus courant pour circuler sur les pistes défoncées de la jungle.

La ville de Flores, établie sur une île du lac Petén Itzá. Lors de la conquête, en 1697, les Espagnols rasèrent ses temples et ses palais. Peu intéressés par cette région inhospitalière, ils firent de la ville une colonie pénitentiaire. Jusqu'à l'amélioration des liaisons routières avec le reste du pays, à la fin du XXᵉ siècle, Flores demeura beaucoup plus liée au Belize et au Mexique.

Un ara rouge, dont le cri perçant retentit souvent au cœur de la jungle.

Le luxueux hôtel Camino Real Tikal, au bord du lac Petén Itzá.

tions les plus courues sont le **zoo de Petencito**, ainsi qu'une île offrant un beau panorama. Situés sur la rive nord du lac, **San Andrés** et **San José** sont typiques de ces villages du Petén qui ont su préserver l'héritage maya itzá, notamment la langue. Quatre kilomètres plus loin, une stèle et quelques petites pyramides composent le site mineur de **Motúl**.

Situées à environ 2 km de Santa Elena, les **grottes d'Actún Can**, ou grottes du Serpent, sont célèbres pour leurs formations évoquant divers animaux ou la silhouette du dieu au long nez, Chac (prévoir une lampe de poche).

À l'origine composé de simples huttes aux toits de feuillage, le ravissant village d'**El Remate ❸** (30 km de Flores, à l'extrémité est du lac) a pris son essor grâce au tourisme et à la proximité du Biotopo Cerro Cahui. Il constitue une excellente base pour explorer Tikal, surtout pour les voyageurs arrivant du Belize. El Remate possède le palace

le plus luxueux du Petén, le Camino Real Tikal, ainsi que de nombreux petits hôtels et pensions accessibles à toutes les bourses.

Située à trois kilomètres du village, la petite réserve naturelle du **Biotopo Cerro Cahui** abrite une remarquable variété d'essences tropicales (orchidées, plantes épiphytes, sapotilliers, kapokiers...) et d'animaux (singes hurleurs et araignées, ocelots...), ainsi que quatre cent cinquante espèces d'oiseaux.

TIKAL

Cachées au milieu de la jungle, les ruines monumentales de **Tikal ❹** font partie des merveilles du continent américain. Dominé par cinq temples-pyramides s'élevant au-dessus de la canopée, le site recèle de nombreux trésors : des stèles finement sculptées narrant sa glorieuse histoire, des masques de stuc géants décorant ses monuments, ou des chaussées pavées menant à d'autres

cités enfouies dans la jungle. Il est conseillé de se munir d'une carte pour éviter de s'égarer dans le parc.

Tikal étonne par ses dimensions. L'apparition soudaine du temple I en pleine forêt suscite immanquablement un sentiment d'humilité face à une telle démesure. Quant au temple IV, haut de 64 m, c'est l'un des deux plus grands édifices mayas. À son apogée, au VIIIe siècle, près de cent mille personnes vivaient dans l'agglomération, qui s'étendait sur 120 km². Seuls 10 % des vestiges du centre, qui comptait dix mille habitants, sur 16 km², ont été explorés. Le reste est toujours recouvert de végétation. Si l'habitat populaire a disparu, on trouve encore des jeux de balle, des bains de vapeur (*temascal*), des observatoires et des palais royaux. Bien qu'il soit possible d'avoir un bon aperçu du site en une journée, il est vivement souhaitable d'y séjourner au moins deux jours pour s'imprégner de la magie du lieu, particulièrement à l'aube et au crépuscule, quand la jungle retentit des cris des toucans, des grenouilles et des singes.

Tikal n'est dépassé en ancienneté que par deux autres sites mayas, Nakbé et Cuello (Belize). La présence d'un gisement de silex serait à l'origine des premières implantations, au préclassique (900 av. J.-C.). Vers 500 av. J.-C., Tikal n'était qu'un petit village, Nakbé (55 km au nord) étant la cité dominante de la région. Trois siècles plus tard, lorsque furent élevées les premières structures cérémonielles (acropole Nord, grande pyramide), de nouvelles cités avaient émergé, au premier rang desquelles l'imposante El Mirador (64 km au nord), reliée à Tikal par une *sacbé* (chaussée de pierres).

Au début du classique, vers l'an 250 de notre ère, El Mirador et Nakbé déclinèrent au profit de Tikal, Uaxactún et Calakmul, qui entrèrent en rivalité. Après la victoire du roi de Tikal, Jaguar-Grande-Griffe, et de son général Grenouille-Fumante,

Carte p. 160

À gauche, les temples I et II, sur la Grand-Place de Tikal; ci-dessous, le meilleur moyen d'admirer Tikal est de gravir l'un de ses temples.

sur Uaxactún (24 km au nord), en 376, la cité n'eut pour seule rivale que Calakmul. De grands progrès furent réalisés dans le domaine de l'astronomie, du calendrier et des mathématiques, particulièrement sous le règne de l'illustre Ciel-Orageux (426-457). Mais en 562, le souverain Oiseau-Double fut vaincu par Seigneur-Eau, roi de la nouvelle cité de Caracol, allié à Calakmul. Pendant cent vingt ans, aucune stèle ne fut gravée à Tikal.

La renaissance de Tikal survint sous le règne d'Ah Cacao (682-734). Sur les anciennes structures, il fit élever des temples plus vastes, que l'on peut encore admirer aujourd'hui. Son fils Caan Chac poursuivit son œuvre et reprit le contrôle de la région au détriment de Calakmul.

Tikal connut alors un siècle de stabilité et de prospérité, puis, à l'instar des autres villes des Basses Terres, fut subitement abandonnée pour des raisons mal connues. La dernière stèle gravée à Tikal date de 869.

Urne polychrome en céramique.

Le musée Popol Vuh, à Guatemala Ciudad, expose de remarquables pièces provenant notamment de la région du Petén. Pour les archéologues, les vases décorés de glyphes constituent une source d'informations de premier plan sur la civilisation maya.

LA VISITE DE TIKAL

Le point de départ du circuit est le **centre des visiteurs** ❹, où se trouvent hôtels, restaurants et musées. Le **Museo Lítico** abrite une collection de stèles prélevées sur le site, tandis que le **Museo Morley** expose des objets retrouvés lors des fouilles, notamment des outils, des céramiques, des ornements de jade, une reconstitution de la tombe d'Ah Cacao et la stèle 29, la plus ancienne de Tikal (292), qui inaugure l'ère classique.

Juste avant la Grand-Place, la visite débute par la place Est où émergent les ruines d'un **bain de vapeur**, d'un **jeu de balle** et du **temple de Teotihuacán**. Celui-ci arbore une alternance de masques de Tlaloc (divinité aux grands yeux cerclés) et de Quetzalcoatl (le serpent à plumes), un décor rare dans le Petén. La **Grand-Place** ❸ est encadrée par le temple I (est), le temple II (ouest), l'acropole Nord et l'acropole Centrale. Au classique, ces bâtiments de pierre étaient peints de couleurs vives (rouge pour les édifices ; bleu, jaune et vert pour les décors). Lors des cérémonies civiles et religieuses, dirigées au milieu des vapeurs d'encens par les prêtres et les rois du haut des plates-formes, les sacrifices humains étaient fréquents. Le peuple y assistait de la Grand-Place.

Le **temple I** ❻, ou temple du Grand-Jaguar, abritait la tombe d'Ah Cacao, enterré avec 8 kg de bijoux de jade et quantité d'offrandes. La pyramide de soubassement comprend neuf niveaux (comme dans l'inframonde) reliés par un escalier en façade. La plate-forme du sommet, interdite d'accès, abrite trois salles voûtées dont l'entrée s'ornait d'un superbe linteau en bois sculpté, conservé dans un musée de Bâle. En fin d'après midi, la lumière met en relief le décor très altéré de la crête faîtière, qui culmine à 45 m. On y voit un prêtre assis (peut-être Ah Cacao) entouré par un grand serpent stylisé.

Pour une vue plongeante sur la place, il faut gravir le **temple II ⓓ**, aussi appelé temple des Masques en raison des deux mascarons qui flanquent l'escalier. Élevé par Ah Cacao en l'honneur de son épouse, il atteint 38 m (42 m à l'origine). Comme son vis-à-vis, le sanctuaire date de 740 environ, et inclut trois petites pièces voûtées, mais il s'appuie sur trois terrasses au lieu de neuf.

Deux rangées de stèles et d'autels sculptés de l'ère classique bordent le nord de la place. Les glyphes de la stèle 5 sont particulièrement beaux.

Le vaste chaos de pierres surélevé est tout ce qui reste de l'**acropole Nord ⓔ** et de ses seize temples bâtis au classique tardif sur des édifices antérieurs, certains datant de 250 av. J.-C. Les nombreuses tombes accréditent l'idée que l'acropole servait de nécropole aux grands prêtres et aux souverains. Deux énormes masques de Chac, dieu de la Pluie et de la Fertilité, ont également été mis au jour. Au sud, la place est fermée par l'**acropole Centrale ⓕ**, un ensemble de cours, de corridors et de bâtiments allongés disposés à flanc de colline. Ces édifices d'époques diverses formaient peut-être le palais royal. Au sud du réservoir se dresse la haute silhouette du **temple V** (58 m).

EL MUNDO PERDIDO (TIKAL)

Du temple V, un sentier longe l'acropole Sud jusqu'à la Plaza del Mundo Perdido, dominée par la **Grande Pyramide ⓖ**, un ancien observatoire astronomique. Il s'agit d'une accumulation de structures de diverses époques, la plus ancienne datant de 700 av. J.-C. Le temple qui la coiffait a disparu, mais l'escalier conserve ses deux mascarons.

Au nord, le **temple III ⓗ** (55 m), avec son manteau végétal, rappelle l'état dans lequel les archéologues découvrirent le site. Tikal compte bien d'autres édifices colonisés par la forêt, qui ressemblent à des reliefs naturels. Érigé en 741 par Caan Chac, le

Certains monuments de Tikal, comme le temple IV, sont recouverts par une végétation tentaculaire.

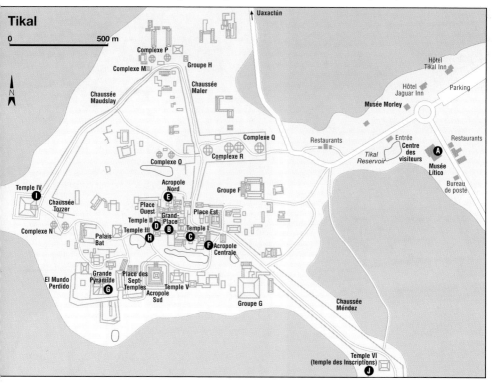

Tikal

0   500 m

Uaxactún

Complexe P
Complexe M
Groupe H
Chaussée Maler
Chaussée Maudslay
Hôtel Tikal Inn
Hôtel Jaguar Inn
Parking
Musée Morley
Complexe Q
Restaurants
Complexe O
Complexe R
Entrée
Centre des visiteurs
Restaurants
Tikal Reservoir
Musée Lítico ⓐ
Acropole Nord ⓔ
Groupe F
Bureau de poste
Temple IV ⓘ
Chaussée Tozzer
Place Ouest
Grand-Place
Place Est
Complexe N
Temple II ⓓ
Temple III ⓗ
ⓑ
Temple I ⓒ
Palais Bat
ⓕ Acropole Centrale
El Mundo Perdido
Grande Pyramide ⓖ
Place des Sept-Temples
Temple V
Acropole Sud
Groupe G
Chaussée Méndez
Temple VI (temple des Inscriptions) ⓙ

temple IV ❶, ou temple du Serpent à deux têtes, n'est que partiellement dégagé. Sa crête faîtière, qui culmine à 64 m, en fait le plus haut édifice maya après le temple d'El Tigre, à El Mirador. L'ascension, difficile, procure une vision inoubliable : à perte de vue s'étend un océan végétal seulement interrompu par la silhouette des autres temples.

La visite du site peut s'achever par le **temple VI ❷** (12 m), ou temple des Inscriptions, décoré de glyphes.

AUX CONFINS DU PETÉN

Des dizaines d'autres cités non encore dégagées parsèment la jungle de la Biosphère maya. De Santa Elena, un bus quotidien dessert Tikal et **Uaxactún ❺**, quand la route n'est pas rendue impraticable par la pluie. Rivale de Tikal au début du classique, la cité fut vaincue en 378. Moins impressionnante que celle-ci, elle comprend six groupes d'édifices, le plus intéressant étant le groupe E,

Ci-dessous et à droite, dans le Petén, les tâches domestiques n'ont guère changé depuis des millénaires.

dédié à l'observation du cycle solaire et qui comprend la plus ancienne pyramide de la région (préclassique). Ensevelie sous un nouvel observatoire durant le classique, elle est aujourd'hui exhumée. Uaxactún possède également un jeu de balle et quelques belles stèles gravées.

À quelques kilomètres de la frontière mexicaine, la métropole préclassique d'**El Mirador ❻**, au moins aussi étendue que Tikal, s'avère difficile d'accès. De Carmelita, trois jours de marche dans la jungle sont nécessaires pour y accéder. Les fouilles, fort limitées, ont révélé cinq grands temples-pyramides, dont le plus célèbre est le temple du Tigre, en partie écroulé, qui atteignait 70 m.

Nakbé, à 10 km au sud, recèle un plus grand nombre de temples-pyramides, également préclassiques, ainsi qu'un énorme masque de 5 m sur 8. Situé près de la frontière du Mexique et du Belize, **Río Azul** est un site préclassique dont la plupart des sépultures ont hélas été pillées.

Enfin, à l'extrémité ouest de la Biosphère maya, sur la rive guatémaltèque de l'Usumacinta, **Piedras Negras ❼** est célèbre pour ses stèles gravées, réputées les plus belles de l'aire maya. Accessible uniquement par bateau, l'acropole en ruine comprend un ensemble de palais et de cours perchés à une centaine de mètres au-dessus du fleuve.

AU SUD DE FLORES

De Flores, deux routes s'enfoncent dans la jungle. La plus fréquentée mène à **Poptún ❽** (113 km au sud-est), un gros village dépourvu de charme, situé non loin de la frontière du Belize. Le seul intérêt du lieu est un joli ranch, la Finca Ixobel, qui offre l'occasion d'une halte plaisante, sur la route de Río Dulce. Tenue par des Américains, elle constitue un bon point de départ pour explorer les nombreuses grottes et rivières de la région. En outre, on y sert l'une des meilleures cuisines du pays.

L'autre route mène à **Sayaxché ❾** (62 km au sud-ouest), au bord du Río de la Pasión. La rivière constitue la meilleure option pour gagner les ruines d'**El Ceibal** (18 km), car la piste est en mauvais état. Cette cité, qui connut son apogée au classique récent, recèle deux éléments uniques dans le Petén. Il s'agit de sa pyramide à base circulaire et de la stèle 2 (830), qui relève d'un style original, peut-être influencé par le Mexique voisin. Le site possède aussi des vestiges typiquement mayas, comme le Temple-observatoire.

Situé au cœur de la forêt, au sud de Sayaxché, le lac Petexbatún avoisine trois autres cités : Dos Pilas, Aguateca et Tamarindito. Les deux dernières, à peine fouillées, sont surtout le prétexte à une excursion dans la jungle. **Dos Pilas ❿**, à 12 km du lac, conserve de beaux autels, un jeu de balle et des escaliers gravés de glyphes. Pour s'y rendre, il faut faire appel à un guide de Sayaxché ou à une agence de voyages de Flores.

Cartes pp. 160 et 165

Ci-dessus, la stèle I de Piedras Negras, au Musée archéologique de la capitale ; ci-dessous, coucher de soleil sur le lac Petexbatún.

TIKAL, JOYAU DE LA COURONNE MAYA

Alors que les premiers rayons de soleil filtrent au travers des brumes matinales, le roi Ah Cacao émerge du sanctuaire du temple I. Vêtu d'une peau de jaguar et paré de bijoux de jade,

son fils et successeur, Caan Chac, attend nerveusement l'approbation du grand prêtre qui vient de consulter les dieux pour obtenir leur bénédiction. Par un signe discret, il confirme l'accession au trône de Caan Chac, et la foule qui attend impatiemment au pied du temple peut enfin laisser alors exploser sa joie. Les tambours retentissent et les danses commencent. Une ère nouvelle vient de commencer pour Tikal.

UNE CITÉ BOURDONNANTE

En parcourant ses ruines, le visiteur peine à imaginer Tikal en métropole prospère de plus de dix mille habitants. À l'époque classique, la cité abritait une société fortement hiérarchisée, dominée par l'aristocratie et l'élite religieuse. La classe intermédiaire était composée de marchands, d'artisans, de soldats et de fonctionnaires, tandis qu'aux derniers échelons se trouvaient les agriculteurs, les domestiques et les maçons. Tikal ayant connu plus de mille ans d'essor, son sous-sol se compose d'une multitude de strates archéologiques. Ainsi, pas moins d'une centaine de structures gisent sous l'acropole Nord.

▲ *Vues du temple IV, les silhouettes colossales des temples émergent au-dessus de la forêt subtropicale.*

▲ *Des stèles narrent l'histoire de Tikal et les grands épisodes de la mythologie maya.*

▶ *Ce masque mortuaire en jade du souverain Ah Cacao fut retrouvé dans une cache funéraire du temple I.*

▶ *Interdit au peuple, le sanctuaire perché au sommet de la pyramide rapprochait les prêtres des dieux.*

▼ *Le* ceiba *était un arbre sacré pour les Mayas, car il symbolisait l'axe de l'univers reliant le ciel, la terre et l'inframonde.*

▼ *Cette maquette du centre de Tikal à son apogée (VII*ᵉ *siècle) montre les axes cérémoniels joignant les principaux édifices.*

AU CŒUR DE LA JUNGLE

En plus de son remarquable patrimoine archéologique, le parc national de Tikal possède l'une des plus belles forêts subtropicales d'Amérique centrale. Outre des arbres plusieurs fois centenaires, il recèle de nombreux animaux rares, parmi lesquels on dénombre notamment deux cents espèces d'oiseaux (aigles, toucans, perroquets). Des ratons laveurs viennent en quête de nourriture flairer les mains des visiteurs et des bandes de singes-araignées sautent de branche en branche en s'amusant à lancer des baies. Avec beaucoup de chance, il est même possible d'entrevoir des chats sauvages, qui comptent parmi les mammifères les plus rares du monde, ou de frissonner à la vue d'un jaguar, d'un ocelot, d'un puma ou d'un margay.

▲ *Certains édifices de Tikal, comme le temple III, apparaissent tels que les explorateurs les découvrirent au XIX*ᵉ *siècle.*

▶ *Ces deux hommes se tiennent au-dessus d'ossements appartenant peut-être à la victime d'un sacrifice.*

▶ *Cette hache de pierre gravée, qui fut sans doute utilisée lors de cérémonies de sacrifices, est conservée au musée Morley, à l'entrée du site de Tikal.*

LE BELIZE

Grâce à une population très peu nombreuse, qui peine à occuper tout le territoire malgré les petites dimensions du pays, le Belize a su préserver un écosystème d'une richesse exceptionnelle. La jungle, la barrière de corail et les archipels idylliques de la mer des Caraïbes font du Belize un véritable paradis pour les amoureux de la nature. Parsemée de plus de deux cents îlots et récifs, la côte caraïbe recèle de magnifiques fonds sous-marins. Protégées par la barrière de corail, ses eaux calmes et chaudes sont très propices à la pratique des sports nautiques. L'intérieur du pays n'est pas en reste avec ses superbes forêts tropicales, qui comptent parmi les plus belles d'Amérique centrale, et où l'on dénombre environ deux cent cinquante variétés d'orchidées et plus de sept cents essences d'arbres. Ce milieu constitue un environnement privilégié pour la faune locale, qui prolifère : aigles, toucans, tapirs, singes, jaguars, pumas, coatis et reptiles... les animaux pullulent dans cet écosystème. Le Belize jouit d'un climat subtropical, avec deux saisons bien distinctes, l'une sèche et l'autre humide. La température et l'hydrométrie étant plus élevées pendant la saison des pluies, de mai à décembre, la période dite sèche s'avère beaucoup plus agréable pour voyager. De septembre à novembre, les vents du nord se transforment parfois en ouragans : le Belize a souffert à plusieurs reprises de cyclones aux effets destructeurs pour l'homme et la nature.

D'un point de vue historique et politique, le Belize affiche également sa singularité vis-à-vis des autres pays de l'isthme centraméricain. Le pays est en effet beaucoup plus proche culturellement des autres pays anglophones de la région caraïbe que de ses voisins. En tant qu'ancienne colonie britannique, il est également membre du Commonwealth. Cette adhésion lui permet de disposer d'un relais sur la scène internationale, fort utile pour faire valoir ses intérêts face à un voisin guatémaltèque toujours prompt à raviver d'anciennes revendications territoriales. Depuis 1998 et la victoire électorale du PUP (Peoples' United Party), le Belize est dirigé par un gouvernement de gauche.

L'économie repose essentiellement sur l'exportation du sucre, des agrumes et de la banane, vers les États-Unis et l'Europe. Cette dépendance vis-à-vis de l'extérieur, pour un si petit nombre de sources de revenus, fragilise le pays en période de crise économique. Au cours des dernières années, les pressions internationales se sont accrues du fait de la dette extérieure, et l'autonomie du Belize s'est trouvée sévèrement limitée par le FMI. L'apport de revenu procuré par les nouvelles industries du tourisme et de la crevette contribuent à améliorer une situation qui reste cependant précaire.

Pages précédentes : devant Queen's Caye ; la réserve naturelle de Cockscomb Basin. À gauche, le restaurant Fort Street, à Belize City, a su préserver son élégante architecture coloniale malgré les ravages causés par les ouragans.

Peuplé de deux cent vingt mille habitants pour une superficie de 22 962 km², le Belize connaît une faible croissance démographique comparé à ses voisins, le Salvador, qui compte près de six millions de personnes pour un territoire équivalent, et surtout le Guatemala, dont la population s'élève à douze millions d'habitants répartis sur un territoire cinq fois plus grand. Au nord, le Río Hondo marque la frontière avec le Mexique, et 282 km au sud, la frontière avec le Guatemala est délimitée par la Sarstoon River.

Polyglottes, les Béliziens se répartissent en groupes culturels bien distincts. Outre les créoles et les Latino-Américains, qui constituent la majorité, le pays réunit également d'importantes minorités mayas et garífunas, ainsi que de nombreux citoyens d'origine asiatique ou européenne. Au début des années 1980, les guerres civiles qui ravageaient le Guatemala et le Salvador ont provoqué un massif exode à destination du Belize. Ces migrations ont modifié l'équilibre démographique du pays, qui compte désormais légèrement plus d'hispanophones que d'anglophones. Nombre de ces réfugiés vivent autour de Belmopan et dans l'ouest du Belize, et travaillent comme fermiers ou comme ouvriers dans les plantations de bananiers et d'agrumes.

Les villes du nord du pays sont majoritairement hispanophones, avec une forte représentation de *mestizos* (métis d'origine maya et espagnole), de Yucatèques et de Mayas venus au Belize au moment de la guerre des Castes, qui sévit au Mexique au XIXᵉ siècle. Beaucoup exploitent la canne à sucre. À l'extrême sud du pays, quelques centaines de Mayas Kekchi et Mopan vivent de l'agriculture. Un projet novateur d'écotourisme, récemment initié dans un groupement de villages du district de Toledo, doit permettre d'encourager l'activité agricole de ces paysans.

Descendants d'esclaves africains et de boucaniers anglais, les créoles représentent environ un tiers de la population totale. Ils dominent la scène politique et se concentrent majoritairement dans la plus grande ville du pays, Belize City, et ses environs. Les premiers occupants européens, appelés Baymen parce qu'ils vivaient dans la baie du Honduras, se sont implantés au XVIIᵉ siècle pour exploiter l'acajou le long des rivières. Au fil du temps, des villes et villages se sont développés autour de ces campements. Depuis les années 1960, le déclin des exploitations de bois précieux a cependant placé ces communautés dans une précarité alarmante. Une partie de cette population s'est convertie à l'agriculture ; d'autres ont migré vers Belize City ; d'autres encore se sont tournés vers le tourisme.

La plupart des cités côtières du Sud (Dangriga, Hopkins, Seine Beight et Punta Gorda) sont peuplées de Garífunas, issus d'un métissage entre Indiens et esclaves. Au XVIIIᵉ siècle, ils furent déportés par les Anglais de l'île de Saint-Vincent vers Roatan, au Honduras. Faisant preuve d'une remarquable capacité d'adaptation, les Garífunas réussirent à maintenir leur double culture africaine et caraïbe, et implantèrent des communautés tout le long des côtes de l'Amérique centrale.

Enfin, le Belize comprend également plusieurs communautés mennonites attirées du Mexique, dans les années 1950, par la perspective d'immenses terres vierges à cultiver et par la possibilité de pouvoir vivre de manière indépendante. Fermiers hors pair, les mennonites ont largement contribué à assurer les besoins alimentaires du Belize.

À droite, les toits en tôle de Belize City.

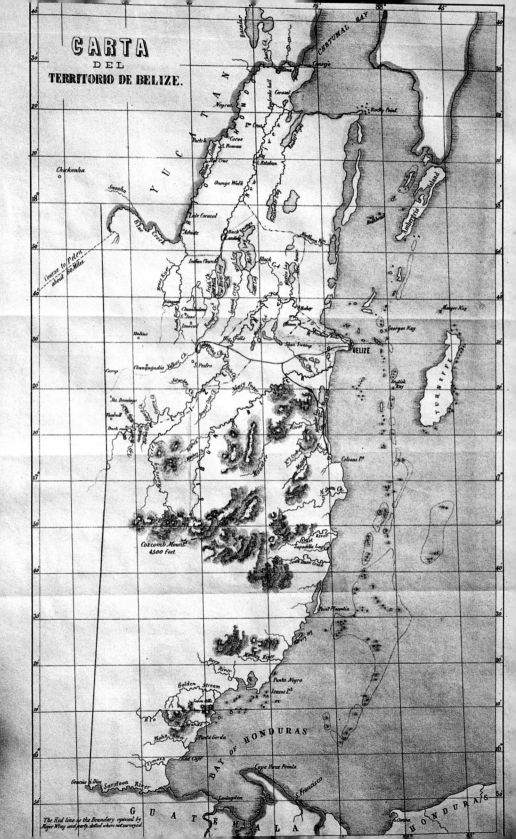

HISTOIRE MODERNE DU BELIZE

À la différence du Yucatán et du Guatemala, le Belize ne fut jamais réellement colonisé par les Espagnols. Longtemps, les seules implantations furent celles des *Baymen* (« hommes de la baie ») et de leurs esclaves. Au XVIIᵉ siècle, ces flibustiers anglais, qui ne cessaient d'attaquer les bateaux espagnols chargés d'or, d'argent et de bois précieux, s'établirent le long de la côte du Belize. À la suite du traité anglo-espagnol de Madrid (1670), censé mettre fin à la piraterie, les Baymen développèrent l'exploitation du bois de campêche, utilisé pour la teinture, ainsi que l'acajou, alors très demandés en Europe. Mais la rivalité des deux grandes puissances ne cessa pas pour autant. Par le traité de Paris (1763), l'Espagne dut accorder une concession sur le territoire, en contrepartie d'une protection contre la flibuste. En 1765, l'amiral William Burnaby, commandant de la flotte anglaise de la Jamaïque, édicta le premier code régissant les colonies britanniques des Caraïbes, qui devait constituer le socle juridique du pays pendant des décennies.

Le XVIIIᵉ siècle vit se confirmer l'emprise des Baymen. Par les traités de Versailles (1783) et de Londres (1786), la Grande-Bretagne obtint le droit d'exploiter l'acajou et le bois de campêche, mais se vit refuser la possibilité d'ériger des fortifications, d'établir un gouvernement et de développer l'agriculture. La souveraineté espagnole était maintenue.

UN PEUPLEMENT ATYPIQUE

Malgré ces nombreuses restrictions, le territoire connut une première vague d'immigration, avec l'arrivée de deux mille personnes originaires des colonies britanniques du Honduras et du Nicaragua. Dans un premier temps, les nouveaux venus installèrent leurs campements sur l'île Saint-Georges, au sud du Belize. Puis, une colonie plus importante s'implanta à l'embouchure du fleuve Belize. En 1797, ils furent suivis par les Garífunas, descendants métis d'Indiens Caraïbes et d'es-

Pages précédentes : gravure de Barclay représentant le front de mer de Belize City, réalisé d'après une photo du XIXᵉ siècle. À gauche, carte du Belize de 1869 ; à droite, le capitaine Morgan, un des plus célèbres pirates des Caraïbes.

claves africains. Dans le dessein d'étouffer une violente rébellion garífuna survenue dans l'île Saint-Vincent, les Britanniques déportèrent ces esclaves marrons dans des îles d'où ils essaimèrent ensuite au Honduras, au Nicaragua, au Guatemala et dans le sud de l'actuel Belize. Les Garífunas forment aujourd'hui encore un groupe socioculturel important et bien distinct du reste de la population.

LA LUTTE CONTRE LES ESPAGNOLS

Le sort de la colonie fut finalement scellé lors de la célèbre bataille de St George's Caye, qui opposa les Espagnols et les Anglais le 10 sep-

tembre 1798. Les troupes hispaniques, pourtant supérieures en nombre, furent battues par les Baymen et leurs esclaves, qui bénéficiaient d'une parfaite connaissance de la région. L'Espagne renonça à sa souveraineté lors du traité d'Amiens (1802).

Il fallut cependant attendre 1854 pour que l'Angleterre dote le territoire d'une Constitution, et ce n'est qu'en 1862 qu'il devint officiellement colonie de la Couronne, sous le nom de Honduras britannique. Sur place, le pouvoir était partagé entre le lieutenant-gouverneur, subordonné au gouverneur de Jamaïque, et un Conseil législatif.

En 1893, un traité fut signé avec le Mexique, par lequel celui-ci renonçait définitivement à toute prétention sur le territoire. Les gouvernements successifs du Guatemala, en revanche, tentèrent à plusieurs reprises de réaffirmer leurs droits, même après la déclaration d'indépendance du pays, en 1981.

La lutte pour l'indépendance

Apparue tardivement en comparaison des autres pays d'Amérique centrale, la revendication indépendantiste ne vit véritablement le jour qu'après la Seconde Guerre mondiale. Fondé en 1950, le PUP (People's United Party), anticolonialiste, se fixa pour objectif principal de créer une unité nationale afin

Le suffrage universel fut adopté en 1954, dans le cadre de la nouvelle Constitution, et le PUP remporta facilement les élections législatives organisées dans la foulée. En 1961, George Price devint Premier ministre de la colonie, qui obtint trois ans plus tard un statut d'autonomie transitoire. Un drapeau et un hymne furent adoptés, et le pays prit le nom de Belize en 1973.

Les ouragans

Le 31 octobre 1961, le territoire fut dévasté par l'ouragan Hattie, qui toucha très sévèrement Belize City, la capitale depuis le

d'abolir les divisions sociales issues du système colonial. Depuis, le PUP a remporté toutes les élections nationales, à l'exception de celles de 1984. Le mouvement travailliste (Labor Movement), qui fut le précurseur du mouvement nationaliste dès les années 1930, et le National Party (NP), fondé dans les années 1950 avec la bénédiction de la Couronne britannique, ne menacèrent jamais réellement sa popularité.

Les principaux leaders du PUP, tels George Price, Leigh Richardson et Philip Goldson, qui sensibilisèrent la population aux effets néfastes de la colonisation, jouèrent un rôle majeur dans l'émancipation du Belize. Pas à pas, le pays parvint à la maturité politique.

XVIIIe siècle. Des centaines de personnes furent tuées et les dégâts furent considérables. Les autorités décidèrent de bâtir une nouvelle capitale à l'intérieur des terres, hors de portée des fréquents ouragans. Elle fut baptisée Belmopan : « Bel » pour Belize, et « mopan » en l'honneur des Mopan, ces Mayas qui opposèrent une résistance farouche aux conquistadores. Pour manifester plus fortement encore l'enracinement du Belize dans l'histoire régionale, les principaux édifices publics furent conçus selon une architecture très inspirée des Mayas. Ainsi, le bâtiment de l'Assemblée nationale, auquel on accède par un grand escalier, jouxte ceux du gouvernement le long d'un immense espace vert. Commencée dans les années 1960, Belmopan devint rapidement le symbole du Belize après l'accession du pays à l'indépendance.

LE BELIZE INDÉPENDANT

Lors des élections de 1979, le PUP mena une campagne active pour l'indépendance du pays, qui fut finalement reconnue par le Royaume-Uni, le 21 septembre 1981. George Price fut reconduit au poste de Premier ministre.

Le PUP resta au pouvoir jusqu'en 1984, date à laquelle le charisme de Manuel Esquivel, qui incarnait les héritages métis et créole à la fois, permit au parti conservateur UDP

fait ses études à l'étranger, dont il est revenu en 1968 avec des idées novatrices. Il a participé à la fondation du People's Action Commitee en 1969, avant de rallier le PUP.

LES RELATIONS AVEC LE GUATEMALA

Bien que n'ayant jamais exercé la souveraineté sur le Belize, le Guatemala en a souvent revendiqué la possession. Soutenu par l'Organisation des États américains (OÉA), il a menacé à plusieurs reprises d'envahir le pays, dans les années 1960 et 1970. L'évolution du Belize vers l'indépendance ne pouvait se faire sans une résolution de ce conflit latent. Faute

(United Democratic Party) de remporter les élections législatives. Mais l'UDP, victime d'une profonde désaffection de l'opinion, fut battu dès le scrutin suivant, en 1989.

Revenu au pouvoir en 1993, le PUP a vu sa majorité confirmée en 1998, tandis que Saïd Musa devenait le troisième Premier ministre du Belize. Issu de la puissante communauté palestinienne d'hommes d'affaires du pays, il a

À gauche, des gardes volontaires chargés de défendre les frontières du Belize contre la menace d'invasion guatémaltèque, dans les années 1980 ; ci-dessus, George Price, Premier ministre de 1964 à 1984, en compagnie de David Owen, ministre des Affaires étrangères britannique, en 1978.

d'accord, le Belize décida de lancer une campagne internationale, et parvint à obtenir gain de cause auprès des Nations unies. L'OÉA décida de se rallier à cette décision, malgré la neutralité des États-Unis et l'abstention du Guatemala.

L'intégrité territoriale fut finalement reconnue en 1981, mais les négociations entre le Belize, l'Angleterre et le Guatemala se poursuivirent jusqu'en 1991. Grâce aux concessions acceptées par chaque partie, les relations diplomatiques purent se développer entre les deux pays. Le Belize, en particulier, renonça à l'extension de ses eaux territoriales vers le sud, afin de laisser au Guatemala un accès à la mer des Caraïbes. Après le retrait des troupes britanniques néanmoins, les relations s'envenimèrent à nouveau lorsque le Guatemala réitéra sa revendication, en 1994. Depuis, Belmopan et Guatemala Ciudad ont repris les négociations afin de résoudre une fois pour toutes leur contentieux.

La mutation sociologique du Belize

Une autre controverse a pris fin ces dernières années à propos de « la citoyenneté économique » de migrants en provenance de Hong Kong, de Taïwan et d'autres pays avec lesquels le Belize avait développé des relations. Jusque-là dépourvus de droits, les nombreux

Les «chicleros»

Parmi les nombreux Occidentaux qui ont contribué à l'exploration du pays, les *chicleros*, qui ont pénétré les forêts du Belize, du Petén et du Yucatán pour y récolter le chiclé, occupent une place particulière. Leur connaissance approfondie de la jungle a en effet permis la découverte de nombreux sites mayas abandonnés depuis des siècles. C'est grâce à eux, par exemple, que l'explorateur australien Teobert Maler a pu retrouver et répertorier des sites tels que Tikal, Yaxchilán, Piedras Negras ou Naranjo. Lancée par les Américains au début du XXᵉ siècle, la mode du chewing-gum

ressortissants de ces pays ont obtenu la double nationalité ainsi que la possibilité d'acquérir des terres au Belize, moyennant le paiement d'une taxe en dollars.

Surtout, les guerres civiles qui ont secoué le Guatemala, le Honduras et le Salvador au cours des vingt-cinq dernières années ont eu de profondes répercussions sur la sociologie du pays, avec l'arrivée massive de milliers de réfugiés. Lors du recensement de 1991, la population hispanophone a pour la première fois dépassé la population anglophone. Le pays évolue progressivement vers la prise de conscience du fait que l'avenir du Belize se situe probablement plus du côté de l'Amérique centrale que des Caraïbes.

engendra une forte demande pour la gomme extraite du sapotillier. Les ouvriers chargés de ce dur labeur sont pour la plupart des Mayas et des Waika originaires de la côte Mosquito. Au plus fort de la saison des pluies, ils partent établir leur campement en pleine forêt, où ils escaladent les arbres pour recueillir la précieuse substance. De leurs expéditions, les *chicleros* rapportent à dos de mule des blocs de gomme moulée et solidifiée d'environ 10 kg. Dans les années 1950, la découverte d'un substitut chimique a entraîné un déclin de l'industrie de la gomme, mais depuis quelques années celle-ci connaît un certain regain, notamment au Japon. De nouveau, des *chicleros* parcourent la jungle.

LES MENNONITES

Grands, blonds et les yeux clairs, les mennonites sont les plus atypiques de tous les Béliziens. Tandis que les hommes s'habillent en jean de pied en cap et portent des chapeaux de cow-boys, les femmes sont vêtues de robes longues (malgré le climat tropical) confectionnées par leurs propres soins, et arborent de grands chapeaux de paille. Les mennonites parlent un allemand guttural, vivent en communautés agricoles et se décrivent eux-mêmes comme « *die stillen im Lande* », ce que l'on peut traduire par « les calmes à la campagne ». Ils rejettent toute ingérence de l'État dans leurs affaires, et sont des pacifistes convaincus.

Vers la Terre promise

Les mennonites appartiennent à une secte chrétienne anabaptiste fondée au XVIe siècle par le prédicateur hollandais Menno Simonsz (1496-1561). Le Belize est pour eux le dernier arrêt d'une odyssée entamée il y a trois siècles. Victimes de persécutions, ils quittèrent les Provinces-Unies pour la Prusse au XVIIe siècle, avant de gagner le sud de la Russie. Lorsque le tsar voulut leur imposer la conscription, vers 1870, ils partirent pour le Canada. Mais, au lendemain de la Première Guerre mondiale, l'imposition de l'anglais comme langue obligatoire dans les écoles mennonites et l'instauration du service militaire poussèrent nombre d'entre eux à émigrer au Mexique, où ils se heurtèrent à la volonté du gouvernement de les intégrer au système social.

Les mennonites se tournèrent alors vers le Honduras britannique, où ils furent accueillis par un pouvoir colonial à la recherche de fermiers aguerris. Le pays, quasi dépourvu d'agriculture, importait à l'époque jusqu'aux œufs... Arrivés vers 1958, les premiers des trois mille cinq cents mennonites commencèrent à construire des routes et à défricher de vastes clairières dans la jungle pour installer leurs fermes. Agriculteurs émérites, ils fournissent aujourd'hui l'essentiel des denrées alimentaires du pays (lait, volaille, œufs).

L'ancien et le nouveau...

Après des siècles de bouleversements, bien que le noyau religieux ait été préservé, de profondes divergences ont surgi. Les plus conservateurs parlent toujours l'allemand et utilisent des techniques agricoles du début du XXe siècle, époque à laquelle un édit proscrivit le recours à la science et aux machines. Les plus progressistes, en revanche, parlent l'anglais et utilisent le tracteur et les engrais chimiques. Au Belize, le groupe « moderniste » Kleine Gemeinde s'est installé autour de Spanish Walk, près de San Ignacio, tandis que le groupe « conservateur » Altkolonier a opté pour la vallée sauvage de Blue Creek, près du Mexique. Certains mennonites vivent également près d'Orange Walk Town, à Shipyard et Richmond Hill.

Représentatif du courant conservateur, William Freisen s'est établi à Barton Creek

avec sa femme, ses dix fils et ses trois filles, dans une maison en bois sans électricité ni téléphone, en compagnie d'une douzaine de familles. En dépit de son isolement, la communauté accueille chaleureusement les visiteurs. « Nous voulons montrer ce que les chrétiens peuvent faire », explique Freisen. En revanche, les mennonites rechignent souvent à se faire prendre en photo, car ils estiment qu'aucune trace ne doit subsister d'une personne après sa mort.

À gauche, le Premier ministre Saïd Musa, à la tribune des Nations unies, en 1998; ci-dessus, les grandes étendues vierges du Belize ont attiré de nombreux mennonites à la fin des années 1950.

LA FAUNE ET LA FLORE DU BELIZE

Population réduite, faibles surfaces agricoles, absence d'industries : des siècles durant, le Belize est resté à la traîne de la course au développement. À bien des égards, ce handicap passé a tourné à son avantage. Le pays abrite en effet aujourd'hui des milieux tropicaux remarquablement accessibles, où prospèrent une faune et une flore dont la diversité étonne les voyageurs du monde entier. Quoique biologiquement moins riche que l'Amazonie ou le Costa Rica, ce pays recèle un patrimoine exceptionnel au regard de sa taille.

L'histoire climatique et géologique du pays, ainsi que sa situation dans le nord de l'isthme qui relie les deux grands continents américains, expliquent cette diversité. Ceux-ci étaient encore séparés lorsque, il y a près de deux millions d'années, les plaques tectoniques qui les supportaient commencèrent à pivoter sur elles-mêmes, jusqu'à se rejoindre. À leur point de contact, les forces antagonistes provoquèrent l'émergence de montagnes. Puis, une période de glaciation entraîna une baisse du niveau des mers et l'irruption de nouvelles terres. L'Amérique centrale devint un pont entre deux continents... et un boulevard pour les migrations humaines et animales. Le mélange d'espèces endémiques et exogènes qui en résulta constitue l'une des faunes les plus variées de la Terre.

Petit mais riche

Produits de cette histoire géologique complexe, les paysages du Belize mêlent montagnes, savanes et lagons côtiers sur un territoire vingt fois plus petit que celui de la France. Le climat tropical, qui alterne saisons sèches et humides, chaleur et ouragans, contribue à cette diversité. Le pays abrite ainsi plus de quatre mille espèces de plantes à fleurs, parmi lesquelles deux cent cinquante variétés d'orchidées et plus de sept cent cinquante essences d'arbres (contre sept cent trente seulement pour les États-Unis et le Canada cumulés). Les scientifiques ont répertorié plus de soixante-dix types de forêts au Belize, regroupées en trois

Pages précédentes : paysage accidenté du Mountain Pine Ridge. À gauche, le jaguar, le plus grand félin des Amériques ; à droite, le héron bleu, habitant de la mangrove.

catégories de base : 16 à 17 % sont des forêts ouvertes de pins ou de savane, moins de 5 % sont des mangroves ou d'autres milieux littoraux, et 68 % sont des massifs feuillus. La végétation, fortement dépendante du sol, détermine dans une large mesure le type de faune qui se développe en un lieu donné.

Dans la forêt pluviale

Les forêts feuillues, c'est-à-dire au Belize toutes les forêts vierges, accueillent la plus grande diversité vivante. Elles bénéficient de conditions optimales, grâce à la conjonction d'une luminosité, d'une chaleur et d'une humi-

dité élevées. Comme toute forêt vierge, leur cœur est la canopée formée par le feuillage dense du faîte des arbres innombrables. Elles comportent de un à trois étages de verdure, auxquels s'ajoute un sous-couvert arbustif et un lacis de lianes qui entretiennent en leur sein un climat distinct marqué par une humidité élevée et des températures douces.

Au sol, feuilles, branches mortes et champignons forment une litière rapidement transformée en minéraux par les organismes qui assurent la décomposition du sol. L'explication de l'exubérance de la forêt vierge réside dans le fait que la majeure partie des éléments nutritifs se trouvent non dans le sol lui-même mais dans la biomasse qu'il supporte : non seulement les plantes, mais aussi les animaux. Ces nutriments sont constamment recyclés par l'ensemble des êtres vivants qui composent le réseau complexe de l'écosystème.

Le visiteur non averti risque néanmoins d'être déçu par l'absence de vie qui semble régner sous le couvert. Les animaux sont pourtant là, mais la plupart détectent l'intrusion humaine bien avant d'être vus, et profitent des innombrables cachettes que leur offre la canopée pour se dissimuler. Une bonne dose de patience, une connaissance minimale du milieu et surtout un sens certain de l'observation s'avèrent indispensables pour que la richesse biologique de la forêt se révèle dans toute sa splendeur.

La relation est si étroite entre les insectes et le champignon que ce dernier a évolué au point d'être incapable de se reproduire sans l'intervention des fourmis.

Au sol, le randonneur croise parfois le chemin d'un serpent. Fort heureusement, quarante-cinq des cinquante-quatre espèces qui peuplent le Belize sont inoffensives. Mais quelques-unes sont très dangereuses, comme le fer-de-lance ou le serpent corail, dont la morsure est mortelle pour l'homme. Même si ces reptiles préfèrent fuir à l'approche d'un intrus, en règle générale, mieux vaut ne pas déranger un serpent, à moins d'être sûr de savoir l'identifier, ce qui n'est pas donné à tout le monde. La meilleure

Pour l'ornithologue comme pour tout naturaliste, la meilleure heure pour effectuer une excursion est le petit matin, au lever du soleil, lorsque l'air encore frais s'emplit des cris des oiseaux qui partent en quête de nourriture. Dans les forêts vierges, la biodiversité aviaire, exceptionnelle, dépasse celle de tous les autres milieux de la planète.

Plus faciles à observer, les fourmis champignonnistes transportent des morceaux de feuilles découpées le long des larges pistes qu'elles ont dégagées au sol. Elles emmènent ces débris végétaux dans des galeries souterraines où ils sont mastiqués et traités afin qu'un champignon se développe dessus. C'est de ce végétal que se nourrit ensuite la colonie.

façon de limiter ces rencontres inopportunes est encore de ne pas quitter les sentiers.

Cette précaution évitera également au visiteur de se perdre. Hors des pistes, toutes les forêts se ressemblent. S'enfoncer seul et sans guide sous le couvert est fortement déconseillé. De même, il est bon de regarder où l'on pose les mains et les pieds. Certains palmiers sont en effet couverts de redoutables aiguilles horizontales pouvant occasionner des blessures sérieuses. Et pour éviter les mauvaises surprises, inspecter l'autre côté d'un obstacle avant de l'enjamber s'avère une précaution utile ; de même, avant de s'asseoir, mieux vaut s'assurer que l'on n'a pas choisi l'emplacement d'une fourmilière.

Toujours au chapitre de la prévoyance, il est nécessaire de se munir de protections solaires. Quelques minutes d'exposition au soleil hors du couvert de la canopée suffisent en effet à provoquer des brûlures. Enfin, la multitude d'insectes vivant dans la forêt bélizienne constitue plus une nuisance qu'un réel danger. Les « conseils de santé » fournissent quelques recommandations utiles pour éviter les espèces les plus désagréables.

EXCURSIONS NOCTURNES

La nuit révèle un autre monde, peuplé d'innombrables créatures rampantes, volantes ou

laires qui leur permettent de tirer le meilleur parti de la faible lumière dispensée par la lune. Au sol, les araignées sont parmi les plus repérables : leurs huit yeux sont visibles de très loin. Du reste, à l'image de la chauve-souris, qui émet des ultrasons, certains animaux nocturnes font appel à d'autres sens pour se repérer.

Autre noctambule, le paca, appelé *gibnut* au Belize, est un rongeur de la taille d'un grand lapin. On l'entend parfois fouiller le sol à la recherche de racines et de fruits. Sa chair était traditionnellement servie dans les restaurants locaux, mais la consommation d'espèces sauvages est désormais découragée. Les chats sauvages constituent son principal prédateur.

sautantes, telles que les grenouilles arboricoles, les lézards aux couleurs vives, les insectes et les arachnides.

La nuit est également le moment idéal pour observer certains mammifères qui choisissent ce moment pour sortir et se mettre en quête de nourriture. Les chauves-souris chassent les insectes en vol, fendant les airs au-dessus des pistes. Opossums, fourmiliers, kinkajous et tatous fourragent dans les berges des rivières et les arbres tombés. La plupart des animaux nocturnes sont dotés de grands globes ocu-

À gauche, des gardes de la réserve naturelle de Cockscomb Basin ; ci-dessus, le timide tapir est l'animal mascotte du Belize.

Quant au tapir de Baird, animal mascotte du Belize, c'est le plus gros habitant de la forêt vierge. En dépit de sa corpulence (il peut atteindre 300 kg), le tapir disparaît furtivement à la moindre alerte. Parmi ses traits les plus distinctifs, sa longue lèvre supérieure préhensile donne à son nez l'allure d'une courte trompe, dont il se sert pour fouiller le sol. Bien qu'on puisse le rencontrer dans d'autres milieux, ce sont les plans d'eau et les marais forestiers qui constituent son terrain privilégié. Mais en dépit de son haut degré d'adaptabilité, c'est une espèce en danger dans toute son aire de répartition (du Mexique à l'Équateur), à cause de la chasse et de la déforestation. Le Belize est l'un de ses derniers bastions.

Majestueux félins

Cinq félins coexistent dans les forêts vierges du Belize : le jaguar, le puma, le jaguarondi, le margay et l'ocelot. Chacune de ces espèces étant en fait menacée sur son aire de répartition, l'équilibre des populations du Belize fournit une preuve supplémentaire du bon état de préservation des habitats naturels du pays.

Plus grand fauve d'Amérique, le jaguar est probablement l'animal le plus célèbre de la forêt vierge. Arpentant continuellement le sol, il grimpe parfois dans les arbres pour chasser mais se révèle bien meilleur nageur que grim-

peur. Cet habitant de la forêt vit aux abords des cours d'eau et des marais. Le Belize a créé la première réserve au monde dédiée à sa sauvegarde. Deuxième par la taille, le puma (aussi appelé couguar) préfère les zones forestières montagneuses plus sèches.

Plus petit (et plus abondant), le jaguarondi possède un long corps efflanqué, une queue effilée et de courtes pattes. Sa robe noire, gris foncé ou fauve le distingue aisément des autres félins. Le jaguarondi habite plutôt en bordure de forêt, mais c'est un habile grimpeur qui se nourrit de petits rongeurs, d'oiseaux, de singes et de reptiles.

Quant au timide et noctambule margay, il est doté de grands yeux qui lui permettent

une vision nocturne hautement développée. Son extraordinaire sens de l'équilibre et sa parfaite maîtrise du saut en font un prédateur remarquablement adapté à la canopée, mais il chasse également au sol. Le margay fréquente les forêts primaires, mais il est assez rare de le rencontrer.

L'ocelot, dont le nom dérive de l'aztèque *tlalocelotl*, qui signifie « tigre des champs », préfère effectivement les forêts ouvertes. Appelé localement « chat-tigre », il a la stature d'un chien de taille moyenne et arbore un superbe pelage tacheté qui lui a valu d'être chassé de manière extensive, pratiquement jusqu'à l'extinction. L'ocelot vit dans les arbres mais il chasse au sol en s'attaquant à des proies de petite taille, occasionnellement des fourmiliers et des daguets rouges. Contrairement à la majorité des félins, il court après ses proies au lieu de s'embusquer.

Le singe hurleur

Un autre habitant bien connu des forêts tropicales du Belize est le singe hurleur noir, dont les cris agressifs sont souvent confondus avec ceux du jaguar. Appelé à tort *baboon* (babouin) dans la région, il vit en groupes d'une vingtaine d'individus. Pour défendre leur territoire, les mâles émettent de remarquables vocalises, principalement au lever et au coucher du soleil, qui sont destinées à dissuader les bandes rivales.

L'aire de répartition du singe hurleur noir est limitée au sud du Mexique, au nord du Guatemala et au Belize. Globalement, les populations connaissent un rapide déclin dû à la déforestation. C'est, là encore, au Belize que se trouve l'un de leurs derniers bastions : le Community Baboon Sanctuary, où subsisteraient quelque mille deux cents individus. Ce sanctuaire résulte d'un accord avec les propriétaires terriens, qui ont accepté de modifier leurs méthodes de gestion. Des projets doivent permettre de transférer prochainement des individus dans les zones forestières désertées par l'espèce, notamment le Cockscomb Basin Wildlife Sanctuary.

Dans les savanes

Manatee Road, la route qui relie la ville de Belize à Dangriga, serpente à travers les plus belles savanes du pays, constituées de prairies parsemées d'arbres, allant du maigre bosquet au massif dense. La plupart des savanes du

Belize se situent le long des plaines du Nord, et sur une bande localisée entre la côte et le flanc est des montagnes Mayas. Des îlots de formations calcaires cernés d'un océan de graminées ondulant au vent et parsemé d'arbres aux formes noueuses y attestent la rudesse de l'habitat.

La flore des savanes du Belize s'est adaptée pour résister à des conditions climatiques extrêmes. La saison des pluies et la saison sèche font alterner les inondations et les sécheresses les plus sévères. Sur ces sols mal drainés, acides et pauvres, seules survivent les plantes les plus résistantes : certaines essences de pins et de chênes, le palmier sabal et le craboo (un arbuste donnant un fruit jaune de la taille d'une cerise, dont les Béliziens font des confitures, des glaces et des boissons).

Le pin des Caraïbes, l'arbre dominant des savanes côtières, s'aligne en formations serrées le long de la Northern Highway, une nouvelle route littorale, et de la Southern Highway. Beaucoup ont le tronc noirci par des incendies provoqués, le plus souvent, par les impacts de foudre durant la saison chaude. Les départs d'incendies ont lieu au sommet des arbres ou parmi les graminées qui tapissent le sol. Certains sévissent des jours durant. Loin d'être de simples forces de destruction, les incendies jouent cependant un rôle écologique important. Nombre de grands pins, protégés par leur écorce épaisse, résistent à leur passage, mais les graines de certaines essences d'arbres et d'arbustes ont besoin d'être brûlées pour germer. Ce curieux processus vaut à certaines plantes des savanes d'être qualifiées de pyrophytes. Malheureusement, les feux n'ont pas tous des causes naturelles. Bien que cette pratique soit combattue, les chasseurs en allument fréquemment pour forcer le gibier à sortir du couvert, et les cultivateurs y ont parfois recours pour défricher. De fait, la surface de la savane est en augmentation au Belize.

En dépit de l'aspect peu hospitalier des savanes, nombre d'espèces animales y trouvent des moyens de subsistance satisfaisants. Le renard gris, à peu près à la taille d'un chat domestique, avec une grande queue touffue, est l'un des mammifères les plus communs du Belize. C'est un excellent grimpeur qui passe

À gauche, rencontre entre un garde forestier et un singe hurleur ; à droite, le serpent corail, dont l'une des variétés possède un venin mortel pour l'homme, doit inciter à la plus grande prudence.

les heures les plus chaudes de la journée dans la partie supérieure des branchages. Le cerf de Virginie se rencontre au petit matin, lorsqu'il sort du couvert pour brouter.

ROIS DES CIEUX

Il faut toutefois une part de chance pour rencontrer des mammifères dans les vastes milieux ouverts de la savane. Les oiseaux y sont, comparativement, beaucoup plus faciles à observer. Parmi la centaine d'espèces recensées, l'on trouve le remarquable tyran écarlate, un oiseau rouge vif de la taille d'un moineau, qui effectue de multiples sorties pour

chasser les insectes en vol. Le tyran à queue fourchue, prodigieux acrobate des airs, arbore des plumes caudales d'environ 25 cm, qui représentent la moitié, voire les deux tiers, de la longueur totale de son corps.

Mais le volatile le plus spectaculaire de la savane est le jabiru, présent dans les zones humides. Haut de 1,50 m, c'est le plus grand représentant de la famille des cigognes vivant dans le Nouveau Monde. Sa tête est noire, son cou est rouge et le reste du corps est blanc. Le jabiru habite de grands nids d'environ 2,40 m de diamètre, perchés au sommet des pins et visibles de très loin, ce qui a longtemps fait de lui une proie facile pour les chasseurs. Il est aujourd'hui protégé.

LE BELIZE : UN MODÈLE POUR L'ÉCOTOURISME?

Petit pays d'à peine 220 000 âmes, le Belize possède pourtant l'une des plus belles barrières de corail du monde, des atolls, des fleuves, des montagnes, des forêts tropicales ainsi que d'imposantes ruines mayas.

En outre, il s'enorgueillit d'une culture contemporaine dynamique et vivante. Une telle richesse conjuguée à une si faible densité de population offraient des conditions idéales pour la sauvegarde de l'environnement. Ce n'est donc pas un hasard si plus de 40 % du territoire national se trouve classé réserve d'État ou privée.

LE TOURISME EN DOUCEUR

Au milieu des années 1980, le gouvernement du Belize prit conscience du fait qu'un tourisme de faible intensité et bien encadré offrait les meilleures perspectives pour nourrir une croissance économique stable et compatible avec la protection de la nature. Aussi, à l'opposé de Cancún et de son tourisme de masse, 400 km plus au nord, il adopta une politique destinée à permettre au plus grand nombre de bénéficier des revenus générés par cette activité. La construction de lodges de standing en petit nombre, dans l'intérieur du pays, constitue ainsi un nouveau modèle d'intégration touristique qui a incité de nombreux Béliziens à développer des réseaux d'hébergement et de services pour promouvoir l'essor de cette activité économique. De fait, le tourisme constitue désormais la première source de devises étrangères du Belize. Des règles strictes ont été édictées par le gouvernement, qui s'attache à sensibiliser la population à l'environnement par le biais de l'éducation. La coopération avec des oorganisations non gouvernementales comme le WWF ouvre également la voie à une exploitation harmonieuse du fabuleux potentiel du Belize, qui fait figure de pionnier en matière d'écotourisme.

▲ *Les réserves et parcs nationaux, nombreux au Belize, en font un paradis de l'écotourisme, et un modèle en la matière.*

▲ *La destruction des milieux naturels et le braconnage ont conduit des espèces comme le magnifique ara macao au bord de l'extinction.*

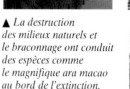

◀ *Le plus gros félin d'Amérique, le jaguar, est rare en Amérique centrale, sauf au Belize.*

▶ *Dans le district de Toledo, des initiatives locales permettent aux visiteurs de séjourner dans de petits villages.*

Le zoo du Belize met en place des moyens ludiques pour parvenir à son but : éduquer à la protection des espèces et des habitats menacés. ▼

Sous la conduite d'un guide, on peut partir à la découverte des réseaux de pistes qui parcourent le Belize, à cheval, à VTT ou à pied. ▼

Le Belize s'enorgueillit posséder la plus longue rrière de corail l'hémisphère Nord. e milieu abrite un osystème marin d'une hesse exceptionnelle.

▶ *Aux visiteurs, le peuple bélizien garantit un accueil chaleureux et une grande hospitalité.*

COCKSCOMB BASIN, SANCTUAIRE NATUREL

À l'origine petite réserve forestière, créée en 1984, le Cockscomb Basin Wildlife Sanctuary fut rapidement transformé en un parc de 40 000 ha. Rendue célèbre par une étude sur les jaguars d'Alan Rabinowitz, de la Wildlife Conservation Society, cette réserve de renommée mondiale est un havre pour nombre d'espèces rares et menacées, tels le puma, l'ocelot, le margay, le tapir de Baird et l'ara macao. L'encadrement du parc y propose des hébergements et entretient un réseau de pistes sans cesse élargi. L'un des parcours les plus récents mène, en quelques jours de marche à travers la forêt vierge, jusqu'à Victoria Peak, point culminant du pays. Beaucoup de rangers du parc viennent du Centre maya tout proche, où l'on trouvera une pension villageoise, un parcours de découverte des plantes médicinales, ainsi que des boutiques d'artisanat.
    À l'occasion, les villageois se font guides naturalistes et porteurs pour les randonnées.

LA BARRIÈRE DE CORAIL DU BELIZE

Pour les plongeurs du monde entier, le Belize est une étape obligée de tout parcours initiatique, tant en raison du foisonnement de la vie sous-marine que de la beauté des coraux. Au cours d'une simple sortie, l'amateur des profondeurs a en effet toutes les chances d'observer de superbes plaques et ramifications coralliennes multicolores accrochées à une pente à 60°. Au large, le récif s'enfonce dans les abysses où l'eau vire à l'indigo. De temps à autre, une formation de raies-aigles surgit, faisant onduler avec grâce leurs nageoires d'un mètre d'envergure. Des mérous tapis dans l'ombre attendent leur proie, changeant de couleur pour se fondre dans le décor, tandis que de minuscules poissons-demoiselles sont prêts à défendre leur territoire contre d'éventuels intrus, y compris des plongeurs. Plus loin, des poissons-perroquets se nourrissent d'algues fixées aux coraux morts, au milieu de minuscules particules bleu fluorescent en suspension.

LA FORMATION DE LA BARRIÈRE

Longue de 300 km et divisée en quelque mille deux cents formations récifales, la barrière de corail du Belize est la deuxième au monde par la taille, après la Grande Barrière australienne. De fait, la variété des types récifaux et celle de la vie marine qui les habite y sont sans équivalent dans l'hémisphère nord. Cette prospérité s'explique par la conjonction de différents facteurs : une eau de mer tout à la fois chaude et transparente, un ensoleillement stable, et un substrat ferme et peu profond.

La barrière de corail et les atolls qui la parsèment se trouvent en effet perchés au sommet de trois formations géologiques sous-marines apparues vers la fin du Crétacé, il y a environ soixante-cinq millions d'années. La croissance récifale proprement dite, relativement récente, débuta il y a cinq à huit mille ans, au terme de la dernière période glaciaire, tandis que le niveau de la mer remontait peu à peu sous l'effet de la fonte des glaciers. Sur ces

À gauche, plongée dans les eaux cristallines, au large de Queen's Caye ; à droite, le Blue Hole (« trou bleu ») de Lighthouse Reef, une cavité sous-marine qui compte parmi les sites de plongée les plus courus.

sommets et leurs escarpements, séparés par des failles profondes, le corail a érigé une épaisse croûte calcaire. Au-delà du plus développé de ces reliefs, au large de la côte sud du Belize, les profondeurs dépassent 1 000 m.

Les scientifiques ont pu retracer ce processus en effectuant des sondages dans le substrat minéral des récifs, où ils ont retrouvé les restes enfouis des premiers coraux bâtisseurs. Des traces ont également été mises au jour beaucoup plus près de la surface, le long de la côte nord d'Ambergris Caye, notamment. Sur la plage affleurent des squelettes fossiles de corail en branches, de corail en corne d'élan et de cerveaux-de-Neptune, cimentés dans une

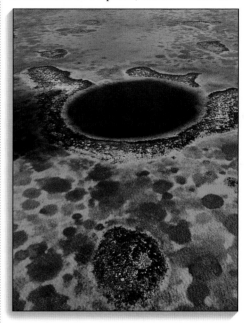

matrice calcaire également composée de sable et de coquilles agrégés.

Un récif de corail se compose en fait d'une mince couche d'organismes vivants, les polypes, qui édifient le substrat calcaire sur lequel ils se développent. Les colonies comptent des milliards d'individus. Les coraux durs possèdent des cellules productrices de carbonate de calcium (ou calcaire), qui sécrètent le squelette minéral en forme de calice. Les polypes sont dotés de tentacules insérés dans un cœnenchyme massif dans lequel ils peuvent se rétracter. À mesure que de nouveaux polypes construisent leur squelette sur les fondations calcaires laissées par leurs prédécesseurs morts, le récif se développe en une myriade de structures de formes et de tailles diverses. Plusieurs espèces de coraux peuvent s'entremêler en colonies complexes. Le taux de croissance varie suivant les espèces et le milieu, mais l'on évalue à environ 10 mm par an celui des récifs des eaux tropicales chaudes.

Les coraux mous, proches parents des précédents, sécrètent également du carbonate de calcium, mais ils le renferment sous forme de petites particules dans leurs tissus coriaces. On les reconnaît à leur formes ramifiées qui, ondulant dans les courants, composent des forêts sous-marines riches de toute une gamme de nuances jaunes, rouges et pourpres.

gène et le plancton venus du large qui alimentent les millions de polypes ainsi que les autres formes de vie récifales. Cette riche matrice nutritive attire quantités de poissons.

Sauf dans les secteurs ayant eu à subir une forte pression de pêche sous-marine, la plupart des poissons ignorent le plongeur. Il existe toutefois des exceptions, comme les barracudas qui, par pure curiosité, ont la déroutante habitude de s'approcher, voire de suivre les nageurs, mais se sauvent généralement quand on se dirige vers eux. Les murènes, qui ouvrent et ferment continuellement la gueule, semblent manifester une voracité permanente, alors qu'elles pompent tout simplement de

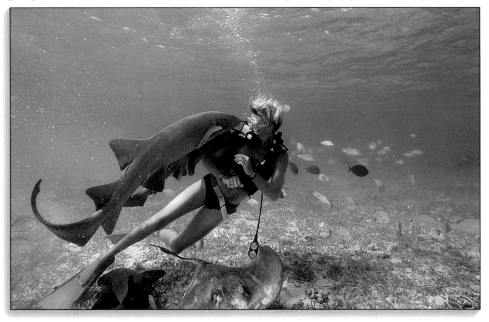

Lorsqu'un plongeur ou un bateau frotte ou heurte un récif, il inflige au corail une blessure qui peut sembler insignifiante, mais dont les conséquences peuvent se révéler irrémédiables si des maladies ou des agents infectieux s'infiltrent. Comme tous les polypes sont reliés par des tissus vivants, la contamination peut entraîner la disparition totale d'une colonie vieille de plusieurs milliers d'années.

EN PLONGÉE SUR LE RÉCIF

La barrière de corail du Belize est composée de plusieurs segments récifaux séparés par des chenaux assez profonds. À chaque marée, ces derniers laissent entrer dans le lagon l'oxy-

l'eau pour alimenter leurs branchies. Leur morsure pouvant se révéler sérieuse, mieux vaut se tenir à distance ! Quant aux requins, ils détectent la présence des plongeurs bien avant que ceux-ci ne les aperçoivent et s'éloignent presque toujours. Il convient cependant de rester vigilant, notamment en présence du requin-nourrice, qui peut devenir agressif s'il est dérangé.

Caractérisé par une surface lisse ainsi qu'une couleur moutarde uniforme, le corail de feu vit dans les eaux peu profondes. Il en existe deux formes distinctes – en plaques et « encroûtantes » – qui ont en commun de provoquer une intense brûlure au toucher. Certaines espèces d'éponges et de vers polychètes causent également des irritations. La règle d'or est donc de ne jamais toucher les coraux, et de se tenir à une distance raisonnable, pour leur sauvegarde comme pour celle du plongeur.

LES ATOLLS

Trois des plus beaux atolls de toutes les Caraïbes émergent à 16 km au large de la barrière corallienne : Turneffe Island, Glover's Reef et Lighthouse Reef. Totalisant près de 225 km, le système récifal qui les entoure rivalise en longueur avec la barrière elle-même et se compose de milliers de petits récifs. Turneffe, le plus grand des atolls avec une surface

plantes phanérogames, telles que l'herbe à tortue et l'herbe à lamantin, tapissent les hauts fonds des lagons entre les récifs et la côte, leurs feuilles ondulant au gré des courants. S'ils ne peuvent rivaliser avec les couleurs et les formes spectaculaires des récifs, les mangroves et herbiers constituent cependant de véritables pépinières marines et forment l'une des bases de l'équilibre écologique de la zone côtière. Leurs eaux calmes, protégées des lames du grand large par les récifs, permettent aux palétuviers et aux herbes marines de s'enraciner et de dispenser nourriture et abris à des myriades d'organismes marins juvéniles. La plupart des espèces pêchées au large des

de 520 km², comprend cent soixante-quinze petites îles couvertes de mangrove. Ses fonds sous-marins comptent parmi les plus beaux sites de plongée de ce type au monde.

DANS LA MANGROVE

Sur leurs parties émergées, les récifs coralliens sont envahis par la mangrove, un type de formation végétale également présent le long des côtes béliziennes, sur les *cayes* et dans les embouchures des fleuves. Des herbiers de

À gauche, rencontre avec un requin dans la réserve marine de Hol Chan, à Ambergris Caye ; ci-dessus, une tortue caret, à Lighthouse Reef.

côtes du Belize ne pourraient se perpétuer sans ces formations végétales.

En retour, les mangroves stabilisent les côtes, qui sont ainsi plus résistantes à l'érosion et à la force destructrice des vents cycloniques survenant épisodiquement. Elles assurent également la transition des nutriments venus de la terre ferme vers la mer. Chaque année, en effet, les fleuves du Belize déposent à leur embouchure des tonnes de sédiments et de débris provenant de l'intérieur des terres. Mais les éléments nourriciers présents dans ces dépôts s'y trouvent sous des formes non directement assimilables par les êtres marins. Ce sont les palétuviers, qui se développent précisément sur ces dépôts, qui les recyclent.

En effet, leurs feuilles vont subir le processus de décomposition : une fois tombées dans la mer, elles sont la proie de millions de micro-organismes qui libèrent lentement les nutriments qu'elles contiennent au profit de petits invertébrés tels que vers, crevettes et crabes. À l'étape suivante, ceux-ci sont, à leur tour, dévorés par les poissons.

Mais la chaîne alimentaire ne s'arrête pas là. Nombre de poissons sont ensuite les proies des oiseaux échassiers qui exploitent les vasières. Spatules roses, ibis, hérons et cormorans nichent sur les îlots couverts de mangroves de la baie de Chetumal, au nord d'Ambergris Caye, tandis que les frégates, fous et

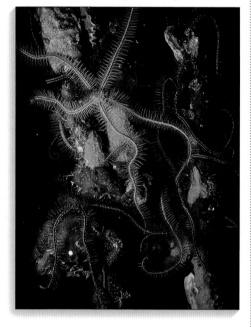

sternes se sont établis sur les îles méridionales. Celle de Man-O-War, à 16 km à l'est de la ville de Dangriga, abrite l'une des plus importantes colonies de frégates des Caraïbes. Des balbuzards pêcheurs viennent également y nidifier dans les plus hautes futaies.

UN PARADIS POUR LES CHERCHEURS

Les chercheurs de la Smithsonian Institution, un laboratoire de recherches marines perché au bord de la barrière de corail, à Carrie Bow Caye, ont divisé le récif en différents types d'habitats sur la base de critères comme les courants, la pente et le type du fond. Quatre zones majeures et douze zones mineures ont

ainsi été répertoriées le long d'une ligne est-ouest passant au nord de Carrie Bow Caye, chacune accueillant des espèces propres.

Plus largement, c'est l'ensemble de la zone côtière du Belize qui regorge de formes de vies sous-marines, certaines encore méconnues. Ainsi, les mêmes chercheurs ont récemment découvert une petite baie, probablement sans équivalent dans toutes les Caraïbes, où, par un caprice de la nature, des palétuviers ont trouvé matière à se développer sur les bords d'une série de profondes cavités marines. Des colonies de corail en feuille ont prospéré sur les flancs abrupts de ces dépressions. À mesure que les plongeurs remontent le long de ces parois vers la surface, le décor révèle une féerie de couleur et d'animation. Les bras des crinoïdes dansent de silencieux ballets entre les hautes éponges tête de bois. Des coraux du type *Montastrea* et des cerveaux-de-Neptune fleurissent parmi les herbiers et les racines des palétuviers, tandis que les éponges, les anémones de mer et les ascidies (de petites créatures fixées en forme d'outres) se disputent l'espace le long des racines échasses.

Pas moins de quarante-trois espèces d'ascidies ont été dénombrées sur le site, soit plus que le nombre d'espèces connues dans toutes les Caraïbes auparavant. Les poissons eux-mêmes y sont si abondants qu'ils se répartissent l'espace en s'étageant en couches, les plus petits près de la surface, les plus gros au niveau inférieur. De gros harengs occupent le fond, juste au-dessus du tapis de corail en feuille.

La localisation de cette baie restera secrète jusqu'à ce que les scientifiques, le gouvernement et les associations de protection de la nature aient trouvé un accord sur le mode de gestion adéquat de la zone. Le risque que ferait l'irruption de l'homme dans ce milieu ne doit en effet pas être sous-estimé. Les organismes qui ont évolué là depuis des millions d'années n'y ont connu que des changements graduels. Tout impact soudain dû à une pollution, à une surpêche ou à des dommages causés par les plongeurs pourrait avoir des conséquences dévastatrices pour le corail. Pour les Béliziens, cela signifierait la destruction d'une richesse inestimable.

À gauche, de délicates ophiures, cousines de l'étoile de mer, s'accrochent aux racines des palétuviers constituant la mangrove ; à droite, les tentacules plumeux des vers tubicoles, en ondulant dans le courant, leur permettent de filtrer la nourriture.

LES MUSIQUES ET LES DANSES DU BELIZE

La tradition musicale du Belize est à l'image de ses pratiques culinaires. Alors que le pays possède une multitude de groupes régionaux talentueux qui s'adonnent à une grande variété de genres, ce sont les styles importés, comme souvent en Amérique centrale, qui remportent le plus grand succès. Reggae de Jamaïque, soca et calypso de Caraïbe, ou encore salsa, merengue et boléros de Cuba, du Mexique et de Colombie... font danser les foules. Chaque année, au mois de septembre,

les plus grands musiciens du pays se succèdent pendant plusieurs nuits lors d'un festival pour jouer des standards de musiques caraïbe, jamaïcaine et latino.

Tendances actuelles

Particulièrement typique, le très populaire punta rock est composé de rythmes traditionnels garífunas. Originaire de la région sud du Belize, ce genre musical a réellement pris son essor dans les années 1980, jusqu'à devenir le « son » bélizien par excellence. La première génération des interprètes du punta rock comprend notamment Andy Palacio, Bredda David, Chico Ramos et Titiman Flores. À ces précurseurs se sont joints plus récemment les

Sound Boys International, Griga Boyz et les fameux Punta Rebels. Exporté en Amérique du Nord et en Europe, le punta rock a remporté un certain succès. Au niveau local, il a réussi à s'imposer auprès de tous les groupes ethniques sans distinction, et a même évincé des ondes et des pistes de danse la musique importée. Corps à corps torride, la punta est ainsi devenue la danse nationale.

L'autre phénomène musical de ces dernières années au Belize est le groupe chrétien D-Revelation, qui met son succès au service de causes comme l'aide à l'enfance ou la protection de l'environnement. Le concert « Stay in School Jam », donné pour lutter contre l'absentéisme scolaire, a ainsi attiré des milliers de jeunes écoliers. D-Revelation, qui est sans conteste le plus grand groupe pop du Belize, a effectué de grandes tournées internationales au moment de la sortie de ses albums *Virtually Live !* et *Payday*.

Le « brukdown »

La création musicale bélizienne témoigne depuis longtemps d'une remarquable singularité. Au XIXᵉ siècle, de petites formations allaient de maison en maison, tels des troubadours, pour proposer des prestations impromptues. Planches à laver en métal, manches à balai, mâchoires d'animaux et autres accessoires, les interprètes usaient des objets les plus hétéroclites pour accompagner leurs instruments (guitare, banjo, cloche de vache, accordéon, percussions). Des chants créoles improvisés évoquaient l'histoire de personnages célèbres ou des événements mémorables.

Longtemps sombré dans l'oubli, le *brukdown* revint en force avec la parution des albums de Mr Peters and his Boom, et du groupe Chime, dont la réputation est devenue internationale depuis leurs tournées à l'étranger.

Influences internationales

Le karaoke est si prisé des Béliziens que presque tous les bars du pays en comptent un ; une nuit de fête ne saurait être véritablement complète sans la séance de play-back d'un amateur accompagné par les chœurs du public. De plus en plus nombreux, les interprètes semi-professionnels de karaoke puisent leur inspiration auprès des radios locales, qui bénéficient d'une audience importante. Tandis que Love FM et BCB présentent une programmation éclectique, Estereo Amor, notamment, se cantonne quant à elle dans un style spécifique : la musique latine.

Pas plus que le reste de la planète, les Béliziens n'ont résisté à la déferlante des succès américains diffusés par les chaînes de télévision telles que MTV, notamment les derniers tubes de rap.

Les festivals de septembre

Septembre est au Belize le mois des festivités où l'on célèbre la fameuse bataille de Saint George's Caye (1798), mais aussi l'indépendance du pays (1981). La musique y tient une place essentielle, en particulier les chansons traditionnelles (marches patriotiques ou ballades sentimentales) diffusées sur les ondes. Byron Lee and the Dragonnaires, célèbre formation de soca jamaïcaine, anime également la fête avec des airs populaires et entraînants.

Véritable petit prodige, le compositeur Francis Reneau n'avait que dix-sept ans quand il sortit son premier album, *Mass in Blues*. Dans la foulée, il reçut commande d'un album rassemblant toutes les tendances musicales du pays. Sorti en 1996, *Celebration* fut l'événement du festival de septembre. Cette œuvre composite très originale réunit la harpe et le marimba mayas, les complaintes et l'humour créoles, les chants et les rythmes garífunas, ainsi que la salsa et les boléros latins. L'ensemble est interprété par les meilleurs musiciens béliziens, issus de cinq générations différentes.

La veille des célébrations de septembre, tout le pays se déhanche au rythme du disco et des musiques caraïbes. Puis, le lendemain matin, des chars surmontés de haut-parleurs paradent à travers la capitale, suivis par une foule dansante. Bien que les cérémonies officielles s'avèrent a contrario très solennelles, l'atmosphère est résolument à la joie, et les rues sont envahies de marchands ambulants et d'étalages de nourriture.

La fête bat également son plein le 19 novembre, lors de la commémoration de l'arrivée du plus important groupe de Garífunas dans le sud du pays, en 1832. Pour y assister, l'idéal est de se rendre à Dangriga, où les festivités débutent dès la veille au soir. Le lendemain à l'aube, l'on rejoue le débarquement des arrivants. Au moment de leur apparition à l'embouchure de la rivière, les apprentis voyageurs sont accueillis par des chœurs de femmes rythmés par des tambours, ainsi que

par une floraison de bâtonnets de manioc et des drapeaux garífunas, jaune, noir et blanc.

La fête des Garífunas ainsi que Noël sont célébrés dans les villes garífunas par les Joncunu (« John Canoe »), qui interprètent la *wanaragua*, une danse haute en couleur. Dissimulés derrière des masques roses en métal et portant une tunique blanche enrubannée, ils sont affublés d'immenses couronnes de plumes ainsi que de myriades de petits coquillages fixés à leurs genoux. Ainsi vêtus, les Joncunu vont de porte en porte en dansant la wanaragua, les bras déployés et les pieds joints tout en se déhanchant. Selon certains, cette danse serait une pantomime du compor-

tement des propriétaires d'esclaves, surtout pratiquée à l'époque de Noël, quand les relations entre maîtres et esclaves étaient un peu plus détendues... De fait la wanaragua est surtout exécutée au mois de décembre.

Les *mestizos* et les Mayas ont également leurs propres festivités, notamment à Pâques, qui est l'occasion de défilés costumés. À Orange Walk, les participants aux *mascaradas* s'affublent de déguisements effrayants, tandis que d'autres jouent de porte en porte des piécettes satiriques. La plupart des villages *mestizos* et mayas célèbrent annuellement leur saint patron. La plus grande fête est celle de Benque Viejo del Carmen, près du Guatemala, qui a lieu en juillet.

À gauche, M. Peters, virtuose de la mâchoire... ;
à droite, groupe garífuna originaire de Hopkins,
près de Dangriga.

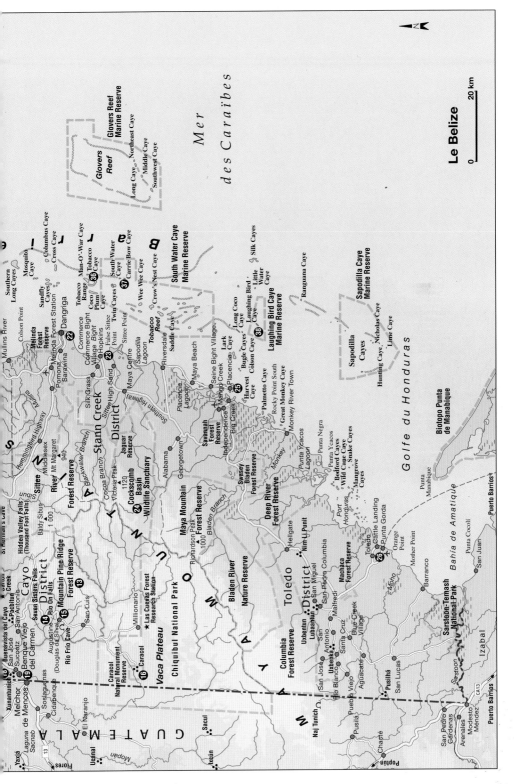

0   20 km

Mer

des Caraïbes

Glovers Reef
Marine Reserve

Glovers
Reef

Northeast Caye
Columbus Caye
Cross Caye
Middle Caye
Long Caye
Southwest Caye

Southern
Long Cayes

Mullins River
Colson Point

Mosquito
Caye

Sandfly
Cayes

Melinda
Forest
Reserve

Man-O-War Caye
Tobacco Caye

South Water Caye
Marine Reserve

Commerce Bight
Commerce Bight Village
Hopkins

Dangriga

Tobacco
Range

Coco
Plum
Caye

South
Water
Caye

Carrie Bow Caye

Pomona
Sarawina

Wee Wee Caye
Crow's Nest Caye

Tobacco
Reef

Silk/Grass

Sittee High Road

Stann Creek
District

Maya Centre

Sittee River
Point

Sittee Point

Saddle Caye

False Sittee
Point

Twin Cayes

B
e
l

Silk
Cayes

Southern Highway

Placencia
Lagoon

Maya Beach

Seine Bight Village

Lark
Caye

Long Coco
Caye

Laughing Bird
Caye

Little
Water
Caye

Laughing Bird Caye
Marine Reserve

Ranguana Caye

Hummingbird Highway

Sittee

River Mt Margaret
940

Middlesex

Mullins River

Blackwater Branch

Cocoa Branch

Alabama

Georgetown

Savannah
Forest
Reserve

Independence

Placencia

Mango Creek

Big Creek

Harvest
Caye

Bugle Cayes
Colson Caye

Palmetto Caye

Rocky Point South
Great Monkey Caye

Sapodilla Caye
Marine Reserve

Sapodilla
Cayes

Hunting Caye
Nicholas Caye
Lime Caye

Hidden Valley Falls
(Thousand Foot Falls)

Baldy Sibun

1 000

Victoria Peak
1120

Cockscomb
Basin
Wildlife Sanctuary

Maya Mountain

Richardson Peak
1000

Bladen Branch

Monkey River Town

Monkey

St Herman's Cave

Mountain Pine Ridge
Forest Reserve

Mt Margaret

Rio On Falls

Cayo
District

Seven Sisters Falls

Jaguar
Reserve

Bladen River
Nature Reserve

Swasey
Bladen
Forest Reserve

Deep River
Forest Reserve

Hellgate

Punta Ycacos
Lagoon

Punta Ycacos
Bedford Cayes
Wild Cane Caye
Snake Cayes

Port
Honduras

Punta Negra

Golfe du Honduras

Buenavista del Cayo

Xunantunich

San José
San Antonio
Sucootz

Augustine
Douglas de Silva

Rio Frio Cave

San Luis

Millonario

San Pedro Columbia

Nim Li Punit

San Miguel

Maitredi

Machaca
Forest Reserve

Blue Creek
Santa Cruz

Toledo
Punta Gorda

Cattle Landing
Orange Point

Mother Point

Biotopo Punta
de Manabique

Punta
Manabique

Puerto Barrios

Benque Viejo
del Carmen

Melchor
de Mencos

Laguna
de Mencos

CidaBenque

El Naranjo

Soslagudnas

Caracol
Natural Monument
Reserve

Caracol

Las Cuevas Forest
Research Station

Vaca Plateau

Chiquibul National Park

Columbia
Forest Reserve

San José
San
Antonio

Uxbentun
Lubaantun

Uxbenka
Rio Blanco
Aguácate

San Pedro

Pusilhá

San Lucas

Pusilá Pueblo Viejo

Sarstoon-Temash
National Park

Sarstoon

Modesto
Méndez

Barranco

Bahia de Amatique

Punta Cocolí

San Juan

Izabal

G · U · A · T · E · M · A · L · A

Mopan

Yaxjá

Utanal

Sacnab

Sacul

Naj Tunich

Poptún

Flores

Ixtún

San Pedro
Cárdenas

Arenales

Chapté

Puerto Barrios
CA13

M · A · Y · A

M · O · U · N · T · A · I · N · S

Mitro

13

ITINÉRAIRES AU BELIZE

Minuscule territoire tourné vers les Caraïbes, le Belize est bordé au nord par le Mexique, dont il n'est séparé que par le Río Hondo, à l'ouest et au sud par le Guatemala, et à l'est par la mer des Caraïbes, ou mer des Antilles. Le plus petit pays d'Amérique centrale après le Salvador (21 040 km²) s'étend sur près de 23 000 km².

Au nord s'étend une vaste plaine encadrée par deux chaînes de collines calcaires et occupée par des forêts de pins, des marécages et des lagons où vit une faune très variée. Au sud, le relief est plus accidenté : s'y dressent le Moutain Pine Ridge (1 000 m) et les Maya Mountains, que domine le Victoria Peak (1 120 m).

Le Belize fait partie du Caricom (Caribbean Community), zone de libre-échange qui regroupe les Antilles anglophones et le Guyana. Sa langue officielle est donc l'anglais, mais on y parle également l'espagnol, le créole et le maya garífuna. Sa population, en effet, est constituée de métis, de Noirs, de Blancs d'origine espagnole et d'Amérindiens. Sa nouvelle capitale, Belmopan, est bien moins peuplée que Belize City, l'ancienne capitale du Honduras britannique, qui compte près d'un quart de la population du pays (deux cent vingt mille habitants).

Paradis du tourisme vert, le Belize est très dynamique en matière de protection de l'environnement. Sa flore et sa faune sont d'une richesse exceptionnelle, et les deux tiers de la surface du pays sont recouverts de forêts. Le Belize, dont le développement touristique fut assez tardif comparé aux autres pays d'Amérique centrale, a su tirer les leçons des échecs de ses voisins : à l'instigation d'organisations nationales et internationales, des lois pour la sauvegarde de l'environnement ont été votées et plusieurs parcs et réserves ont été aménagés sur le territoire. Le pays compte aussi quelques très beaux sites mayas, comme Altún Há et Lamanaï au nord ou Caracol au sud, au pied du Mountain Pine Ridge.

Mais la principale attraction du Belize reste la mer des Caraïbes. Le littoral est bordé de mangroves et les plages y sont très rares, mais la barrière de corail, qui s'étire sur plus de 300 km (c'est la plus longue de tout l'hémisphère nord), offre de superbes paysages. Les eaux comprises entre ce long ruban et le continent sont constellées d'une myriade d'îlots (*cayes*), où l'on peut pratiquer un large éventail d'activités nautiques. Au large, les atolls de Turneffe Islands, Lightouse Reef et Glovers Reef, fonds marins riches d'une faune multicolore et très variée, sont les paradis des plongeurs.

Pages précédentes : la douceur de la côte sud du Belize, près de Palencia.
À gauche, les îlots de la mer des Caraïbes sont une destination touristique
très prisée.

BELIZE CITY

L'ancienne capitale du Belize a été bâtie par les boucaniers anglais sur une zone marécageuse. Divisée en deux parties par la Haulover Creek, **Belize City ❶**, ou Belize, s'avance dans la mer des Antilles. L'eau y est donc très présente, et la ville dépense chaque année des fortunes pour lutter contre l'excès d'humidité. Belize City compte quelque soixante mille habitants, soit près d'un quart de la population du pays, et, comme tout le reste du territoire, elle est le reflet d'une véritable mosaïque culturelle.

HISTOIRE DE LA VILLE

La ville a été fondée au début du XVIIIe siècle par des pirates anglais surnommés *Baymen* (« hommes de la baie ») parce qu'ils s'étaient installés dans la baie du Honduras. Ils occupèrent d'abord Saint George's Caye, petite île située à quelques kilomètres de la côte, puis s'implantèrent à l'embouchure du Río Belize avant de pénétrer dans l'intérieur des terres, dont ils se mirent à exploiter les ressources. La ville s'est développée grâce au commerce du bois : d'abord le bois de campêche, bois de teinture très utilisé en Europe dans l'industrie textile et qui poussait le long de la côte ; puis l'acajou, découvert à l'intérieur des terres et qui sera exploité jusqu'au milieu du XXe siècle.

Belize City fut la capitale du Honduras britannique jusqu'en 1971. Dix ans plus tôt, elle avait été ravagée par le cyclone Hattie, ce qui avait amené le gouvernement à décider du transfert de son siège. Belmopan fut choisie pour être la nouvelle capitale du Honduras britannique avant de devenir, en 1973, celle du Belize. Mais Belize City est restée le centre historique et commercial du pays. La ville a longtemps souffert d'une mauvaise réputation, due à l'insécurité qui régnait dans ses rues dès la nuit tombée, mais également à son état de délabrement général. Si les problèmes de sécurité sont encore d'actualité dans certains quartiers (en particulier l'embarcadère et la gare routière), la ville, qui reste la « capitale » culturelle du pays, a conservé le charme d'un vieux port colonial et mérite une halte. Elle abrite depuis peu un très bon musée consacré à l'océanographie.

LE CENTRE

Belize City est traversée par la **Haulover Creek** (de l'anglais *to haul*, « haler », « remorquer »), ainsi nommée en souvenir des pionniers qui ont longtemps convoyé de lourdes charges d'une rive à l'autre. Le **Swing Bridge ❶**, qui enjambe la rivière près de son embouchure, au cœur de la ville, est l'un des plus anciens ponts tournants du monde : il a été construit en 1923 avec des pièces apportées de Liverpool par bateau. On l'actionne deux fois par jour, tôt le matin et en fin d'après-midi, pour permettre aux gros bateaux de remonter la rivière ou de reprendre le large ; la manœuvre dure un quart

Cartes
pp. 206-207
et 212

À gauche, Belize City vue du ciel ; ci-dessous, la plus grande partie de la population de la ville est originaire d'Afrique.

Enfants d'esclaves africains et de colons européens, les créoles représentent un tiers de la population bélizienne. Ils ont longtemps constitué la culture dominante du pays, mais ils sont désormais supplantés par les mestizos. Ils restent cependant majoritaires à Belize City.

Belize City

d'heure, pendant lequel les automobilistes et les piétons doivent patienter.

Sur la rive gauche, le long de North Front Street, le port est encombré d'embarcations traditionnelles colorées. La gare fluviale (Marine Terminal) accueille pour sa part des bateaux plus modernes, qui assurent la liaison avec les *cayes*. Le **Maritime Museum** ❸ est consacré à l'histoire maritime du Belize. Installé sur le site d'une ancienne caserne de pompiers, il abrite une collection de bateaux et d'objets anciens. Une exposition présente également le monde sous-marin et l'écologie côtière à travers des documents photographiques ou des maquettes (entre autres une impressionnante reconstitution en trois dimensions de la barrière de corail).

Plus au nord, à l'angle de Queen Street, se dresse le plus ancien édifice en bois de la ville, **Paslow Building** ❹, qui abrite aujourd'hui les services de la poste. Le bâtiment porte le nom de Thomas Paslow, un des principaux acteurs de la bataille de Saint George's Caye (1798), qui confirma la domination anglaise sur le territoire du Belize. Mais on dit aussi de Paslow qu'il fut un esclavagiste cruel.

Au 91 North Front Street, la galerie d'art **Image Factory**, que dirige le poète bélizien Yasser Musa, expose les créations contemporaines d'artistes béliziens, que l'on peut aussi parfois rencontrer sur place.

FORD GEORGE DISTRICT, LE QUARTIER COLONIAL

En longeant North Front Street vers l'est, on rejoint **Memorial Park** ❹, dans le quartier résidentiel de Fort George, aux demeures coloniales cossues. Dans le parc, le kiosque a été le théâtre de plusieurs événements importants de l'histoire du pays. Dans les années 1950 s'y déroulèrent des débats passionnés entre les partisans et les opposants de l'autonomie. C'est là également que, le 21 septembre 1981, fut proclamée officiellement l'indépendance du Belize. De nombreux concerts et manifestations

y sont organisés régulièrement pendant les vacances. Les édifices en bois de l'époque coloniale situés aux alentours (dont l'ambassade du Mexique, illuminée chaque soir aux couleurs de son pays) font également de Fort George District un des plus jolis quartiers de Belize City.

Parmi ces anciennes demeures, l'**hôtel Chateau Caribbean** se dresse sur le front de mer, au 6 Marine Parade. Cet ancien hôpital contraste avec la tour moderne du Radisson Fort George Hotel. Séduit par cette architecture ancienne, Harrisson Ford y avait élu domicile en 1986, lors du tournage de *Mosquito Coast*, de Peter Weir.

L'ENTRÉE DU PORT

Dressé à la pointe de la presqu'île, le **phare** (*lighthouse*) **de Fort George** surveille l'entrée du port de Belize. À son pied s'étend le **Baron Bliss Memorial** ❸, qui commémore la venue de l'homme d'affaires et navi-

On peut encore voir les drapeaux britannique et bélizien flotter côte à côte.

Ci-dessous, Court House, l'un des plus anciens édifices coloniaux de la ville.

Avec ses deux volées de marches encadrées d'une balustrade ouvragée, Court House, qui abrite le palais de justice, est une des plus belles demeures anciennes de la ville. Son architecture, qui montre une galerie couverte et une rampe en fer forgé est typique de la période coloniale.

gateur anglais Henry Edward Ernest Victor Bliss. Souffrant d'une infection contractée à Trinidad en 1926, cet Anglais, originaire de Buckingham, séjourna plusieurs mois dans son yatch au large de Belize City et se prit de passion pour la région. Mais l'air vivifiant et le repos n'eurent pas raison de sa maladie, et, le 9 mars 1927, il s'éteignit à bord de son bateau. Avant de mourir, il légua la somme de deux millions de dollars au Belize, pour remercier ses habitants de leur accueil. Le legs servit à construire des cliniques, des librairies et des musées.

SUR LA RIVE DROITE

De l'autre côté du Swing Bridge, les piétons, les deux-roues et les voitures encombrent les ruelles anciennes de la rive droite. Ce quartier commerçant est très fréquenté. La plupart des magasins sont concentrés sur **Albert Street**, longue artère rectiligne reliant Swing Bridge à la cathédrale.

Des bateaux-taxis emmènent les voyageurs vers les cayes.

Au pied du pont tournant, **Municipal Market ❻** a été aménagé au bord de la rivière, car de nombreuses marchandises arrivent encore par bateau. Dans ce bâtiment récent, les étals abondent et les Béliziens se pressent pour y acheter les ingrédients de la cuisine locale : le fameux *rice and beans*, ou encore la soupe de pieds de vache. Ils y trouvent également des plantes médicinales et des onguents.

De l'autre côté de Battlefield Park, le **palais de justice ❼** (Court House) occupe un très joli édifice en bois blanc et bleu qui reproduit à l'identique un premier bâtiment construit au début du XXᵉ siècle et détruit en 1926 par un incendie. Sur la façade court une galerie en fer forgé ouvragé, à laquelle on accède par un escalier à deux volées, dont les rampes sont également en fer forgé. Le bâtiment est surmonté d'un petit clocheton qui abrite l'horloge municipale. À proximité, l'édifice du Trésor public (**Treasury Building**) marque l'entrée dans la zone commerçante

du centre, où sont implantés la plupart des banques, des boutiques et des administrations, ainsi que **Brodie's**, le seul grand magasin de Belize City.

Depuis Southern Foreshore, la promenade qui longe l'embouchure de la Haulover Creek, on a une excellente vue sur le port. Au départ de Court House Wharf, un service régulier de bateaux relie les *cayes*. De construction récente, le **Bliss Institute** , au 2 Southern Foreshore, est le principal centre culturel et artistique du pays. Il abrite le National Arts Council et une grande bibliothèque, et présente de nombreuses expositions temporaires. On peut y assister à des pièces de théâtre, des concerts et des ballets (programmation disponible à l'office du tourisme). L'institut, qui doit son nom au célèbre bienfaiteur du Belize, expose également des artistes locaux et quelques objets mayas.

GOVERNMENT HOUSE

À l'extrémité de Regent Street, dans un cadre idyllique en bordure de mer, **Government House** ❶, l'ancienne résidence des gouverneurs, est une très belle villa coloniale du début du XIXᵉ siècle. Imposant, l'édifice possède de très beaux escaliers intérieurs en chêne. Dans ses salles, aménagées en musée après l'installation du siège du gouvernement à Belmopan en 1971, on découvre une magnifique collection de mobilier et de porcelaine, des objets en verre et en argent, ainsi qu'une sculpture représentant la tête du dieu solaire **Kinish Ahau**; découverte sur le site d'Altún Há (*voir p. 219*), c'est la plus grande pièce sculptée en jade de tout le monde maya. En face de Government House, **St John's Cathedral** ❶ est la plus ancienne cathédrale anglicane d'Amérique centrale. Elle a été construite par les esclaves dans la première moitié du XIXᵉ siècle sur le modèle de l'abbaye de Westminster, avec des briques anglaises qui servaient de lest aux navires venus charger du bois. Environ un tiers des protestants du pays appartiennent à l'Église anglicane,

implantée au Belize au moment de la colonisation britannique. St John's Cathedral rivalise aujourd'hui par sa fréquentation avec l'église catholique Holy Redeemer, située sur North Front Street, mais la vie religieuse de Belize City est aussi diversifiée que sa population, et bien d'autres lieux de culte coexistent dans la ville.

YARBOROUGH

À l'ouest de St John's Cathedral, Yarborough a été un quartier résidentiel très prisé, mais il jouxte désormais les banlieues les plus pauvres de la ville. On évitera de se promener à pied la nuit autour de Collet Canal, car cette zone n'est pas très sûre.

Le **cimetière de Yarborough** ❶, qui longe Queen Charlotte Street, est le témoin de plusieurs siècles d'histoire. C'est le premier propriétaire du terrain, le magistrat James Yarborough, qui lui a donné son nom. Entre 1781 et 1882, on y enterrait les personnalités les plus importantes de

Plan p. 212

Les piétons se pressent sur le pont tournant pour passer d'une rive à l'autre.

Fort George Lighthouse.

Le phare de Fort George se dresse à la pointe de la péninsule, dans un quartier qui doit son nom à un ancien fort anglais. Quand celui-ci fut édifié, le site était séparé du continent par un chenal qui fut comblé au début des années 1920. Sur l'emplacement du fort, on trouve aujourd'hui le Fort George Hotel, l'un des meilleurs hôtels de Belize City.

Plan
p. 212

la colonie. À proximité se dresse la statue d'Emmanuel Isaiah Morter, milliardaire bélizien qui possédait presque tout Barracks Road. Ce disciple de Marcus Mosiah Garvey (1887-1940), homme politique jamaïcain qui défendit la cause des Noirs et fut à l'origine du rastafarisme, a laissé une grande partie de sa fortune au parti fondé en 1914 par Garvey : l'Universal Negro Improvement and Conservation Association.

LES NOUVEAUX QUARTIERS

Les quartiers récents de Belize City sont assez éloignés du centre, et il est préférable de les découvrir en voiture. Si on prend le taxi, on pourra se faire conseiller plus facilement sur le choix d'un restaurant ou d'un itinéraire, car les Béliziens sont généralement assez ouverts et aiment faire découvrir leur ville aux visiteurs.

Barracks Road est située au nord du centre, à quelques minutes en voiture. Après la cohue des vieux quar-

De nombreux Béliziens arborent les dreadlocks des rastas.

tiers, on y savoure la fraîcheur de la mer et une atmosphère apaisante. On s'y rendra pour un dîner en plein air, une promenade dans un parc, ou encore une nuit de danse dans l'une des boîtes de nuit du quartier. Le **Fiesta Park** est très prisé des familles béliziennes, quant au **Calypso Club**, du **Fiesta Hotel**, il est doté d'un bar agréable sur la marina, où il fait bon prendre un verre en soirée.

Au sud du Fiesta Park, le **Mexico-Belize Cultural Institute ❶** propose d'intéressantes expositions d'artistes mexicains et de photographies sur la culture de ce pays, ainsi qu'une bonne programmation de musique traditionnelle. L'entrée est libre, sauf dans le cas de certaines manifestations pour lesquelles il est nécessaire de réserver.

En suivant Barracks Road jusqu'à Princess Margaret Drive, on rejoint le **National Stadium ⓜ**. Construit par le Marylebone Cricket Club de Grande-Bretagne, ce stade accueille toutes les rencontres de cricket, sport très populaire au Belize, même s'il a été supplanté par le football américain. Des concerts et de grandes manifestations culturelles ont également lieu dans le National Stadium.

Dans le quartier résidentiel qui s'étend autour de **Princess Margaret Drive**, l'un des plus chics de la ville, se sont implantées les grandes écoles, dont le St John's College, établissement jésuite fondé en 1887. Le Belize Pickwick Club est un club de sport privé équipé de courts de tennis et d'une piscine (la ville en compte très peu), tandis que le club du Ramada Park est ouvert à tous.

Face au parc se tient un bar très populaire, le **Lindbergh's Landing**, ainsi baptisé en hommage à l'aviateur américain Charles Lindbergh (1902-1974). Son appareil, le *Spirit of Saint Louis*, fut le premier avion à se poser au Belize, en 1927. Des photographies de Lindbergh au milieu de ses admirateurs recouvrent les murs, ainsi que des peintures réalisées par le propriétaire des lieux, Jerry Nisbit. Son bar est très accueillant et le patron n'hésite pas à pousser sa chanson au milieu des clients.

La proximité de la Jamaïque est sensible à Belize City. Les rastafaris croient à la rédemption de la race noire et à son retour en Afrique. Ils portent de longues tresses – les fameuses dreadlocks –, leur religion leur interdisant de se couper les cheveux. La communauté rasta est importante à Belize City. D'une manière générale, le reggae est très présent dans la vie musicale du pays.

LE BELIZE ZOO

Situé à peu près à mi-chemin entre Belize City et Belmopan, le Belize Zoo ❿ s'étend dans la forêt et la savane tropicales. Plus de soixante espèces animales natives du Belize y prospèrent à l'abri de leurs enclos. Il faut toutefois préciser que la plupart des animaux se font très discrets en milieu de journée, lorsqu'ils recherchent l'ombre épaisse des feuillages pour se protéger du soleil et des observateurs curieux. Car le Belize Zoo n'est pas un zoo classique : on s'y préoccupe davantage de l'animal et de son confort que des visiteurs – une démarche suffisamment originale pour être soulignée.

On oublie d'ailleurs très vite qu'il s'agit d'un zoo quand on se promène dans cette forêt de feuillages et de lianes entrelacés, où il faut beaucoup de patience pour entrevoir le pelage d'un puma, d'un jaguar ou d'un ocelot. Mais les efforts des plus persévérants sont récompensés : l'observation d'un jaguar à l'affût, d'une troupe de kinkajous chamailleurs au détour du chemin ou encore de l'imposante silhouette du jabiru, cousin de la cigogne.

Des panneaux décrivent l'habitat de chaque espèce implantée, menacée ou en danger d'extinction, rappelant au visiteur que les animaux du Belize ont eux aussi le droit de vivre en paix. Des sentiers conduisent d'un point à l'autre du parc, à travers les paysages de savane et de pinèdes. On trouve même une forêt tropicale transplantée. Car le Belize Zoo est à la fois un parc animalier et une réserve botanique qui vise à sensibiliser les visiteurs sur les enjeux écologiques du pays. Le message est clair : préservons l'habitat pour sauver les animaux.

C'est une Américaine qui est à l'origine de ce projet. Lorsqu'elle arriva au Belize, Sharon Matola n'avait guère le profil d'une directrice de zoo. Pour cette ancienne dompteuse de lions, les débuts furent même difficiles : à son arrivée, en 1983, le zoo se limitait à quelques enclos grillagés qui accueillaient les « vedettes » à la retraite de documentaires animaliers. Aujourd'hui, il héberge, sur 12 ha, une bonne centaine d'animaux appartenant pour la plupart à des espèces menacées, sans oublier la faune typique du Belize, comme le toucan ou le tapir de Baird.

Le Belize Zoo abrite également le **Tropical Education Center**, qui propose différentes activités à caractère scientifique ou éducatif. Ainsi pourra-t-on suivre des conférences et des films sur la flore et la faune du Belize ainsi que des programmes éducatifs, comme l'élevage des iguanes (qui sont ensuite relâchés dans la nature), ou bien visiter le zoo nuitamment... pour rencontrer le boa constrictor. On pourra également partir en randonnée dans la savane – équipée de passerelles et de plates-formes pour observer les colibris, les perruches à tête d'or, les renards gris ou les tatous, ou encore faire des excursions en canoë sur la Sibun River, dont les plages de sable et la forêt fluviale hébergent notamment des iguanes, des pécaris et des coatis.

Enfin, le centre est doté d'une bibliothèque et d'une structure hôtelière dont la capacité d'accueil est d'une trentaine de personnes.

Jaguar en liberté... surveillée !

LE NORD DU BELIZE

Le nord du Belize est une région agricole très développée, dont l'activité est essentiellement centrée sur la culture de la canne à sucre. Outre ses centres d'intérêt traditionnels – grandes forêts de palétuviers, lagunes, trésors mayas – elle est le principal centre d'«écotourisme» du Belize, accueillant les projets les plus réussis dans ce domaine.

Au nord de Belize City, la Northern Highway longe la côte jusqu'à **Ladyville** (où se trouve l'aéroport international) avant de s'enfoncer à l'intérieur des terres en direction d'Orange Walk. À une dizaine de kilomètres de Ladyville, un panneau sur la gauche indique Burrel Boom, agglomération d'où part une piste menant à quelques paisibles villages créoles nés avec le commerce des bois précieux, avant d'être délaissés au fil des ans, quand cette industrie a cessé d'être rentable.

LE COMMUNITY BABOON SANCTUARY

À Burrel Boom, une route conduit à Bermudian Landing, au cœur du **Community Baboon Sanctuary ❷**. Cette réserve zoologique, fondée en 1985 par l'organisation américaine Worldwide Fund for Nature, a pour but de maintenir un environnement boisé favorable à la préservation des singes hurleurs. Animal sacré des anciens Mayas, le singe hurleur est repérable à son cri particulièrement puissant, mais aussi à sa taille ; c'est en effet le plus grand singe du Nouveau Monde. Pour protéger cette espèce menacée par la disparition progressive de la forêt tropicale, le Community Baboon Sanctuary a mis sur pied un projet qui touche une dizaine de villages situés sur les rives de la Belize River : ces derniers s'engagent à préserver la forêt en bordure de rivière et à conserver des couloirs arborés autour des zones de culture. Ces aménagements devraient favoriser le reboisement naturel et, par là même, permettre de protéger de nombreuses autres espèces de mammifères et d'oiseaux.

Le Community Baboon Sanctuary dispose d'un centre d'accueil où les visiteurs pourront recueillir de nombreux renseignements ou s'inscrire à des promenades encadrées par des guides locaux.

ALTÚN HÁ

L'accès à ce site maya situé à 45 km au nord de Belize City est un peu difficile. En quittant le Baboon Sanctuary, il faut revenir sur ses pas jusqu'à la Northern Highway, traverser le village de Sand Hill, puis prendre à droite en direction de Maskall et d'Orange Walk par l'Old Northern Highway. À 20 km de Sand Hill, une piste conduit aux ruines mayas d'**Altún Há ❸**, situées à environ 3 km à l'ouest du chemin. Les voyageurs ne disposant pas de véhicule pourront s'y rendre en s'inscrivant à l'une des visites

Carte pp. 206-207

À gauche, la forêt tropicale du nord du Belize est peuplée d'arbres à feuilles caduques.

Occupé sur une très longue période, le site maya de Lamanaï, sur la New River, est l'un des plus importants du Belize. Il est surtout connu pour son architecture du classique récent, en particulier ses masques massifs figurant Kinish Ahau, le dieu Soleil du panthéon maya (ci-contre).

Les mestizos
sont majoritaires
dans le nord
du pays.

Le temple
des Autels
en Maçonnerie,
Altún Há.

qui sont organisées au départ de Belize City.

Altún Há est la traduction maya du nom anglais Rockstone Pond – littéralement « l'étang aux rochers », car le site occupe une zone marécageuse. C'est ainsi que les archéologues de l'Ontario Royal Museum (Canada) avaient appelé le site, qu'ils fouillèrent, de 1964 à 1971, y découvrant de très nombreux objets en jade. Restaurée dans les années 1970, Altún Há est la cité maya la mieux explorée du Belize. Elle a vraisemblablement été occupée dès 1 000 av. J.-C. (préclassique ancien), mais la plupart des édifices visibles datent du classique récent (600-800 apr. J.-C.).

Cet ancien centre cérémoniel s'organise autour de deux places au nord et au sud, dominées chacune par un temple. Au sud, le temple du Dieu Soleil, ou temple des Autels en Maçonnerie, culmine à 18 m. C'est là qu'a été découverte la fameuse tête en jade de Kinish

Ahau, aujourd'hui conservée dans Government House de Belize City. Cette pièce imposante de 46 cm de circonférence est la plus grosse pièce de jade maya connue à ce jour. De nombreux objets de jade ont également été mis au jour dans les autres édifices.

CROOKED TREE WILDLIFE SANCTUARY

À 52 km de Belize City sur la Northern Highway, on peut voir à main gauche le panneau indiquant la direction de **Crooked Tree**, le plus grand village créole du Belize, qui est aménagé au milieu des marécages et de la lagune. **Crooked Tree Wildlife Sanctuary** ❹ est le nom d'une vaste réserve naturelle qui sert de refuge à de nombreuses espèces (singes hurleurs, iguanes, tortues, crocodiles) et notamment à quelque trois cents variétés d'oiseaux (aigrettes, milans, grèbes, martins-pêcheurs...). Le plus rare

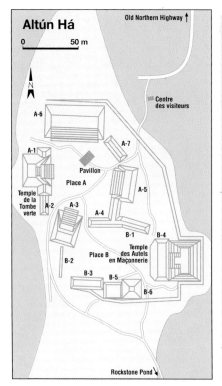

Altún Há

0   50 m

Old Northern Highway ↑

N

Centre des visiteurs

A-6

A-7

A-1

Pavillon

Place A

A-5

Temple de la Tombe verte

A-2   A-3

A-4

B-1   B-4

Temple des Autels en Maçonnerie

Place B

B-2

B-3   B-5

B-6

Rockstone Pond ↘

d'entre eux, le jabiru, est un grand volatile à tête noire et à cou rouge, qui peut atteindre 2,5 m d'envergure. C'est le plus grand oiseau du Belize, aujourd'hui en voie de disparition.

Les 1 200 ha de ce sanctuaire animalier ont été ouverts en 1984, et ils sont gérés par des bénévoles avec le soutien de la Belize Audubon Society. Au bout de la digue qui prolonge la piste, un bureau touristique met à la disposition des visiteurs une abondante documentation sur la flore et la faune locales. On y trouve aussi des renseignements sur les visites, organisées par des guides locaux, et les possibilités d'hébergement de la réserve.

Chaque année au mois de mai a lieu le Crooked Tree Cashew Festival, sur le thème de l'acajou, bois précieux longtemps exploité dans cette partie du Belize. C'est l'un des événements culturels les plus importants de la région et l'occasion, pour le visiteur, de s'imprégner de l'ambiance créole des villages du Nord.

LAMANAÏ

À 35 km de Crooked Tree par la Northern Highway, à la hauteur du **Tower Hill Toll Bridge**, de petits bateaux-taxis quittent les rives de la New River et emmènent les voyageurs au site de **Lamanaï** ❺. En saison sèche, le site n'est accessible que par la route (à partir de San Felipe). Le trajet en bateau, qui dure à peu près deux heures, donne l'occasion d'admirer la richesse de la faune et de la flore (en particulier de très beaux nénuphars). Avec un peu de chance, on pourra apercevoir, à l'arrêt, des lamantins ou des crocodiles.

Une colonie mennonite s'est installée à **Shipyard**, au bord de la New River. Membres d'une branche modérée de l'anabaptisme fondée en Suisse au XVIᵉ siècle, les mennonites ont fui les persécutions en émigrant aux Pays-Bas, en Europe centrale, puis, aux XVIIIᵉ-XIXᵉ siècles, en Amérique du Nord. Au début des années 1950, plusieurs communau-

Carte pp. 206-207

L'ancienne douane de Corozal, fraîchement repeinte aux couleurs de la ville.

Un repas créole typique : poisson, banane plantain et riz.

Jeunes mestizos dans la région d'Orange Walk.

tés se sont installées dans le nord du Belize. Vivant du travail de la terre, les mennonites observent avec rigueur les principes de la Bible et évitent tout contact avec le monde extérieur (*voir p. 226*).

Situé sur la rive occidentale de la New River Lagoon, Lamanaï (« crocodile immergé »), qui fut occupé à partir de 1500 av. J.-C., est le site maya le plus important de la région. Il comprend quelque sept cents structures qui n'ont pas toutes été excavées – loin s'en faut –, datées de 800-600 av. J.-C. La plus grande d'entre elles, la structure N10-43, la plus haute pyramide maya de l'époque classique (33 m), a été restaurée. Non loin d'elle a été dégagé un petit jeu de balle. Au nord, près de l'entrée du site, on peut admirer, sur la façade du temple des Masques, un imposant mascaron de 4 m de haut représentant un homme dont la coiffure figure une tête de crocodile. Des fouilles ont également mis au jour les vestiges de missions espa-

gnoles du XVIe siècle, notamment les vestiges d'une église. Non loin du débarcadère se trouve un musée dont les collections présentent de nombreux objets découverts sur place, ainsi que des documents sur la faune et la flore de la région.

ORANGE WALK ET CUELLO

Située à 92 km au nord de Belize City sur la Northern Highway, **Orange Walk ❻** est la deuxième ville commerciale du pays. La région est spécialisée dans l'exploitation de la canne à sucre, sous la houlette de la Tower Hill Sugar Refinery, qui gère l'ensemble de la production de canne du pays. La population d'Orange Walk (dix mille habitants), majoritairement composée de migrants hispanophones ayant fui le Mexique, au cours des années 1860, pendant la guerre des Castes, est restée relativement isolée du reste du pays jusqu'à la construction de la Northern Highway. La région compte également plusieurs communautés mennonites, essentiellement localisées le long de la New River.

À l'ouest d'Orange Walk, une piste conduit au site maya de **Cuello**, derrière la distillerie de rhum du même nom – c'est là qu'on se procure l'autorisation de visiter les ruines. Bien que les excavations soient remblayées au fur et à mesure des fouilles, le site est un pivot important pour comprendre l'histoire maya de la région. Cuello, étudié depuis 1973, est un site très ancien puisqu'on estime qu'il fut occupé entre 2 500 et 1 000 av. J.-C. On peut aussi y voir des vestiges qui témoignent de contacts avec des régions du centre du Mexique bien avant l'époque olmèque. Enfin, c'est à Cuello que fut mise au jour la plus ancienne céramique maya, qui daterait de 1 200 avant l'ère chrétienne.

Propriété privée ouverte au public, le site ne dispose pas de centre d'accueil pour les visiteurs, mais on pourra obtenir des renseignements plus précis à l'Archaeology Department, situé à Belmopan.

Les mestizos dépassent aujourd'hui en nombre les créoles. Au XIXe siècle, une importante population hispanique se développa dans le nord du pays, près de la frontière du Yucatán. Ces réfugiés fuyaient la guerre des Castes, qui opposait les Blancs aux Mayas.

LA RÉSERVE DU RÍO BRAVO

Au sud-ouest d'Orange Walk, le village mennonite de **Blue Creek** s'est acquis une petite notoriété en concevant une installation hydroélectrique à partir des pièces d'un avion échoué dans la région. Au sud du village, la réserve **Río Bravo Conservation Area** ❼ abrite l'une des plus riches biodiversités du pays. Fondée en 1988 par la Massachusetts Audubon Society, elle couvre 93 000 ha, réunis grâce à des dons, et compte plusieurs centaines d'essences et de variétés d'oiseaux ainsi que soixante-dix espèces de mammifères connus. Le parc dispose d'une bonne infrastructure touristique et d'un centre de recherche et de protection de l'environnement.

COROZAL

Située à 30 km au nord d'Orange Walk, **Corozal** fut fondée en 1849 par des réfugiés venus de la ville de Bacalar, dans la péninsule du Yucatán.

C'est une ville de bord de mer accueillante. Dans le Palacio Municipal (hôtel de ville), une fresque réalisée en 1986 par Manuel Villamor Reyes raconte l'histoire de la ville, de la guerre des Castes à nos jours.

Accessible à pied de Corozal, le site de **Santa Rica** (Chetumal en maya) était encore occupé au moment de la Conquête. Cette cité était un carrefour commercial important entre le Yucatán et le reste du monde maya.

SHIPSTERN NATURE RESERVE

La **Shipstern Nature Reserve** ❽ protège une région de lagunes et de palétuviers, à 24 km au sud-ouest de Corozal. En 1955, l'ouragan Janet endommagea les arbres de la région, mais un programme de l'International Tropical Conservation Foundation permet à la forêt de reprendre. On peut y voir des mammifères (tapir, pécari, coati, kinkajou, chat sauvage...) et une grande variété d'oiseaux, notamment des échassiers.

Carte
pp. 206-207

Maison caraïbe sur pilotis, dans la baie de Corozal.

LE SUD DU BELIZE

Cette région s'est ouverte au tourisme après la reconnaissance par le Guatemala, en 1992, de la souveraineté du Belize. Le Sud se divise en trois zones : **Cayo District**, qui couvre le centre et l'ouest du pays, **Stann Creek District** et **Toledo District**, qui s'étendent le long de la côte, entre le Belize District et la frontière guatémaltèque. Contrairement au nord du pays, région de plaine, le Sud offre des paysages accidentés recouverts d'une forêt tropicale humide où poussent l'acajou et le *ceiba*, l'arbre sacré des Mayas.

Pour gagner le Sud au départ de Belize City, on emprunte d'abord la Western Highway, et, au km 122, on quitte le district de Belize pour celui du Cayo, qui se signale par ses paysages de collines et de rivières. On est ici au cœur du Belize, où il pourra être très agréable de séjourner après la chaleur et l'agitation de Belize City. Au sud de la Montain Pine Ridge Forest Reserve **⑬**, vaste forêt de pins vallonnée, se dressent les Maya Mountains, dominées par le Victoria Peak, le point culminant du pays (1 120 m).

Au départ de Belmopan **⑳**, la Hummingbird Highway rejoint la côte en traversant des paysages de montagnes spectaculaires, siège de la culture garífuna. Si l'on souhaite éviter Dangriga, sur la côte, on empruntera la Coastal Highway, qui sillonne d'impressionnants paysages de savane. Ces deux routes conduisent au district de Stann Creek, où l'on a développé les plantations de bananes et d'agrumes. Toledo District, tout au sud, touche le Guatemala.

FREETOWN SIBUN

À la sortie de Belize City, la Western Highway longe le Lord's Ridge Cimetery puis une zone marécageuse, avant de s'enfoncer dans une région de palmeraies et de plaines verdoyantes. Située à 26 km de Belize City, **Hattieville** est une petite

cité sans grand intérêt, mais qui peut constituer le point de départ d'excursions dans la région, à **Freetown Sibun ❾**, sur les rives de la très belle Sibun River, par exemple. Dans ce paysage de plaines et de collines verdoyantes émergent des pics rocailleux formés par des saillies calcaires. Quant aux berges de la Sibun, elles sont bordées de maisons sur pilotis et de cabines à louer, idéales pour passer quelques jours au calme à proximité de la lagune. On devine au loin les premiers contreforts des Maya Mountains.

CAYO DISTRICT

On dépasse le Belize Zoo **❿** (*voir p. 217*) et Cotton Tree pour atteindre le **Guanacaste National Park ⓫**, à la hauteur de l'intersection de la Western Highway et de la Hummingbird Highway. Il est géré par la Belize Audubon Society, qui compte parmi les premières organisations béliziennes à avoir mis en valeur le

Carte pp. 206-207

À gauche, les eaux paisibles de Placencia ; ci-dessous, garçonnet de Cayo District à sa fenêtre.

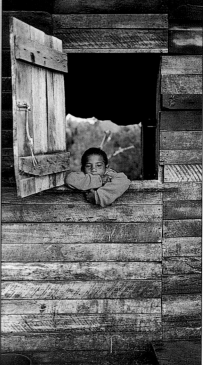

Le sud du Belize connaît un regain d'intérêt après des années d'isolement. Entre les sites archéologiques et les multiples formes de vie que recèle la forêt, cette région est pleine d'attraits pour les visiteurs.

Jeunes mennonites.

patrimoine naturel du pays. D'une superficie de 21 ha, il est le refuge de nombreux oiseaux et petits mammifères. On y admirera également une flore riche, par exemple de très belles orchidées ainsi que différentes variétés de fougères.

SPANISH LOOKOUT

Après le village d'Unitedville, une bifurcation conduit à la communauté mennonite de **Spanish Lookout** ⓬. La piste enjambe la Belize River, puis Iguana Creek, poursuit laborieusement en longeant les terres cultivées des fermes mennonites avant d'entrer dans les faubourgs de Spanish Lookout. Là, les mennonites ont bâti un univers totalement à part du reste du Belize, ressemblant en tout point au Middle West américain : routes pavées, quincailleries, restaurants, silos à grains, stations-service, magasin d'exposition de tracteurs John Deere... Les mennonites se sont installés au

Maya Moutain Lodge, dans le Cayo District.

Belize dans les années 1950, dans les régions de Cayo District et d'Orange Walk (*voir p. 222*). Ces membres de la secte fondée par Menno Simons (1496-1561) vivent en marge de la population locale et ont leurs propres églises et leurs écoles. Ils vendent leur production sur les marchés des villes plus importantes, fournissant aux habitants des environs des poulets, du maïs et des produits laitiers.

Après Spanish Lookout, la route rejoint la Western Highway entre Central Farm et Esperanza Village. La traversée de la Belize River à bord d'un vieux bateau en bois, qui ne prend pas plus de trois voitures à la fois, est certainement l'un des moments les plus pittoresques de cette excursion.

MOUTAIN PINE RIDGE FOREST RESERVE

Le sud-ouest du Belize présente un relief de montagne : le Mountain Pine Ridge est une chaîne ancienne

Carte pp. 206-207

qui atteint les 1 000 m d'altitude. À Georgeville, sur la Western Highway, une route s'oriente plein sud et mène à cette région aux sols pauvres densément couverts de pins, notamment le pin caraïbe. Longtemps isolés, les paysages de la **Mountain Pine Ridge Forest Reserve** ⓭ sont encore, pour la plupart, difficiles d'accès. Pourtant, le lieu enchantera les amoureux de la nature, avec ses vastes étendues de pins et de bois durs, où les orchidées et les broméliacées poussent avec une vivacité étonnante. Le Belize recense quelque deux cent cinquante espèces d'orchidées, dont l'orchidée noire, élevée au rang de fleur nationale. Des rivières, des cascades et des grottes calcaires encore peu fréquentées ajoutent à la beauté du Mountain Pine Ridge. Enfin, l'extraordinaire site maya de Caracol (*voir p. 228*), caché au plus profond de la forêt, a contribué à rendre la région plus accessible grâce à la construction de routes.

Un guichet marque l'entrée de la réserve en haut d'une côte. Des lodges sont installés à proximité et des excursions sont organisées dans les 59 000 ha du parc. Peu après l'entrée principale, une fois franchi le croisement de Baldy Beacon, la route continue vers le sud parallèlement à la frontière guatémaltèque. À une trentaine de kilomètres de la Western Highway, un panneau indique les **Río On Falls** ⓮, succession de chutes d'eau sur le cours d'un affluent de la Macal River. L'eau dévale des roches lisses et des larges plaques de granite au milieu d'une forêt touffue, formant de véritables jacuzzis naturels. Il faut prendre la direction de l'est à la bifurcation vers Baldy Beacon pour trouver les **Hidden Valley Falls** (« chutes de la Vallée cachée »), qui se situent sur la face nord de la crête. Ces chutes sont les plus hautes d'Amérique centrale, leur dénivelé est de 490 m. Au bout d'un sentier, un belvédère offre une belle vue sur cette impressionnante cataracte.

Le centre administratif de la Mountain Pine Ridge Forest Reserve, appelé Douglas Da Silva Forest Station, est installé à **Augustine** ⓯. Cette localité regroupe une centaine de personnes vivant dans des maisons en bois. C'est à Augustine que sont délivrées les autorisations de visite pour le site de Caracol et le Chiquibul National Park.

D'Augustine part un chemin qui mène aux **Río Frío Caves**, réseau de grottes dont la plus grande est traversée par le Río Frío. Ce vaste tunnel calcaire long d'un millier de mètres était utilisé à l'époque maya comme centre cérémoniel. L'accès en est relativement aisé, et la luminosité assez bonne pour permettre aux visiteurs de distinguer les dessins et les motifs gravés dans la roche érodée. Dans les parages, les rives du Río Frío offrent de petites plages propices à la baignade. En outre, le **Río Frío Nature Trail**, sentier pédestre balisé, part du parking et s'enfonce dans la jungle pour une promenade de trois quarts d'heure. Chemin faisant, les randonneurs

Vendeur ambulant dans la région de Dangriga.

Les Garífunas, issus du métissage d'esclaves africains et d'Indiens Caraïbes, ont fui les persécutions et se sont dispersés sur les côtes d'Amérique centrale. L'influence caraïbe de cette population, minoritaire au Belize mais très implantée dans la région de Dangriga, est sensible dans la cuisine, en particulier par la confection de galettes de manioc.

*Le jaguar,
véritable emblème
national,
se retrouve jusque
sur les affiches
publicitaires.*

*Près de
Lubaantun,
dans les environs
de Punta Gorda,
un panneau
signale le centre
artisanal
de Nim li Punit.*

pourront lire les panneaux qui les renseigneront sur les essences locales.

BARTON CREEK CAVE

Si l'on ne souhaite pas rejoindre Caracol, on pourra remonter au nord à **Barton Creek**, dans la direction de Georgeville (sur la Western Highway), et pousser jusqu'à la localité mennonite d'**Upper Barton Creek**. Tout comme les Río Frío Caves, la grotte calcaire de Barton Creek abritait des objets mayas, ce qui permet de penser qu'elle fut utilisée comme centre cérémoniel. Des excursions en bateau sont organisées au départ de San Ignacio ❼ jusqu'à cette grotte.

CARACOL

Après le Río Frío, la route s'enfonce plus profondément dans la forêt quand on continue vers le sud, et les indications se raréfient. À deux heures de voiture d'Augustine, on a le choix entre prendre la direction

de Caracol, à l'ouest, ou celle de Millionario, à l'est. **Caracol** ❻ est l'un des plus grands sites mayas de l'époque classique (avec Tikal, au Guatemala), et le plus important du Belize. L'espagnol *caracol* signifie « escargot » et rappelle la forme sinueuse de la route d'accès au site : ce n'est donc pas le nom originel de la cité, qui reste inconnu. Découverte en 1937, « redécouverte » dans les années 1950 et vraiment fouillée à partir de 1985, celle-ci témoigne, par la richesse de ses monuments, de son importance durant la période classique (250-950). On estime qu'à son apogée elle comptait cent cinquante mille habitants. En 562, Caracol vainquit sa rivale Tikal et domina la région pendant plus d'un siècle ; d'importantes infrastructures furent aménagées pour permettre une agriculture intensive même pendant la saison sèche (réservoirs d'eau en pierre, terrasses, systèmes d'irrigation). Le site s'étend sur 142 km² et compterait au total

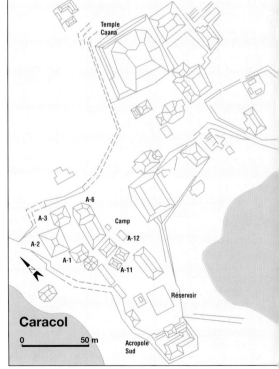

Temple
Caana

A-6
A-3   Camp
A-2   A-12
         A-1
              A-11

Réservoir

Caracol

0   50 m

Acropole
Sud

quelque trente-cinq mille édifices, dont un grand nombre ne sont pas encore mis au jour. Au centre, on trouve cinq plazas, trente-deux structures et un observatoire, le tout relié par des chaussées et des plazas plus petites. Le **temple Caana** atteint 42 m de haut, ce qui en fait la plus grande pyramide du Belize.

Enfin, sur des stèles, des autels ou des marqueurs de jeu de balle, on a relevé d'importantes inscriptions glyphiques (dates de naissance, intronisation et décès des souverains) permettant de reconstituer l'histoire de Caracol.

DANS UNE NUIT SANS ÉTOILES...

Le **Chiquibul National Park** abrite **Las Cuevas Forest Research Station**, un musée d'histoire naturelle fréquenté par des équipes de chercheurs qui tentent de reconstituer le puzzle formé de quatre grottes – Kabal, Tunkul, Cebada et Xibalda – creusées par la rivière Chiquibul à la frontière du Belize et du Guatemala, et reliées entre elles par des voies d'eau. L'entrée des grottes se situe sous la station de recherche, mais l'endroit reste difficile d'accès. Tunkul, ou salle de Belize, longue de près de 500 m et large de 200 m, donne une idée de l'étendue du réseau. Les spéléologues qui l'ont explorée, dans les années 1980, rapportent dans le *National Geographic* (avril 2000) que leurs lampes n'étaient pas assez puissantes pour éclairer son plafond ou ses parois. Selon le même magazine, la géologue Joyce Lundberg estime que la formation des grottes de Chiquibul remonte au moins à huit cent mille ans.

SAN IGNACIO

La Western Highway se dirige vers le Guatemala et passe par Santa Elena et San Ignacio, deux petites villes jumelles séparées par la Macal River et reliées par le Hawksworth Bridge. **San Ignacio ⓱** est la principale ville du Belize occidental. Anciennement nommée El Cayo –

cernée par la Macal River et la Mopan River, sans voie de communication, la cité avait tout d'une île –, elle devint un important carrefour commercial par lequel transitaient l'acajou et le chiclé (latex extrait du sapotier, qui servit de substitut au caoutchouc avant de constituer la matière première du chewing-gum) exploités dans les forêts avoisinantes. C'est aujourd'hui un grand centre agricole tourné vers les agrumes, les cacahuètes et le bétail, mais San Ignacio joue également la carte du tourisme. Les créoles, les *mestizos*, les Mopan, les Sri-Lankais et les Garífunas y vivent en bonne entente, et l'on y parle aussi bien l'anglais que l'espagnol.

Sur une colline dominant San Ignacio se dressent les ruines de **Cahal Pech**, cité maya qui compte une trentaine de vestiges de palais et de temples. Même si les récentes restaurations des édifices ont fait l'objet de critiques, l'ensemble donne une bonne idée du mode de vie des

Carte pp. 206-207

Dans le Toledo District, un programme d'écotourisme propose des visites guidées organisées par des villageois qui veulent se détourner de l'exploitation du bois et de la déforestation qu'elle génère. Ces mêmes villageois accueillent les visiteurs chez eux. La Toledo Ecotourism Association se trouve à Punta Gorda.

Le site maya de Xunantunich.

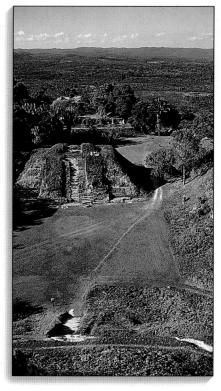

Depuis la pyramide d'El Castillo, dans l'ancienne cité maya de Xunantunich, près de la frontière guatémaltèque, on jouit d'une vue panoramique sur les Maya Mountains et la jungle du Petén. Près du sommet de l'édifice, on peut voir les vestiges d'une superbe frise en stuc, où figurent des représentations de la Lune et du Soleil.

Figurine maya.

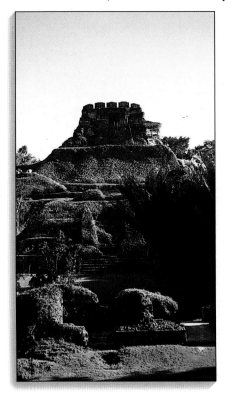

*El Castillo,
à Xunantunich.*

souverains mayas et de leurs sujets. À l'entrée du site, un musée abrite une collection d'objets de céramique ou de jade, dont un beau masque en mosaïque qui devait orner la ceinture d'un dignitaire.

XUNANTUNICH

En continuant vers l'ouest en direction de la frontière avec le Guatemala, on s'arrêtera au village de **San José Succotz**, à 11 km de San Ignacio. Un bac traverse la Mopan River jusqu'à une piste qui conduit à Xunantunich. Seuls les véhicules tout-terrain peuvent emprunter cette route jusqu'au parking, situé à quelques centaines de mètres des ruines. **Xunantunich** ⓲ est une grande cité maya de l'époque classique, qui fut abandonnée vers 900, à la suite d'un violent tremblement de terre. Du haut d'**El Castillo** (40 m), on a une vue splendide sur la Mopan River Valley, la jungle du Péten et les Maya Mountains.

Cette imposante pyramide, dont la crête évoque des remparts, était autrefois ornée, près du sommet, d'une superbe frise en stuc avec mascarons, dont il ne subsiste plus qu'un fragment.

Le site abrite également les vestiges d'un jeu de balle et de plusieurs temples, rassemblés autour de trois places cérémonielles. Des objets en jade, en obsidienne, en pierre et en coquillage trouvés lors des fouilles sont présentés dans un bâtiment près de l'entrée, ainsi que des stèles ornées de bas-reliefs qui renseignent sur l'histoire de Xunantunich. On pense que cette place forte contrôlait le chemin de Tikal à la mer des Caraïbes, qui suivait la Belize River.

BENQUE VIEJO DEL CARMEN

À 3 km de San José Succotz se trouve **Benque Viejo del Carmen** ⓳, la dernière ville avant la frontière guatémaltèque. C'est une agglomération paisible, excepté les jours de

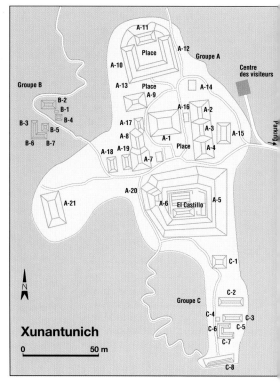

Xunantunich

0 50 m

fêtes, quand la foule envahit les rues. La ville est devenue, sous l'impulsion d'une famille d'Espagnols expatriés, les Durán, le pôle de ralliement de la communauté artistique du Belize : ils y ont installé Cubola et Stonetree Records, respectivement le plus grand éditeur et le plus grand producteur musical du pays.

DE BELMOPAN À DANGRIGA

Belmopan ⓴, capitale du Belize depuis 1971 (après la destruction de Belize City par l'ouragan Hattie), se trouve à l'intersection de la Western Highway et de la Hummingbird Highway. Elle occupe également le centre géographique du pays. On a forgé son nom à partir de « Belize » et de « Mopan », l'ethnie maya majoritaire dans le pays. Le gouvernement et la communauté diplomatique s'y sont installés dans un cadre moderne qui rappelle l'architecture maya, mais la ville reste sous-peuplée (moins de cinq mille habitants), la majorité des

fonctionnaires préférant regagner Belize City après le travail. Principale attraction touristique de Belmopan, le **Department of Archaeology** abrite de nombreux trésors archéologiques découverts sur les sites mayas du Belize. Il est indispensable de prendre rendez-vous pour le visiter.

À 19 km au sud de Belmopan, sur la Hummingbird Highway, le **Blue Hole National Park ㉑** rassemble sur son territoire quelques grottes intéressantes. Si **St Herman's Cave** est ouverte au public, **Mountain Cow Cave** et **Petroglyph Cavern** ne sont accessibles que sur autorisation (se renseigner auprès du Department of Archaeology de Belmopan). Mais le principal intérêt du parc est le **Blue Hole**, magnifique piscine naturelle creusée par les sources qui dévalent des montagnes environnantes. Les eaux s'écoulent ensuite dans la terre ou vers la Sibun River. Le parc ne dispose d'aucune structure hôtelière, mais on pourra y rester une journée pour se baigner dans les

Carte
pp. 206-
207

San Ignacio, qui compte quelques hôtels bon marché, est un point de chute idéal pour découvrir la région. La rue principale, Burns Avenue, est bordée de vieilles maisons pittoresques en bois. Y est également situé le café-restaurant Evas, lieu de rendez-vous pour les excursions en canoë ou à pied.

Carte
pp. 206-
207

*L'orchidée noire,
la fleur
emblématique
du Belize.*

*Petite église
de la région
de Punta Gorda.*

eaux pures du Blue Hole ou se livrer à des observations ornithologiques.

La route traverse des paysages magnifiques, bordés par les Maya Mountains, avant de se terminer à **Dangriga** ㉒, à 80 km de Belmopan. Chef-lieu du Stann Creek District, cette ville de dix mille habitants est également la capitale de la culture garífuna. Implantée dans un site merveilleux, Dangriga pâtit d'une sale réputation en raison de la délinquance qui y règne, due en partie au commerce de la drogue. En fin d'année, une joyeuse animation y règne pourtant : le 19 novembre, le Garífuna Settlement Day commémore l'arrivée des Garífunas au Belize et, en décembre, pour les fêtes de Noël, la ville retentit du bruit des tambours et de la wanaragua, danse traditionnelle masquée et costumée.

VERS TOLEDO DISTRICT

À 9,5 km au nord de Dangriga commence la Southern Highway, qui rejoint Toledo District. En chemin, une route à gauche conduit à **Hopkins** ㉓, un village garífuna. Plus au sud, Maya Centre marque l'entrée du **Cockscomb Basin Wildlife Sanctuary** ㉔, qui protège les jaguars au cœur d'une forêt dense et peuplée de palmiers, de fougères géantes et d'orchidées.

Placencia ㉕ est située à 90 km de Dangriga, à l'extrémité de la péninsule du même nom. C'est l'un des rares endroits du Belize où l'on trouve des plages sablonneuses. L'endroit reste paisible malgré la construction de quelques hôtels luxueux.

La Southern Highway dépasse Hellgate avant de prendre la direction du sud-est, de traverser une forêt tropicale humide et d'arriver au petit port tranquille de **Punta Gorda** ㉖. Des bateaux assurent la liaison avec Puerto Barrios et Lívingston, au Guatemala. Les collines alentour abritent des villages mayas. Enfin, des excursions sont organisées vers les sites archéologiques de **Lubaantun** et d'**Uxbentun**, partiellement mis au jour.

LES GARÍFUNAS

L'histoire des Garífunas commence aux Petites Antilles. Au XVe siècle, les Indiens Caraïbes, originaires du delta de l'Orénoque, étaient en pleine conquête des îles de la région d'où ils refoulèrent peu à peu leurs prédécesseurs, les Indiens Arawaks, en massacrant les hommes et en réduisant les femmes en esclavage. Individualistes, supportant mal toute forme de contrainte, les Caraïbes formaient une société égalitaire où la valeur guerrière constituait le seul critère de prestige. Les Arawaks étaient les victimes toutes désignées des rites sacrificiels cannibales des Caraïbes.

Les flibustiers, qui hantèrent la mer des Caraïbes au XVIe siècle, eurent, face aux Améridiens, une attitude différente de celle des colons. Tandis que ces derniers s'appropriaient les terrains de chasse des indigènes, les flibustiers s'évertuèrent à entretenir de bonnes relations avec des populations qui pouvaient leur fournir des vivres et un appui précieux dans leurs expéditions.

Les Petites Antilles «cannibales» (peuplées de Caraïbes) non occupées par les Espagnols devinrent, dès le XVIe siècle, une terre d'asile pour les Noirs fuyant l'esclavage. Au XVIIe et au XVIIIe siècle, à Saint-Vincent, Sainte-Lucie, la Grenade et la Dominique, Indiens et Noirs s'allièrent pour repousser les colonisateurs. Des communautés de Caraïbes noirs, issues de métissages, se formèrent. C'est ainsi que se constitua, à Saint-Vincent, la communauté des Garífunas, ou Garínagus. En 1773, ces derniers étaient les principaux occupants de l'île. Mais leurs relations avec les Anglais se dégradèrent, les colons supportant mal la présence d'une communauté noire libre au sein de leurs exploitations esclavagistes. En 1795, les Garífunas, après plusieurs tentatives de soulèvement, lancèrent contre les Britanniques une attaque particulièrement violente, au cours de laquelle fut tué leur chef, Joseph Chatoyer. Il y eut d'autres actes de rébellion, et, en 1796, les Britanniques déportèrent près de deux mille Garífunas dans l'île de Roatan, au large de la côte nord du Honduras. Nombre d'entre eux ne survécurent pas au voyage mais, malgré les mauvais traitements, la communauté réussit à s'implanter sur son nouveau territoire. Faisant sans arrêt l'objet de persécutions, les Garífunas migrèrent à nouveau vers la côte du Honduras britannique et, dans les années 1830, un groupe important se fixa à Stann Creek.

Vingt mille Garífunas (sur 350 000) vivent au Belize. Le 19 novembre, jour commémoratif de leur arrivée, est fêté dans de nombreux villages de Stann Creek District. Parlant également l'anglais et l'espagnol, les Garífunas ont conservé leur langue – le garífuna – grâce au Garífuna Language Workshop, qui se charge de l'enseigner dans les six communautés du pays. De même, si les cérémonies traditionnelles, comme le *dugu* (invocation des esprits des ancêtres), sont toujours vivaces, la culture garífuna assimile aussi les courants plus modernes comme c'est le cas dans le domaine musical avec le punta rock. Felicia Nunez compte parmi les figures dominantes de la communauté. Cette éducatrice et assistante sociale défend la cause de son peuple lors des rencontres internationales.

LES «CAYES»

La mer des Caraïbes et ses myriades de *cayes* (îlots) constituent la principale attraction du Belize. Il faut dire que le littoral, bordé par la mangrove à l'exception de la péninsule de Placencia, n'offre pratiquement pas de plages aux visiteurs. Ces derniers se tournent vers le large et les quelque quatre cent cinquante cailloux et îles qui constellent la mer entre la côte et la barrière de corail, longue de 300 km. Plus au large, trois atolls béliziens, Turneffe Islands, Lighthouse Reef et Glovers Reef, sont un paradis pour les amoureux de la plongée sous-marine. Que ce soit pour y découvrir les fonds marins ou pour se laisser bercer par le bruit des vagues sur la plage, les *cayes* constituent donc une destination rêvée.

LA RICHESSE DES FONDS MARINS

Paradis du tourisme vert avec ses vastes étendues de forêts, le Belize dispose également du plus grand aquarium au monde : plusieurs centaines de kilomètres carrés dans la mer des Caraïbes, abrités du grand large par une barrière de corail. Au milieu des coraux, des éponges et des gorgones se cache une riche faune : poissons-perroquets, poissons-anges, poissons-écureuils, raies-aigles ou raies manta, marlins, barracudas et tortues marines...

Les rivages, calmes et clairs, sont propices à la baignade ; les fonds marins sont idéaux pour pratiquer la plongée et explorer les multitudes de tunnels et de grottes. Au large, on peut naviguer et rencontrer des troupeaux de dauphins curieux. Le long des côtes, on découvrira en kayak les lagons de la barrière de corail, aux côtés des pélicans, des aigrettes et des hérons. La pêche est aussi très prisée, et l'amateur pourra y exercer sa passion sans contrainte.

Les *cayes* et leurs plages de sable fin, à l'ombre des palmiers, attirent les voyageurs, et une riche infrastructure permet d'y séjourner dans des hôtels de luxe ou des établissements plus modestes, qui tous proposent des activités nautiques.

Les *cayes* ont d'abord été habités par des commerçants mayas, avant d'être occupés par des conquistadors espagnols et des pirates britanniques. Jusqu'à une période récente, on y trouvait essentiellement de petits villages de pêcheurs de langoustes au milieu de la mangrove, des plages et des cocotiers.

Puis, en 1972, Jacques-Yves Cousteau y tourna un magnifique documentaire qui attira les amoureux des paysages sous-marins. Lighthouse Reef's Blue Hole est devenu rapidement très populaire et de plus en plus prisé par les amateurs de plongée. Si Ambergris Caye et Caye Caulker sont devenus des pôles touristiques très fréquentés, la plupart des autres archipels sont restés des lieux tranquilles : la chaleur et l'hospitalité des habitants y sont légendaires, tout comme leur rythme de vie, calme et contemplatif.

Carte
pp. 206-207

À gauche, les eaux cristallines de la barrière de corail.

Au large du Belize, les cayes, *qui constellent la barrière de corail, attirent de nombreux touristes. C'est là qu'on trouve les plus belles plages de sable du pays, à l'ombre des cocotiers. Les eaux transparentes font le bonheur des plongeurs, tandis que, sur le rivage, les moins courageux peuvent paresser sous un ciel d'azur.*

AMBERGRIS CAYE

Les adeptes du bronzage apprécieront les lois béliziennes, qui stipulent que toutes les plages sont libres d'accès (ce qui n'est pas le cas en Jamaïque, par exemple).

La plupart des hôtels s'inspirent de l'architecture traditionnelle des Caraïbes.

La plus grande île des *cayes*, située à l'extrême nord du Belize, est une bande de terre et de lagons de 40 km de long et de 2,5 km de large. **Ambergris Caye ㉗**, dont le nom évoque l'ambre gris qui fit la fortune des chasseurs de cachalot, est reliée géographiquement au Mexique (Yucatán), mais l'histoire a fait d'elle un territoire bélizien.

Le village de **San Pedro**, situé au sud-est de l'île, s'organise autour de quelques rues colorées aux maisons de bois sur pilotis. Quelque trois mille *mestizos* hispanophones y résident, mais l'anglais y est parlé couramment. Les trois rues principales, Barrier Reef Drive, Pescador Drive et Angel Coral Street, sont plus connues localement sous leur ancien nom de Front Street, Middle Street et Back Street. L'arrivée des bateaux et des avions en provenance de Belize City se fait pratiquement au centre du village et la plupart des

infrastructures touristiques se trouvent à quelques minutes de marche seulement. Pour rejoindre les hôtels situés à l'extérieur de la ville, un bateau-taxi se chargera de transporter visiteurs et bagages.

Sur la place centrale, Island Plaza, l'**Ambergris Museum** présente une collection d'objets anciens locaux, en particulier un ensemble d'outils en corne de cerf réalisés avant l'interdiction de chasser cet animal, dans les années 1960.

Pour explorer l'île, on peut louer de petites voitures électriques, des bicyclettes ou des chevaux. Une randonnée en kayak de mer permettra de découvrir les beautés de la côte, et les passionnés de sport nautique pourront louer, auprès des hôtels et des boutiques de l'île, du matériel pour faire du surf, du ski nautique, de la pêche, de la plongée... Dans la lagune de San Pedro, on pourra observer des flamants roses, des hérons, des aigrettes, des pélicans et des frégates. Les plus belles plages

d'Ambergris se trouvent au sud de San Pedro : il suffit de longer la côte et de s'arrêter où l'on veut. Pour ceux qui veulent s'installer confortablement, les hôtels louent des hamacs et des chaises longues, aux habitants comme aux visiteurs.

HOL CHAN MARINE RESERVE

La principale attraction d'Ambergris est sa barrière de corail. San Pedro dispose d'un excellent service de location de bateaux à moteur pour s'y rendre. Si les meilleurs spots de plongée sont situés à l'extérieur de l'atoll, on trouve quelques sites intéressants à proximité de l'île, implantés pour la plupart au sud, dans une zone appelée Hol Chan (« petit canal » en maya). D'une superficie de 13 km², **Hol Chan Marine Reserve** ❷⑧ a été fondée en 1987. C'est la première réserve marine implantée en Amérique centrale. Elle s'articule autour d'une faille de 9 m de profondeur, dont les parois regorgent de grottes et de sources d'eau douce qui attirent une faune très variée. La plus impressionnante est la **Boca Ciega** (« bouche aveugle » en espagnol), où l'on peut nager au milieu des poissons-perroquets, des poissons-anges noirs, des poissons-limes… Une foisonnante forêt de gorgones (ou éventails-de-mer) tapisse les fonds marins des récifs coralliens.

Hol Chan attire aussi bien les néophytes que les plongeurs confirmés. Des bateaux à fond de verre offrent également l'occasion à tous d'observer les profondeurs sans se mouiller. Des transports quotidiens sont organisés depuis San Pedro par la plupart des tour-opérateurs, en bateau à moteur ou en voilier. Les bateaux ne partant que lorsqu'ils sont pleins, il faut parfois s'armer d'un peu de patience. Les plus expérimentés préféreront sans doute louer des kayaks pour explorer l'île et la barrière de corail à leur rythme.

Au large de Hol Chan, **Shark Ray Alley** abrite dans ses eaux transparentes des requins-nourrices et des raies à longue queue, qui se laissent facilement approcher.

CAYE CAULKER

À trois quarts d'heure en bateau de Belize City, **Caye Caulker** ❷⑨ est plus petite qu'Ambergris, mesurant 6,5 km de long et 600 m de large. L'île est coupée en deux par un canal appelé **The Cut**, que creusèrent les vents hyper-violents de l'ouragan Hattie, en 1961. L'île compte sept cent cinquante habitants, qui vivent en majorité dans la partie sud. Son unique village, autrefois peuplé de pêcheurs de conques et de langoustes, s'est considérablement développé grâce au tourisme, mais il conserve une agréable ambiance caraïbe, faite de calme et de nonchalance. L'hébergement, plus simple qu'à Ambergris, est très abordable. La plupart des restaurants, bars et hôtels ont été aménagés au milieu des cocotiers, face à la mer. Les autochtones continuent de désigner

Le toucan, l'oiseau national du Belize, affectionne la cime des grands arbres.

Observation d'oiseaux à Man O'War Caye.

Carte pp. 206-207

La mangrove, association végétale halophile qui forme un cordon impénétrable, offre aux îlots de la mer des Caraïbes une protection contre les ouragans et l'érosion. Au pied des palétuviers vivent des poissons colorés. À leur cime retentit à toute heure le chant des oiseaux. On dénombre plus de cinq cents espèces avicoles pour le seul Bélize.

*Observation
de squales.*

*Voiliers au large
d'Ambergris Caye.*

leur village du nom de Hicaco, mot espagnol que les pirates britanniques ont déformé en Caulker. La rue principale, Front Street, est très animée, avec ses bars et ses boutiques où s'arrêtent immanquablement les visiteurs. Le front de mer est tout proche de la barrière de corail, mais l'île ne jouit d'aucune plage. Le Cut, au bord duquel on pourra trouver un coin de sable où s'étendre ainsi qu'une jetée, est le seul endroit où l'on puisse nager, à condition d'être expérimenté, car ses courants sont puissants et les nombreux bateaux qui l'empruntent représentent un réel danger pour les baigneurs.

L'île est le point de départ idéal pour des excursions dans la barrière de corail. On y trouvera, comme sur Ambergris, des organismes spécialisés dans les activités nautiques et la découverte des fonds marins. Sur Front Sreet, le photographe Jim Beveridge organise des expositions sur la faune et la flore marines, ainsi que des spectacles à caractère sportif. Au large de l'îlot, le **Shark Ray Village** donne l'occasion d'admirer d'inoffensifs requins-nourrices, des raies à longue queue et de gracieuses raies-aigles. À proximité, le **Coral Garden** offre un spectacle féerique de coraux, de gorgones, d'éponges et d'algues calcaires, au milieu desquels évolue une grande variété de poissons colorés.

Au sud de Caye Caulker s'étend l'adorable îlot de **Caye Chapel** ➌, que l'on peut seulement admirer de loin puisqu'il est privé.

SAINT GEORGE'S CAYE

Situé au large de Belize City, **Saint George's Caye** ➍ fut le repaire du pirate Edward « Blackbeard » Trench. En 1798, ses eaux eurent pour cadre l'une des plus célèbres batailles de l'histoire du Belize, qui opposa les Espagnols et les Anglais et qui s'acheva par la victoire de ces derniers. Deux villages de vacances

luxueux ont été construits sur l'île, dont l'accès est réservé aux clients de ces établissements.

GOFF'S CAYE

Également accessible de Belize City, **Goff's Caye ㉜** est une petite île de sable et de cocotiers perchée sur une arête de la barrière de corail. Tout comme autour de ses voisines Gallows Caye, Sergeant's Caye ou English Caye, on y pratique la pêche et la plongée dans des eaux cristallines. Un peu plus au nord, **Spanish Lookout Caye**, dont le nom rappelle qu'elle servait de base stratégique aux *Baymen* qui espionnaient les galions espagnols, accueille aujourd'hui les plongeurs, amateurs ou confirmés.

TURNEFFE ISLANDS

Au-delà de la barrière de corail, les atolls offrent les plus beaux spots de plongée du pays. **Turneffe Islands ㉝**, le plus grand des trois atolls que compte le Belize, est accessible en bateau au départ de Belize City (la traversée dure une heure et demie). On y dénombre près de deux cents îlots encerclant trois lagons turquoise. Au début du XXᵉ siècle, de petits groupes de colons s'y établirent afin de faire le commerce des éponges et des noix de coco, mais les ouragans les en ont chassés. Aujourd'hui quelques pêcheurs y vivent encore et de rares tour-opérateurs y ont installé des infrastructures sommaires pour les amateurs de fonds marins. Le site le plus visité est **Blackbird Caye**, réputé pour son centre de recherche scientifique marine.

La pêche et la plongée sont les principales attractions de Turneffe Islands. **The Elbow** est l'un des plus beaux sites de la barrière de corail. Ses eaux poissonneuses regorgent de raies, mais les courants les rendent assez dangereuses. Sur le côté occidental de Turneffe, la barrière

Carte pp. 206-207

Mata Chica Resort à San Pedro, sur Ambergris Caye.

Des colonies de hérons bleus ont élu domicile dans la mangrove.

Le cimetière de San Pedro fait face à la mer.

de corail, très large, descend en pente douce vers les profondeurs. C'est le lieu idéal pour la plongée au tuba.

LIGHTHOUSE REEF

Lighthouse Reef ③ (le « récif du phare ») se trouve à 80 km d'Ambergris Caye et à 100 km de Belize City. On peut s'y rendre en bateau ou en avion au départ de ces deux sites, Lighthouse étant équipé d'un petit aérodrome privé. Des excursions à la journée sont organisées de San Pedro et Caulker Caye. Il est même possible d'y séjourner deux jours et de louer sur place du matériel de pêche et de plongée.

Au centre de l'atoll, le **Blue Hole** est l'un des plus beaux sites du Belize. Ce monument naturel classé et protégé forme un vaste cercle bleu cobalt bordé d'eaux claires. Ce trou de plus de 120 m de profondeur est la conséquence de l'effondrement d'une grotte sous-marine il y a

quelque douze mille ans. Filmé en 1972 par Jacques-Yves Cousteau, le Blue Hole est devenu l'un des sites de plongée les plus célèbres du monde. La vie marine y est rare, mais les formations géologiques et les coraux y sont spectaculaires.

Sandbore Caye, tout près du Blue Hole, se repère grâce à son phare. Les eaux y sont particulièrement traîtresses pour la navigation, comme l'attestent les nombreuses épaves échouées dans les profondeurs. Le navire espagnol *Juan Bautista*, qui coula en 1822 près de Sandbore Caye, aurait été englouti avec sa cargaison d'or et d'argent. Personne n'a encore pu le retrouver !

HALF MOON CAYE

Créée en 1982, **Half Moon Caye Natural Monument Reservation ③** est la première réserve naturelle du Belize. Elle abrite une centaine d'espèces d'oiseaux, dont des colonies de fous à pieds rouges et de frégates

superbes. Des groupes de tortues
viennent pondre sur les plages.

Les eaux du Half Moon Caye
(« îlot de la demi-lune ») regorgent
de poissons et de coraux. Très transparente, la mer fait ici le bonheur
des plongeurs. Les fonds marins
abritent un pic de corail situé à 9 m
de profondeur et sont troués de
grottes et de tunnels. La Belize
Audubon Society, à Belize City, possède une documentation abondante
sur les richesses naturelles de cette
réserve.

GLOVERS REEF

Au sud de Lighthouse Reef, Glovers
Reef (accessible en bateau de Dangriga) doit son nom au pirate John
Glover qui y avait installé ses quartiers. Cet atoll, devenu une réserve
protégée, possède de très bons spots
de plongée et de pêche. Les eaux
peu profondes d'Emerald Forest
Reef sont parfaites pour les débu-
tants, tandis que celles de Southwest
Caye et Long Caye disposent d'excellents murs de plongée. Les établissements de Glovers Reef proposent des tarifs très intéressants pour
les séjours prolongés.

TOBACCO CAYE

Au large de Dangriga, de nombreux
îlots s'ouvrent progressivement au
tourisme. **Tobacco Caye** ㊱, la plus
grande des îles de Tobacco Range,
permet de se faire une idée de ce
qu'était Caulker Caye ou Ambergris
il y a quelques années. Habités par
quelques familles de pêcheurs et
de commerçants qui y installèrent
des comptoirs maritimes, les îlots de
Tobacco Range ont conservé tout
leur charme. Les structures d'accueil
de Tobacco Caye, tenues par des
pêcheurs, sont d'un confort sommaire. On peut aussi y camper. Les
prix peu élevés, en comparaison de
ceux pratiqués dans Caulker Caye et
Ambergris Caye, attirent les voyageurs à petit budget, qui ne s'atten-

Carte
pp. 206-
207

*Plongeurs
à Tobacco
Caye.*

Carte
pp. 206-
207

Le kayak de mer est idéal pour longer les côtes des cayes.

À droite, Laughing Bird Caye National Park, au large de Placencia.

dent pas à un hébergement luxueux. On pourra s'adresser à des guides, réputés pour leur compétence.

SOUTH WATER CAYE

Tout près de Tobacco Range se tient l'île déserte de **South Water Caye ❸**, que prisent les amateurs de pêche et de plongée. Située exactement sur la barrière de corail, elle accueille un centre international de recherche marine, sous le patronage de l'organisation britannique Coral Caye Conservation Ltd, qui recrute des volontaires pour participer aux études sur l'environnement marin.

CARRIE BOW CAYE

Au sud de South Water Caye, **Carrie Bow Caye** accueille également une station de recherche marine dirigée par le Smithsonian Institute de Washington. Cette institution a entrepris, entre autres recherches, des études pointues sur la fragilisa-

tion de la barrière de corail dans les zones de plantations d'agrumes et de bananes, les régions touristiques et les secteurs de pêche intensive.

D'une superficie d'à peine 0,5 ha, Carrie Bow a vu sa surface se réduire au fil des ans sous l'action des orages et la disparition de la mangrove. Autour de cet îlot, la barrière de corail est idéale pour pratiquer la plongée au tuba. Le Pelican Beach Hotel, à Dangriga, organise régulièrement des excursions vers South Water Caye et Carrie Bow Caye.

LES «CAYES» DU SUD

Moins fréquentées que les grandes îles du Nord, les *cayes* du Sud sont idéales pour les voyageurs en quête de calme. Les activités touristiques y sont encore très limitées et l'hébergement assez sommaire. Seule exception, **Laughing Bird Caye ❸** («île de l'oiseau rieur») est une destination très prisée par les Béliziens. Les excursions à la journée organisées au départ de Placencia avaient fini par dénaturer le site. C'est pourquoi l'île a reçu le statut de parc naturel. Les goélands, qui avaient déserté l'endroit dans les années 1980, sont revenus. Ils se partagent l'île avec les hérons verts et les pélicans. Mais la protection de leur environnement reste problématique tant l'afflux des visiteurs est grand.

Dans les alentours, **Colson Caye**, **Silk Caye**, **Bugle Caye** et **Lark Caye** sont de très beaux endroits peu fréquentés. On peut dormir à **Ranguana Caye**, qui propose quelques commodités et des locations de kayaks de mer, ainsi qu'à **Wippari Caye** et à **Little Water Caye**.

Encore plus au sud, au large de Punta Gorda, s'étend **Sapodilla Caye**, surtout connue des pêcheurs, des scientifiques et des vacanciers guatémaltèques. **Nicholas Caye** et **Lime Caye** proposent un hébergement sommaire. Quant à **Wild Cane Caye**, en face de Punta Gorda, elle est un ancien site cérémoniel maya qui fait l'objet de fouilles.

Les eaux transparentes de la barrière de corail constituent un aquarium tropical géant, peuplé de nombreux habitants. Sur les fonds vivent les étoiles de mer, les conques, les oursins, les crevettes ou les crabes tandis que des poissons colorés se cachent dans les massifs de corail et les fines dentelles des gorgones.

LA PÉNINSULE DU YUCATÁN

En raison de sa géographie particulière et d'une identité culturelle forte, le Yucatán a toujours été très indépendant du reste du Mexique ; les trois États qui le composent – le Campeche, le Yucatán et le Quintana Roo – s'étendent sur des plateaux calcaires s'élevant à quelques mètres seulement au-dessus du niveau de la mer. De la forêt humide du Petén, au sud du Yucatán, on passe à la forêt sèche à feuilles caduques, puis à la brousse épineuse vers le nord. La table calcaire karstifiée est trouée de dépressions circulaires connues sous le nom de *cenotes*. Ces avens à ciel ouvert retiennent l'eau de pluie tombée de mai à octobre et alimentent la population durant la saison sèche. C'est autour des *cenotes* que les Mayas ont implanté leurs cités. Associés au culte du dieu Chac, divinité de la pluie, nombre de *cenotes* ont été des lieux de culte, comme l'attestent les campagnes de fouilles, qui ont livré des offrandes et des squelettes de sacrifiés. Dans la région de Chenes, au centre de la péninsule, l'eau était conservée pendant la saison sèche dans des *chultunes*, citernes souterraines creusées par les hommes.

La péninsule offre une architecture variée, des toits de chaume de la hutte yucatèque traditionnelle aux vastes haciendas, demeure des propriétaires terriens, en passant par les couvents et les monastères de la période coloniale. La culture de l'agave a constitué pendant près de deux siècles la principale ressource de l'altiplano mexicain. Utilisée à l'époque précolombienne pour tisser des vêtements, la fibre qui en était extraite servit, à partir du XIXe siècle, à fabriquer des cordages. Cette industrie prit fin avec l'apparition de produits synthétiques, provoquant l'abandon de nombreuses haciendas.

Aujourd'hui, l'économie du Yucatán est essentiellement fondée sur l'exploitation des puits de pétrole, concentrée dans le sud du Campeche, et le tourisme, qui se développe surtout sur la côte Caraïbe et

Pages précédentes : chacmool à Cancún (cette sculpture en ronde bosse représente un homme à demi couché qui tient un récipient ou un plateau à offrandes) ; les rives de Cancún, au nord de la péninsule, sont bordées de grands complexes hôteliers. À gauche, les ruines mayas de Chichén Itzá sont parmi les plus belles du Yucatán.

les alentours des plus grands sites mayas. Cancún, sur la côte est du Yucatán, sacrifie au culte du soleil et de la plage. Cette ville-champignon construite en quelques années pour pallier les insuffisances d'Acapulco, sur la côte Pacifique, attire chaque année près de deux millions de visiteurs. Cité du luxe et de la consommation, elle est souvent vivement critiquée, mais sa création, en donnant naissance à un aéroport international, a permis de désenclaver le nord du Yucatán et a rendu plus facilement accessibles certains des plus beaux sites mayas de la région, comme Uxmal, Chichén Itzá et Tulum. Cependant, la croissance ne touche qu'une partie du Yucatán, et certaines populations, comme les Indiens du Chiapas, vivent toujours dans une très grande pauvreté.

L'agriculture traditionnelle a été progressivement remplacée par la culture extensive de certaines denrées comme le piment, le poivre, la tomate et le melon, développée pour l'exportation. Le Yucatán est également un des plus importants producteurs porcins du Mexique. Enfin, le miel et les produits de la mer sont aussi une considérable source de revenus pour la région.

La barrière de corail, qui s'étend depuis le nord de la péninsule jusqu'à la baie du Honduras, est l'un des joyaux du Yucatán : on peut y admirer une faune très variée, et la plongée est un sport très pratiqué sur le littoral de la mer des Caraïbes. Dans le même temps, des réserves ont été mises en place pour protéger un environnement aussi précieux que fragile.

La forêt tropicale a également fait l'objet de mesures de protection, devenues indispensables à cause du développement anarchique de l'agriculture et de l'exploitation des bois précieux. Dans les zones préservées, on peut observer une faune d'une riche diversité : couguars, jaguars, chats sauvages, coatis mundis, tatous, opossums ou singes-araignées. Dans la biosphère de Sian Ka'an, des associations travaillent en partenariat avec le World Wildlife Fund pour mettre sur pied une exploitation agricole harmonieuse : rotation des cultures, limitation de l'industrie de la pêche, développement des systèmes d'irrigation pour rendre plus fertiles les terres existantes sans empiéter davantage sur la forêt.

À droite, la surface calme et bleue de la mer des Caraïbes contraste avec le vert de la forêt tropicale, que sépare un mince cordon de sable.

LES MAYAS DU YUCATÁN

Les premiers sites mayas du Yucatán semblent avoir été occupés après ceux du Guatemala et des autres régions du sud du Mexique. En effet, la péninsule calcaire, pauvre en sources d'eau douce, était moins propice au développement de communautés villageoises. À l'origine, les Mayas s'installèrent autour des *cenotes* (dépressions à ciel ouvert retenant l'eau de pluie). Des céramiques ont été découvertes dans la grotte de Loltún, au centre de la péninsule, attestant une occupation humaine dès la fin de la période glaciaire.

LES ORIGINES

Des zones d'habitat dispersé ont été localisées près des côtes du Yucatán, d'où furent vraisemblablement organisés les échanges commerciaux et culturels avec la zone caraïbe et le reste de la péninsule jusqu'au Honduras. Comme de nombreuses civilisations d'Amérique centrale, les Mayas ont été profondément influencés par la culture olmèque, active dans tout l'isthme du Mexique entre 1200 et 400 av. J.-C. Leurs imposantes cités au cœur d'une région isolée ont longtemps fait penser aux explorateurs des XVIIIe et XIXe siècles que les Mayas avaient été en contact avec les civilisations anciennes du Moyen-Orient (Égypte, Syrie et même Grèce). On a aussi vu en eux les habitants de la mythique Atlantide, île fabuleuse qui aurait été engloutie à la suite d'un cataclysme. Les Mayas ont focalisé l'attention des premiers américanistes et leur société a longtemps servi de référence dans l'étude des autres civilisations précolombiennes.

Aujourd'hui, on comprend mieux comment cette culture a évolué au fil des siècles. À l'instar des Olmèques, la société maya était originellement constituée d'une multitude de petites communautés agricoles, qui progressivement se sont rassemblées en structures fortement hiérarchisées, régies par des dynasties de suzerains et constituées autour de centres cérémoniels. Les besoins en eau ont encouragé la construction de systèmes d'irrigation élaborés et le développement de l'agriculture en ter-

Pages précédentes : détail de la fresque du palais du Gouverneur, à Mérida, par Fernando Castro Pacheco. À gauche, les femmes mayas du Yucatán portent des robes ornées de broderies multicolores ; à droite, jeune apprenti cow-boy du Yucatán.

rasses. Les cultivateurs mayas faisaient pousser du maïs et des légumes (courges, haricots, piments, tomates) ainsi que du coton, qu'ils commercialisaient. Ils recueillaient aussi le miel. Enfin, le sel, exploité dans le nord de la péninsule, servait au négoce du jade et de l'obsidienne.

UXMAL

Au Yucatán, la culture maya s'est développée autour de quelques grands pôles : la rivière Bec, au sud de la péninsule ; les contreforts des montagnes Puuc, au centre ; enfin, quelques sites isolés mais approvisionnés en eau de

pluie grâce aux *cenotes*, comme Chichén Itzá ou Dzibilchaltún. Jusque vers 800, le nord du Yucatán reste peu peuplé et sans villes importantes. Au XIe siècle, la situation évolue, et on assiste à la naissance, puis au développement des cités puuc, comme Labná, Sayil et Kabah. Mais le principal centre de la période classique fut Uxmal, qui domina toute la région puuc entre le VIIe et le Xe siècle. Habité dès le préclassique (vers 800 av. J.-C.), Uxmal a connu une occupation continue jusqu'au milieu du XVe siècle, contrairement à de nombreuses cités mayas qui furent abandonnées au IXe siècle. Il se caractérise par ses *chultunes*, vastes citernes souterraines creusées de main d'homme et destinées à recueillir les eaux de pluie. Ces aménagements, très rares au Yucatán, sont typiques de la région puuc, où il n'existe aucun cours d'eau en surface. Dans le reste du monde maya, la plupart des centres cérémoniels ont été édifiés à proximité de *cenotes*.

La fondation d'Uxmal a été longtemps attribuée à la dynastie Xiu, mais on sait aujourd'hui que ces souverains n'ont occupé le site qu'à partir du XIᵉ siècle pour l'abandonner peu après l'arrivée des Espagnols.

Une floraison de styles

Le style puuc se reconnaît à certaines caractéristiques techniques, comme la maçonnerie en

en mosaïque et par ses masques du dieu de la Pluie, Chac, très important dans cette région privée d'eau plusieurs mois par an. L'austérité des lignes des édifices, héritée du Plateau central mexicain, est compensée par l'exubérance typiquement maya des décors de pierre qui couvrent les façades.

Les plus belles illustrations du style puuc à Uxmal se retrouvent dans le palais du Gouverneur, dont le décor en mosaïque de la façade a nécessité quelque vingt mille éléments sculptés, et dans le quadrilatère des Nonnes, orné d'un ensemble complexe de masques, de dignitaires et de guerriers, le tout encadré de motifs géométriques et de serpents. Les frises

parement, mais aussi à ses façades en mosaïque de pierre sculptée, qui ressemblent parfois à de véritables dentelles. Le matériau ainsi travaillé accroche la lumière et prend un relief sans équivalent en Méso-Amérique.

Le portail zoomorphe, affectant la forme d'une gueule de jaguar béante, est un autre trait spectaculaire de la culture yucatèque, avec les mascarons à l'image d'un dieu (sur le flanc des escaliers, en fronton, en corniche...) et l'apparition du pilastre, pilier engagé à fonction exclusivement décorative.

L'architecture d'Uxmal, témoignant de la richesse économique et politique de la cité, se caractérise par la richesse ornementale de la partie supérieure de ses édifices, par ses décors

rappellent le style des tissages yucatèques. Uxmal compte une quinzaine d'édifices ou de groupes architecturaux répartis sur 60 ha. Tous n'ont pas encore été fouillés, mais on a pu relever cinq styles différents, des grandes époques de la culture maya.

Un réseau de routes

Autre particularité de la culture maya yucatèque, les *sacbeob* (*sacbe* au singulier) sont un réseau de voies de communication rectilignes qui, à l'exemple des voies romaines, reliaient entre elles les cités mayas de la péninsule. Construites en remblai de calcaire, parfois recouvertes de dalles, ces chaussées permettaient de franchir des lagunes peu profondes et des marécages. Parmi les plus impressionnants, citons le *sacbe* de près de 100 km de long qui conduit de Cobá à Yaxuná, dans le nord du Yucatán. Celui qui relie Uxmal à Nohpat, puis à Kabah, est orné, à l'entrée de cette dernière cité, d'une arche volumineuse datant de la période classique.

LA CHUTE DES CITÉS PUUC

À la fin du IXᵉ siècle, Uxmal était au cœur du puissant empire de la région puuc. Il semble pourtant que la trop grande densité de population de certaines cités et le risque de grandes

« le puits des Itzá », en référence aux *cenotes* présents sur le site). Au Xᵉ siècle, un groupe putún (des Mayas « mexicanisés » établis sur la côte du Golfe), aidé sans doute de guerriers toltèques, établit une nouvelle capitale à Chichén Itzá, où était vénéré le dieu Quetzalcóatl, le serpent à plumes (Kukulkán en maya). Apparue en Méso-Amérique au IIᵉ millénaire av. J.-C., cette divinité fut magnifiée par les Toltèques, qui en firent le fondateur de leur lignée.

La cité commença à décliner au XIIIᵉ siècle, mais resta habitée jusqu'à la Conquête. Elle était encore si imposante que les Espagnols, à leur arrivée, songèrent à y installer leur capi-

famines après plusieurs mauvaises années de récolte sont à l'origine de l'effondrement de cette civilisation. Source de conflits multiples, le morcellement politique du monde maya en plusieurs cités-États a sans doute joué aussi un rôle dans le déclin de la culture puuc. Les mouvements de population provoqués par cette instabilité se sont faits au profit de cités plus petites, placées sous la juridiction de Chichén Itzá.

Cette ancienne petite ville puuc fut fondée vers le VIᵉ siècle par un groupe maya, les Itzá, qui donnèrent leur nom au site (littéralement

À gauche, maison indienne traditionnelle, près de Cozumel; ci-dessus, réalisation d'un masque en mosaïque de jade, selon la tradition maya.

tale régionale, à l'instar d'Hernán Cortés avec Tenochtitlán (actuelle Mexico).

Chichén Itzá fut aussi un haut lieu de pèlerinage maya. Le plus grand des deux *cenotes* qui ont donné leur nom à la cité servait de lieu de culte dédié au dieu de la Pluie. Contrairement à une légende tenace selon laquelle les Mayas n'y jetaient que des vierges, les fouilles ont prouvé que les sacrifices humains concernaient des individus des deux sexes et de tous âges. Les sacrifiés étaient précipités dans le *cenote* au lever du jour; s'ils étaient toujours vivants à midi, on les repêchait. Des objets précieux en cuivre ou en or ont également été retrouvés : colliers, masques, pendentifs, anneaux, perles, ornements d'oreilles... Le pèlerinage de Chichén Itzá continua d'exister après le déclin de la cité et se maintint secrètement au cours de la période coloniale. Le grand *cenote* est ainsi mentionné en 1566 dans les récits de l'évêque espagnol Diego de Landa, qui évoque les sacrifices humains et les offrandes d'objets.

Puissance et déclin de Chichén Itzá

La plupart des archéologues estiment que la ville de Chichén Itzá devait s'étendre sur plus de 100 km² et abritait quinze mille personnes environ à son apogée. Les Itzá étaient sans doute un groupe de guerriers qui contrôlaient, de leur cité, un vaste territoire s'étendant

au nord jusqu'à la côte, au sud jusqu'aux montagnes Puuc. Habiles commerçants, ils dominaient également le négoce du sel, du miel, du coton, du jade et de l'obsidienne.

La sculpture de Chichén Itzá nous renseigne sur les divinités vénérées par cette dynastie. Le jaguar et l'aigle étaient tous deux assimilés au culte du soleil. Les Itzá partageaient aussi de nombreux cultes avec les Toltèques, qui seraient à l'origine de la figure du *chacmool* (statue représentant un personnage masculin à moitié allongé sur le dos, jambes repliées et buste tourné vers le côté, tenant une coupe à offrande entre les mains) et des *tzompantli* (murs où l'on présentait les crânes des sacrifiées, enfilés par les tempes sur des perches

horizontales). Enfin, l'architecture et la sculpture révèlent de nombreuses représentations du serpent à plumes, figure emblématique du panthéon toltèque.

À la fin du XIIIᵉ siècle, Chichén Itzá fut presque entièrement abandonnée dans des circonstances encore mal connues. Il est probable que la chute de la domination toltèque a été provoquée par les attaques répétées de groupes de guerriers du Yucatán, en particulier du souverain de Mayapán, située au nord, sur la côte. Cette cité prit finalement la place prédominante de Chichén Itzá, mais elle n'eut qu'un pouvoir réduit. Après un siècle de règne, Mayapán déclina également, et le nord du Yucatán connut à nouveau le morcellement politique. À l'arrivée des Espagnols, au XVIᵉ siècle, les Mayas du Yucatán étaient dispersés en plusieurs royaumes distincts, dont une majorité sur la côte. Le principal centre politique, à cette époque, était sans doute Tulum, sur la côte nord-est de la péninsule. Construit sur un piton rocheux qui domine la mer des Caraïbes, c'était un important port de commerce, qui connut son apogée vers 1400, après la chute de Mayapán.

L'arrivée des Espagnols

La conquête espagnole de l'Amérique commença par Cuba et Hispaniola, d'où furent envoyées plusieurs expéditions pour coloniser le continent. Les premiers Espagnols à poser le pied au Yucatán étaient deux naufragés, survivants de l'expédition Valdivia qui tentait d'atteindre la Jamaïque. L'un d'eux, Jerónimo de Aguilar, devint l'interprète de Hernán Cortés et l'accompagna dans sa conquête du centre du Mexique. En 1517, une expédition menée par Francisco Hernández de Córdoba découvrit l'île Mujeres, près de Cozumel, puis longea la côte du Yucatán jusqu'à Champotón. Un an plus tard, Juan de Grijalva accosta à Tulum et fit en cinq mois le tour de la péninsule. En 1519, enfin, Hernán Cortés débarqua à Cozumel, puis longea la péninsule, doubla le golfe du Mexique et atteignit Veracruz. De là, il marcha vers Tenochtitlán, la capitale aztèque (actuelle Mexico). En 1527, Cortés délégua Francisco de Montejo pour explorer le Yucatán. L'ère de la colonisation et de la résistance commençait.

À gauche, femme maya de Valladolid ; à droite, le couvent d'Izamal, où des centaines de Mayas furent convertis au christianisme.

DE LA CONQUÊTE À NOS JOURS

Lorsque les Espagnols arrivèrent au Yucatán, au début du XVIᵉ siècle, les Mayas leur opposèrent une farouche résistance. Commencée en 1527, la colonisation fut affermie en 1542 avec la fondation de la ville de Mérida. Encore cette implantation restait-elle fragile.

UNE COLONISATION CHAOTIQUE

Après la Conquête, d'incessants combats furent livrés par les Espagnols contre les Mayas. Le Yucatán, trop peu peuplé pour pouvoir se défendre, fut également exposé aux pillages des pirates, à la faim et à une sécheresse périodique. Enfin, les colons, n'ayant trouvé ni or ni argent sur la péninsule, envisagèrent de partir chercher fortune ailleurs, mais un ordre royal leur commanda de rester. Ils fondèrent alors des concessions, exploitant à outrance les indigènes qu'ils y employaient.

Au début du XIXᵉ siècle, les violentes rébellions indigènes qui sévissaient depuis longtemps au Yucatán étaient le reflet d'une situation sociale explosive et d'une répartition très inégale des richesses. Au fil des siècles, en effet, les Mayas avaient été dépossédés de leur terre au profit de grands propriétaires, et la structure sociale indigène avait beaucoup pâti du fonctionnement colonial. L'émergence de la république du Mexique accentua cet état de fait : le pouvoir, désormais centralisé, évinça les représentants de l'autorité maya, et le problème de la répartition des terres s'aggrava encore par l'accroissement des biens de quelques privilégiés.

En 1821, la proclamation de l'indépendance du Mexique fut suivie de celle du Yucatán, du Chiapas et du Guatemala, qui tentèrent alors de rejoindre la fédération des pays d'Amérique centrale. Géographiquement et culturellement, le Guatemala était très proche du Chiapas et du Yucatán, et les politiciens yucatèques espéraient, par le biais de la fédération, faire de la péninsule une province indépendante. En 1841, le Yucatán se sépara politiquement du Mexique, mais la tension restait forte.

Pages précédentes : une vue d'Uxmal au XIXᵉ siècle, par Frederick Catherwood. À gauche, détail de la fresque du palais du Gouverneur à Mérida ; à droite, la Casa de Montejo, à Mérida, fut construite par une famille de conquistadores du XVIᵉ siècle.

LA GUERRE DES CASTES

Le conflit éclata en 1847, opposant les Mayas aux Ladinos, d'origine européenne. Les Blancs du Yucatán étaient très fortunés, contrairement aux indigènes. Tout commença dans la région de Valladolid, considérée comme l'un des bastions de l'exploitation des Mayas et des *mestizos* : cette frange de la population avait été mise au ban de la société et s'était vu confier les travaux les plus durs. L'assassinat par les Blancs de Manuel Antonio Ay, leader maya accusé de fomenter une rébellion, mit le feu aux poudres et provoqua une tuerie dans la petite ville de Tepich.

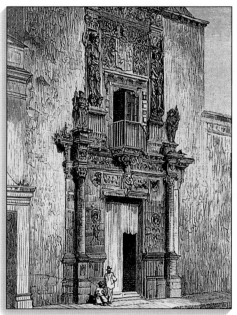

L'insurrection maya se répandit comme une traînée de poudre et donna lieu à de nombreux massacres qui durèrent plusieurs mois. Armés par les colons anglais du Belize, les Mayas reconquirent 90 % de leur territoire ancestral et établirent leurs avant-postes à 8 km de Campeche et à 24 km de Mérida. Mais quand revint la saison des pluies, les Mayas, qui étaient un peuple de paysans et non de soldats, se remirent au travail pour ensemencer en temps voulu. Mettant à profit la trêve agricole, les Blancs appelèrent en renfort les Mexicains. De Cuba arrivèrent fusils, artillerie et poudre à canon. Le gouvernement mexicain envoya des hommes, et mille mercenaires américains, appâtés par les promesses de terre et d'argent, vinrent prendre part aux combats. En contrepartie, le gouvernement yucatèque s'engageait à reconnaître l'autorité du Mexique, auquel la péninsule fut rattachée en 1848. Les Mexicains décidèrent cependant de donner aux Indiens une leçon définitive et d'exercer une vengeance impitoyable. Traqués, ces derniers se concentrèrent autour de Chan Santa Cruz, où ils fondèrent le culte de la Sainte-Croix Parlante. Fanatisés par l'oracle qui leur promettait la victoire, ils résistèrent avec vigueur et repoussèrent leurs adversaires pendant plusieurs années. Mais à la fin du siècle, affaiblis par les épidémies et privés d'armes, les Indiens devin-

un gouvernement maya jusqu'en 1974, date à laquelle il fut rattaché au Mexique.

En 1850, un *mestizo* du nom de José María Barera prétendit avoir découvert une incarnation de la divinité arbre, représentée sous la forme d'une croix, et qui se serait adressée au peuple maya. Cette « croix parlante », ainsi que trois autres croix apparues par la suite et identifiées comme « filles » de la première, gagnèrent des milliers de Mayas à la cause rebelle et entretinrent la révolte pendant plusieurs générations. En effet, le culte de la « croix parlante » est une pratique religieuse maya très ancienne, ce qui explique pourquoi il a pu resurgir à un moment où toute la cul-

rent une proie facile pour les troupes fédérales. En 1901, celles-ci occupèrent Chan Santa Cruz, évacuée par les Mayas. Toute la province fut touchée et la population du Yucatán chuta en cinq ans de cinq cent mille à trois cent mille âmes. Ainsi, après un demi-siècle d'indépendance, la terre des Mayas devint un territoire fédéral sous contrôle militaire.

UNE ZONE MAYA

Un territoire fut cependant concédé aux rebelles, dans l'actuel État du Quintana Roo, au sud du Yucatán, où ils fondèrent une ville, Chan Santa Cruz. Cet État fut administré par

ture maya était menacée, du fait de la répression sanglante menée à l'encontre des Indiens insurgés.

L'EXPANSION ÉCONOMIQUE

En dépit de nombreux troubles, la seconde partie du XIXᵉ siècle fut marquée par un développement économique sans précédent grâce à l'exploitation de l'agave. Des feuilles de cette plante, les Mayas tiraient une fibre, l'*ixtle*, qu'ils tissaient pour faire des vêtements. Mais au XIXᵉ siècle, ce matériau très solide commença d'être employé pour fabriquer des cordages. La demande était très importante en Europe et aux États-Unis, et les propriétaires terriens surent tirer parti de cette manne. Au tournant du siècle, nombrent d'entre eux s'enrichirent très rapidement et des villes comme Mérida témoignent de ce fabuleux développement : la plupart des hôtels particuliers de la ville datent de cette période et le chemin de fer commença de relier les plus grandes métropoles. L'heure du progrès avait sonné.

ESCLAVAGE ET RÉVOLUTION

Dans le même temps, dans les plantations d'agave, les Mayas travaillaient dans des conditions très dures. Les ouvriers étaient

la modernisation des voies de communication. La dictature de Díaz soutenait également la formation de grands domaines, au détriment des Indiens notamment : quelques dizaines de familles d'origine européenne se partageaient 90 % des terres. En outre, toute l'agriculture vivrière fut sacrifiée au profit de la culture de rapport (bétail, coton, café...). La majorité des habitants, ruraux et citadins confondus, réussissait à peine à survivre et on dut même importer du maïs.

En 1911, Francisco Madero renversa Díaz. Cet homme riche et cultivé, soucieux de justice sociale, voulait faire du Mexique une démocratie. Mais la lenteur des réformes

sous-payés (exclusivement en bons d'achat) et dépendaient totalement de leurs patrons, qui possédaient, outre les plantations d'agave, tous les magasins d'alimentation, ainsi que les cabanes vétustes où logeaient leurs employés.

Au Yucatán comme dans tout le Mexique, la situation était explosive. Depuis 1877, le pays était dirigé d'une main de fer par le général Porfírio Díaz, qui commença son règne en réprimant tous les soulèvements indiens. La politique économique du Mexique était alors fondée sur l'afflux de capitaux étrangers et sur

À gauche, de nombreuses églises coloniales furent fortifiées pendant la guerre des Castes ; ci-dessus, vue de la Plaza d'Izamal au XIXe siècle.

engagées et la résistance des partisans de l'ancien régime provoquèrent de nouvelles révoltes. Au sud, Emiliano Zapata leva une armée d'Indiens et de *mestizos* pauvres pour engager de force une réforme agraire. Dans le Yucatán, Valladolid fut le point de départ d'un soulèvement de paysans qui réclamaient une plus juste répartition des terres.

DES ÉBAUCHES DE RÉFORME

Après la chute de Madero, en 1913, puis le bref intermède du gouvernement du général Huerta, soutenu par les États-Unis, le président Venustiano Caranza élabora en 1915 un début de réforme agraire. Il désigna un gouverneur, Toribio de Los Santos, qui tenta d'éliminer les travaux forcés et de taxer les grands propriétaires. Ces volontés gouvernementales incitèrent les indépendantistes yucatèques à renforcer leur lutte : ces derniers rejetèrent l'autorité du gouverneur fédéral, déclarèrent le Yucatán État souverain et mandatèrent des représentants auprès des États-Unis afin que ceux-ci placent le Yucatán sous leur protection.

En mars 1915, l'armée fédérale conduite par le général Salvador Alvarado repoussa les troupes indépendantistes, qui furent placées sous le contrôle du gouvernement mexicain. Alvarado s'employa aussi à pacifier la région

en fédérant les groupes révolutionnaires locaux en une organisation centralisée. Il encouragea la formation d'un syndicat à Mérida. Une centaine d'écoles furent créées dans tout le Yucatán. On y enseignait l'espagnol et on y promouvait l'idée de nation mexicaine. Si la nouvelle constitution votée en 1917 était assez progressiste par certains de ses articles, en particulier ceux qui concernaient la classe ouvrière (journée de travail de huit heures, indemnités en cas d'accident, droit de grève) ou ceux qui rendaient inaliénables les *ejidos* (propriétés agricoles collectives), elle ne reconnaissait pas de droits aux Indiens, qui restaient toujours les parias du système politique.

En 1918, Alvarado fut remplacé par le socialiste Felipe Carrillo Puerto, qui poursuivit la réforme entreprise par son prédécesseur. En 1923, une branche de la gauche révolutionnaire gouvernementale remporta les élections dans le Yucatán. Dirigé par Puerto, l'État yucatèque accorda le droit de vote aux femmes. Des écoles furent aménagées en zone rurale pour l'alphabétisation des villages mayas les plus reculés et des programmes de contrôle des naissances furent élaborés. Puerto mourut assassiné par des propriétaires terriens en 1924, et les tentatives de réformes en faveur des Mayas prirent brutalement fin.

Les années 1930

C'est seulement à la fin des années 1930, sous le gouvernement réformiste de Lázaro Cárdenas, que furent engagées de nouvelles réformes pour instaurer plus de justice sociale. Le nouveau président encouragea les *ejidos*, redistribuant 18 millions d'hectares de terre tout en évitant le démantèlement aux haciendas les mieux gérées. Dans le Yucatán, presque la moitié des plantations d'agave furent données aux paysans. Mais le marché international du sisal s'était effondré entre-temps et la réforme ne contribua que très peu à améliorer les revenus des plus défavorisés, pour la plupart des Mayas. Le Yucatán restait une des régions les plus pauvres du Mexique.

L'essor du tourisme

La situation changea radicalement dans les années 1970, le gouvernement ayant décidé de promouvoir activement le tourisme comme source de devises étrangères. Le choix porta sur le développement des plages de l'est du Yucatán et le village de Cancún, qui n'était alors qu'un petit port de pêche. Promoteurs et politiques transformèrent un site exceptionnel en un gigantesque complexe touristique. Aujourd'hui, la « Riviera maya » attire des millions de visiteurs chaque année. Les grands sites archéologiques mayas comme notamment Chichén Itzá, Uxmal et Tulum ont également fait l'objet d'importants aménagements pour être rendus plus accessibles au flot incessant des visiteurs.

Cependant, à proximité des sites touristiques et des grands hôtels à l'occidentale, de nombreux Mayas vivent dans des conditions de grande pauvreté. Dans le Yucatán, on compte près d'un demi-million de Mayas qui, pour la plupart, tirent leur survie de la culture traditionnelle du maïs, des piments et des haricots. L'analphabétisme est encore très fort dans certaines régions reculées, et la majorité des Indiens de la campagne parlent encore la langue vernaculaire.

AGRICULTURE ET INDUSTRIE

Aujourd'hui, le Yucatán produit du miel, du sel et des matériaux de construction. Au pied du versant nord de la chaîne de collines qui traverse la péninsule d'est en ouest, les limons forment des poches de terres où l'on cultive, entre Ticul et Oxkutzcab, légumes et agrumes. Sur l'ensemble du territoire, les paysans cultivent selon des techniques traditionnelles des légumes pour leur propre consommation. Dans l'Est, les pâturages de la région de Tizimín permettent l'élevage de bovins, et le long de la côte, les bateaux de Progreso et des ports voisins pêchent les variétés locales et le poulpe. Au cours des dernières années, les *maquiladoras* ont permis la création d'emplois dans la région. Ces industries terminales, comme la couture, nécessitent une main-d'œuvre importante. Les pièces coupées de vêtements sont importées des États-Unis, cousues au Yucatán, pour être ensuite exportées vers le Nord.

LE SYNCRÉTISME RELIGIEUX

Les pratiques religieuses jouent un rôle important dans la vie des communautés mayas. Le catholicisme dès le XVIe siècle et, plus récemment, les sectes évangéliques protestantes nord-américaines ont exploité cette ferveur populaire en proposant un rituel qui reprenait certains aspects des cultes mayas. Ainsi, le culte de la croix est une pratique très ancienne dans le monde maya, symbole du père de la forêt et des animaux. La croix est, pour les Yucatèques, la mesure de toute chose. Cette croix parle, et ceux qui l'entendent sont investis d'un pouvoir particulier : les paroles qu'ils rapportent concernent souvent l'avenir de la communauté. Cette pratique ancienne explique la facilité avec laquelle le symbole catholique de la croix a pénétré le monde maya.

À gauche, marchandes de fruits au XIXe siècle, d'après une photographie de Désiré Charnay ; à droite, machines à l'abandon dans une hacienda de la région de Mérida.

Les jours de fête sont répartis tout au long de l'année : liées autant au calendrier catholique qu'au rythme des saisons et des récoltes, les fêtes des communautés mayas sont l'expression d'une cohésion sociale et culturelle forte.

Néanmoins, l'accroissement démographique, la piètre qualité des sols et la perspective de revenus plus importants liés au développement touristique ont incité de nombreux jeunes Mayas du Yucatán à abandonner leur mode de vie traditionnel. Au risque que se perde ce qui avait su résister à la colonisation espagnole.

LES DIFFICULTÉS DE LA VIE MAYA

Le droit des communautés mayas à posséder et à cultiver la terre est sans cesse menacé par des projets d'exploitation forestière ou d'agriculture intensive. Le mode de vie et la culture des Mayas sont encore trop souvent niés, quand ils ne sont pas vulgairement récupérés par l'industrie touristique.

Dans l'État voisin du Chiapas, cette situation a conduit en 1994 à une révolte des paysans mayas. Regroupés autour de la figure emblématique du sous-commandant Marcos (voir p. 268), les Indiens ont pris d'assaut plusieurs villes afin de faire entendre leurs revendications.

LE MOUVEMENT ZAPATISTE

Avant le 31 décembre 1993, l'État du Chiapas était surtout connu pour les remarquables ruines mayas de Palenque et la charmante ville coloniale de San Cristobal de las Casas. Les Indiens (au nombre d'un million, le tiers de la population de la région) y vivaient pauvrement, passant inaperçus aux regards de la plupart des touristes, mexicains ou étrangers. Seuls les partis politiques, en période électorale, se souciaient de leur offrir un avenir meilleur, mais les promesses étaient vite oubliées et l'espérance de vie de cette popula-

tion y demeurait beaucoup plus réduite que dans les autres régions du Mexique.

Les Mayas du Chiapas sont les parents pauvres du système mexicain. Leur mode de vie, en petites communautés dispersées dans la montagne ou dans la forêt, comme les Lacandons (au nombre de six cents aujourd'hui), les a rendus plus vulnérables, mais aussi plus facilement ignorés des autorités politiques.

LE SOULÈVEMENT ARMÉ

Le 1er janvier 1994, le président Carlos Salinas de Gortari célébrait l'entrée du Mexique dans l'ALENA (Accord de libre-échange nord-américain), aux côtés des États-Unis et du Canada. Cet accord était censé prouver au monde entier l'entrée du Mexique dans le groupe des pays capitalistes et modernes, à égalité avec les deux géants nord-américains.

C'est ce jour que choisirent plusieurs milliers d'Indiens, membres de l'Armée zapatiste de libération nationale (EZLN), fondée en 1992, pour sortir des montagnes et des forêts du Chiapas et s'emparer d'une dizaine de villes et bourgades, dont San Cristobal. Ils proclamèrent l'indépendance de la région et élirent une nouvelle capitale, La Realidad, au cœur de la forêt des Lacandons. Leur mouvement porte le nom d'Emiliano Zapata (1879-1919), héros de la révolution mexicaine qui avait pris la tête de véritables armées de paysans contre les exactions des grands planteurs de canne à sucre soutenus par la dictature de Díaz.

Surpris par cette révolte, le gouvernement tenta de reprendre San Cristobal et de mater les rebelles, provoquant la mort de cent cinquante personnes, dont la majorité étaient des paysans. La pression de l'opinion publique internationale, alertée par la presse, contraignit le gouvernement à négocier la trêve, car il lui était délicat de réprimer trop violemment le conflit alors même qu'il tentait de faire entrer le Mexique dans le groupe des démocraties modernes. Après douze jours de combats, le président Salinas ouvrit les négociations. Autour de la table se tenaient l'ancien maire de Mexico, Manuel Camacho, représentant du gouvernement, l'évêque de San Cristobal, Samuel Ruiz, qui avait travaillé auprès des communautés indigènes pendant plus de vingt ans et qui devait remplir les fonctions de médiateur, ainsi qu'une vingtaine de paysans en habits traditionnels et cagoulés.

Mais la vedette du jour était le sous-commandant Marcos, personnage mystérieux qui dirigeait les zapatistes et qui, visiblement, était le seul à ne pas être indien. Revendiquant de n'occuper que la seconde place au sein de l'EZLN, la première revenant de droit au peuple maya, ce personnage se fit le porte-parole des Indiens, réclamant en leur nom des terres qui leur avaient été volées par des siècles d'occupation espagnole.

LES NÉGOCIATIONS DANS L'IMPASSE

Malgré la prise armée de San Cristobal, les zapatistes proclamèrent très vite qu'ils entendaient mener une révolution pacifique au sein de la « société civile » mexicaine. L'EZLN réclamait une révolution des consciences et, lorsque les premières négociations aboutirent à un certain nombre de propositions concrètes, ils en repoussèrent l'issue, arguant qu'ils entendaient aller plus loin. Les négociations reprirent au début de 1996, mais les lois d'application de l'accord qui en résulta ne virent jamais le jour et l'EZLN se retira des pourparlers.

Le gouvernement commença alors une campagne de déstabilisation de l'EZLN. En 1995, on révéla l'identité du sous-commandant Marcos : il s'agissait de Rafael Sebastian Guillén, né à Tampico en 1957, et qui était professeur d'université. Or, le gouvernement affirmait que cet homme ne pouvait que tromper les indigènes, qu'il exploitait à des fins personnelles. Semblant miser sur une stratégie de guerre larvée, il toléra, sinon encouragea, la prolifération de groupes paramilitaires anti-zapatistes.

Le conflit se trouvait dans une impasse. Les zapatistes et leurs sympathisants contrôlaient toujours quelques villages situés dans la jungle lacandone, tandis que les troupes fédérales, composées de plusieurs milliers d'hommes, ne cédaient pas. Pour continuer à faire entendre la cause des Mayas du Chiapas, l'EZLN utilisait Internet, envoyant dans le monde entier des bulletins d'informations et des lettres ouvertes, dont les longues missives du sous-commandant Marcos, retranscrites par toute la presse internationale. Les Mexicains eux-mêmes se sentirent touchés par ce conflit. Une grande réunion d'intellectuels du monde entier « pour l'humanité et contre le néolibéralisme » eut lieu dans le village de La Realidad, en présence d'observateurs internationaux.

Mais le gouvernement, ligoté dans son action militaire, continuait d'attiser le conflit. Le 22 décembre 1997, un groupe paramilitaire du nom de Red Mask (« masque rouge ») attaqua, dans le hameau d'Acteal, des sympathisants de l'EZLN, faisant quarante-cinq morts, dont quatorze enfants. La police fédérale arrêta plusieurs suspects, dont un général à la retraite qui travaillait comme conseiller pour la police du Chiapas. Mais aucune charge ne fut retenue contre les commanditaires de ces milices.

Le massacre d'Acteal fit cependant pression sur les autorités fédérales, qui mirent tout en œuvre pour résoudre le conflit. Le ministre de l'Intérieur, Ernest Chuayfett, fut limogé et remplacé par Francisco Labastida, qui assura aux zapatistes que les droits des indigènes

seraient respectés, mais l'EZLN continue de se méfier des promesses creuses.

VERS UNE RECONNAISSANCE NATIONALE

Au Chiapas, la situation reste conflictuelle. Les touristes ne doivent pas voyager dans la zone de conflit, où les militaires patrouillent tandis que les indigènes vaquent à leurs occupations quotidiennes. On décourage les prêtres, les observateurs internationaux et les volontaires de l'aide humanitaire de rester dans la région, et certains ont été expulsés pour ingérence dans la politique mexicaine. Une tentative de démantèlement des réseaux de municipalités

autonomes de l'EZLN a été mise en place, et certains leaders ont été emprisonnés. Les comités de soutien se sont peu à peu raréfiés, et Marcos, peut-être pris au piège de son personnage de révolutionnaire lettré, a disparu un temps de la scène médiatique afin de redonner aux indigènes la place qui leur revenait.

Les zapatistes utilisent toujours les moyens de communication modernes pour rappeler au monde que leur combat n'est pas terminé. En mars 2001, la fameuse marche sur Mexico a secoué tout le pays, soulevant la sympathie et le soutien de milliers de personnes, y compris dans les régions réputées conservatrices. L'EZLN a réussi à faire du thème des droits des autochtones une cause nationale.

À gauche, vue d'Izamal, village du Yucatán, au XIXᵉ siècle ; à droite, figurines zapatistes portant la célèbre cagoule du sous-commandant Marcos.

LA CÔTE DU YUCATÁN

La péninsule du Yucatán est remarquable à plus d'un titre. Terre de culture maya, elle présente en outre une structure géologique particulière et constitue une halte majeure pour des millions d'oiseaux migrateurs des zones néarctique et néotropicale. Mais ce qui frappe de prime abord le visiteur, c'est son littoral, encore intact pour une grande partie. Bordé à l'ouest et au nord par les eaux vertes et tranquilles du golfe du Mexique, à l'est par celles, bleu turquoise, de la mer des Caraïbes, il étire sur 1 830 km ses larges rubans ininterrompus de sable blanc. Quinze vastes zones d'habitats côtiers sont aujourd'hui classées ; la politique de conservation y promeut une mise en valeur rationnelle de ces espaces, la protection des milieux visant à établir des règles d'exploitation équitables des ressources naturelles, compatibles avec leur sauvegarde. Elles sont gérées par diverses autorités, fédérales, nationales, municipales et, souvent aussi, des organisations non gouvernementales.

LA GÉOLOGIE DU YUCATÁN

Le sol du Yucatán est une vaste plaine calcaire formée de restes agglomérés de milliards de coquillages, squelettes de coraux et d'autres animaux marins accumulés au cours du temps au fond d'une mer peu profonde. C'est une roche légère et poreuse que la pluie traverse sans peine, ce qui explique qu'il n'existe ici quasiment aucune rivière de surface. L'eau s'écoule à travers le sol, laissant la terre sèche, et se retrouve dans un réseau hydrographique souterrain complexe fait de bassins et de cours d'eau, accessibles par endroits depuis la surface par des puits naturels appelés *cenotes*. L'action de l'eau explique la présence de nombreuses grottes et cavités, certaines ayant livré des vestiges préhistoriques.

Mais un événement hors du commun a fait du Yucatán le centre d'intérêt de nombreux scientifiques, venus ces dernières années du monde entier, plus particulièrement aux abords du moderne village de pêche de **Chicxulub Puerto**, sur la côte nord de la péninsule. En effet, Chicxulub se situe au point d'impact de

la météorite de plus de 10 km de diamètre dont la chute, il y a soixante-cinq millions d'années, aurait provoqué l'extinction en masse de nombreuses espèces vivantes, dont les dinosaures. Un cratère de 250 km de diamètre se forma alors à la surface du sol, dont il ne reste rien aujourd'hui. Les seuls indices encore visibles de la catastrophe sont les *cenotes*, formés par la dissolution des roches calcaires fracturées au moment de l'impact, et dont la répartition suit de manière frappante les limites de l'ancien cratère. Par ailleurs, ce dernier a laissé dans le sous-sol des traces d'un autre type en créant une division nord-sud qui entraîne aujourd'hui encore le partage des eaux des rivières souter-

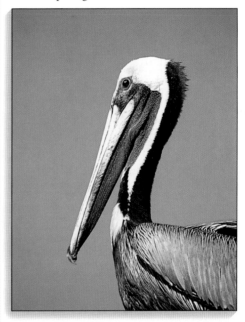

raines, ces dernières s'écoulant soit vers le golfe du Mexique, soit vers la mer des Caraïbes.

Cette structure géologique explique également la présence des *petenes*, îlots de riche végétation feuillue situés au milieu des mangroves sur des portions de terrain surélevées, liés à des remontées d'eau douce des profondeurs. Les eaux saumâtres, dues au mélange d'eau douce et d'eau salée, sont quant à elles responsables du creusement de pittoresques petites criques, les *caletas*, rencontrées par endroits le long de la mer des Caraïbes, derrière les plages de sable blanc corallien.

Le plateau continental qui borde le littoral est plus étroit et forme un talus beaucoup plus abrupt sur la côte orientale que dans le golfe

Pages précédentes : les rivages de Tulum offrent une flore et une faune variées. À gauche, la lagune de Nichupté, à Cancún ; à droite, un pélican brun, l'une des nombreuses espèces d'oiseaux côtiers.

du Mexique, où il constitue le banc de Campeche. Sa structure laisse deviner les anciennes variations de la ligne côtière. Avant la dernière glaciation, la mer était au moins 6 m au-dessus de son niveau actuel. À l'est, la côte se trouvait alors approximativement à 1 km en retrait, ce qui coïncide avec le tracé de la route côtière. L'avancée des glaces entraîna une baisse des eaux de 100 m, donc une avancée du littoral qui persista pendant quatre-vingt mille ans. Puis les glaciers fondirent à nouveau, entraînant une fois de plus le recul des terres. À cause de la faible profondeur des fonds dans le golfe du Mexique, le rivage du Yucatán a varié au cours du temps sur des distances allant jusqu'à 20 km.

les oiseaux de mer pour se reproduire et par l'homme comme bases d'exploration pétrolière. Le long de la côte continentale, les vents du nord ont créé de vastes extensions sableuses parallèles à la côte, dont la largeur varie de quelques mètres à un demi-kilomètre. Elles délimitent les lagunes et les marais salants.

Une occupation ancienne

Les lagunes font l'objet d'une occupation humaine très ancienne. Les premières installations mayas, des deux côtés de la presqu'île, remontent en effet à deux mille ans. Comme les pêcheurs actuels, les premiers occupants

La côte orientale se double de la même barrière de corail qui borde le Belize, s'étirant sur 300 km depuis le nord de l'État du Quintana Roo jusqu'au Honduras. Les îles Contoy et Mujeres au nord, celles de Cozumel et de Banco Chinchorro plus au sud, font toutes partie de cette constitution géologique exceptionnelle. La côte septentrionale présente elle aussi des formations coralliennes, notamment Arrecife Alacrán, à 60 km au nord de Progreso, un atoll constitué de cinq îles distinctes. Sa faune et sa flore sont d'une telle richesse qu'elle a été déclarée réserve de biosphère.

Les autres îles plus éloignées sur le banc de Campeche, dans le sud du plateau continental, sont en fait de gros bancs de sable utilisés par

utilisaient ces lieux comme des ports naturels où abriter leurs embarcations. Car à cette époque reculée, les Mayas parcouraient déjà les eaux côtières pour pêcher et aller commercer jusque sur les rivages d'Amérique centrale. Les critères qui dictèrent le choix des lagunes comme mouillage, et qui déterminèrent par conséquent l'installation humaine, étaient nombreux, allant des conditions qu'elles offraient pour la pêche et la récolte du sel à la présence de *quebradas*, ouvertures à travers le récif sur la pleine mer.

De nos jours, la pêche et la récolte du sel restent les principales activités économiques pour de nombreux villages côtiers, notamment sur le littoral occidental.

DE L'EXPLOITATION DU BOIS À LA NAISSANCE DU TOURISME

Jusqu'au début du XXe siècle, les Anglais exploitaient le campêche, bois de teinture, dans le Campeche et, plus au sud, au Belize. Dans la première moitié de ce siècle, on planta des cocotiers, de Veracruz jusqu'au Belize, qui alimentèrent le marché du coprah et qui remplacèrent la végétation littorale originelle. Dans les forêts de l'intérieur, on exploita le sapotier, ou sapotillier, qui donne le chiclé, latex utilisé dans la fabrication du chewing-gum jusqu'à l'avènement des gommes synthétiques. L'apparition du tourisme aura coïncidé

recherchent avant tout le contact et l'échange avec la population locale.

EN LONGEANT LE LITTORAL

Parce qu'elles constituent de véritables pépinières naturelles pour d'innombrables espèces de poissons, de crustacés et de mollusques, les lagunes ont une importance économique dont les pêcheurs savent tirer parti. C'est le cas de **Laguna de Términos**, zone bordée de mangrove abritée derrière Isla del Carmen, dans le Campeche. C'est la plus grande baie du golfe du Mexique. Les crevettes s'y reproduisent en grand nombre, ainsi que des espèces de pois-

avec l'épuisement des ressources forestières et des bancs de poissons, ainsi que la destruction des cocotiers par une maladie qui les faisait jaunir dans un premier stade. Mais son intrusion dans le mode de vie des habitants n'est pas partout la même. L'ambiance décontractée des villages de pêcheurs, qui ponctuent la côte du golfe du Mexique, tels Isla Aguada, Celestún, Telchac Puerto, Río Lagartos et El Cuyo, encore peu touchés par le développement touristique, en fait des destinations appréciées des voyageurs indépendants, qui

À gauche, les mangroves riches en oiseaux attirent les ornithologues en grand nombre ; ci-dessus, la ponte d'une tortue verte à Akumal.

sons recherchées par les pêcheurs à la mouche en mer, très présents depuis de nombreuses années dans le village d'Isla Aguada, à l'ouverture sud de la lagune. C'est également une zone d'exploitation pétrolière. La richesse florale et faunique de ces lagunes en fait des écosystèmes de première importance et est à l'origine du classement de nombre d'entre elles, à l'instar de Laguna de Términos.

Remontant vers le nord le long de la côte, on arrive à **Champotón**, situé sur une lagune formée derrière une plage par la seule rivière de surface de la côte ouest de la péninsule. Au début du XVIe siècle, ce village pouvait s'enorgueillir de ses huit mille maisons de pierre à toit de chaume. Depuis, comme beaucoup d'autres localités côtières, sa taille a varié en fonction de la santé des pêcheries locales. Après avoir périclité, certains de ces villages ont connu une renaissance, grâce au tourisme en particulier. La réserve de **Los Petenes** héberge une faune très riche, qui compte notamment le jaguar et le rare jabiru (un oiseau échassier de la famille des cigognes).

Sur la côte nord-ouest, à moins de 100 km à l'ouest de Mérida, le port de pêche de **Celestún** abrite un sanctuaire naturel de renommée mondiale. La pêche y est encore une activité économique majeure, le saunage ayant été abandonné il y a longtemps. Mais de nos jours, le tourisme s'y développe rapidement, tirant parti de la beauté

de ses eaux bordées de mangroves. L'attraction première est une colonie de quelque trois mille flamants roses, que l'on peut voir pratiquement toute l'année. Les hérons, les anhingas, les ibis, les pélicans et les frégates y sont nombreux également. L'abondance, dans cette région, d'oiseaux migrateurs, la présence d'espèces de reptiles et de mammifères menacées occupant les *petenes* en retrait, ont justifié la création de la réserve spéciale de biosphère de Celestún, ainsi que celles d'El Palmar et de Dzilam de Bravo, plus au nord. La pratique du kayak et l'observation des oiseaux en mer sont les spécialités touristiques de cette région.

Tous les ans, la ville portuaire de **Progreso** accueille les habitants de Mérida, qui fuient la chaleur de la capitale située à quelques dizaines de kilomètres à l'intérieur des terres. Des Canadiens à la recherche de soleil s'y installent durant les mois d'hiver. Mais c'est dans les modestes villages de pêche – tel le vieux port d'**Isla El Cerrito**, jadis utilisé par les Itzá de Chichén Itzá – que réside le véritable charme de cette côte. En ces temps anciens, la principale ressource était déjà le sel, toujours produit de nos jours dans les vastes marais situés derrière Las Coloradas, au cœur du **parc naturel de Río Lagartos**. Río Lagartos est un petit port de pêche caché au milieu de la jungle, d'où partent des canots conduisant les visiteurs le long de la côte vers **San Felipe**, autre centre d'un parc naturel, ou **Las Coloradas**.

Le premier site de nidification de flamants roses au Mexique se trouve à l'intérieur de cette vaste zone protégée, près du petit village de pêche d'**El Cuyo**. Dans ce secteur, la végétation côtière quasi virginale mêle les espèces des côtes occidentale et caraïbe. On peut y voir le troglodyte du Yucatán, petit passereau endémique, ainsi que des millions d'oiseaux terrestres migrateurs de passage. Au printemps et en automne, les espèces des estuaires s'abattent sur les vasières derrière les langues de sable côtières. El Cuyo, à la frontière de l'État du Quintana Roo, encore pittoresque bien qu'il ait ouvert ses portes au tourisme, reçoit depuis des années des visiteurs attirés par les tortues vertes et les tortues caret, qui viennent pondre chaque été sur ses plages.

Isla Holbox, située à la pointe nord-est du Yucatán, dans les limites de la réserve de biosphère de Yum Balam, accueille elle aussi des tortues de mer pondeuses, ainsi que de grosses concentrations d'oiseaux migrateurs. Comme d'autres îles de la zone, elle s'est ouverte à l'écotourisme, offrant aux visiteurs l'opportunité d'observer les colonies d'oiseaux marins et côtiers de la **lagune de Yalahán**. La pratique du kayak est, là encore, très prisée.

AUTOUR DE CANCÚN

Passé la pointe nord-est de la péninsule, ses baies, ses lagunes et ses îles couvertes de mangrove, apparaît le **parc national de l'île de Contoy**, sanctuaire pour l'avifaune. Le nombre de bateaux qui le visitent, en provenance de l'île Mujeres et de Cancún, est limité. Principale destination touristique du Mexique, l'**île de Cancún** (séparée du continent par deux canaux naturels et la lagune de Nichupté) était, il y a deux mille ans, un campement de pêcheurs mayas. Sa reconversion en station balnéaire moderne est aujourd'hui totale ; deux millions et demi de personnes y passent par an, attirées surtout par la barrière de corail de la côte est.

Le village de **Playa del Carmen**, un peu plus au sud, a subi les mêmes mutations. Tout près s'étend le **parc « éco-archéologique » de Xcaret**, aux attractions multiples : musée, aquarium, volière, jardin botanique et village maya. Les archéologues pensent qu'il occupe l'emplacement où se trouvait l'ancien port de Pole avant l'arrivée des Espagnols, au XVIᵉ siècle. Pole constituait le point de départ des pèlerins qui se rendaient par la mer jusqu'à l'**île de Cozumel** pour adorer Ixchel, la déesse de la Fertilité. De nos jours, Cozumel accueille plutôt les amateurs de fonds marins, qui y pratiquent la plongée libre ou la plongée en scaphandre autonome.

Au large des deux ports importants de **Playa** et **Puerto Morelos**, situés entre Cancún et Playa del Carmen, les bateaux ont toujours disposé d'accès libres à la mer grâce aux chenaux naturels dans le récif de corail. Puerto Morelos a conservé une activité de pêche assez grande malgré l'essor du tourisme qui a conduit de nombreux habitants à abandonner les filets pour devenir serveurs ou guides de plongée. Une réserve marine a été créée au large afin d'assurer la coexistence des deux types d'activités.

La côte centrale du Quintana Roo, au sud du site antique de Tulum (110 km au sud de Cancún), est un immense marais d'importance internationale, avec un récif corallien attenant et de vastes extensions de forêt tropicale dans les terres. Il occupe la **réserve de biosphère de Sian Ka'an**, site inscrit au patrimoine mondial de l'Unesco. Ont disparu les plantations de cocotiers ainsi que les installations portuaires qui exportaient le chiclé. À leur place, des lodges de pêche (ce secteur est le troisième dans toutes les Amériques pour la pêche à la mouche en mer) et des maisons privées jalonnent l'étroite bande de terre qui longe les flots et les zones humides intérieures. Les deux vastes baies peu profondes d'**Ascención** et d'**Espíritu Santo**, situées dans les limites de la zone protégée, accueillent d'importantes colonies d'oiseaux marins ou de zones humides. La pêche au homard assure la

subsistance de trois petites communautés installées à l'entrée de ces baies. Le développement touristique à l'intérieur de la réserve reste limité aux activités de faible impact, telles que des croisières de découverte en bateau à travers les marécages.

Toute la zone côtière située au-dessous de la réserve de Sian Ka'an est occupée par des propriétés privées et quelques stations balnéaires axées sur la plongée sous-marine, mais des aménagements sont déjà réalisés un peu plus loin au sud. Une jetée pour bateaux de croisière est en construction en face de la petite localité de Majahuál, à une heure de route au sud de Felipe Carillo Puerto, au centre

du Quintana Roo. Plus loin, à la frontière du Belize, le petit village de pêche de **Xcalak** est aujourd'hui accessible par des voies goudronnées. Les pêcheurs du cru dépendent de la **réserve de biosphère de Banco Chinchorro**, établie au large, où ils capturent poissons et langoustes autour des récifs. Dans cette région, le tourisme est orienté vers la plongée sous-marine, mais les habitants accueillent également les ornithologues en leur proposant des excursions dans la mangrove.

L'expansion touristique va modifier l'écosystème du Yucatán. Il est à espérer que la politique de protection saura imposer des limites au développement économique et privilégiera l'information des visiteurs.

À gauche, Xcaret, près de Playa del Carmen ; à droite, les iguanes se révèlent extrêmement vifs, malgré une indolence apparente.

LES BIENFAITS RELATIFS DE L'INDUSTRIE TOURISTIQUE

Il y a moins d'un demi-siècle, la petite île de Cancún comptait une maison et quelques huttes de pêcheurs au toit de chaume. Une route sinueuse et sablonneuse, longée par des taillis de végétation côtière et des bouquets de palétuviers, permettait de rejoindre le petit site archéologique maya de San Miguelito, puis celui d'El Rey. Une forêt de feuillus flanquait les dunes de la côte est de l'île et l'on pouvait entendre les vagues se briser sur la plage. La lagune de Nichupté s'étendait non loin vers l'ouest, après la mangrove.

Difficile aujourd'hui d'imaginer Cancún sans les quelque vingt-deux mille chambres d'hôtel, les restaurants, les marinas, les parcours de golf, les magasins et les salles de spectacle qui couvrent presque entièrement l'île. Comment cela a-t-il pu arriver ? Est-ce un réel bienfait ? Telles sont les questions que se posent les acteurs du tourisme international et leurs homologues mexicains lorsqu'ils contemplent le développement phénoménal des infrastructures de la région.

Un succès inattendu

En termes touristiques, Cancún ne manque pas d'atouts : le site est splendide, le climat idéal, la mer d'un bleu turquoise et les longues plages de sable blanc attirent des millions de visiteurs, la richesse archéologique de la région permettant en outre de combiner vacances culturelles et farniente au soleil. Le résultat a d'ailleurs surpassé les attentes des plus optimistes. Car, malgré tout l'enthousiasme initial des acteurs du projet, aucun des investisseurs n'avait réellement envisagé l'impact que représenterait Cancún sur l'industrie touristique nationale (entre 15 et 20 % des recettes annuelles de cette branche d'activité au niveau national). D'ailleurs, FONATUR, le département gouvernemental qui assure la promotion et le développement du tourisme dans le pays, avait inauguré, dans les années 1970, deux autres stations balnéaires, Loreto

À gauche, les grands hôtels de Cancún mêlent une architecture inspirée de l'habitat traditionnel indien et le luxe à l'occidentale ; à droite, les magasins de souvenirs des sites ultra-touristiques regorgent d'objets les plus kitsch.

en Basse-Californie et Ixtapa dans le Guerrero, à l'ouest d'Acapulco, pour répartir équitablement l'expansion touristique du pays. L'activité générée par l'industrie touristique (aujourd'hui près de deux millions de personnes travaillent dans ce secteur) devait être une solution à l'exode rural en permettant de créer localement des emplois. Pari gagné pour Cancún puisque, depuis les années 1980, cette gigantesque station balnéaire attire des milliers de travailleurs, encouragés par le succès de ce projet et par la difficile situation économique du pays. La réussite de Cancún fut telle que, de 1982 à 1992, le nombre de résidants permanents s'accrut de 25 % chaque année.

Actuellement, près de cinq cent mille personnes y habitent, alors que l'État du Quintana Roo comptait seulement deux cent onze mille habitants en 1982. (Un des principaux reproches faits à Cancún est d'ailleurs d'avoir provoqué un important exode de population en provenance, entre autres, des régions centrales du Mexique.)

Les sacrifices au dieu Dollar

De toutes les richesses naturelles du Mexique, c'est le site magnifique de Cancún, avec ses plages de sable blanc et les reflets turquoise de la mer Caraïbe, qui est la principale attraction pour les touristes. Les vols directs des États-

Unis vers le Yucatán ont propulsé cette ville loin devant Loreto, Ixtapa ou encore Huatulco (sur la côte de l'Oaxaca), et les visiteurs américains, à quelques heures seulement de chez eux, peuvent savourer en toute quiétude leurs vacances : la nourriture, la langue et les infrastructures sont calquées sur un certain style de vie américain, où le dollar est roi. Les visiteurs mexicains ou européens se sentent pour leur part généralement dépassés par ce culte du commerce à outrance.

Outre les dégâts occasionnés sur place, tout le problème est de savoir si la croissance dans un seul site peut être bénéfique. Dans un pays comme le Mexique, où le chômage est très fort

tralisation : les nombreux vols nationaux ou internationaux rapprochent les visiteurs de lieux autrefois très éloignés de la capitale.

POUR QUEL USAGE DU MONDE MAYA ?

Le « monde maya », composé par le nord du Guatemala et le sud-est du Mexique, est désormais une destination plus facilement accessible. Beaucoup de visiteurs ne font que passer à Cancún avant de filer vers des destinations plus originales et moins touristiques que cette station artificielle, au luxe ostentatoire... mais qui présente l'avantage de faciliter le dépaysement sans s'exiler de la civilisa-

et où les inégalités sont considérables, le tourisme apporte un complément de ressources non négligeable dans beaucoup de foyers. Par ailleurs, la recherche du profit est dans la nature du monde moderne, et les pays industriels ont fait la démonstration qu'il était plus rentable de gérer une production de masse plutôt que d'exploiter des créneaux spécialisés. Il est plus facile de vendre du sable et de la plage à des centaines de milliers de visiteurs potentiels que de chercher à exploiter des marchés plus réduits, car spécialisés, qui attireraient des voyageurs indépendants organisant leur voyage par eux-mêmes.

L'autre avantage que présente aujourd'hui Cancún est d'avoir permis une certaine décen-

tion ! À la lecture du *Rêve mexicain*, de l'écrivain J.-M.G. Le Clézio, on peut se demander si le touriste d'aujourd'hui aura encore la chance en foulant le sol yucatèque de découvrir, à l'instar de l'Européen de la Renaissance, un monde absolument nouveau : « La croyance dans les songes et les augures exprime, chez la plupart des peuples amérindiens, une idée philosophique profonde, celle de la récurrence du temps. Le concept linéaire du temps, né du néant et retournant au néant est aussi étranger aux cultures amérindiennes que l'idée d'un monde purement matériel dépourvu de finalité. [...] Pour l'Européen de la Renaissance, épris de connaissance et sceptique, le monde amérindien, par son système religieux et symbolique, était totalement incompréhensible. Cette philosophie de la récurrence, cette idée d'un univers fini et prédestiné, pour les Conquérants, devenait le symbole même de l'obscurité païenne. »

ACAPULCO OU LES DÉSASTRES D'UNE EXTENSION MAL MAÎTRISÉE

Le développement démesuré de stations touristiques comme Cancún s'accompagne aussi de graves dysfonctionnements qui mettent en danger à la fois la culture locale et l'environnement, ainsi que la structure sociale des zones « envahies ». Les organisateurs du pro-

lières et avait même « bradé » certaines plages de la baie d'Acapulco pour attirer les candidats. La ville grossit de manière démesurée sans aucun plan d'urbanisme. La route reliant la capitale fut transformée en autoroute, raccourcissant ainsi le temps de trajet jusqu'à la côte, et l'aéroport local fut aménagé pour faire face à un trafic aérien sans cesse croissant. Mais toutes ces améliorations n'ont pas eu pour seule conséquence d'augmenter l'afflux de visiteurs.

Le nombre de résidants permanents s'est également accru, pour la plupart des Mexicains venus chercher du travail. Les habitats en matériaux légers se sont répandus de façon anarchique tout autour de la ville, couvrant les

jet Cancún n'étaient cependant pas sans connaître les dommages qui pouvaient être causés. Dans les années 1980, en effet, la région d'Acapulco, qui avait connu un essor phénoménal à partir des années 1950, commençait à donner des signes d'essoufflement, liés en grande partie à un problème d'engorgement. De 1946 à 1952, le président mexicain Miguel Alemán avait encouragé les investissements étrangers dans les constructions hôte-

flancs des collines qui surplombent la baie. Ceux qui ne trouvaient pas de travail passaient leur journée à vendre des pacotilles aux touristes ou à mendier. Le succès d'Acapulco enclencha aussi un véritable désastre écologique, le système d'égout étant insuffisant par rapport au nombre de résidants. Aujourd'hui rénovée, Acapulco vient en deuxième position dans le cœur des touristes mexicains et étrangers, immédiatement après Cancún.

AUX DÉPENS DES HABITANTS

À gauche, des poupées souvenir en costume yucatèque ; ci-dessus, l'équinoxe de printemps attire des hordes de visiteurs au pied d'El Castillo, à Chichén Itzá, quand l'ombre du serpent à plumes descend du sommet de l'édifice jusqu'au sol.

Soucieux d'éviter un échec à long terme, les architectes de FONATUR tirèrent les leçons du déclin d'Acapulco en concevant, pour Cancún, un plan qui limiterait la croissance du site et séparerait la ville proprement dite de la zone touristique. Cet aménagement fut respecté pendant quelques années, mais un succès démesuré eut bientôt raison de cette planification.

À l'origine, la ville ne devait pas accueillir plus de douze mille chambres ; elle en compte aujourd'hui plus du double. Le gouvernement tente actuellement d'insérer de nouveaux territoires dans le périmètre urbain afin de procurer des habitations aux milliers de personnes manquant d'eau et d'électricité. Quant aux travaux de voiries et aux projets d'infrastructures dans les domaines des transports, des écoles et de la santé pour les résidants des

quartiers les moins favorisés, ils ne figurent pas encore au programme…

Tout le nord de l'État du Quintana Roo, d'Isla Mujeres à Tulum, est affecté par les flux touristiques : des villages aux sites archéologiques, en passant par les plages et les récifs, le paysage est entièrement modifié par les projets liés à la présence de visiteurs. La construction d'un port pour bateaux de croisière près de la biosphère Sian Ka'an, par exemple, a contraint le gouvernement à abandonner différents projets de développement, privant ainsi les habitants de la zone d'un certain nombre de commodités.

Cependant, les constructeurs d'infrastructures pour le tourisme consultent désormais davantage les organismes de préservation de l'envi-

ronnement, tels qu'Amigos de Sian Ka'an. Autre amélioration, cette organisation, associée à d'autres organismes comme Pronatura Yucatán, à Mérida, et des fondations nationales ou internationales, forme des pêcheurs originaires de la côte pour qu'ils deviennent des guides naturalistes. Certains travaillent comme plongeurs, tandis que d'autres ont choisi l'observation des oiseaux. Cela leur a permis de bénéficier directement du marché grandissant de l'écotourisme en faisant d'eux, dans le même temps, les gardiens jaloux d'un environnement qui, bien protégé, constitue une intéressante source de revenus.

Mais ce mode de développement désavantage les populations locales, qui n'ont qu'un faible niveau de formation. À Cancún comme ailleurs, les Indiens sont en fait embauchés comme ouvriers non qualifiés sur les chantiers, puis comme femmes de chambre ou jardiniers dans les infrastructures hôtelières. Certes, ils y gagnent plus qu'en travaillant la terre, mais les prix y sont aussi beaucoup plus élevés, provoquant le maintien de toute une population dans une très grande pauvreté.

La logique du profit prime dans tous les domaines. Ainsi, les logements sociaux ont été acquis à des prix très intéressants par des investisseurs, et non par les ouvriers à bas revenus à qui ils étaient destinés. Ces logements ont été ensuite reloués assez cher aux habitants qui pouvaient se les offrir.

VERS UNE EXPANSION TOURISTIQUE HARMONIEUSE

La participation des habitants aux bénéfices du tourisme commence à toucher les zones situées au centre et au sud du Quintana Roo. Deux millions de visiteurs séjournent chaque année à Cancún, mais ils sont de plus en plus nombreux à partir à la découverte de la culture maya, la faune et la flore de la région. Certains s'offrent une journée dans la biosphère de Sian Ka'an, d'autres partent à Isla Holbox, observent les oiseaux du parc de Río Lagartos ou de la réserve de Celestún, dans le Yucatán. L'avenir de Cancún est soumis à sa capacité à répartir les flux de visiteurs afin que toute la région puisse bénéficier des apports du tourisme sans y sacrifier ni sa structure sociale, ni son environnement.

À gauche, le soleil et la mer sont les plus grands attraits de Cancún ; à droite, la baie de Cancún n'est plus qu'une enfilade d'hôtels de luxe.

ITINÉRAIRES DANS LA PÉNINSULE DU YUCATÁN

Avec sa côte ensoleillée et ses hôtels luxueux, le Yucatán est une destination très appréciée par les visiteurs du monde entier. Mais ce développement s'accompagne de grandes inégalités. À l'intérieur des terres, des communautés mayas vivent encore selon leurs traditions, malgré un contexte difficile : la culture de la *milpa*, terme mexicain désignant une parcelle de terre gagnée sur la forêt, ne suffit pas toujours à faire vivre ces populations et la pauvreté de la terre a contraint de nombreux paysans à s'exiler vers les zones urbaines en quête de travail.

À travers toute la péninsule, de splendides ruines mayas livrent aux visiteurs les plus belles réussites architecturales de cette civilisation, même si de nombreux sites sont encore enfouis sous la végétation. Les cités mayas du Petén ou celles de la péninsule yucatèque, plus tardives, témoignent de la richesse culturelle du monde méso-américain. Les Mayas ont été de grands bâtisseurs, édifiant des temples d'une vertigineuse verticalité qui exigeait une parfaite maîtrise des techniques de construction, comme le recours à la voûte. Ils ont su aussi s'adapter aux contraintes géographiques, imaginant des solutions pour résoudre des problèmes comme l'approvisionnement en eau en concevant des systèmes de réservoirs ou des réseaux de canaux très sophistiqués. Les ruines de leurs anciennes cités offrent également de très beaux décors sculptés ou des compositions murales complexes, dont certaines sont parvenues jusqu'à nous.

Entre les villes de Campeche et de Mérida, sur la côte Pacifique, se trouve la plus importante concentration de sites du classique récent, formant la Ruta Puuc : Uxmal, Kabah, Sayil et Labna. Au centre de la péninsule, Chichén Itzá est un des joyaux de l'art maya et le site le plus célèbre du Yucatán. Haut lieu de pèlerinage, il fut très tôt connu des Espagnols lors de la Conquête, alors même que d'autres cités avaient sombré dans l'oubli.

Pages précédentes : le site maya de Tulum domine la mer des Caraïbes. À gauche, un chacmool *surveille l'imposante pyramide de Kukulkán (El Castillo), à Chichén Itzá.*

La péninsule du Yucatán

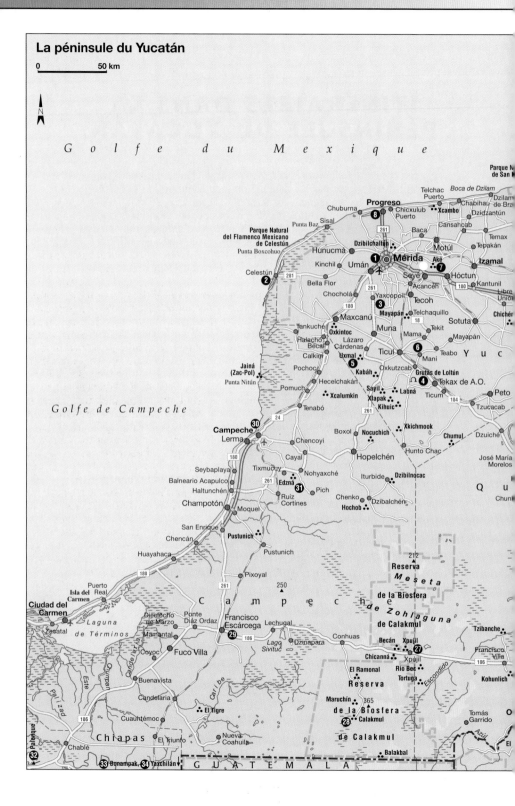

0   50 km

N

Golfe   du   Mexique

Parque N
de San

Golfe de Campeche

Mais d'autres merveilles abondent dans le reste du Yucatán. Edzná, au sud de Campeche, possède un magnifique temple à cinq étages, et Tulum, plus petit, se dresse sur une falaise qui surplombe les eaux turquoise de la mer des Caraïbes. Au sud de la péninsule, la région Río Bec offre des architectures très originales, avec leurs faux temples et leurs escaliers en trompe l'œil. Ce style, qui s'est développé entre 600 et 830 au nord des basses terres centrales, caractérise des sites comme Xpuhil, Becan, Calakmul, Chicanná ou Río Bec.

Les villes hispaniques nées avec la Conquête ont été construites sur un territoire déserté ou sur le site d'anciennes villes mayas. Vitrine de l'Occident et de l'Église catholique triomphant de l'obscurantisme indien, elles s'articulent autour d'un centre habité par les conquistadors, tandis que les indigènes étaient relégués à la périphérie. Mérida, dans l'État du Yucatán, offre de beaux exemples d'architecture coloniale, avec ses riches demeures. Dans la campagne avoisinante, le visiteur découvrira aussi de superbes haciendas, restaurées et aménagées en hôtels de luxe. Ce sont les derniers vestiges des anciennes plantations d'agave, qui ont fait la richesse de la région au siècle passé. Un peu partout sur la péninsule, comme à Izamal, on trouve aussi des couvents au décor baroque, inspirés des modèles européens. Entre Tulum et Cancún défilent des plages de sable blanc léchées par les eaux turquoise et transparentes de la mer des Caraïbes. Plus au sud, la côte regorge de lagons, tandis que s'étire au large la barrière de corail, au niveau des îles de Cozumel ou de Mujeres. La Laguna Bacalar, au nord de Chetumal, est un lac ravissant aux portes de la Biosfera de Calakmul. Sur la côte nord enfin, moins touristique, les parc nationaux de Lagartos ou de Celestún sont des sanctuaires naturels pour des milliers d'oiseaux migrateurs.

LE NORD DU YUCATÁN

Le nord de la péninsule du Yucatán est occupé pour l'essentiel par l'État du même nom. Ce dernier s'avance en pointe vers le sud et est enserré à l'ouest par l'État du Campeche, à l'est par celui du Quintana Roo. Le climat est chaud et humide presque toute l'année, mais le sol calcaire est percé de puits naturels qui recueillent l'eau de pluie, les *cenotes*, utilisés autrefois par les Mayas pour des sacrifices rituels. C'est autour de ces points d'eau que furent édifiées les plus belles cités précolombiennes du Yucatán, telles Chichén Itzá et Uxmal. Ces dernières attirent de nombreux visiteurs, de même que les parcs nationaux de Celestún ou de Río Lagartos (*voir pp. 276 et 309*), véritables paradis pour les ornithologues. Enfin, le sable blanc et la mer vert émeraude de la côte caraïbe drainent aussi des flux de visiteurs qui transitent par Cancún, une des cités balnéaires les plus visitées du monde. La culture de l'agave, ou sisal, dont est tirée une fibre très solide, a fait la richesse de la région au XIXe siècle, comme en témoigne notamment l'architecture de la ville de Mérida.

MÉRIDA

Capitale de l'État du Yucatán, **Mérida** ❶ est le lieu idéal pour partir à la découverte du nord de la péninsule, comme l'ont compris ses deux millions de visiteurs annuels.

Avant l'arrivée des Espagnols, Tihó, ou encore Ichcanziho, était une ville importante de la province maya de Chacán. Le 6 janvier 1542, Francisco de Montejo, dit El Mozo, y fonda la ville de Mérida, baptisée ainsi parce que les ruines mayas rappelaient aux conquistadores les ruines romaines de la Mérida d'Espagne. Cette fondation marquait l'occupation définitive de la région par les Espagnols. La cité connut une période prospère au XIXe siècle, avec l'expansion des plantations de sisal, dont la production fut multipliée par dix entre 1876 et 1916.

La ville a gardé son cachet de ville coloniale, avec sa place centrale et ses rues bordées de belles demeures patriciennes qui se coupent à angle droit. Le centre, occupé par les Espagnols pendant l'ère coloniale, est très compact. Ses rues étroites restent difficilement accessibles aux voitures, ce qui en fait un quartier très calme, aux allures de ville assoupie. Son découpage en damier forme des *cuadras* presque parfaites, où les nombreux couvents et édifices historiques constituent autant de points de repère pour le visiteur. Les rues ne portent pas de noms, mais elles sont numérotées à partir de la place centrale : les rues orientées nord-sud portent des numéros pairs, celles orientées est-ouest des numéros impairs.

Comme dans la plupart des villes coloniales, la **Plaza Mayor** Ⓐ, égale-

Cartes pp. 288-289 et 293

Mérida

À gauche, la pyramide du Devin, à Uxmal.

À Mérida, dans les rues avoisinant la Plaza Mayor, on trouve plusieurs boutiques d'artisanat mexicain, ainsi qu'un marché vendant des spécialités locales. Si les hommes ont abandonné plus vite que les femmes le costume traditionnel, ils continuent d'arborer le classique chapeau jipi, très proche du panama.

Le patio du palais du Gouvernement, à Mérida.

Marchand ambulant de maïs.

ment appelée *zócalo* en mexicain, est le cœur battant de la cité. Originellement, la place centrale était bordée par la cathédrale (à l'est), la résidence du conquistador (au sud), le palais du Gouvernement (au nord) et les bâtiments municipaux (à l'ouest). Elle subit d'importantes modifications au cours des siècles. Ouverte ou fermée de grilles, pourvue d'un kiosque central ou d'un mât pour hisser le drapeau, elle conserve cependant son caractère de parc où se promènent, à l'ombre des lauriers des Indes (*Ficus benjamina*), les autochtones et les visiteurs. Sur le côté nord, bordé d'arcades, le **Pasaje Pichata** conduit à une place fermée où l'on peut déjeuner sur le pouce.

Au sud, la **Casa de Montejo** ❸, résidence du conquistador Francisco de Montejo, est l'une des plus anciennes demeures de la ville. Construite entre 1543 et 1551, elle est remarquable par sa façade sculptée de style plateresque, seul vestige de la construction originale. Le por-

tail représente le blason des Montejo, flanqué de deux conquistadores armés surmontant des têtes mayas qui symbolisent la Conquête.

Sur le côté est, la **Catedral de San Ildefonso** ❸ a été édifiée entre 1562 et 1598. C'est la première cathédrale achevée du continent américain. Tout comme la Casa de Montejo, elle a été construite avec les pierres récupérées des temples mayas rasés par les conquistadores. Sa façade austère est fermée par deux tours et percée de trois portails Renaissance tardive. Au centre, elle s'orne d'un grand blason sculpté représentant l'aigle mexicain, qui a remplacé les armes de l'Espagne après l'indépendance du pays. L'intérieur a été très endommagé pendant la révolution mexicaine (1910-1915), mais la cathédrale conserve d'importantes archives ainsi qu'une collection de peintures anciennes. On peut voir, à gauche du maître-autel, dans la chapelle du même nom, le Christ des Ampoules (Cristo de las Ampollas),

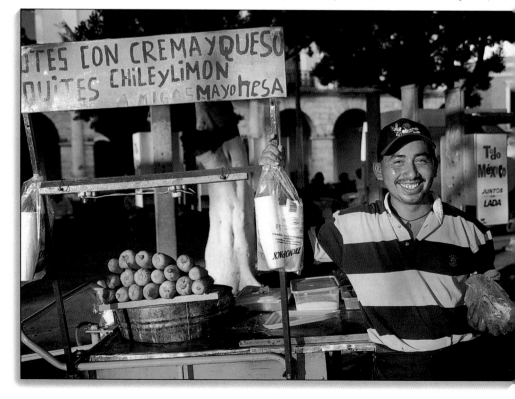

statue vénérée depuis le XVIᵉ siècle, et dont on peut dire qu'elle a brûlé deux fois au moins puisqu'elle a été sculptée dans le bois d'un arbre que l'on aurait vu flamber la nuit sans qu'il portât la moindre trace de combustion, et qu'elle-même échappa de justesse à l'incendie de l'église d'Ichmul, d'où elle provient. On la retrouva noircie et cloquée, d'où son appellation. Juste à côté de la cathédrale, dans l'ancien archevêché, le **Museo de Arte Contemporáneo de Yucatán** ❶ expose l'une des plus importantes collections d'art contemporain de la péninsule.

Sur le côté nord de la place, le **Palacio de Gobierno** ❸ (palais du Gouvernement) été construit à la fin du XIXᵉ siècle à l'emplacement des anciennes « maisons royales » de la Conquête, où travaillaient et résidaient les représentants de la Couronne d'Espagne. On peut y admirer des œuvres du grand peintre mexicain Fernando Castro Pacheco, qui évoquent l'histoire du Yucatán.

L'une d'elles narre la destruction des codex mayas par l'évêque Diego de Landa, en 1562.

À un pâté de maisons de la cathédrale, le **Parque Hidalgo** est bordé de terrasses animées où se rassemblent des joueurs de marimba. Côté nord se dresse l'église jésuite de **La Tercera Orden** (1618). Ses deux tours sont coiffées d'une croix autour de laquelle s'enroule un motif en forme de serpent. Cet ornement symbolisant le dieu maya Kukulkán (le serpent à plumes) aurait été ajouté par un tailleur de pierre indien. Il trône au sommet de l'édifice, tout comme les représentations des dieux au sommet des temples précolombiens. À l'intérieur de l'église, on peut admirer une représentation de la rencontre entre Francisco de Montejo et le chef maya Tutul Xiu, en 1546. Ce dernier se convertit au christianisme, entraînant avec lui des membres influents de la communauté maya et affaiblissant de ce fait

Le palais du Gouvernement s'orne des œuvres du peintre Fernando Castro Pacheco, qui narrent l'histoire de la région.

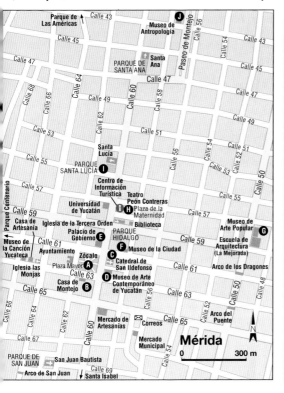

L'ARCHITECTURE COLONIALE

Les témoignages du passé sont omniprésents dans la péninsule du Yucatán, où les pyramides précolombiennes voisinent avec les monastères catholiques et les haciendas coloniales.

La ville hispanique est née avec la Conquête, souvent sur les fondations d'anciennes cités mayas, la colonisation ayant été menée au nom de l'Église catholique et du triomphe de l'Occident. Les premiers centres urbains sont caractérisés par un plan en damier : au centre vivent les Espagnols tandis que les indigènes sont relégués à la périphérie, pour éviter d'éventuels soulèvements. La demeure urbaine des conquistadores est distribuée autour d'un patio qui sépare la *casa grande* (pièces de réception) de la *casa chica* (chambres). À Mérida, les premières maisons coloniales sont caractéristiques du style plateresque librement inspiré du décor Renaissance ibérique (le style plateresque s'inspire de

l'art de l'argenteur, *platero* en espagnol, *plata* signifiant « argent »). La Casa de Montejo en est un bel exemple, avec son grand portail sculpté de motifs précieux qui annoncent l'art baroque.

Dès le XVIᵉ siècle, soucieux de créer des centres religieux destinés à répandre leur dogme, les missionnaires se sont montrés de grands bâtisseurs. Dans le Yucatán, les moines franciscains ont employé les Mayas pour construire cloîtres, couvents et églises. Immenses et majestueux, souvent austères, ces bâtiments reflétaient la règle de leur ordre, fondé sur l'ascétisme. Ils reprennent le modèle européen, avec le monastère réparti autour d'une vaste cour à arcades donnant accès à l'église. Quelques innovations sont apportées, comme les chapelles *posas*, qui marquent les angles de l'atrium et servent d'étape pendant les processions. Les clochers adoptent la forme d'un fronton triangulaire ajouré, ou *espadaña*. Le bois était couramment utilisé, ainsi que les pierres, généralement prises sur les temples païens et les édifices des cités précolombiennes.

En 1560, le Yucatán comptait six couvents franciscains, respectivement à Maní, Mérida, Campeche, Izamal, Dzidzantún et Valladolid. Édifié sur la plateforme d'un ancien temple maya, celui d'Izamal est le plus imposant de tous.

Dès la fin du XVIIᵉ siècle, l'art baroque caractérise l'architecture civile et religieuse : les reliefs en stuc envahissent les façades tandis que les intérieurs débordent de moulages de plâtre peint ou doré figurant des fleurs, des fruits, des animaux et des chérubins.

Au XIXᵉ siècle, à la faveur du commerce du sisal, la péninsule commence à s'ouvrir véritablement aux influences extérieures. Dans les centres urbains, les demeures des riches propriétaires terriens copient les styles à la mode en Europe, privilégiant les décorations rococo, néoclassiques ou néobaroques. Dans les terres, les haciendas empruntent davantage au registre mauresque, avec des cours à arcades et des façades décorées de céramiques. L'argile est un matériau très utilisé pour son pouvoir isolant. Nombre de ces demeures ont été mises à sac au moment de la révolution de 1910, et la plupart sont en mauvais état.

Le style plateresque caractérise la façade de l'architecture de la Casa de Montejo, à Mérida.

la résistance de son peuple à l'emprise espagnole.

Dans l'ancienne église San Juan de Dios, au sud du Parque Hidalgo, le **Museo de la Ciudad** présente une belle collection de photographies sur Mérida.

Plan p. 293

En suivant la Calle 59 vers l'est puis la Calle 50, on rejoint le **Museo de Arte Popular** ⑥, implanté dans l'ancien couvent de la Mejorada. Cet ensemble architectural du XVIIᵉ siècle abrite encore l'église d'origine et sa sacristie. À proximité, **El Arco de los Dragones** (« arc des Dragons ») date du XVIIᵉ siècle. À cette époque, la ville occupait un vaste carré délimité par treize arcs de pierre, dont seuls trois subsistent.

Le **Teatro Péon Contreras** ⑧ se trouve au nord du Parque Hidalgo, près de la Plaza de la Maternidad. Construit à partir de 1900, cet édifice témoigne du formidable essor économique que connut Mérida dans la seconde moitié du XIXᵉ siècle, grâce à la culture du sisal. Une nouvelle architecture s'imposa alors, de style néoclassique, et qui employait le marbre à profusion, comme nombre d'édifices européens de la même époque. Le théâtre fut bâti sur les terrains de l'université d'après les plans de l'Italien Enrico Deserti. À l'angle des Calles 57 et 60, l'**université autonome du Yucatán** occupe un ancien collège jésuite fondé en 1624, le Colegio de San Pedro de la Real y Pontificia Universidad de San Francisco Javier. Des expositions d'artistes yucatèques y sont régulièrement organisées.

Le **Parque Santa Lucía** ⑨ est le point de départ d'excursions organisées dans la région de Mérida. Il marquait autrefois la limite nord du quartier colonial, réservé aux Espagnols, tandis que les quartiers périphériques étaient habités par les *mestizos* et les Mayas.

À partir de la Calle 47 commence le **Paseo de Montejo**, considéré comme les Champs-Élysées de Mérida. C'est une large avenue bordée d'arbres qui dissimulent à peine les somptueuses demeures patriciennes des XIXᵉ et XXᵉ siècles. On s'attardera à contempler, entre autres, les palais jumeaux de la famille Barbachano, qui fonda l'industrie touristique yucatèque dans les années 1930. Au coin du Paseo et de la Calle 43, le **Museo de Antropología** ⑩ occupe une belle bâtisse de 1911, imaginée par Enrico Deserti, l'architecte qui dessina les plans du Teatro Péon Contreras. Il présente des expositions consacrées à l'histoire et au mode de vie des Mayas, ainsi qu'une collection d'objets précolombiens, dont un masque de jade provenant du *cenote* de Chichén Itzá. Un important fonds photographique renseigne sur les coutumes et traditions des Indiens du Yucatán.

On pourra rejoindre agréablement la Plaza Mayor par le Paseo de Montejo à bord d'une calèche en prenant le temps d'admirer les riches maisons ou les statues des héros de la ville. L'une d'elles représente **Felipe Carrillo Puerto**, le « gouverneur rouge », qui fut assassiné en 1924 en

Détail du monument à la Patrie, sur le Paseo de Montejo.

L'art d'attendre l'ouverture de la banque.

« La ville de Mérida, construite avec les matériaux de la ville indienne, n'est, comme toutes les villes espagnoles du Nouveau Monde, qu'un vaste damier formé de rues droites et de carrés parfaits de bâtisses. Une grande place en occupe le centre, place transformée aujourd'hui en un square moderne. »
Désiré Charnay,
Voyage
au Yucatán
et au pays
des Lacandons
(1882)

Aigrette blanche dans la lagune de Celestún.

Figurine représentant un évangélisateur que l'on a coiffé du chapeau jipi.

raison de son soutien à la cause maya. Puerto défraya la chronique à cause de son idylle avec la journaliste américaine Alma Reed, pour laquelle il quitta femme et enfants. *La Peregrina*, chanson célèbre au Mexique, a été écrite à sa demande pour rendre hommage à cet amour.

Toujours sur le Paseo, on peut voir la **statue de Justo Sierra**, le père de la littérature yucatèque. Tout au bout, le **Monumento a la Patria**, œuvre du sculpteur colombien Romulo Rosso (1946), retrace l'histoire du Mexique des Mayas jusqu'à la Conquête. La promenade s'achève au niveau du **Parque de las Américas**, planté d'essences provenant de tout le continent américain. Sa fontaine et son théâtre en plein air finissent d'en faire un havre de paix.

MÉRIDA, CENTRE COMMERCIAL

Si la boutique du Museo de Arte Popular propose un échantillon des productions locales (chemises bro-

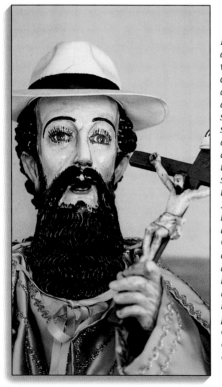

La richesse des grandes villes coloniales du nord du Yucatán s'est bâtie sur la culture de l'agave, qui donne une fibre très solide, surtout utilisée au XIXᵉ siècle pour les cordages de bateau. Ce matériau était employé aussi dans l'Amérique d'avant la Conquête pour confectionner certains habits et accessoires vestimentaires.

dées, céramiques...), il peut être plus amusant de se rendre au **Mercado García Rejón**, vaste marché d'artisanat installé à l'angle des Calles 60 et 65, au sud de la Plaza Mayor. Plus pittoresque encore, le **Mercado Municipal** (Calle 65) est le plus grand marché du Yucatán, et ses étals regorgent de denrées alimentaires mais aussi de vêtements colorés, de tissages et autres objets de la vie courante, à des prix raisonnables. Ceux que la foule rebute pourront faire leurs achats dans les nombreuses boutiques des Calles 65 et 67, mais il leur manquera le charme coloré des marchés indiens.

DE MÉRIDA À LA CÔTE OUEST

La principale attraction de la côte ouest est la réserve de **Celestún ❷** (*voir p. 276*), sanctuaire naturel pour les oiseaux migrateurs : flamants roses, hérons, ibis, pélicans ou frégates. Depuis Mérida, la route 281 conduit à ce petit port situé sur une presqu'île étroite et relié à la terre ferme par une route toute simple qui traverse la lagune. Les flamants roses, dont les mâles et femelles se ressemblent, forment des couples monogames et peuvent vivre au moins trente ans. Ils se nourrissent de plancton que filtre leur langue velue. La lagune de Celestún est également la « résidence d'hiver » de canards migrateurs venant du Canada. Pour découvrir le Parque Natural del Flamenco Méxicano de Celestún, on peut opter pour une promenade en bateau au départ du quai situé face à l'**Edificio Cultur**. L'excursion permet de découvrir la mangrove, l'**estuaire du Río Esperanza** et d'observer une faune variée : tortues, crocodiles, de nombreuses espèces d'oiseaux et, plus rarement, des atèles, ou singes-araignées, qui se déplacent avec une agilité étonnante.

Les amateurs de fonds aquatiques pourront nager et plonger dans les eaux douces de **Baldiosera Springs**. Jusqu'à Sisal, à 40 km au nord-est de Celestún, les plages sont très agréables, mais le vent peut être assez vif. Au sud de Celestún, **Real de Salinas** est toujours un site important d'extraction du sel.

SUR LA RUTA PUUC ET LA RUTA DE LOS CONVENTOS

Au sud de Mérida commence la région puuc, célèbre pour ses sites mayas. Au XIXᵉ siècle, cette zone connut une expansion phénoménale grâce à la culture de l'agave, dont on tirait une fibre solide utilisée pour confectionner des vêtements, mais aussi des cordages de bateaux. Les grands propriétaires, ou *hacienderos*, vivaient comme des rois. Leurs enfants fréquentaient les meilleures écoles d'Europe, et leurs femmes étaient vêtues à la dernière mode parisienne. Quant aux ouvriers mayas, ils étaient pratiquement réduits en esclavage. L'agave était exporté jusqu'en France, et les bateaux revenaient lestés de briques et de tuiles qui servaient à bâtir les demeures des villes comme Mérida.

Aujourd'hui la plupart des plantations sont abandonnées, mais certaines, notamment l'hacienda de **Yaxcopoil** ❸, à 40 km au sud de Mérida, peuvent se visiter. Un imposant arc double de style mauresque ouvre l'allée qui mène jusqu'à la maison. Près de la chapelle au sol en marbre, la cuisine donne sur une plantation de citronniers et de bananiers. Des centaines d'ouvriers agricoles habitaient des huttes rudimentaires, dont certaines sont aujourd'hui occupées par leurs descendants.

Les deux routes du sud, la Ruta Puuc et la Ruta de los Conventos (« route des Couvents »), sont deux itinéraires très empruntés, car ils conduisent à quelques-uns des plus beaux sites du Yucatán. À Muna, on bifurquera vers l'est en direction d'**Oxkutzcab**. L'agriculture est la principale activité de cette région, baptisée « le jardin du Yucatán » (le marché d'Oxkutzcab témoigne d'ailleurs de la fertilité du sol, enrichi par la technique du brûlis). On y cultive les agrumes, la banane et la noix de coco, ainsi que le maïs, ali-

ment de base des paysans mexicains. À 7 km au sud d'Oxkutzcab se trouvent les **grottes de Loltún** ❹ (« fleur de pierre » en maya), longues de plusieurs centaines de mètres et comprenant de vastes salles souterraines. On y a découvert les ossements les plus anciens témoignant d'une occupation humaine de la région.

LES TEMPLES MAYAS DE LA RÉGION PUUC

C'est au sud de Loltún qu'ont été édifiés les temples mayas les plus représentatifs du style puuc, à la transition du classique et du post-classique (entre 800 et 1000). La plupart des cités puuc ont été aménagées autour de *cenotes*, puits naturels d'eau douce indispensables dans cette région où l'on ne trouve pas de cours d'eau en surface. Le style puuc est caractérisé, entre autres, par son décor en mosaïque de pierre, les masques de monstres qui forment des portes et courent sur les

Carte pp. 288-289

Le patio de l'hacienda de Yaxcopoil.

Dans la région de Mérida, la plupart des haciendas exploitant l'agave ont été abandonnées quand cette culture a cessé d'être rentable. Récemment restaurée, celle de Yaxcopoil permet de se faire une idée des conditions de vie des ouvriers mayas : réduits à l'état d'esclaves par les hacienderos, ils vivaient très pauvrement tout en devant fournir un travail harassant.

Les plus beaux exemples du style puuc sont Uxmal, Kabáh, Sayil et Labná, dans l'État du Yucatán ; Kihuic, Xlapak, Xul, Chamultún et Bakná, dans celui du Campeche.

façades, et par les nombreuses représentations de Chac, le dieu de la Pluie.

LABNÁ, SAYIL, XLAPAK, KABÁH

Au sud-ouest des grottes de Loltún, le premier site rencontré est **Labná**. Le temple El Palacio, dans le groupe Nord, est décoré de beaux motifs géométriques typiques du style puuc. Les édifices sont reliés entre eux par des chaussées de pierre ou *sacbeob*. Mais Labná est surtout célèbre pour son arc voûté, sorte de passage séparant deux ailes d'un bâtiment. La partie supérieure est ornée de motifs géométriques et de deux niches qui rappellent les huttes des villages yucatèques.

Le site présente bon nombre de traits artistiques typiques de la civilisation puuc, dont les masques et motifs serpentiformes, les têtes humaines émergeant d'une gueule béante de serpent ou les mascarons du dieu de la Pluie Chac.

La pyramide du Devin, à Uxmal.

Si la pyramide à degrés appartient au patrimoine culturel méso-américain, les Mayas l'ont adaptée en insistant sur la verticalité. Les explorateurs romantiques y ont vu le symbole d'une ascension vers le divin, mais il semble plus probable que ces hautes pyramides étaient ainsi conçues dans le dessein de signifier la puissance des Mayas à leurs rivaux.

Sayil, encore à peine exploré, est surtout connu pour son édifice principal, vaste palais qui s'élève sur trois étages et comprend une cinquantaine de chambres. Au premier étage, le plus ancien, des piliers soutenant les linteaux des portes permettent d'en élargir l'ouverture. Au deuxième étage, les ouvertures se font plus nombreuses, alternant avec des panneaux de colonnettes. La décoration de Sayil est assez sobre, mais on y retrouve plusieurs traits architectoniques typiques du style puuc : colonnettes, mascarons de Chac, motifs serpentiformes... Tout près, **Xlapak**, en partie restauré, est un site stylistiquement proche de Labná et de Sayil.

En remontant vers le nord, **Kabáh** est implanté dans un environnement spectaculaire. L'édifice principal, un palais comptant une trentaine de salles, domine le site. Le célèbre arc de Kabáh se tient à l'extrémité sud du *sacbe* qui reliait le site à Uxmal. La façade du palais des Masques est totalement ouvragée, du sol jusqu'à la corniche supérieure. On y a dénombré trois cents masques du dieu Chac, alternant avec des moulures décoratives.

UXMAL

Uxmal ❺, situé à quelques kilomètres au nord de Kabáh, est l'un des sites mayas les plus célèbres du Mexique. Visité dès 1841 par John Lloyd Stephens et Frederick Catherwood, qui en publia des dessins remarquables, ce site cérémoniel, le plus important de la région puuc, a été fouillé à partir de 1929 par l'archéologue danois Frans Blom.

Fondé vers 600, au début de l'expansion maya, il a été occupé sans discontinuer jusqu'au XVe siècle, évitant l'abandon que connaissent la majorité des grandes cités mayas au XIe siècle. Uxmal compte une quinzaine de groupes architecturaux répartis sur 60 ha. Près de l'entrée du site s'élève la **pyramide du Devin** ❹, qui mesure 39 m de haut. Une légende maya prétend qu'elle

aurait été construite en une nuit par le fils d'une sorcière. En fait, elle fut l'œuvre de plusieurs générations de bâtisseurs et on reconnaît distinctement cinq étapes de construction.

L'escalier ouest aboutit dans un patio rectangulaire appelé le quadrilatère des Oiseaux, d'où un passage voûté permet de rejoindre le **quadrilatère des Nonnes B**, baptisé ainsi par des voyageurs espagnols parce qu'il leur rappelait un couvent. Il se compose de quatre bâtiments rectangulaires édifiés autour d'une vaste cour rectangulaire. Le décor de la façade est exceptionnel, avec ses motifs géométriques (frises, grecques, damiers, losanges) où viennent se glisser des serpents entrelacés, des têtes d'oiseau ou des mascarons du dieu Chac. On peut y voir aussi des images de huttes yucatèques couronnées par un serpent bicéphale et surmontant des niches dans lesquelles étaient sans doute insérées des statues.

Sur le côté sud se trouvent les vestiges d'un jeu de balle et la **maison des Tortues C**, remarquable par sa simplicité. Elle offre un décor ininterrompu de colonnettes comprises entre deux moulures en creux caractéristiques du style puuc. Sur le bandeau supérieur est sculpté un rang de tortues, animal emblématique de la terre pour les Mayas.

Tourné vers l'est, le **palais du Gouverneur D** est un bâtiment de 120 m de long, qui comporte deux ailes. Le décor en mosaïque de pierre de la façade, très ouvragé, aurait nécessité quelque vingt mille éléments sculptés. La porte centrale est surmontée d'une image de roi (probablement le fondateur de la dynastie) trônant sur des serpents bicéphales. D'autres dignitaires sont représentés jaillissant de la gueule d'un monstre. Construit à une date plus ancienne que le quadrilatère des Nonnes, **El Palomar E** (« le pigeonnier ») présente la même configuration rectangulaire. Ce palais résidentiel doit son nom aux perforations de sa crête faîtière qui

Cartes pp. 288-289 et 299

Les marches qui conduisent au sommet de la pyramide du Devin étant très étroites, une chaîne a été installée pour guider les visiteurs. Mais la vue du sommet récompense les plus téméraires, car elle offre un panorama sur les fondements d'édifices inachevés. Des linteaux taillés dans des bois exotiques très durs ont résisté au temps.

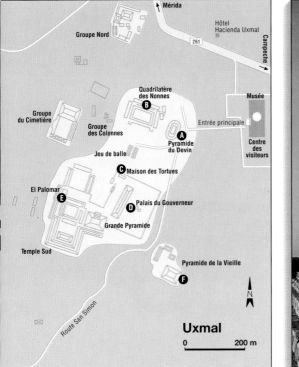

Uxmal
0   200 m

évoquent les trous des pigeonniers. Enfin, la **pyramide de la Vieille ❻** témoigne de la première période d'occupation du site (vers 600). D'après la légende, c'était la maison de la vieille sorcière dont le fils bâtit la pyramide du Devin.

MANÍ

Au nord-est d'Oxkutzcab, la ville de **Maní ❻** (« l'endroit où tout s'est arrêté » en maya) évoque un épisode tristement célèbre de la Conquête. Effrayés par les rituels de sacrifice mayas et convaincus de la suprématie de l'Occident, les Espagnols se livrèrent à une vaste campagne de christianisation. En 1562, Diego de Landa, premier évêque du Yucatán, ordonna à Maní le plus important autodafé de la région, faisant brûler des centaines d'« idoles » mayas et une vingtaine de codex, dont l'Église prétendait qu'ils étaient l'« œuvre du diable ». Plus tard, Diego de Landa, en proie aux remords,

La pyramide du Devin vue du quadrilatère des Nonnes.

rédigea une histoire du peuple maya et de ses coutumes, *Relación de las cosas de Yucatán*, qui reste l'un des plus importants témoignages sur le monde maya d'après la Conquête. L'homme d'Église s'y montre admiratif de la manière dont les Mayas surent tirer parti de la doctrine chrétienne pour l'intégrer à leurs mythes, et vante aussi leurs prouesses architecturales.

C'est à Maní, ville tôt acquise aux Espagnols, que fut signé en 1557 le traité qui fixait les limites des territoires indiens. Mais la construction d'un monastère franciscain avait commencé dès 1550. L'ensemble abritait une école qui devint la plus fameuse du Yucatán.

La **maison de Diego de Landa** est située au milieu des cèdres, près de l'église San Miguel Arcángel. À l'intérieur de cette dernière, la chapelle recèle une série de fresques relatant les batailles menées par les conquistadores et, sur une pierre, on peut voir une représentation de

la conversion au christianisme du chef maya Tutul Xiu. Le rayonnement de Maní diminua à partir du XVIIIe siècle, et la ville fut progressivement délaissée.

Au nord-est de Maní, la petite ville de **Teabo** possède une église du XVIIe siècle, dont la sacristie abrite de très belles fresques d'inspiration européenne. C'est dans le village voisin de **Chumayel** que fut découvert au XIXe siècle un exemplaire du *Chilam Balam*, livre sacré maya où des chroniques très anciennes du peuple maya voisinent avec des recettes médicinales ou des récits de la Genèse (le corpus du *Chilam Balam* a sans doute été mis au jour au XIXe siècle).

DE MANÍ À PROGRESO

En route vers la côte nord, on pourra faire halte à **Mayapán**, sur la Carretera 18. Les chefs de cette cité étaient les descendants de Hunac Ceel, qui avait vaincu Chichén Itzá

au début du XIIIe siècle. Le nouveau centre politique du Yucatán vit fleurir les édifices (Mayapán en comptait 3 500 à son apogée), dont certains présentent des ressemblances avec El Castillo de Chichén Itzá. Une muraille entourait la ville, qui ne fut cependant d'aucune efficacité contre les attaques des chefs yucatèques révoltés. Le règne de Mayapán s'acheva en 1450, laissant la place à de nombreux États rivaux dont les conquistadores eurent rapidement raison.

À quelques kilomètres, **El Telchaquillo** possède un beau *cenote*, et la façade du temple franciscain a été travaillée par des artisans mayas. On y découvre des motifs typiques de l'iconographie yucatèque. Dans le village de **Tecoh**, le couvent du XVIe siècle a été bâti sur les fondations d'un ancien temple maya, tandis qu'à **Acancéh**, l'église, dédiée à la Vierge de Guadalupe, jouxte les ruines d'une pyramide précolombienne à quatre niveaux.

Jeune fille maya au sourire rayonnant.

Les calèches sont souvent décorées de motifs peints à la main.

Au nord de la Ruta 180 qui relie Mérida à Valladolid, **Aké ❼** a été occupé dès le début de notre ère. Florissant jusqu'en 1450, ce site était relié à Izamal par un *sacbe*. Les bâtiments s'organisent autour d'une vaste place centrale. Au nord, l'édifice des Pilastres comporte, sur sa plate-forme supérieure, trente-cinq colonnes composées de fûts de pierre mesurant chacun 1,20 m de haut et qui supportaient autrefois un toit en bois. Les autres constructions sont assez délabrées, les pierres de parement ayant été utilisées au début du siècle à la construction d'une exploitation d'agave établie sur le site même.

LES CITÉS PUUC DU NORD

À la sortie de Mérida sur la route de Progreso, on tournera à gauche en direction de Taxché pour se rendre aux ruines de **Dzibilchaltun** (12 km de Mérida). Cette cité maya fut florissante au IXᵉ siècle, même si elle a été occupée de façon continue depuis le VIᵉ siècle avant notre ère. À son apogée, le centre de la ville comptait plusieurs centaines d'édifices reliés entre eux par des *sacbeob*, et on a recensé quelque huit mille maisons sur tout le site (18 km²) : si la plupart étaient de simple cabanes, on a retrouvé aussi des traces de murs en maçonnerie qui devaient soutenir des toits de chaume. Près de la place centrale, le **cenote Xlacah**, d'une profondeur de 50 m environ, a livré près de trente mille objets mayas, ainsi que des restes humains et animaux.

Le **temple de Las Siete Muñecas** (« les Sept Poupées ») tire son nom d'une offrande de sept figurines retrouvées à l'intérieur. Différentes phases de construction sont visibles dans la structure actuelle : bâti au VIIᵉ siècle, le temple a été recouvert par une autre pyramide à la fin du classique (vers 900), puis un passage a été ouvert au postclassique récent (1250-1525) vers le temple, où l'on a

Fête religieuse au Yucatán.

édifié un autel sur lequel étaient déposées les offrandes qui ont donné son nom à l'édifice.

Sur le site, un petit musée de qualité a été ouvert récemment pour conserver une partie des objets trouvés sur le site, ainsi que des statues provenant de Chichén Itzá et d'Uxmal. Le fonds présente également des objets datant de la Conquête.

PROGRESO

À 36 km de Mérida sur la côte nord, le port de **Progreso** ❸ a été fondé au XIXᵉ siècle, pour remplacer celui de Sisal, en activité depuis la Conquête. Mieux protégé des vents et des courants, Progreso fut équipé pour l'exportation des fibres d'agave et pour recevoir les cargaisons de briques, pavés et tuiles en provenance de l'Europe. **El Faro** (« le phare »), construit en 1885, jouxte le marché et la gare routière. Les week-ends sont très animés, car la ville accueille des flux de visiteurs venus profiter de la longue plage de Progreso, qui s'étend sur plus de 80 km jusqu'à Dzilam de Bravo. Hôtels et restaurants abondent sur le front de mer.

À l'est de Progreso commence la **Costa Esmeralda** (« côte d'Émeraude »), longée par la Ruta 27. **Chicxulub Puerto** est un charmant port qui fut construit à l'emplacement d'un impact de météorite datant de soixante-cinq millions d'années.

Les villégiatures se succèdent sur la côte nord, recherchée pour la beauté de ses paysages et la richesse de sa faune. À Telchac, on trouvera un hébergement confortable dans un site agréable. Il est même possible d'y louer une maisonnette pour l'hiver, pendant la saison sèche.

À **Dzilam de Bravo**, la mangrove et les nombreux canaux abritent des milliers de flamants roses. Ses plages de sable fin, quant à elles, attirent les citadins venus chercher la fraîcheur océane. Plus à l'est, le **Parque Natural de San Felipe** est une zone de dunes et de marécages qui abrite une faune variée : reptiles, oiseaux et primates.

DE LA CÔTE NORD À TIZIMÍN

À Telchac Puerto, à mi-chemin entre Progreso et Dzilam de Bravo, une route s'enfonce dans les terres en direction de Motúl. À 4 km de Telchac se trouve le site de **Xcambo**, qui présente une intéressante superposition d'éléments mayas et catholiques. **Motúl**, à 60 km au sud, fut un grand centre de production du sisal. Son couvent du XVIᵉ siècle est intact, avec sa chapelle couverte et son cloître à deux étages. Sur le marché, très pittoresque, les femmes vêtues de longs *huipiles* vendent des sacs de *nanzes*, un petit fruit jaune très savoureux. On ne manquera pas de goûter les *licuados de pitahayas*, le fruit rouge d'une variété de cactus qui mûrit en été. On le prépare en jus, mélangé avec du citron et de l'eau.

Au sud-est de Motúl, sur la route d'Izamal, un vaste *cenote* dans une grotte, au milieu de la campagne, est un lieu de baignade très fréquenté par les habitants de la région. On y

Carte pp. 288-289

Le cenote *de Valladolid, d'après une photographie de Désiré Charnay.*

Fasciné par les écrits de Stephens et Catherwood sur le monde maya, Désiré Charnay entreprit en 1860 un long périple à travers la péninsule du Yucatán pour y photographier les grands sites précolombiens. Les dessins et photographies qu'il en rapporta ont contribué à faire connaître les richesses architecturales de cette région.

*Quetzalcóatl,
le serpent
à plumes.*

*Vue
de Chichén Itzá.*

accède par un long escalier taillé dans la roche.

À une quarantaine de kilomètres de Motúl, **Izamal** est la plus belle ville coloniale du Yucatán. Avant la Conquête, la cité était prospère et possédait les plus grandes pyramides du Yucatán. Plusieurs subsistent, dont celle dédiée au dieu du Soleil.

Izamal étant un important centre de pèlerinage maya, les Espagnols entreprirent, après la Conquête, d'en faire un lieu de culte catholique. Diego de Landa fit détruire un temple dédié au dieu de la Pluie pour y édifier à la place un vaste couvent, dont la construction commença en 1533. L'ensemble, qui est le plus important de ce genre en Amérique, occupe toute la plate-forme de l'ancien temple maya, à laquelle on accède par trois rampes. La porte principale est couronnée d'un magnifique arc de triomphe.

L'atrium, vaste cour entourée d'arcades, est dominé par la silhouette très sobre de l'église ; sur le côté gauche, une petite tour a été ajoutée à la fin du XIXe siècle, qui dépare la belle harmonie de cette façade. Derrière le chœur est conservée une statue vénérée de la Vierge d'Izamal, patronne du Yucatán.

CHICHÉN ITZÁ

À mi-chemin entre Mérida et Cancún, **Chichén Itzá ❾** est assurément le plus célèbre et le plus spectaculaire des sites mayas du Yucatán. Fondée vers le Ve siècle, cette petite ville puuc connaît un développement extraordinaire du XIe au XIIIe siècle, après sa colonisation par des guerriers toltèques alliés à des Mayas Putun. Les Toltèques sont originaires de la ville de Tula, d'où leur chef Topiltzin avait été banni. Celui-ci répond au titre mexicain de Quetzalcóatl, « serpent à plumes », traduit en maya par Kukulkán.

Quetzalcóatl est une des divinités les plus complexes de la Méso-Amé-

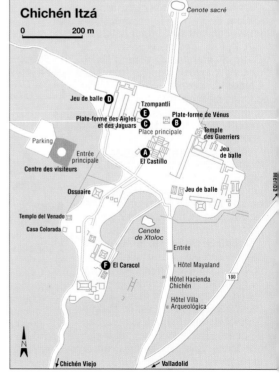

rique. Apparu dès le IIe millénaire av. J.-C., il fut magnifié par les Toltèques, qui donnèrent son nom à un de leurs chefs pour l'installer sur le trône de Tula et en faire le fondateur de leur lignée. Dieu de l'Est et du Savoir, il est représenté comme un prêtre et un guerrier, car il est censé posséder tous les attributs du pouvoir (dans le monde nahua, le pouvoir était détenu conjointement par ces deux catégories de dignitaires).

UN SITE MYTHIQUE

Marqué par la double influence des styles puuc et toltèque, Chichén Itzá traduit le caractère sanguinaire des guerriers de Tula et la symbolique maya (verticalité vertigineuse des pyramides, écriture glyphique...).

Fondé autour d'un *cenote* qui lui a donné son nom (Chichén Itza signifie « le puits des Itzá »), le site fut un haut lieu de pèlerinage maya, et un culte continuera de s'exercer secrètement pendant la période coloniale. Car si la ville décline au XIIIe siècle, elle restera habitée jusqu'à la Conquête, et ses habitants empêcheront qu'elle devienne la capitale coloniale de la zone. L'évangélisateur du Yucatán Diego de Landa la décrit dans sa *Relacíon de las cosas de Yucatán*, évoquant les sacrifices humains et les offrandes d'objets précieux perpétrés dans le grand *cenote*.

Au XIXe siècle, Stephens et Catherwood entreprirent les premières fouilles du site, suivis par Maler et Maudslay. Mais c'est surtout le nom de Désiré Charnay qui reste attaché à la découverte des richesses de Chichén Itzá. Il fut le premier à photographier les grands sites mayas, comme Palenque, Uxmal et Chichén Itzá, et ses travaux serviront aux premières expéditions scientifiques envoyées en Amérique centrale. C'est en 1857 que, fasciné par les récits de Stephens et Catherwood, il réussit à convaincre le ministère de l'Éducation français de subventionner son voyage en vue de dessiner les cités mayas d'Amérique centrale. Il rassembla ses illustrations dans un bel ouvrage intitulé *Les Anciennes Villes du Nouveau Monde*. Vingt ans plus tard, une nouvelle expédition lui permit de rapporter de nombreuses photographies de monuments, mais aussi des Mayas et de leur environnement. Ces clichés firent le tour du monde et contribuèrent à fortifier le mythe de Chichén Itzá dans l'imaginaire occidental.

De 1904 à 1911, le consul américain Edward Herbert Thompson, professeur à Harvard, explore le *cenote* des sacrifices (35 m de profondeur) pour le compte du Peabody Museum et y découvre un grand nombre d'offrandes (pièces d'orfèvrerie, bijoux et objets en jade ou en cuivre notamment), ainsi que des restes humains qui confirment la fonction rituelle de ce puits. Mais ce n'est qu'à partir de 1924 que les premiers travaux de conservation du site sont engagés, sous le patronage

Carte pp. 288-289

Les artistes d'Uxmal ont su donner libre cours à leur créativité.

Ce qu'on appelle le groupe des Mille Colonnes sont les ruines d'immenses salles hypostyles de réunion. «C'est un ensemble de plusieurs centaines de petites colonnes se développant en ordre régulier par rangées de quatre ou cinq.» Désiré Charnay, Voyage au Yucatán

Longtemps attribué aux seuls Aztèques et Toltèques, le sacrifice fut aussi pratiqué par les Mayas, comme en témoignent leurs édifices. Dans l'Amérique précolombienne, la mise à mort était un acte positif dans la mesure où elle était pratiquée pour le salut des vivants.

Le temple des Guerriers à Chichén Itzá.

de la Carnegie Institution et de l'Institut national d'anthropologie et d'histoire du Mexique (INAH). Depuis, Chichén Itzá a été déclaré patrimoine culturel de l'humanité par l'Unesco.

EL CASTILLO (CHICHÉN ITZÁ)

Surnommée **El Castillo** ❹ (« le château »), la pyramide de Kukulkán dédiée à Quetzalcóatl trône au centre de la cité, culminant à 30 m de hauteur pour une superficie de 3 000 m². Composée de neuf terrasses en talus, elle possède quatre escaliers de 91 marches chacun, soit un total de 364 marches auquel vient s'ajouter celle de l'entrée du temple : cela nous donne les 365 jours de l'année solaire, tandis que la pyramide à quatre escaliers symbolise chez les Mayas l'achèvement d'un *katun* (période de vingt ans). Les neuf degrés de la pyramide représentent quant à eux les neuf mondes souterrains de la cosmogonie maya ; dix-huit terrasses divisent ces neuf niveaux, correspondant aux dix-huit mois de vingt jours de l'année maya, et chaque face de la pyramide comprend cinquante-deux panneaux représentant le cycle cosmique de cinquante-deux années. Aux équinoxes de printemps se produit un phénomène surprenant : au coucher du soleil, les rayons commencent par éclairer la tête du serpent ornant le bas d'une des rampes, puis toute la rampe, tandis que l'ombre des gradins se projette sur l'escalier, donnant l'illusion que le serpent grimpe au sommet de la pyramide. Tout en haut se trouve le temple, dont la porte principale, au nord, est flanquée de colonnes serpentiformes.

Les fouilles opérées par les archéologues à l'intérieur de la pyramide ont mis au jour une structure plus ancienne (fin du Xe siècle). Ce principe de superposition des édifices est d'ailleurs une constante dans l'architecture précolombienne.

Le sanctuaire contenu dans cette pyramide cachée recèle un *chac-mool*, statue anthropomorphe figurant un personnage masculin à demi allongé, la tête tournée sur le côté, jambes repliées et tenant une sorte de coupelle à offrandes entre ses mains.

Une seconde salle a livré un trône en pierre affectant la forme d'un jaguar à la gueule béante, peint en rouge et incrusté de plaques de jade.

LE DÉROULEMENT DU SACRIFICE

Les prêtres étaient chargés de l'exécution solennelle, partageant ainsi l'exercice du pouvoir avec les guerriers. On peut donc dire qu'en Méso-Amérique, le sacrifice cimente les liens entre les deux principales classes de la société. Les rôles étaient répartis précisément pour le rituel du sacrifice : les *chac* tenaient les bras du sacrifié, tandis que les *nacom* ouvraient la poitrine et que le *chilan*

interprétait les textes sacrés, peut-être sous l'emprise de drogues. Mais il est aussi probable que tout le monde devait donner son sang, y compris les dignitaires religieux ou politiques, comme le roi. La douleur jouait sans doute un rôle important : les techniques employées nous semblent aujourd'hui particulièrement cruelles, tel l'emploi de pics de raie ou de couteaux sur les organes vitaux ou de cordes à épines passées à travers la langue… Les sacrifiés étaient jetés vivants dans le *cenote* (ceux qui en réchappaient étaient ensuite chargés de faire des prédictions).

Bâties sur le modèle d'El Castillo, la **plate-forme de Vénus** ❸ et la **plate-forme des Aigles et des Jaguars** ❹ sont accessibles par quatre escaliers. Sur la façade du second édifice sont représentés des aigles et des jaguars dévorant un cœur humain. Dans la cosmogonie maya, chaque animal est un avatar du soleil, diurne pour l'aigle, nocturne pour le jaguar. Rappelons que,

Plan
p. 304

L'objectif majeur de la guerre était de faire des captifs qui pourraient servir de victimes cérémonielles. Dans toute la Méso-Amérique, les captifs étaient traditionnellement représentés tenus par les cheveux : se faire empoigner ainsi était la marque de la défaite.

El Castillo, à Chichén Itzá.

Le jeu de balle était un rite, comme le prouve l'emplacement des terrains au cœur des centres cérémoniels. Il symbolisait la lutte de la vie et de la mort : chaque rebond de la balle, retardant l'instant fatidique, donnait un nouvel élan au cosmos.

Céramiques découvertes dans les grottes de Balankanché.

dans les civilisations méso-américaines, le sommet de la hiérarchie militaire était occupé par les chevaliers-aigles et les chevaliers-jaguars, que l'on voit représentés de façon quasi continue depuis l'époque des Olmèques jusqu'à celle des Aztèques. Ces guerriers étaient des acolytes du soleil, puisqu'ils offraient le captif destiné au sacrifice.

LE JEU DE BALLE (CHICHÉN ITZÁ)

Le grand **jeu de balle** ❶ de Chichén Itzá est le plus vaste de toute la Méso-Amérique, mesurant 160 m de long pour 75 m de large, soit une surface de 7 000 m². Le site comprenait six aires de jeu, toutes les cités mayas en comptent au moins une. Mais les plans varient d'une ville à l'autre, voire à l'intérieur d'un même site, ce qui laisse supposer qu'il existait plusieurs rituels pour le jeu de balle. Le terrain se compose d'une allée comprise entre deux

La céramique méso-américaine est d'excellente qualité dès l'origine, et les Mayas ont excellé dans cet art. Au fil du temps, les parois des récipients se sont ornées de motifs de plus en plus sophistiqués. On trouve même des vases-codex décorés de scènes militaires ou religieuses qui constituent une mine d'informations.

plans inclinés (talus) appuyés sur des plates-formes rectangulaires parallèles. Les joueurs faisaient rebondir la balle sur les talus, les banquettes situées au pied des plates-formes et au sommet des corniches, sans utiliser leurs mains.

À Chichén Itzá, les murs latéraux sont couverts de bas-reliefs qui évoquent le sacrifice final. Les chefs d'équipe sont en tenue d'apparat, et l'un d'entre eux vient de décapiter un joueur de l'équipe adverse : il tient dans ses mains un couteau et la tête de sa victime agenouillée, des flots de sang jaillissant de la blessure de cette dernière. Les crânes des victimes du jeu de balle étaient enfilés sur des perches et exposés à l'horizontale sur plusieurs rangées. À Chichén Itzá, on peut en voir une représentation sculptée sur une frise de la longue plate-forme du **Tzompantli** ❺.

LES ÉDIFICES PUUC (CHICHÉN ITZÁ)

Plusieurs édifices appartiennent à la période puuc, antérieure à l'arrivée des Toltèques. Dans la section appelée Chichén Viejo (« le vieux Chiché »), **El Osario** est une pyramide de taille moyenne, où des ossements humains ont été découverts il y a un siècle. **El Templo del Venado** (« le temple du cerf ») et la **Casa Colorada** (« la maison rouge ») datent de la même période, ainsi que le **quadrilatère des Nonnes**, dont la façade est couverte de masques typiques du style puuc, tandis que la porte principale figure la gueule d'un monstre.

El Caracol ❻ est un temple rond doté, au centre, d'un escalier en colimaçon (l'espagnol *caracol* signifie « escargot »). Les structures rondes furent importées du Mexique central, où elles étaient associées au culte de Quetzalcóatl, dont l'un des aspects et celui de Vénus, l'étoile du Berger. La forme de l'édifice et sa configuration laissent penser qu'il était consacré à des observations astronomiques.

LES GROTTES DE BALANKANCHÉ

Situées sur la route de Valladolid, ces grottes ont été découvertes en 1959. Elles servirent de lieu de pèlerinage dès l'époque toltèque, comme le montrent les offrandes (braseros, encensoirs...) que l'on peut y voir. Pour descendre dans les profondeurs de ce lieu sacré, il faut suivre un escalier de trois cent vingt marches sur une distance de 900 m en traversant plusieurs salles. Tout en bas se trouve une piscine naturelle où l'on pratiquait des sacrifices. Dans les zones rurales du Yucatán, et malgré les interdictions du clergé, on continue de célébrer Chac, le dieu de la Pluie : sur un autel de bois, des offrandes de pain et de nourriture sont déposées sur des arceaux de feuilles, puis redistribuées et mangées par les participants.

VALLADOLID

Avec cinquante-deux mille habitants, **Valladolid** ❿ est, après Mérida, la ville la plus importante du Yucatán. Fondée en 1543 par le conquistador Francisco de Montejo sur les ruines de l'ancienne Zaci, elle fut presque totalement détruite pendant la guerre des Castes et ne retrouva jamais sa splendeur passée. Elle reste cependant un grand carrefour commercial, et les rares maisons coloniales encore debout lui donnent un certain cachet. Construite au XVIᵉ siècle, l'église du **couvent San Bernardino de Siena** fut le premier sanctuaire yucatèque où l'on vénéra la Vierge de Guadalupe, patronne du Mexique. À l'intérieur, le retable de saint Antoine est une très belle pièce du début du XVIIIᵉ siècle. Non loin de là se trouve le **couvent de Sisal**, qui fut édifié pour l'évangélisation des Indiens. Il a été construit près du **cenote sacré** de l'ancienne Zaci. Sécularisé en 1755, il fut progressivement abandonné. Des restaurations ont été entreprises dans les années 1970.

À quelques kilomètres à l'ouest de Valladolid, on peut voir, au milieu des *milpas* (essarts cultivés par les Mayas pour leur usage personnel), le *cenote* de **Dzinup**, l'un des plus beaux du Yucatán. L'eau y est très pure.

RÍO LAGARTOS

Le petit port de pêche de **Río Lagartos** ⓫, situé à 107 km au nord de Valladolid, se cache au milieu de la jungle, sur une côte inhabitée à l'abri des flux touristiques. Ses rues étroites et ses maisons colorées en font un lieu de séjour agréable. Le **Parque Natural Río Lagartos** est un sanctuaire pour les oiseaux migrateurs, en particulier les flamants roses. De San Felipe jusqu'à El Cayo, une étroite bande de terre protège les lagunes de l'océan. Les flamants roses arrivent en avril pour y faire leur nid ; la ponte a lieu en juin et le départ en septembre pour d'autres estuaires plus abrités, comme celui de Celestún. Des excursions en bateau sont organisées au départ de Río Lagartos pour observer les oiseaux dans la lagune.

Cartes
pp. 288-289
et 304

Dans l'hacienda Chichén, les tables sont dressées sur la terrasse, face au jardin.

Près des grandes villes coloniales du nord du Yucatán, on trouve une hôtellerie de charme où l'on peut dormir entre des murs de pierre édifiés au XVIᵉ siècle par les moines catholiques. Dans la région de Mérida et de Valladolid, ce sont les anciennes haciendas qui ont été aménagées en hôtels de luxe, dans des cadres souvent idylliques.

LA CÔTE CARAÏBE

Dominée par le pôle touristique de Cancún, la côte caraïbe du Yucatán est une destination très prisée par les amateurs de sable fin et de soleil. Mais cet énorme complexe balnéaire ne doit pas faire oublier les autres attraits de cette région aux multiples visages : des îles paradisiaques, des plages magnifiques, des fonds marins très riches, des parcs et réserves peuplés d'une faune exceptionnelle et plusieurs sites précolombiens tardifs tournés vers le large.

CANCÚN

La côte caraïbe mexicaine est surtout connue pour **Cancún** ⓬, qui est l'équivalent de la Costa del Sol espagnole : une enfilade de gigantesques hôtels de luxe alignés sur des kilomètres de plage. Les avions de touristes atterrissent toute l'année sur l'aéroport international : les eaux turquoise, le sable blanc, le farniente et la vie nocturne attirent les foules. Facilement accessible en avion, Cancún permet aussi de découvrir une région restée longtemps très isolée. Car jusqu'à une date récente, la péninsule du Yucatán manquait cruellement de voies de communication et d'infrastructures touristiques, et l'inconfort du voyage compensait difficilement la richesse des découvertes. Pour les archéologues, le voyage s'arrêtait à Chichén Itzá. Quant aux voyageurs, le soulèvement des Indiens de Chan Santa Cruz rendait la côte caraïbe inaccessible. Cancún était alors une petite île au sud de Mujeres, bande de sable fin échouée entre la mer et la lagune, où vivaient quelques familles de pêcheurs.

Au début des années 1840, l'explorateur John Lloyd Stephens racontait dans son journal sa fascination pour les dunes de « Kancune » et ses édifices mayas. Le plus grand de tous, baptisé **El Rey** (« le roi »), se trouve aujourd'hui au milieu du terrain de golf du Caesar Park Hotel. Sans doute construit au XIIIe siècle, il fut baptisé ainsi par les Espagnols qui y avaient vu un sanctuaire pour la noblesse maya. Ses pierres ne sont plus désormais visitées que par les iguanes… Quant aux échassiers et aux crocodiles, ils font parfois une brève apparition au large.

Le développement prodigieux de Cancún remonte à la présidence de Luis Echeverria (1968-1976), avec la fondation de la FONATUR (Fundación Nacional del Turismo), chargée d'évaluer les possibilités d'extension du tourisme au Mexique, de concevoir des projets et de rechercher des investisseurs (voir p. 279). Cette démarche fondée sur la quête de nouveaux sites pouvant répondre, par leur situation géographique et leur environnement socioculturel, à la demande d'un maximum de voyageurs, et donc offrir à l'économie mexicaine une manne financière, a donné lieu à une rumeur tenace : Cancún serait une ville tout droit sortie d'un ordinateur, sans rapport

Carte pp. 288-289

À gauche, les eaux calmes de Cancún ; ci-dessous, retour de pêche à Playa del Carmen.

Sur la côte caraïbe, la pêche est une importante source de revenus pour les populations locales. Sous l'influence d'un tourisme grandissant, restaurants de poisson et petites baraques sur les plages se sont multipliés. Mais le fragile équilibre des fonds marins est aujourd'hui menacé par la dégradation que causent le tourisme et la pêche intensive.

*À Cancún,
les boutiques
de souvenirs
offrent un choix
d'objets souvent
très kitsch.*

*Les tours
modernes
des grands hôtels
de Cancún.*

avec la réalité. De fait, l'importance des moyens technologiques et économiques mis en œuvre a donné naissance à une ville-champignon à la place d'une simple bande de sable sous le soleil. « Gringoland », comme l'appellent certains esprits chagrins, offre toutes les commodités pour les visiteurs, et ce temple de la consommation fait vivre des milliers de Mexicains.

Bien sûr, il reste encore une faune abondante et variée, et un écosystème luxuriant. Mais la jungle et les langues de sable entourant les eaux saumâtres de la Laguna Nichupté ont disparu. Ce qui n'était qu'un minuscule village situé sur l'une des sept îles de l'archipel est devenu une ville ultramoderne hébergeant les employés de l'industrie hôtelière. Les premiers hôtels ont ouvert en 1972, puis des ponts ont été bâtis pour relier les îles au continent. L'industrie du bâtiment n'a pas fini de prospérer à Cancún. La ville compte trois cent cinquante mille habitants

et plus de deux millions de visiteurs annuels (américains pour la plupart).

Idéale pour les vacances luxueuses et paresseuses, les bains de soleil sur des plages privées, les plongeons dans une mer turquoise, Cancún offre un choix très varié de résidences hôtelières. La ville se divise en deux parties : **Ciudad Cancún**, sur le continent, et **Isla Cancún**, où aboutit le **boulevard Kukulkán**, bordé de grands hôtels. Ces derniers, quoique très proches les uns des autres, proposent une gamme de services permettant de séjourner à Cancún sans sortir de son hôtel : restaurants, piscine, vue sur la mer, discothèques, change, bars, poste... Et les galeries marchandes sont à deux pas, avec plus de trois cents boutiques sur la Plaza Kukulkán et deux cents sur la Plaza Caracol.

Les styles architecturaux varient d'un hôtel à l'autre, des cascades de plantes tropicales de l'établissement thermal Melía Cancún à la sobriété *high-tech* du Ritz Carlton, en pas-

Carte pp. 288-289

sant par des bâtiments de style néo-maya ou néocolonial...

Dans le **Centro de Convenciones** se déroulent la plupart des concerts et manifestations publiques. Derrière, le **Museo Arqueológico** présente une collection d'objets mayas, ainsi que des boîtes crâniennes déformées. Les Mayas, qui constituaient un groupe ethnique à part, ont accentué certains traits physiques, comme le crâne en pain de sucre ; les déformations frontales et occipitales étaient obtenues en comprimant la tête des nouveau-nés entre des planchettes maintenues par des bandelettes. Les Mayas pratiquaient aussi l'ornementation corporelle : tatouages, incrustation de pierres précieuses dans les dents...

La mer est assurément le principal agrément de Cancún. De nombreux clubs nautiques proposent différentes activités : surf, plongée au tuba, parachute ascensionnel, sans oublier les croisières à thème : excursion à Isla Mujeres, promenade en bateau à fond de verre, dîners-croisières, etc. À la **Marina** (km 15,2), on peut pratiquer la pêche sous-marine ou la plongée, et explorer la Laguna Nichupté à bord d'un canoë ou d'un pédalo, voire d'un petit sous-marin.

L'avenue des hôtels est entrecoupée de places très animées, bordées de nombreux commerces : boutiques, bars, restaurants, cinémas, agences de tourisme proposant divers services touristiques. Certaines s'étendent sur plusieurs niveaux, telle la **Plaza Flamingo** (km 10,5), l'immense **Plaza Kukulkán** (km 13) ou encore la **Plaza de la Fiesta**, plus simple et très colorée avec ses groupes de mariachis jouant et chantant à la demande et ses échoppes de souvenirs.

Le Rainforest, près de la **Plaza Gaviota Azul**, est un restaurant kitsch à souhait, avec sa jungle en papier peuplée de faux poissons et de papillons géants en plastique. Serveurs et serveuses, coiffés de grands chapeaux et arborant des cartouchières à la ceinture, proposent de la nourriture de *gringo* (hamburgers et autres) sur fond de musique *ranchera* (musique country mexicaine très populaire). Le balcon du restaurant donne sur une place où se joue de la musique traditionnelle, avec danseurs et chanteurs folkloriques. Plus loin, **Isla Shopping Village** (km 12,5) occupe une île artificielle et les clients des restaurants peuvent déguster une nourriture de choix au milieu d'aquariums géants.

LE CENTRE DE CANCÚN

Les voyageurs à petit budget ou ceux que cet étalage de luxe rebute préféreront sans doute résider à **Ciudad Cancún**, où l'on peut trouver hôtels et restaurants bon marché près du magasin **Sanborns**, au croisement des avenues Uxmal et Tulum. Entre le **Monumento a la Historia de México** de la gare routière et le **Monumento Diálogo Norte-Sur** sont rassemblés la plupart des commerces et des services : marchés,

Dans les lieux touristiques, des «murets» de rochers délimitent d'agréables piscines où les enfants peuvent s'en donner à cœur joie.

Les rivages de la mer des Caraïbes offrent une eau transparente et tiède, protégée des remous du large par la barrière de corail. De formation récente, celle-ci continue de se consolider, abritant une faune marine très riche.

boutiques, change, bars, agences de tourisme, un grand supermarché et, en se dirigeant vers le sud du boulevard Kukulkán, des compagnies aériennes. Les bus portant la mention «Hotel Zone» parcourent continuellement le trajet entre le centre et le **Club Med**, situé à l'extrême sud de la ville.

LES ÎLES DU NORD (*voir p. 276*)

À quelques encablures au nord de Cancún, **Isla Contoy** ⓭ est un sanctuaire pour les pélicans, les aigrettes, les fous, les cormorans et les tortues de mer. Rendue célèbre par le commandant Cousteau, elle attire de nombreux observateurs et des plongeurs venus contempler les couleurs chatoyantes des poissons tropicaux. On y accède en bateau (excursions organisées au départ d'Isla Mujeres ou locations à Cancún), mais l'île ne possède aucune infrastructure touristique : il faut donc dormir sur la plage et prévoir son repas.

Artisan maya au travail.

L'économie traditionnelle repose avant tout sur le travail de la terre, mais l'artisanat, en pleine expansion depuis l'essor touristique des années 1970, présente une source non négligeable de revenus. Les potiers mayas produisent des objets très variés dont les motifs s'inspirent parfois des décors des sites précolombiens.

À la pointe de la péninsule, **Isla Holbox** ⓮ est certes assez éloignée (150 km de Cancún par la route), mais peut faire l'objet d'une excursion sur deux jours, en dormant sur place dans d'agréables bungalows. Les bateaux partent de Chiquilá.

ISLA MUJERES

Située à quelques kilomètres au nord de Cancún, **Isla Mujeres** ⓯ («île des femmes») fut découverte en 1517 par Francisco Hernandez de Córdoba. Ce dernier trouva dans un temple plusieurs idoles féminines qui ont donné leur nom à l'île, qui fut pendant plusieurs siècles un repaire de pirates et de contrebandiers. Longue de 8 km sur 800 m dans sa plus grande largeur, elle ne comprend que deux routes. Au nord, le village, habité par des familles de pêcheurs, a conservé son aspect traditionnel. Au sud se dressent les ruines d'un temple maya, endommagé par l'ouragan Gilberto en 1988 et partiellement restauré. L'édifice était dédié à Ixchel, la déesse de la Fertilité. Son pendant, Itzamna, le dieu Soleil, aussi le dieu des Arts et des Sciences. Mais tandis qu'Itzamna est considéré comme une entité bénéfique, Ixchel est décrite comme une vieille femme malfaisante.

Lieu paradisiaque, Isla Mujeres possède de très belles plages, en particulier **Playa de los Cocos**, au nord, dont le sable fin et les eaux transparentes font la réputation. On peut aussi louer un bateau pour observer les nombreux poissons du jardin corallien d'**El Garrafón**, au sud, ou découvrir des tortues géantes au **Parque de las Tortugas**. Tout près, l'épave d'un bateau, **El Dormitorio**, échoué par 10 m de fond, attire les plongeurs en quête d'aventure. Enfin, la **grotte des «Requins endormis»**, dans les profondeurs de la côte nord-est, offre un spectacle très rare de requins immobiles (la plupart des espèces de requins ont besoin de se mouvoir sans cesse pour respirer). Sur la côte est se dressent le phare d'Isla Mujeres et les vestiges de l'**ha-**

Carte
pp. 288-
289

cienda **Mundaca**, première demeure du contrebandier Fermín Mundaca, qui établit son repaire sur l'île à la fin du XVIIIe siècle. Amoureux d'une belle Espagnole, il lui fit construire une demeure splendide et un fortin pour la protéger. Mais la jeune fille en aimait un autre. On raconte que Mundaca se laissa mourir de chagrin, non sans avoir laissé à sa belle sa maison. Sa tombe porte cette épitaphe : « *Como eres, yo fui. Como soy, tu serás.* » (« Comme tu es, j'ai été. Comme je suis, tu seras. »)

Des navettes assurent la liaison entre Punta Sam (8 km au nord de Cancún) et Isla Mujeres, mais les bateaux au départ de Puerto Juarez sont plus fréquents. On peut aussi faire la traversée à bord de catamarans qui partent de Playa Linda, près de l'hôtel Casa Maya, à Cancún ; enfin, des compagnies privées assurent également des liaisons par avion (se renseigner auprès des agences de voyages locales).

PUERTO MORELOS

La Ruta 307 longe la côte sur des kilomètres, offrant de belles vues sur la mer des Caraïbes. Cette route non pavée par endroits permet cependant de rejoindre de petits villages isolés. À **Puerto Morelos** ⑯, habité surtout par des pêcheurs, on trouve quelques hôtels bon marché. Des expéditions de plongée sont organisées pour le **Palancar Reef**, rendu célèbre par Cousteau. Ici commence la barrière de corail qui s'étire sur près de 350 km jusqu'au sud du Belize (*voir p. 235*). En raison de ses reliefs irréguliers, elle fut pendant des siècles le cauchemar des marins qui s'aventuraient au large des côtes d'Amérique centrale : des gouffres de 900 m de profondeur alternent en effet avec des endroits où la barrière est à 5 m à peine de la surface… C'est l'un des plus beaux sites de plongée du monde, ses récifs de coraux abritant une faune exceptionnellement riche et variée.

Le jardin botanique **Alfredo Barrera Marín** possède un bel échantillon

de la flore régionale et, à proximité du village, l'**aquarium Palancar** permet de se faire une idée de la vie aquatique du littoral caribéen (mangroves, lagune, barrière de corail).

De Puerto Morelos, un chemin de terre conduit aux plages de sable fin : la **Playa del Secreto**, peu fréquentée, et la **Playa Paraíso**. À proximité, **Punta Marama** et **Punta Bete** sont équipées de bungalows rustiques et de restaurants de poisson.

PLAYA DEL CARMEN

Playa del Carmen ⑰, à 50 km au sud de Puerto Morelos, est une grosse bourgade en pleine extension touristique : magasins de souvenirs, bars, discothèques et restaurants bordent ses rues. Relativement « américanisée », Playa del Carmen garde cependant une ambiance agréable et très animée en été. Des flots de visiteurs envahissent l'embarcadère, d'où partent toutes les heures des navettes pour Cozumel. Au milieu

Les eaux de Cozumel regorgent de poissons multicolores.

La piscine du Fiesta Americana Hotel, à Cancún.

À Cancún, les styles architecturaux des grands hôtels sont hétéroclites. À côté des grands immeubles modernes se sont développées de petites structures inspirées de l'habitat traditionnel du Yucatán : des huttes rudimentaires dont les murs en pierre supportent des toits de chaume.

de la zone résidentielle se dressent quelques vestiges de petits temples érigés pour les Mayas qui parcouraient la côte en pirogue depuis le Honduras : Playa del Carmen, alors appelée Xaman Há, était un port d'embarquement pour les pèlerins qui allaient honorer la déesse Ixchel à Cozumel.

ISLA DE COZUMEL

Située au sud d'Isla Mujeres, **Cozumel ⓲** est l'île la plus grande de la côte caraïbe mexicaine, mesurant 47 km de long sur 16 km de large. Un phare la signale à chaque pointe, au nord et au sud. Comme sa voisine Isla Mujeres, Cozumel est une île sacrée dédiée à Ixchel, dont le sanctuaire se trouve sur le site de San Gervasio. Selon une légende maya, Ixchel faisait connaître aux hommes qu'elle agréait les temples et statues érigés en son honneur en leur envoyant son oiseau favori, une hirondelle. Ce mythe serait à l'ori-

gine du nom de Cozumel, qui signifie « l'île des hirondelles » en maya.

Jusque dans les années 1970, l'île était un lieu tranquille, à l'écart des chemins touristiques. Mais le développement de Cancún et les films de Jacques-Yves Cousteau sur la barrière de corail de la mer des Caraïbes ont fait de Cozumel un site très fréquenté. Aujourd'hui, trois cent mille visiteurs s'y rendent chaque année et plus de quatre mille cinq cents chambres d'hôtel leur sont réservées. Située à 19 km au large de Playa del Carmen, d'où partent et arrivent les bateaux, Cozumel est une étape obligée de la plupart des circuits proposés par les voyagistes au départ de Cancún.

Dans les textes du *Chilam Balam*, livre fondateur de l'histoire maya, il était écrit qu'un jour des conquérants barbus arriveraient de l'est, ce que sembla confirmer aux yeux des Mayas le débarquement de Cortés et de ses hommes en 1518. Le conquistador fit halte quelques mois à Cozumel avant de se lancer à la conquête du Mexique. L'occupation du Yucatán détruisit le commerce maya et provoqua la ruine des ports de la côte caraïbe. Les quelques sites qui en réchappèrent, comme Cozumel ou Isla Mujeres, furent pillés par les pirates ou utilisés comme base pour les vaisseaux qui transportaient les esclaves vers le Nouveau Monde. Exsangue, Cozumel fut abandonnée jusqu'au milieu du XIXᵉ siècle. Le soulèvement de 1847 contraignit les pêcheurs de la côte à venir s'y réfugier, mais la population ne dépassait pas les cinq cents habitants. Puis, au début du siècle, l'essor de l'exploitation du sapotillier (arbre dont on tire le chiclé, latex qui a constitué la matière première du chewing-gum avant qu'on ne le remplace par des gommes synthétiques) redonna vie à Cozumel pour quelques années. De nouveau tombée dans l'oubli après la Seconde Guerre mondiale, il lui fallut attendre la découverte, par le commandant Cousteau, du récif de Palancar pour qu'elle retrouve une certaine gloire, et l'expansion touris-

Motif de broderie artisanale.

Les textiles yucatèques racontent l'histoire et les mythes du monde maya, de sorte qu'ils assurent un lien entre le passé précolombien et l'époque contemporaine. Les dessins des vêtements et des accessoires peuvent se lire comme un texte dont les motifs et les couleurs varient en fonction du lieu de fabrication.

tique de la côte caraïbe a confirmé cette tendance. L'île baigne dans les eaux les plus limpides du monde, la visibilité pouvant atteindre 70 m de profondeur par endroits. Au sud, la **Laguna Chankanab**, séparée de la mer par une étroite bande de terre, est peuplée d'une multitude de poissons multicolores, d'énormes éponges jaunes et d'anémones de mer. Un petit jardin botanique abrite quelque trois cent cinquante variétés de plantes tropicales, et l'on peut nager au milieu des dauphins. Pour les moins courageux, des bateaux à fond de verre offrent de très belles vues sur les fonds marins.

Plus au sud, **Playa San Francisco** s'étend sur presque 3 km. Paradis des plongeurs et des nageurs, cette partie de l'île attire aussi les visiteurs pour ses ruines mayas d'**El Cedral**. Si le site ne présente qu'un intérêt limité sur le plan archéologique, il s'en dégage une atmosphère pittoresque. Au XVIIe siècle, un des bâtiments fut utilisé comme prison par les pirates.

San Miguel de Cozumel, le seul village de l'île, est situé sur la côte ouest. Équipé d'un aéroport international, il conserve pourtant le charme des villages mexicains, avec ses rues à angles droits et son *zócalo*, la **Plaza del Sol**, où trônent les statues des révolutionnaires Benito Juarez et Andrés Quintana Roo. Le dimanche soir s'y produisent des musiciens traditionnels. Le **Museo de la Isla Cozumel**, sur le front de mer, offre une vision assez détaillée de l'histoire de l'île et de ses richesses naturelles.

La côte est, exposée au large, offre de très beaux paysages, mais elle est dangereuse pour les baigneurs. Elle fait cependant les joies des surfeurs confirmés. Enfin, le nord de l'île, mal desservi, n'est toujours pas accessible aux visiteurs.

L'observation des oiseaux est une activité très pratiquée à Cozumel, en particulier au sud. Au cœur de l'île, la jungle abrite aussi des iguanes, des renards, des coatis et des cerfs.

Carte pp. 288-289

Le restaurant Las Pinatas, à Cancún.

On peut louer des cabañas, huttes rustiques, sur la côte au sud de Cancún.

Laguna Chankanab, à Cozumel, est particulièrement propice à la plongée.

DE XCARET À AKUMAL

Xcaret, situé à quelques kilomètres au sud de Playa del Carmen, est un complexe touristique à vocation écologique. L'ensemble est plutôt hétéroclite, avec une ferme consacrée à la culture de l'orchidée, un élevage de papillons, un aquarium, un *cenote*, des rivières souterraines, un théâtre à ciel ouvert, plusieurs restaurants et même une reconstitution d'un village maya. On peut monter à cheval, nager au milieu des dauphins, plonger dans l'eau transparente ou lézarder sur la plage. Ce parc tient davantage d'une imitation des parcs de loisirs américains que d'un réel projet de découverte du monde maya et de la vie sauvage du littoral. Des bus font la navette tous les jours de Cancún, mais la plupart des visiteurs passent la nuit sur place pour assister aux spectacles de chants et de danses folkloriques.

Près de **Pamul**, au sud, une plage protégée par une barrière de corail attire les campeurs séduits par quelques nuits à la belle étoile dans un cadre agréable. On trouve également quelques cabanes confortables, un restaurant et, pour les inconditionnels, des magasins de location de matériel de plongée.

AKUMAL, PUERTO AVENTURAS

Les eaux claires du lagon de **Yal Ku**, où, en 1741, s'échoua le galion espagnol *El Matancero*, se jettent dans la mer juste au nord d'**Akumal ⑲**, petite ville qui s'étend le long d'une baie splendide. Son nom signifie « l'endroit des tortues » car, de mai à août, des colonies de tortues géantes viennent y pondre. Akumal fut l'une des premières plages équipées pour la plongée et le surf, et elle continue d'attirer de nombreux amateurs séduits par ses eaux turquoise et la beauté de son récif.

La plage de **Puerto Aventuras** est magnifique. Le village est ramassé autour de la marina, et l'on y trouve plusieurs hôtels de standing, ainsi

Carte pp. 288-289

que quelques boutiques et un golf. Le **Museo Cedam** expose de nombreux objets retrouvés dans les épaves des galions espagnols échoués au large au XVIᵉ siècle. Plus loin, la superbe baie de **Xpu Ha** a été aménagée en parc écologique, où les plongeurs s'adonnent à leur sport favori. On peut aussi y observer l'habitat naturel du lamantin.

Les familles aiment à fréquenter la plage de **Chemuyil**, où l'on peut également pratiquer la plongée. À **Xcacel** enfin, où viennent également pondre des tortues géantes, des excursions sont organisées jusqu'à un *cenote* dissimulé dans la jungle. Si dans le sud du Yucatán certains de ces puits peuvent atteindre 130 m, ceux retrouvés près de la côte dépassent rarement 3 m de profondeur.

LE PARC DE XEL HÁ

Au sud d'Akuma, le **parc naturel de Xel Há ⓴** ressemble à un gigantesque aquarium dans la lagune, au milieu de la forêt tropicale. Dans cet endroit, la mer et l'eau douce des *cenotes* avoisinants se mélangent. Les nageurs évoluent au milieu des dauphins, qui constituent la principale attraction de Xel Há. Il est demandé aux nageurs d'éliminer toute trace de crème solaire pour éviter de porter atteinte à la faune et à la flore. Le prix d'entrée, assez élevé, comprend la location de matériel de plongée. Des poissons de toutes les couleurs évoluent au milieu des ramifications des palétuviers et les oiseaux vivent nombreux sur les bords. On peut voir, sur une jetée en bois, un autel dédié à Yum Chac, divinité des lagons, des baies et des *cenotes*. Pour les Mayas, ces derniers étaient reliés entre eux par des tunnels qui permettaient d'entendre ce qui se disait d'un site à l'autre.

TULUM

À 27 km au sud d'Akumal, les ruines de **Tulum ⓴** reposent au sommet de

Les eaux émeraude du parc de Xel Há.

falaises qui dominent la mer des Caraïbes. C'est le plus important ensemble archéologique de la côte. D'abord appelée Zama (« l'aube ») en raison de son orientation vers l'est, Tulum était entourée d'un système défensif muni à l'origine d'un chemin de ronde. Ce grand port de commerce relié à Mayapán, au sud de Mérida, était une plaque tournante où était organisé le transport des marchandises de la côte et des îles vers l'intérieur des terres.

Fondée vers 1200, la cité connut son apogée après le déclin de Mayapán, à partir de 1400. Les Mayas y honoraient Ek Chuak, le dieu du Commerce, et la monnaie qui y avait cours était le grain de cacao. Au moment de la Conquête, Tulum ne comptait plus que six cents habitants, et elle fut rapidement conquise en 1530 par Francisco de Montejo.

La plupart des édifices visibles datent de l'apogée de Tulum. Religieux et dignitaires résidaient probablement à l'intérieur de l'enceinte.

Le reste de la population ne pouvait pénétrer dans la ville qu'à l'occasion des cérémonies civiles ou religieuses. Dans le monde maya, la caste des guerriers recevait tous les honneurs ; le chef suprême, Halach Uinich, dirigeait un conseil de chefs qui collectait les impôts, gouvernait l'armée et négociait les alliances avec les cités voisines.

Le mur d'enceinte est percé de cinq entrées et conserve des traces de tourelles destinées à la surveillance de la mer. Près de la porte ouest, le **temple des Fresques** est constitué d'une double structure emboîtée dont les murs sont recouverts de peintures murales très bien conservées, où revient à plusieurs reprises le thème du maïs, principale céréale de l'Amérique préhispanique. Le décor présente toujours la même disposition sur trois registres, évoquant les trois royaumes de la mythologie maya : le monde souterrain des morts, celui des vivants au centre, celui du créateur et des autres dieux en haut.

El Castillo, l'édifice le plus grand du site, surplombe la mer. Sa position en hauteur suggère qu'il a pu faire office de phare pour les navigateurs, des conquistadores ayant mentionné avoir aperçu sa flamme depuis le large. Une grande esplanade le précède, entourée de plusieurs édifices, dont le **temple du Dieu Plongeant**. On peut y admirer des représentations très bien préservées de ce personnage dont la posture illustre sans doute le thème du dieu descendant du ciel pour recevoir les offrandes des hommes. Il est traditionnellement interprété comme une image de la planète Vénus ou du dieu des Abeilles.

À L'INTÉRIEUR DES TERRES JUSQU'À COBÁ

La route jusqu'à Cobá, à 54 km au nord-ouest de Tulum en direction de Valladolid, est assez monotone. Elle traverse quelques villages, mais on ne rencontre aucune station-service sur le trajet. Aussi est-il plus pru-

El Castillo surplombe sur le côté est la mer des Caraïbes et fait face vers l'intérieur de la cité à de petits temples.

La cité de Tulum est fortifiée sur trois côtés, tandis que le quatrième est protégé des invasions par les hautes falaises qui le limitent. Au pied de la cité, une petite crique de sable offrait un port naturel où une grande activité commerciale se pratiquait toute l'année.

Carte
pp. 288-
289

dent de faire provision d'eau et d'essence avant de partir.

En chemin, on a tout loisir d'observer différents exemples d'habitat maya traditionnel. Cette architecture n'est souvent qu'une hutte rudimentaire dont la base en pierre supporte des rondins de bois verticaux sur lesquels vient s'appuyer un toit en chaume. Ces toits souples résistent aux ouragans, contrairement aux toits de tuile, qui cèdent souvent sous la pression des vents et des pluies. Les ouvertures pratiquées au niveau de la charpente permettent au vent de s'engouffrer sans résistance. Elles servent aussi, au quotidien, à évacuer les fumées domestiques et faire circuler l'air à l'intérieur.

Importante ville maya, **Cobá** ㉒ comptait cinquante mille habitants à son apogée. Fondée au VIIᵉ siècle et occupée presque sans interruption jusqu'à la Conquête, elle prit son essor en même temps que Tikal, au Guatemala. Elle couvre une surface de 50 km² en pleine jungle. On y accède par une piste qui serpente au milieu d'une épaisse forêt peuplée de papillons, tapirs, hérons, toucans ou serpents, mais aussi de moustiques, très féroces dans cette partie du Yucatán. Entourant le site, cinq lacs ont permis à la cité de se maintenir pendant plusieurs siècles.

Découvert en 1866 par les Yucatèques José Peón Contreras et Elizade, le site a fait l'objet de plusieurs campagnes de fouille. En 1871, Teobert Maler photographia sa pyramide, haute de 42 m (la plus haute du nord du Yucatán), puis Sylvanus G. Morley incita le Carnegie Institute d'inclure Cobá dans son programme de recherches ; l'archéologue britannique Eric Thompson fut chargé d'y organiser une expédition. Plus récemment, le site a fait l'objet de fouilles et de restaurations sous la direction de l'Instituto Nacional de Antropología y de Historia de México.

Cobá fut la plus importante ville du nord-est du Yucatán, comme en témoigne l'impressionnant réseau de chaussées surélevées (*sacbeob*)

qui la relie à d'autres sites plus ou moins proches, comme Ixil, à 20 km, ou Yaxuna, à 100 km. L'ensemble fut dégagé au début du siècle par Alfonso Villa Rojas et son équipe, sous l'égide du Carnegie Institute. Le site compte seize *sacbeob*, hauts de 50 cm à 2,50 m pour une largeur de 4,50 m. Le tracé est relativement rectiligne, sauf au départ de Cobá, où la route devait contourner les communautés. Non loin de la route qui relie le site à Yaxuna (le plus long *sacbe* connu), on a retrouvé un cylindre de calcaire de 4 m de long et pesant plusieurs tonnes, qui devait être utilisé comme rouleau pour tasser le sol.

Le site de Cobá n'a livré qu'une faible partie de ses richesses (à peine 10 %), la majorité des édifices restant enfouis sous la végétation. La structure dite **La Iglesia** domine le centre cérémoniel. Du sommet, on peut voir le groupe **Nohoc Mul** (« grand monticule »), dont dépasse l'imposante silhouette de la **Grande Pyramide**,

Le lagon de Xel Há.

La forêt tropicale entoure le lagon de Xel Há, alimenté en eau par la mer et les cenotes qui le bordent. On peut pratiquer la plongée au tuba dans les eaux protégées de ce grand aquarium classé réserve nationale. La transparence de l'eau permet également de contempler les poissons de la surface.

avec ses cent vingt marches. Son aspect élancé rappelle le style de Tikal (*voir p. 162*) et semble confirmer l'hypothèse que les deux cités entretenaient des relations commerciales importantes.

L'art de Cobá est aussi très intéressant pour ses stèles, autels et reliefs sur panneaux. La **stèle 20**, qui date de 684, est une des mieux conservées du site. Elle représente un dignitaire vu de face, vêtu de riches habits et brandissant un énorme sceptre. Ses pieds reposent sur les corps de deux captifs et il est flanqué de deux prisonniers figurés en taille très réduite, symbole de leur soumission.

VERS LA RÉSERVE DE BIOSPHÈRE SIAN KA'AN

Mariage en habit de cérémonie. Les invités arborent des vêtements traditionnels, décorés de broderies colorées.

Au sud de Tulum, une étroite péninsule mène à **Punta Allen**, petit village où l'on élève des langoustes. La route 307 s'écarte de la côte pour rejoindre **Felipe Carillo Puerto** ㉓,

où eut lieu le « miracle de la Croix parlante », qui annonçait la victoire des Mayas pendant la guerre des Castes. Les rebelles s'étaient réfugiés dans la jungle, près d'un *cenote* devenu lieu de culte. Plusieurs sanctuaires furent construits et Chan Santa Cruz, « la petite sainte croix », devint le centre d'un nouveau pouvoir. Les Mayas racontent que le clocher de la Balam Na, la grande église édifiée en l'honneur de la « Croix parlante », ne sera terminé que lorsqu'ils auront repris en main le contrôle de leur destinée.

À l'est de Felipe Carillo Puerto, l'immense **Reserva de la Biósfera Sian Ka'an** ㉔ couvre 45 ha de forêt tropicale et de palétuviers. Elle est l'habitat naturel de trois cents espèces d'oiseaux et de mammifères (jaguars, pumas, cerfs, singes). Seule la zone côtière est accessible au public.

À la pointe de la péninsule, la région de **Xcalac** recèle des sites archéologiques non explorés. Cette terre fut

le refuge de nombreux Mayas fuyant les Espagnols pendant la Conquête.

LA LAGUNA BACALAR

Au sud du Quintano Roo, la **Laguna Bacalar** ㉕ est surnommée « Laguna de Siete Colores », en raison des reflets de la lumière sur ses eaux turquoise. Elle communique avec la baie de Chetumal. Près du village de Bacalar, le **cenote Azul** est un des plus impressionnants, avec ses 90 m de profondeur. Sur un promontoire qui surplombe le lac, le **fort San Felipe** a été bâti par les Espagnols en 1729 pour protéger la région des pirates et surveiller les Anglais, qui s'installaient alors au Belize.

CHETUMAL

Chetumal ㉖, située à la frontière avec le Belize, est la capitale de l'État du Quintana Roo. Ce port moderne aux larges avenues est régulièrement la proie des ouragans. La ville fut fondée en 1898, après la signature du traité par lequel le Mexique reconnaissait les frontières du Honduras britannique (l'actuel Belize). Un comptoir y fut installé pour permettre la surveillance du commerce illégal de bois précieux et d'armes entre les deux territoires, le transit se faisant par le Río Hondo. Puis les Mayas réfugiés au Honduras britannique lors de la guerre des Castes rentrèrent bientôt au Yucatán, et la ville commença à se développer. En 1915, le gouvernement du territoire fut transféré de Chan Santa Cruz à Chetumal.

Important centre de commerce, Chetumal n'est guère touristique. Le **Museo de la Ciudad**, avec sa petite collection d'objets du XIXᵉ siècle et de photographies sur la vie locale, est plus pittoresque qu'intéressant. En revanche, le **Museo de la Cultura Maya** évoque des traits importants de la culture maya du Yucatán, comme les déformations crâniennes pratiquées sur les nouveau-nés. On peut également voir des copies de certaines stèles de Cobá. La vie des paysans est également évoquée à travers des expositions sur les produits de la *milpa* (lopin de terre) ou ceux de la forêt (peau d'animaux, résine, écorces...), dont les Mayas tirent leur subsistance. On y apprend l'utilité de certaines herbes et on peut tenter de comprendre le découpage du temps dans le calendrier maya en fonction de la position des astres dans le ciel.

À 70 km à l'ouest de Chetumal, une petite route conduit aux ruines de **Kohunlich**. Ce site est surtout connu pour son système d'irrigation très sophistiqué. La **pyramide des Masques solaires** est couverte de masques en stuc peint très bien conservés (une seconde pyramide la recouvrait en partie), qui représentent des apparitions solennelles du Soleil (l'astre lui-même ou le roi, à qui on l'identifiait).

En continuant vers l'ouest, on atteint la **réserve naturelle de Calakmul**. Sa forêt abrite d'intéressants vestiges archéologiques mayas (*voir p. 325*).

Carte pp. 288-289

Masque de Chac à Kohunlich.

Puits d'eau douce au Yucatán.

Le problème de l'eau est très important au Yucatán, où le sol calcaire retient difficilement les eaux pluviales. Les grands sites mayas ont été construits à proximité de cenotes, grands puits naturels donnant accès à la nappe souterraine.

LE CAMPECHE ET LE CHIAPAS

Le sud de la péninsule du Yucatán est occupé par les deux États du Campeche et du Chiapas. Le premier longe le golfe du Mexique, le second s'étend jusqu'à l'océan Pacifique et jouxte le Guatemala. La plupart des visiteurs en provenance de la côte caraïbe se contentent de traverser le Campeche pour rejoindre des destinations plus touristiques, comme les grands sites mayas du sud de la péninsule.

Situé au sud-ouest du Yucatán, le Campeche est le moins connu des États du Yucatán, sans doute parce que son économie s'appuie davantage sur les industries du pétrole et de la pêche que sur celle du tourisme. Les plages attirent également moins de monde que la côte caraïbe, mais les ruines en pleine jungle, à l'intérieur des terres, sont des joyaux à ne pas négliger.

Le Chiapas, mieux connu du monde entier depuis les actions militantes du sous-commandant Marcos (*voir p. 268*), se démarque lui aussi du reste de la péninsule. Plus secret, il compte pourtant parmi les destinations préférées des voyageurs, qui sont nombreux à venir admirer les vestiges de ses cités mayas : Bonampak, Yaxchilán et surtout Palenque avec ses temples dressés au milieu d'une végétation luxuriante. Le Chiapas est l'une des régions les plus pauvres du Mexique, mais il a conservé une beauté extraordinaire, avec ses collines verdoyantes qui plongent dans les eaux du Pacifique, sa forêt pluviale, ses rivières cristallines et ses gorges profondes. La région abrite de nombreuses communautés indigènes, dont les célèbres Lacandons, longtemps considérés comme les descendants directs des Mayas de l'époque classique.

LE CAMPECHE

De Chetumal, la Ruta 186 traverse toute la péninsule d'est en ouest, longeant une région chaude et humide, très peu peuplée. Il y a deux mille ans, cette zone était le cœur de la civilisation maya. Certains sites comme Xpujil et Becán sont situés à proximité de cet axe tandis que d'autres comme Río Bec et Calakmul sont cachés au milieu de la forêt.

Plusieurs pistes récemment aménagées permettent de relier les sites les plus reculés, en particulier ceux de la réserve de la biosphère de Calakmul, au sud du Campeche. Mais ces axes nécessitent des véhicules tout-terrain et les voyageurs ont tout intérêt à assurer les services d'un guide pour pénétrer dans cette région encore assez sauvage.

RÍO BEC, UNE RÉGION, UN STYLE

Cette région se situe au centre de l'aire maya, à quelques kilomètres au nord du Guatemala, à mi-chemin entre Chetumal à l'est et Francisco Escárcega à l'ouest. Le style río Bec,

Carte pp. 288-289

À gauche, plage de la côte du golfe du Mexique.

Le Templo de los Cincos Pisos appartient à un imposant ensemble, l'Acropole, édifié sur une vaste plate-forme. Le temple lui-même recouvre une construction plus ancienne de style petén, et son architecture témoigne d'influences diverses. Du dernier étage, la vue est très belle sur le site et la forêt qui l'entoure.

qui caractérise l'architecture des différents sites mayas de la région, se signale par des édifices en pierre taillée, aux angles arrondis et couverts de décorations en stuc. Très pentues, les tours pyramidales sont purement décoratives et souvent coiffées de temples en trompe l'œil, les escaliers eux-mêmes présentant des pentes allant jusqu'à 70°. Cet empilement de structures dissimulait des salles secrètes, mais l'ensemble illustre bien le parti pris de la verticalité, constant chez les Mayas.

Le premier site de la région río bec est **Xpujil** ❷, qui se trouve à 120 km à l'ouest de Chetumal. La ville elle-même propose un hébergement sommaire et les ruines se trouvent à la sortie de la commune. La majorité des édifices restaurés date du postclassique, mais l'édifice 1, le plus imposant, est typique du style río bec, avec ses trois tours pyramidales couronnées d'un faux temple et décorées d'escaliers factices. Le corps central est percé de trois portes surmontées d'un masque du monstre terrestre, l'ouverture constituant la gueule béante du monstre.

Becán, situé à l'ouest de Xpujil, est le mieux connu et le plus grand des sites río bec. Les édifices ont été bâtis par ajouts et superposition de structures durant cinq ou six siècles (les archéologues discutent toujours de la datation de certaines constructions). La pyramide (structure 8) renferme neuf salles secrètes obscures, sans doute utilisées pour des processions rituelles dans un environnement qui symbolisait l'inframonde. Le répertoire décoratif de Becán est typique du style río bec, avec ses colonnettes engagées et ses motifs de damiers et de croix. Le centre cérémoniel est entouré d'un fossé défensif qui daterait de 150 apr. J.-C. Le site comprend plusieurs ensembles. Le groupe B, le mieux conservé, comprend deux tours pyramidales, comme à Xpujil. Émergeant à peine de la végétation, le groupe N est l'une des ruines les plus fascinantes d'Amérique centrale.

Au sud de la Ruta 186, **Chicanná** possède plusieurs structures en parfait état de conservation, dont le style diffère assez des sites voisins. D'une grande sobriété, l'édifice 2 présente une très belle façade ornée d'un masque de jaguar stylisé, la gueule béante du monstre étant figurée par la porte. Le grand serpent bicéphale qui court au-dessus du masque pourrait représenter le ciel.

CALAKMUL

Le site le plus important de style río bec est **Calakmul** ❷, situé au sud de la Reserva de la Biosfera de Calakmul, à 54 km de la Ruta 186. On y accède par une petite route qui part du croisement de Conhuas (98 km de Chetumal).

Calakmul s'étend sur 25 km² et son centre cérémoniel occupe une surface de 9 km². Elle comprend la plus haute pyramide du Yucatán (50 m de haut). On y a mis au jour quelque cent vingt stèles, qui nous

Élégante Campechana en costume local.

Certains éléments du costume féminin de fête évoquent une mode héritée d'Espagne, comme les collerettes brodées de couleurs vives des femmes mayas de la région de San Cristóbal, ou les jupes à volants de la région de Campeche.

renseigner sur la datation du site. Les premières architectures cérémonielles remontent à 300 av. J.-C., ce qui fait de Calakmul un site contemporain de Tikal. Pendant la période classique, ces deux capitales régionales s'affrontèrent pour le contrôle des basses terres. Jouant sur des alliances avec des États asservis, elles se partageaient une région qui s'étendait de Palenque, au sud, jusqu'à la vallée de Motagua, à l'est de l'actuel Guatemala. Tikal soumit Calakmul en 695 apr. J.-C. et sacrifia le souverain de Calakmul, Jaguar Paw.

La cité connut son apogée entre le Vᵉ et le IXᵉ siècle. C'est de cette période que datent les structures I et II, qui ont donné leur nom au site (Calakmul signifie « les monticules jumeaux »), ainsi que la stèle 114, qui porte la date la plus ancienne du site (Vᵉ siècle). Entre 600 et 800, le nombre des constructions et des réfections de monuments existants fut important, tandis que la production de céramique battait son plein. La population était alors probablement de cent mille habitants. De 800 à 1000, les relations avec le Petén s'effilochèrent, puis cessèrent tout à fait. Le site se tourna vers le nord du Yucatán, devenu le centre politique de l'aire maya. Ensuite Calakmul déclina, mais le site continua d'être occupé jusqu'à une date tardive, comme l'atteste la production de céramique.

La structure VI fait partie d'un complexe astronomique que les experts rapprochent de ceux de Tikal ou du centre du Petén. Le site est immense : du sommet du plus haut édifice, on peut voir la cité s'étendre dans toutes les directions à travers la jungle. Seule une petite partie a été explorée.

FRANCISCO ESCÁRCEGA

Sur la route qui conduit à **Francisco Escárcega ㉙**, on traverse le village de Conhuas. Une piste sur la droite

Carte pp. 288-289

Le fort San Miguel, à Campeche.

Campeche (centre)

0   200 m

Golfe du Mexique

Avenida Ruiz Cortines

Correos
Baluarte de Santiago
Jardín Botánico

Avenida 16 de Septiembre

Mansión Carvajal

Museo de Estelas Mayas

Baluarte de la Soledad

Catedral de la Concepción

Plaza del 4 Centenario

Avenida Circuito Baluartes Norte

Calle 10

Calle 12

Fuerte de San Miguel

Plaza Moch-Cuouh

Palacio de Gobierno

Puerta del Mar

PARQUE PRINCIPAL

Calle 51

Congreso del Estado

Baluarte de San Carlos

Calle 8

Calle 10

Calle 53

Calle 55

Calle 14

Calle 57

Baluarte de San Pedro

Ciriaco Velázquez

Avenida Circuito

Calle 59

Calle 61

Calle 63

Museo Regional de Campeche

Calle 16

Calle 18

Gare ferroviaire

Baluarte de San Francisco

Mercado

Costa Rica

Puerta de Tierra

Muralla

Alameda

Avenida Republica

Baluartes Sur

Avenida Circuito Baluartes Este

Baluarte de Santa Rosa

Pedro Moreno

Baluarte de San Juan

Avenida Central

Costa Rica

Calle 16

Calle 18

s'enfonce dans la forêt jusqu'au site de **Balamkú**, découvert par hasard en 1990 et célèbre pour sa maison des Quatre Rois. Sur la façade de cet édifice du classique ancien (250-600), on peut voir une frise de stuc de 17 m de long, dont le décor célèbre la royauté en figurant des souverains émergeant de la gueule de monstres telluriques.

Francisco Escárcega, la plus grande agglomération avant la côte ouest, ne présente pas grand intérêt, mais on y trouvera de quoi dormir et se restaurer. De là, on peut soit rejoindre la ville de Campeche au nord, soit se diriger vers le sud en direction des sites de Palenque, Bonampak et Yaxchilán, dans l'État du Chiapas.

CAMPECHE

Sur le port de Campeche.

Située à 150 km au nord de Francisco Escárcega par la Ruta 261, la ville de **Campeche** ❸ fut fondée en 1540 par Francisco de Montejo sur le site de la ville maya d'Ah Kim Pech (« le lieu du serpent et de la tique »). C'est la plus ancienne ville espagnole de la péninsule du Yucatán, et le seul port de la région à l'époque coloniale. Située sur une côte plate ouverte sur le large, Campeche était exposée aux attaques des pirates, qui convoitaient les précieuses cargaisons d'or et d'argent des galions espagnols. La ville fut assiégée en 1663 par des mercenaires qui s'étaient regroupés pour mener l'assaut : de nombreux habitants furent massacrés et les maisons furent mises à sac ou détruites. Pour parer à de nouvelles attaques, les autorités espagnoles décidèrent la construction d'une enceinte imposante de 2,5 km de long sur 8 m de haut et 2,5 m d'épaisseur. Ce rempart, qui a la forme d'un hexagone irrégulier, avec un bastion à chaque angle, a fait de Campeche l'une des rares villes fortifiées des Amériques.

Dans les années qui suivirent l'Indépendance, le commerce avec

Cartes pp. 288-289 et 327

l'Espagne cessa presque totalement, et le port de Campeche, ayant cessé d'attirer les navires marchands, se consacra à la pêche. L'enceinte ne protégeait plus qu'une ville assoupie. Mais quand, en 1847, éclata la guerre des Castes, Campeche, comme Mérida, fut épargnée par les révoltes mayas grâce à ses imposantes murailles. Devenue inutile, la muraille fut en partie détruite au XIXe siècle et la ville s'étendit au-delà des anciennes fortifications. Quelques vestiges ont été conservés, ainsi que les bastions, qui confèrent à la ville une ambiance particulière.

Ouverte sur le port, la **Puerta del Mar** était protégée par le bastion de La Soledad, aujourd'hui transformé en **Museo de Estelas Mayas** ❻. On y découvre une riche collection de stèles mayas, dont certaines provenant d'Edzná et qui ont contribué à l'interprétation de l'écriture précolombienne.

La **Puerta de Tierra**, donnant sur les terres, date du XVIIIe siècle et a conservé intactes ses meurtrières. Elle est accolée aux murailles du **bastion de San Juan** ❹. En reliant à pied les sept autres bastions, on devine la forme des anciens remparts. Cette promenade fait l'objet d'un circuit balisé. Le bastion de Santiago, au nord, est occupé par le **Jardín Botánico Xmuch Haltún**, tandis que le **bastion de San Carlos** ❺ abrite le musée municipal, avec sa collection d'armes et ses maquettes des fortifications, qui permettent de se faire une idée de la ville à l'époque coloniale.

Également baptisée Plaza de Independencia ou Parque Principal, la **Plaza Mayor** est le cœur vivant de la cité. Les habitants s'y donnent rendez-vous en fin de journée, quand la chaleur se fait moins forte. Le kiosque central accueille régulièrement des musiciens. La place est bordée de maisons coloniales qui lui donnent tout son cachet, en particulier l'ancien **Palacio de Gobierno**, avec sa double rangée d'arcades. Sur

Décor de faïence de l'époque coloniale à Campeche.

Marchand de fruits à Ciudad del Carmen.

un des côtés de l'esplanade se dresse la **Catedral de la Concepción ⓓ**. L'année du début de sa construction, 1540, peu après la fondation de la ville, en fait l'église la plus ancienne du Yucatán. Mais ses travaux furent retardés par d'incessantes attaques de pirates, et elle ne fut achevée qu'en 1705. (Commencée en 1562, la cathédrale de Mérida fut terminée en 1598 [*voir p. 292*]). Sa façade surmontée de deux tours est caractéristique des premières églises de la péninsule.

Plusieurs riches demeures témoignent de l'âge d'or de Campeche, quand la ville était encore un grand port tourné vers l'Espagne. La **Mansión Carvajal ⓔ**, ancienne résidence d'un des plus riches propriétaires terriens de la région, présente une architecture élégante, avec ses arcades de style mauresque et ses sols en marbre blanc et noir.

Le **Museo Regional de Campeche ⓕ**, installé dans l'ancienne maison du lieutenant du roi, possède une belle collection d'objets mayas, entre autres des figurines en terre et un dispositif de planchettes qui servait à déformer le crâne des nouveau-nés pour les mettre en conformité avec les canons esthétiques alors en vigueur. La **Casa de la Cultura** occupe une demeure du siècle passé. La cuisine a gardé sa cheminée d'origine en pierre et les chambres sont garnies de très beaux lits en bois d'acajou sculpté.

Comme toutes les villes coloniales, Campeche possédait son couvent. Situé à l'extérieur de la vieille ville, sur le front de mer, **San José** fut construit par les jésuites en 1700. Sa belle église baroque, qui servit un temps de caserne, a été récemment aménagée en centre artisanal.

Fondé en 1546, le **couvent San Francisco** n'a conservé que sa magnifique chapelle ouverte. Enfin, l'**église San Román**, au sud de la ville, possède un Christ noir sculpté, vénéré par les habitants de Campeche.

La structure II, à Calakmul, domine une vaste étendue de forêt protégée.

LES PRODUCTIONS DE CAMPECHE

Très pittoresque avec ses étals multiples, regorgeant de produits locaux, le marché se tient tout près du **bastion de San Pedro** ❻, qui accueille une exposition sur l'artisanat de la région. Les amateurs pourront y acquérir des *jipis*, sorte de panamas, des bijoux en corne ou des vêtements d'inspiration maya.

Jadis, la ville s'enrichissait grâce aux lucratives exportations du bois de campêche, qui lui a donné son nom. Puis ses activités se sont diversifiées, et elle tire désormais ses ressources de l'extraction du pétrole et de la pêche aux crevettes. Campeche est d'ailleurs réputée pour sa cuisine à base de fruits de mer et de poisson, et on ne manquera pas de goûter une de ses spécialités : les *camarones* et les *cangrejos al mojo de ajo* (crevettes et étrilles à l'ail) ou le *pan de cazón* (requin au maïs).

L'ÎLE DE JAINÁ

Cette île d'origine corallienne située à quelque 80 km au nord de Campeche fut surélevée par les Mayas qui y édifièrent une nécropole. Le site est surtout connu pour ses figurines polychromes déposées en offrandes, qui donnent de précieuses informations sur les costumes et les objets rituels de la période classique. Deux ensembles de constructions, en partie restaurés, sont ouverts à la visite (permis délivré par l'office du tourisme de Campeche). Quelques statuettes sont visibles au musée de Hecelchakan ou dans le fort San Miguel, à Campeche.

EDZNÁ

À une soixantaine de kilomètres au sud-est de Campeche, **Edzná** ❸ (« la maison des grimaces » en maya) fut occupé dès 800 av. J.-C., mais la plupart de ses édifices datent de 500 à 800 apr. J.-C. Construite dans une vallée située au-dessous du niveau de la mer, cette cité possède un ingé-

nieux système d'irrigation mis au point par les Mayas. Une partie des canaux, dont la largeur laisse supposer qu'ils étaient aussi aménagés pour les bateaux, est encore intacte.

C'est à Edzná qu'on entreposait le surplus agricole de la région, qui était ensuite acheminé vers le Petén, au Guatemala. Ce trafic commercial a favorisé la pénétration de nouvelles influences stylistiques et culturelles perceptibles dans l'architecture. On a aussi retrouvé sur le site des objets rituels et des pièces typiques de l'artisanat guatémaltèque. À partir du VIᵉ siècle, d'autres centres du pouvoir se développèrent au nord et à l'est (régions río bec, chenes et puuc), et eurent également des échanges divers avec Edzná.

Le centre cérémoniel, rassemblé autour d'une vaste place centrale, est dominé par l'imposant ensemble de la **Grande Acropole**. L'édifice le plus spectaculaire est le **Templo de los Cincos Pisos**, haut de 31 m. Les cinq niveaux trahissent des

Cartes pp. 288-289 et 327

L'exploration d'un cenote asséché. Lithographie de Frederick Catherwood, 1843.

« Il m'est impossible de décrire l'intérêt avec lequel j'explorai ces ruines. C'était un domaine absolument intact que ne couvraient aucun ouvrage, ni guide, un terrain vierge. Nous ne voyions pas à 10 yards devant nous et ne savions jamais sur quoi nous allions tomber. »
John L. Stephens, Incidents of Travel in Central America, *1841*

Le soleil maya reste un motif très utilisé dans les arts populaires.

Le temple de la Croix, à Palenque.

influences diverses : l'édifice recouvre en partie un temple de style petén, tandis que des vestiges de piliers, au premier étage, sont de style río bec. Au quatrième étage, les colonnes sont quant à elles caractéristiques du style puuc. Un escalier central mène au temple supérieur. Le 3 mai, les rayons du soleil illuminent une stèle située à l'intérieur de ce temple, marquant le début de l'année agricole maya.

D'autres édifices plus petits sont implantés autour de la place centrale, dont une partie seulement ont été restaurés. Le temple des Mascarons est décoré de masques en stuc et la Grande Tribune, vaste amphithéâtre, pouvait recevoir cinq mille spectateurs. Enfin, El Cuchillo s'articule autour d'une place bordée de constructions de différentes périodes.

D'autres sites de moindre importances sont disséminés dans la région, comme **Hochob**, près de Chenko, et **Dzibilnocac**, près d'Iturbide, mais leur accès est difficile.

Le groupe de la Croix est un des ensembles les plus symboliques de Palenque. Les trois édifices qui le composent, respectivement le temple de la Croix, le temple du Soleil et le temple de la Croix Feuillue, figurent un parcours cosmique dont ils constituent chacun une station. On descend du premier, le plus haut, pour renaître dans le dernier.

LE CHIAPAS

Au sud de la péninsule du Yucatán, le Chiapas est un territoire singulier, à forte population indienne. Cet État a connu une histoire mouvementée, et son lourd passé colonial continue de marquer profondément les relations entre les différents groupes ethniques. Cette région montagneuse recouverte de forêts compte près d'un million de Mayas (soit un peu moins d'un tiers de la population du Chiapas), qui y vivent en communautés de langues et de cultures différentes. Les Tzotziles et les Tzeltales, dont la plupart habitent les régions hautes situées autour de San Cristóbal de Las Casas, sont au nombre de six cent mille, tandis que les Lacandons, qui peuplent les forêts des basses terres du sud-est du Chiapas, ne dépassent pas six cents individus. Issus de mouvements de population en provenance du sud de la péninsule et du Petén, ces derniers ont longtemps été considérés comme les descendants des Mayas de l'époque classique, mais leur mode de vie rappelle davantage celui des Indiens d'Amazonie : vêtus d'une simple tunique, ils se nourrissent des produits de la chasse et de la pêche. La ferveur des évangélisateurs, les maladies, la destruction de leurs forêts plantées de bois précieux ont décimé cette population et détruit sa culture originale.

Souvent considérés comme des citoyens de seconde zone, les Indiens du Chiapas se sont vu attribuer les terres les moins productives. Des siècles d'exploitation et une précarité de plus en plus marquée sont à l'origine du soulèvement de 1994, au cours duquel un groupe de paysans armés s'empara de plusieurs villes, dont San Cristóbal de Las Casas. La révolte fut rapidement muselée, mais l'attention du monde entier se fixa sur cette partie du Mexique où une poignée de grands propriétaires détenait le pouvoir économique et politique, au détriment de milliers d'Indiens et de paysans. La lutte des zapatistes s'attache à défendre une

Carte
pp. 288-
289

image plus digne de l'Indien, loin du mythe du « bon sauvage » (*voir p. 268*). Et si certains tour-opérateurs proposent la visite de villages « authentiquement » mayas, ce tourisme voyeur apparaît choquant au regard de la pauvreté de ces populations.

PALENQUE

Caché au cœur de la forêt tropicale, **Palenque** ❸❷ est, de tous les sites mayas, celui dont la découverte est la plus ancienne. Très bien conservé malgré la végétation qui le recouvrait, il n'a pas encore livré tous ses secrets : seul un dixième du complexe a été dégagé et ouvert aux visiteurs. Cette partie, appelée Groupe principal, correspond au centre cérémoniel et couvre environ 15 ha. Occupé dès le Ier siècle av. J.-C., Palenque ne se développa réellement qu'à partir du VIIe siècle et connut son apogée au VIIe-XIe siècle, période de construction des principaux édifices visibles aujourd'hui.

En 1746, le site fut découvert accidentellement par le père Antonio de Solis, mais ce n'est qu'à partir de 1784 qu'une première exploration fut menée par Jean-Frédéric Waldeck, qui recensa deux cent vingt édifices dont il dessina plusieurs vues d'architectures ou détails de sculptures. Plus tard, l'architecte Antonio Bernasconi signala dans un rapport au roi que le site avait été progressivement abandonné et qu'il n'avait pas souffert de mouvement sismique. Lui succéda le capitaine Antonio del Río, qui fit dégager les ruines et saccagea de nombreux éléments bien conservés pour les envoyer au Cabinet royal d'histoire naturelle de Madrid. Les explorateurs les plus célèbres de Palenque sont John Stephens et Frederick Catherwood. Fascinés par le *Voyage pittoresque dans la province du Yucatán* de Waldeck, ils sillonnèrent cette zone de 1839 à 1842, visitant des douzaines de cités mayas, dont Chichén Itzá, Palenque et Copán.

Dalle sculptée recouvrant le sarcophage du roi Pakal et figurant le souverain tombé dans la gueule du monstre terrestre.

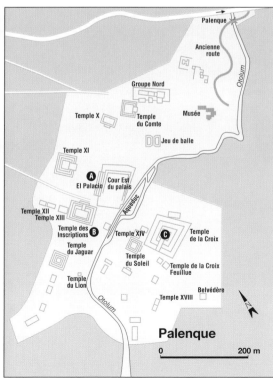

Palenque

0   200 m

Leurs descriptions très précises, publiées en 1841 dans *Incidents de voyage en Amérique centrale, au Chiapas et au Yucatán*, ont été un apport sérieux à l'archéologie précolombienne, jusque-là livrée aux hypothèses les plus farfelues. Palenque est un des joyaux du monde maya, remarquable pour l'inventivité de son architecture et sa calligraphie très élaborée, dont témoignent les nombreux décors en stuc et en calcaire, qui devaient être peints à l'origine.

El Palacio ❹, construit sur une esplanade de 80 m de long sur 100 m de large, est un ensemble de bâtiments disposés autour de trois cours et reliés entre eux par des galeries dont les murs portent d'étranges personnages en stuc. Une tour à quatre étages le domine, qui servait peut-être d'observatoire astronomique. El Palacio était un complexe religieux réservé au roi et à ses prêtres, et destiné à des cérémonies rituelles.

Le **temple des Inscriptions ❺** est l'édifice le plus élevé et le plus grandiose du site. Il forme une pyramide à huit niveaux au sommet de laquelle se dresse un petit temple. Sur ce dernier, trois panneaux sculptés de glyphes ont donné leur nom à l'édifice. Il s'agit des plus longues inscriptions mayas connues à ce jour. En 1952, l'archéologue mexicain Alberto Ruz Lhuillier découvrit une tombe sous le temple, au bas d'un immense escalier. La sépulture contenait le corps du roi Pakal, premier grand souverain de Palenque, portant un masque en mosaïque de jade et entouré de bijoux, également en jade. Ces vestiges ont été transférés au Museo de Antropología de Mexico.

Au nord du Palacio, on a mis au jour un jeu de balle et un ensemble de temples, le **groupe Nord**. À l'est, le **groupe de la Croix ❻** fait référence à un cycle cosmique : le **temple de la Croix**, le plus haut placé, représente le lieu d'origine du surnaturel et du monde des hommes ; le **temple du Soleil**, qui occupe la position la plus basse,

Les ruines de Yaxchilán, sur la rive du Río Usumacinta.

figure le monde souterrain, lieu de passage du soleil nocturne symbolisé par le jaguar ; dernière station, le **temple de la Croix Feuillue** symbolise la renaissance de la Terre.

Seule une petite partie du site a été fouillée, mais il faut compter une demi-journée pour visiter l'ensemble. Il est préférable d'arriver tôt le matin, lorsque les édifices baignent encore dans une brume légère et avant que la foule n'occupe les lieux. Derrière la pyramide des Inscriptions, un chemin s'enfonce dans la jungle jusqu'à un village. C'est l'occasion d'une belle promenade au milieu des cris des singes et des oiseaux.

BONAMPAK ET YAXCHILÁN

Les deux autres sites mayas majeurs du Chiapas sont Bonampak et Yaxchilán, situés au cœur de la forêt, près du Río Usumacinta. **Bonampak ㉝**, à 140 km au sud-ouest de Palenque, est accessible par une route pavée qui longe la vallée d'Usumacinta.

Une piste part de San Javier pour rejoindre le site. Bonampak est surtout célèbre pour ses fresques colorées qui couvraient les murs intérieurs des édifices les plus importants. Il s'agit du plus vaste ensemble de peintures mayas jamais découvert, dont le thème central (la guerre et la capture de vaincus) allait remettre en question l'idée qu'on se faisait des Mayas, jusqu'alors jugés comme un peuple pacifique. Très dégradées par l'humidité, ces fresques sont en cours de restauration, mais on peut en voir des reconstitutions au Museo Nacional de Antropología, à Mexico.

Le trajet jusqu'à **Yaxchilán ㉞** est encore plus aventureux. Il faut rejoindre Frontera Corozal, à 40 km de San Javier, puis prendre un bateau jusqu'aux ruines. Une partie des édifices occupe une terrasse sur la rive gauche du fleuve, les autres sont disséminés sur le versant de la colline. Ce site de l'époque classique est surtout connu pour ses sculptures très ouvragées et ses motifs modelés en stuc.

Cartes pp. 288-289 et 333

Masque de jade de Calakmul, conservé au Museo de Estelas Mayas, à Campeche.

Reconstitution d'une fresque de Bonampak au Museo Nacional de Antropología de Mexico.

INFORMATIONS PRATIQUES

AVANT LE DÉPART

Passeport et visa

Un passeport valable six mois après la date de retour prévue suffit si l'on compte séjourner moins de trois mois au Guatemala, au Belize ou au Mexique. Pour des séjours plus longs, s'adresser aux représentations diplomatiques de ces pays avant le départ. Attention, les ressortissants de pays européens non membres de l'Union européenne (les Suisses, par exemple) qui se rendent au Belize doivent se faire délivrer un visa. Quant aux Canadiens, ils doivent présenter un certificat de nationalité à leur entrée au Mexique.

Ambassades et consulats du Guatemala
France
73, rue de Courcelles, 75008 Paris
Tél. 01 42 27 78 63
Belgique
Avenue Winston-Churchill, 185
1180 Bruxelles
Tél. 23 45 90 47, fax 23 44 64 99
Canada
130, rue Albert, bureau 1010, Ottawa,
Ontario K1P 5G4
Tél. (613) 233 71 88, fax (613) 233 01 35
Suisse
Toedeinstrasse 17, CH-8002, Zurich
Tél. (1) 202 58 15, (1) 202 39 19

Ambassades et consulats du Belize
Pas de représentation diplomatique en France, en Belgique ou en Suisse. Pour tous renseignements, téléphoner à Londres à la Représentation diplomatique du Belize, *tél. + 44 171 499 97 28, fax + 44 171 491 41 39*. Ou écrire à la Belize High Commission, *19 A Cavendish Square, W1M Londres*.

Ambassades et consulats du Mexique
France
9, rue de Longchamp, 75116 Paris
Tél. 01 53 70 27 40
http ://mexico.web.com.mx
Belgique
Avenue Franklin-Roosevelt, 94, 1050 Bruxelles
Tél. (02) 629 07 77, fax (02) 646 87 68
Canada
2055, rue Peel 1000, Montréal, H3A-1V4
Tél. (514) 288 25 02 ou 288 49 16
Suisse
16, rue de Candolle, 1205 Genève
Tél (022) 328 39 20, fax (022) 328 52 42

Informations touristiques

-Paris
Office du tourisme du Guatemala
Dans les locaux de l'ambassade
Tél. 01 42 27 92 63, fax 01 42 27 05 94
www.travel-guatemala.org.gt
Office du tourisme du Mexique
4, rue Notre-Dame-des-Victoires, 75002 Paris
Tél. 01 40 20 07 34, fax 01 42 86 05 80
www.office-de-tourisme.com/mexique
Maison de l'Amérique latine
217, boulevard Saint-Germain
75007 Paris
Tél. 01 49 54 75 00

-Montréal
Office du tourisme mexicain à Montréal
1, place Ville-Marie, Montréal, PQ H3B 2C3
Tél. (514) 871 10 52, fax 871 38 25
Courrier électronique : turimex@cam.org

-Belize Tourism Board
83 North Front Street, Belize City
Tél. 27 72 13, 27 32 55
Courrier électronique : btbb@btl.net
New Central Bank Building, Level 2
Gabourel Lane, PO Box 325
Belize City
Courrier électronique : info@travelbelize.org
www.travelbelize.org

-Sites Internet
www.mundolatino.com
www.larutamayaonline.com
www.planeta.com
www.guatemala.travel.com.gt
www.quetzalnet.com
www.travelbelize.org
www.belizetourism.org
www.belizenet.com
www.belize.com
www.mexique.infotourisme.com
www.mexique-fr.com

Vaccins et pharmacie

Aucun vaccin n'est obligatoire. Il est cependant vivement conseillé de partir vacciné contre la poliomyélite, le tétanos, la typhoïde, la méningite ainsi que les hépatites A et B. Il s'agira le plus souvent d'actualiser son carnet de santé par une série d'injections, au plus tard un mois avant le départ. Une remise à jour rigoureuse de l'ensemble de ces vaccins requiert un délai de trois mois. Il est indispensable de se munir d'une lotion antimoustique, voire d'un produit spécifique aux régions tropicales. Cela dit, on trouvera sur place des insectifuges souvent plus efficaces que les produits importés. Un traitement préventif contre le paludisme est souhaitable, même si l'on n'envisage pas de séjourner en forêt. Bien que les médicaments n'empêchent pas la contamination, pris assez tôt, ils évitent les symptômes (fièvre, maux de tête, troubles digestifs) et permettent de mieux résister au parasite. La dengue est en recrudescence dans la région et la seule façon de s'en protéger, pour l'instant, est d'éviter de se faire piquer. Les pharmacies sont nombreuses, mais il n'est pas si facile de s'y procurer des médicaments génériques, souvent chers. Par précaution, on emportera un antidiarrhéique et un antiseptique intestinal, un antipaludéen, de l'aspirine, une lotion alcoolisée désinfectante, un désinfectant pour l'eau, des pansements et une crème de protection solaire à écran total.

QUAND PARTIR

Le climat tropical humide du monde maya permet de voyager dans des conditions agréables toute l'année. Cela dit, de novembre à mars, les températures, le faible taux d'humidité et la limpidité du ciel rendent le séjour idéal. Durant la saison humide (de juin à septembre), les pluies ne se produisent qu'en fin d'après-midi et ne perturbent pas réellement la bonne marche des circuits touristiques. D'ailleurs, les températures varient moins en fonction de la saison que de l'altitude. Sur la côte caraïbe, il est impératif de se protéger des rayons du soleil, qui peut cacher son jeu derrière un vent tiède : de nombreux touristes en font les frais chaque année. Au mois de septembre et d'octobre, période propice aux ouragans, de grosses tempêtes soufflent régulièrement sur le littoral. Dans les Hautes Terres guatémaltèques, les températures sont très fraîches la nuit, et parfois même le jour, en hiver. Un climat tropical chaud et humide règne sur la côte pacifique et la jungle du Petén, tandis que les villes d'altitude, comme Guatemala Ciudad et Antigua Guatemala (1 500 m), jouissent d'un « printemps éternel ». Les températures de l'arrière-pays du Belize sont clémentes, et le climat est extrêmement doux sur les hauteurs et plus humide dans les forêts de basse altitude. Les îles, balayées par les vents marins, jouissent d'un climat agréable toute l'année. Il fait toujours chaud au Yucatán, et la température atteint souvent 40 °C. Des orages brefs mais violents (*nortes*) peuvent éclater en fin d'après-midi, même pendant la saison sèche.

CE QU'IL FAUT EMPORTER

À moins de limiter son séjour à une seule région du monde maya (les Hautes Terres ou le bord de mer,

par exemple), il faut prévoir une garde-robe adaptée aux variations climatiques, c'est-à-dire à la fois des vêtements légers en coton mais aussi des vêtements plus chauds car les nuits sont fraîches dans les montagnes Mayas ! Un coupe-vent imperméable peut s'avérer très utile.

Le climat tropical humide requiert quelques accessoires pour protéger son matériel photographique : des capsules de silice qui absorbent l'humidité, à placer dans le sac, et une boîte isotherme pour la conservation des pellicules. Prévoir des pellicules et des filtres adaptés à une forte luminosité. Il est toujours possible de se réapprovisionner en films sur place, dans les grandes villes, mais contrôler la date d'expiration et refuser ceux qui sortent d'une vitrine surchauffée.

COMMENT S'Y RENDRE

EN AVION

Compagnies aériennes

Les principales portes d'entrée dans la région sont Cancún et Mérida au Mexique, Guatemala Ciudad et Belize City. De nombreux vols font escale aux États-Unis, souvent à Miami pour les passagers en provenance d'Europe, ou à Mexico. Il est conseillé aux voyageurs qui disposent d'un temps limité d'atterrir à Cancún, plaque tournante des circuits touristiques. De Paris à Cancún, compter de 535 à 765 €, selon la saison, pour un vol direct en classe économique. Les liaisons, moins fréquentes, avec le Belize ne permettent pas toujours d'obtenir des billets d'avion bon marché. Il convient de se renseigner sur les prix des vols charters, souvent directs et meilleur marché, qui partent des villes américaines.

Compagnies aériennes en France
Air France
119, avenue des Champs-Élysées, 75008 Paris
Tél. 0802 802 802, fax 01 43 37 31 91
Minitel 36 15 AF
www.airfrance.fr
Aeroméxico
1, boulevard de la Madeleine, 75001 Paris
Tél. 01 55 04 90 10, 0800 42 30 91
www.aeromexico.com
Avianca
9, avenue de l'Opéra, 75001 Paris
Tél. 01 55 04 10 20, fax 01 40 15 06 03
British Airways
13-15, boulevard de la Madeleine, 75001 Paris
Tél. 0825 825 400
Minitel 36 15 BA ou 36 15 BARESA

Iberia
1, rue Scribe, 75009 Paris
Tél. 0802 075 075
www.iberia.fr
KLM
Aéroport Charles-de-Gaulle, terminal 1, porte 20/22
95712 Roissy
Tél. 0810 556 556, fax 01 44 56 18 98
www.klm.fr
Delta Airlines
119, avenue des Champs-Élysées, 75008 Paris
Tél. 0800 35 40 80
www.delta.com
Continental Airlines
92, avenue des Champs-Élysées, 75008 Paris
Tél. 01 42 99 09 09
www.continental.com

Compagnies aériennes au Guatemala

Plusieurs compagnies assurent la desserte des aéroports nationaux et des pays voisins, notamment de Belize City, Cobán ou Flores. Compter 80-100 US$ pour un vol de Guatemala Ciudad à Flores, sachant que le trajet en car, inoubliable, certes, dure une quinzaine d'heures.
Grupo Taca
Tél. 334 77 22
www.grupotaca.com

Compagnies aériennes au Belize

Liaisons quotidiennes assurées par les compagnies locales entre l'île de Caye Caulker, l'île d'Ambergris Caye (San Pedro) et Belize City ainsi que vers le Guatemala. Du ciel, la vue sur la barrière de corail est à couper le souffle !
Maya Island Air
-Belize City
Tél. 02 35 794
-Ambergris Caye
Tél. 026 24 35, 026 29 45
courrier électronique : miaspr@btl.net
Tropic air
-Belize City
Tél. 02 45 671
-Ambergris Caye
Tél. 026 20 12
-Caye Caulker
Tél. 022 20 40
www.tropicair.com

Compagnies aériennes au Mexique

Liaisons très fréquentes entre les principales villes du pays, assurées par **Aeroméxico** et **Mexicana**, les deux grandes compagnies, mais aussi par de petites compagnies, notamment **Aerocaribe**. Compter 135 US$ pour un aller simple Mexico-Cancún, 128 US$ pour un vol entre Mexico et Mérida, 70 US$ entre Mérida

et Cancún, 70 US$ pour un vol Cancún-Chetumal, 85 US$ pour un vol Cancún-Campeche…
Aeroméxico
Numéro vert au Mexique : 800 021 40 00
www.aeromexico.com
Aerocaribe
www.aerocaribe.com
-À Chetumal
Tél. 832 66 75
-À Cancún
Tél. 884 20 00
-À Mérida
Tél. 924 95 00
Mexicana
www.mexicana.com

À SAVOIR SUR PLACE

TRANSFERTS DE L'AÉROPORT

Au Guatemala
Guatemala Ciudad
L'aéroport international **La Aurora** est situé dans la Zona 13, à 2 km de la Zona Viva (le quartier résidentiel). Au décollage et à l'atterrissage, la vue sur la ville est impressionnante ! Une station de taxis se trouve à la sortie : compter entre 4 et 7 US$ selon la destination (à négocier avant). Des navettes sont destinées à la clientèle des hôtels de luxe.

Au Belize
Belize City
L'aéroport international **Philip Goldson** se trouve à 15 km au nord-ouest de Belize City. Compter 15 US$ pour se rendre en taxi dans le centre-ville. Cet aéroport dessert les États-Unis et l'Amérique centrale.
Le **Municipal Airport**, à 2 km au nord de Belize City, dessert les îles et les principales villes du pays.

Au Mexique
Cancún
L'aéroport est situé à 30 km de Ciudad Cancún. Les minibus et les taxis desservent le centre en 45 min : compter 7,5 US$ par personne en minibus et 40 US$ en taxi ! Si l'on n'est pas trop chargé, on peut quitter l'aéroport à pied et héler un taxi qui coûtera moins cher (non soumis aux réglementations tarifaires de l'aéroport). La course en taxi de Cancún à l'aéroport coûte de 10 à 15 US$.
Campeche
L'aéroport est situé à 4 km du centre. Compter 5 US$ en taxi pour effectuer le transfert.
Chetumal
L'aéroport est situé à 2 km au nord-ouest du centre.

Il dessert Cancún, Cozumel, Flores, Mexico, Palenque et Villahermosa.
Cozumel
L'aéroport international, très actif, se trouve à 2 km au nord de San Miguel de Cozumel. Des minibus gagnent le centre pour 2 US$ et des taxis pour 4 US$.
Mérida
L'aéroport est situé à 10 km au sud-ouest du centre, rallié en 20 min par minibus (10 US$) ou en taxi.
Tuxtla Gutiérrez
L'aéroport est situé à 3 km au sud la ville. Transfert en taxi (4,5 US$).

MONNAIE ET CHANGE

Change
Des années d'inflation galopante ont appris aux habitants du monde maya à considérer leur monnaie avec circonspection. Dans cette région, le dollar est roi et il n'est possible de changer les devises européennes que dans les très grandes villes ou certains aéroports. On peut parfois régler directement ses achats ou ses nuitées d'hôtel en dollars, notamment à Belize et Cancún. Les aéroports disposent, en général, d'un bureau où l'on peut changer la monnaie locale en dollars avant de quitter le pays. On peut aussi changer son argent au noir (même les chèques de voyage) dans le centre des capitales et surtout aux postes frontières. Si le taux est peu avantageux, cette opération permet de se débarrasser de la monnaie du pays que l'on quitte alors que les banques du pays voisin ne la reprennent pas systématiquement.

Cartes de crédit
(*tarjetas de crédito*)
Les distributeurs automatiques de billets qui acceptent les cartes de crédit internationales sont de plus en plus répandus, surtout, bien sûr, dans les grandes villes (souvent près des agences bancaires ou dans certains grands hôtels). Ils ne donnent des billets que de la monnaie locale. Facilement utilisée comme moyen de paiement dans les hôtels, les grands restaurants et les magasins, la carte de crédit implique souvent une majoration du prix de l'ordre de 5 %. Les cartes Visa, MasterCard, American Express et Diner's Club sont les plus couramment acceptées. Attention, les distributeurs avalent la carte après deux tentatives infructueuses de retrait.

Chèques de voyage
Ils présentent l'avantage majeur d'être protégés en cas de perte ou de vol, mais il est préférable qu'ils soient libellés en dollars US. Dans certains établissements touristiques, ils sont acceptés comme moyen de paiement.

Monnaie
Guatemala
L'oiseau multicolore, emblème du pays, a donné son nom à la monnaie locale : le quetzal. Celui-ci se divise en cent centavos. Un quetzal vaut quasiment 0,15 €, tandis que 1 US$ vaut 7,70 quetzales.
Belize
Le Belize a baptisé sa monnaie « dollar-Belize ». Contrairement aux pays voisins, où le taux de change fluctue de façon plus ou moins importante, le Belize applique un taux de *one for two*, soit un dollar américain contre deux dollars-Belize.
Mexique
Depuis le 1er janvier 1996, à la suite d'une forte inflation, le nouveau peso (N$), divisé en centavos, a remplacé l'ancien peso ($). Un nouveau peso vaut mille anciens pesos. À l'heure actuelle, un peso vaut 0,10 €, soit presque 0,10 US$. Il faut être vigilant et ne pas confondre le sigle du dollar (S barré deux fois) et celui du peso (S barré une fois). Les prix des grands hôtels, des produits de luxe, etc., sont souvent libellés en dollars américains, en particulier au Yucatán.

DÉCALAGE HORAIRE

Le monde maya a six heures de retard sur l'heure GMT, donc sept heures de retard (huit en été) sur l'heure française. Lorsqu'il est midi à Paris, il est 5 h (ou 4 h, selon la saison) à Guatemala Ciudad, Belize City et Cancún.

COURANT ÉLECTRIQUE

Courant à 110 volts. Les prises nécessitent des fiches américaines plates, il convient donc de se munir d'un adaptateur. Seuls les grands hôtels sont équipés en 220 volts. Dans certaines régions (dans les Hautes Terres du Guatemala ou à Tulum, au Mexique), les restrictions d'électricité sont fréquentes.

HORAIRES D'OUVERTURE

Bureaux et administrations
Ouverts généralement du lundi au vendredi de 9 h à 17 h, mais les bureaux se vident à l'heure du déjeuner. Certaines entreprises travaillent le samedi matin.

Magasins
Ouverts du lundi au samedi, de 9 h à 18 h ou 19 h. De nombreuses pharmacies et supérettes restent ouvertes tard le soir. Sur les sites touristiques et dans les grandes villes, certains magasins ouvrent le dimanche.

JOURS FÉRIÉS

Au Guatemala
1er janvier, mercredi, Jeudi et Vendredi saints,

1er mai, 30 juin (Jour de l'armée), 15 septembre (fête de l'Indépendance), 20 octobre (commémoration de la révolution de 1944), 1er novembre, 24 et 25 décembre, 31 décembre.

Au Belize

1er janvier, 9 mars (fête du Baron Bliss), Vendredi saint au lundi de Pâques, 1er mai, 24 juin (fête du Commonwealth), 21 septembre (fête de l'Indépendance), 12 octobre (découverte de l'Amérique), 19 novembre (installation des Garífunas, particulièrement célébrée à Dangriga), 25 et 26 décembre.

Au Mexique

1er janvier, 5 février (fête de la Constitution), 24 février (fête du Drapeau national), 21 mars (anniversaire du président Benito Juárez), 1er mai, 5 mai (commémoration de la victoire de l'armée mexicaine sur les Français à Puebla en 1862), 16 septembre (fête de l'Indépendance), 12 octobre (découverte de l'Amérique), 20 novembre (anniversaire de la révolution mexicaine de 1910), 25 décembre.

POSTE ET COURRIER

Bureaux de poste

Au Guatemala
Ouvert lun.-ven. 9 h-17 h
Au Belize
Ouvert lun.-ven. 8 h-17 h
Au Mexique
Ouvert lun.-ven. 8 h-19 h et sam. 9 h-13 h

Recevoir du courrier

Le plus sûr est de le faire adresser en « poste restante » à la poste centrale de la ville (capitale ou grand centre, de préférence) dans laquelle on peut plus facilement le récupérer. Il est possible aux clients d'Amex ou aux porteurs de chèques de voyage Amex de recevoir fax ou courrier dans les agences American Express des grandes villes.

Expédier du courrier

Le service postal d'Amérique centrale est très lent et très peu sûr (délai de une à trois semaines). Il vaut mieux expédier tout son courrier des postes centrales des capitales ou des grandes villes et faire peser son pli avant l'expédition, en raison des multiples tarifs d'affranchissement. Pour les plis importants, l'envoi « recommandé » (certificado) est préférable, d'autant qu'il est plutôt bon marché.

Philatélie

Les timbres des cinq pays de la Route maya comptent parmi les plus beaux du monde. Les philatélistes trouveront un grand choix de timbres de collection

en vente dans les postes centrales de Guatemala Ciudad et surtout de Belize City.

TÉLÉPHONE ET INTERNET

Les communications internationales (larga distancia), naguère très onéreuses, ont été ouvertes à la concurrence de divers opérateurs et sont maintenant bon marché. Il est possible d'appeler en PCV (por cobrar) depuis le Mexique et le Belize, plus difficilement du Guatemala. Dans toutes les villes, les bureaux de télécommunications classiques sont remplacés, pour les appels téléphoniques, par des appareils à carte dans les rues (cartes en vente dans de nombreux commerces). Au Mexique, les cabines les plus fiables sont celles de Telmex. Les cartes téléphoniques sont à 30, 50 ou 100 pesos. Les appels passés des hôtels faisant souvent l'objet d'une surtaxe par l'établissement, on aura intérêt à acheter des cartes téléphoniques. Par ailleurs, dans la plupart des cas, les téléphones portables utilisés en Europe ne peuvent pas l'être dans la région, les bandes passantes n'étant pas les mêmes.

Aujourd'hui, même les petites villes du Mexique et d'Amérique centrale sont équipées de cybercafés où l'on peut consulter à loisir son courrier électronique et, souvent, envoyer des télécopies. De plus en plus d'hôtels proposent également de se connecter à Internet.

MÉDIAS

Presse

La presse locale est rédigée en espagnol au Yucatán et au Guatemala et en anglais au Belize. Lourds et épais, les quotidiens assurent généralement une bonne couverture de l'actualité internationale. On peut trouver la presse anglo-saxonne dans les grands hôtels et consulter la presse étrangère, avec un léger retard, dans les ambassades des pays concernés et à l'Alliance française pour la presse francophone.

Radio

Les radios diffusent principalement de la musique. Les bulletins d'information sont diffusés tôt le matin, à 6 h ou 7 h.

Télévision

La suprématie des chaînes par câble ou par satellite en provenance d'Amérique du Nord (États-Unis et Mexique) met à mal les chaînes hertziennes des pays d'Amérique centrale, où se succèdent, à longueur de journées, telenovelas mélodramatiques, talk-shows sans grand intérêt et informations télévisées (très tard dans la soirée). Les chaînes mexicaines, dominées par Televisa (à qui appartiennent les quatre chaînes principales), ne sont guère plus captivantes :

aux *telenovelas* et aux talk-shows s'ajoutent des retransmissions de matches de football, des jeux et de la publicité. En principe, tous les hôtels de luxe sont câblés ou équipés d'une liaison satellite.

SÉCURITÉ

Police

Globalement, les agents de police ont une assez mauvaise réputation, due à l'inefficacité de certains services et à la corruption de certains autres. En conséquence, mieux vaut éviter de solliciter leur intervention. Ce qui n'est pas toujours possible : il existe une forme de racket « légal » qui se pratique sur les routes. Des véhicules particuliers sont parfois stoppés par des membres indélicats de la police nationale, qui dressent au chauffeur un long procès-verbal pour des infractions imaginaires et qui l'invitent à se dédouaner par une « contribution volontaire » (*mordida*)… Si une telle mésaventure devait se produire, mieux vaut encore payer sans rechigner et porter plainte ultérieurement, à l'office du tourisme ou à la police touristique. Ce type d'incident est courant au Guatemala et au Mexique, plus rare au Bélize.

Numéros d'urgence
-**Au Guatemala**
Police : 110 et 120
Pompiers : 122
-**Au Belize**
Police : 911
Pompiers : 90
-**Au Mexique**
Un service du ministère du Tourisme (Sectur), ouvert 24 h/24, permet de signaler tous les incidents et de porter plainte. *Tél. 800 903 92 00*

Les villes

Les bidonvilles qui ceinturent les capitales n'ont rien d'accueillant, pas plus que les petites rues de Belize City : mieux vaut ne pas s'y aventurer, ni de jour ni de nuit. Le centre des villes les plus touristiques (Mérida, Cancún et Flores) est sûr, même la nuit. En revanche, il est fortement déconseillé de sortir à pied après la tombée de la nuit à Guatemala Ciudad, Antigua Guatemala ou Panajachel…

Banditisme de grand chemin

De nombreuses régions isolées ou très boisées sont connues pour être des repaires de bandits, aussi s'abstiendra-t-on de s'y hasarder seul, surtout après le coucher du soleil. Les offices du tourisme renseignent sur les expéditions pouvant présenter quelque danger. Récemment, certains sites touristiques guatémaltèques (Tikal, le volcan Pacaya) ont fait l'objet d'attaques contre des touristes. Il convient donc d'être vigilant et de se joindre à des groupes pour la visite.

Pickpockets

C'est le risque le plus fréquent… Il vaut mieux partir avec des chèques de voyage, conserver une photocopie des papiers (passeport et billets d'avion) dans un endroit sûr, ne prendre sur soi que la somme d'argent nécessaire pour une journée et laisser le reste à l'abri (dans le coffre-fort de l'hôtel ou, à défaut, dans les bagages fermés à clé). C'est au milieu de la foule, par exemple au marché, et le soir en ville que l'on court le plus de risques.

SANTÉ ET URGENCES

Précautions sanitaires
Alimentation
Elle est le vecteur privilégié de nombre d'infections : il est donc indispensable de respecter certaines précautions. Les crudités et les fruits vendus dans la rue doivent être pelés ou bien lavés avant consommation. Ne manger, si possible, que du porc déjà cuisiné : les préparations locales sont bien adaptées aux problèmes éventuels liés à certains aliments. L'eau, les glaces, les sorbets et les glaçons ne sont inoffensifs que dans les grands hôtels. Quant au lait, il faut acheter des bouteilles fermées et étiquetées (*pasteurizada*). Au Mexique, où la cuisine est épicée, les mets très relevés sont désignés comme « chauds » (*calientes*), les moins épicés comme « tempérés » (*templados*). Si le piment a des vertus antiseptiques reconnues, sa force peut être insupportable pour les novices ! Ne pas hésiter à préciser quand on commande un plat qu'on le désire sans épices (les restaurateurs en ont l'habitude). Les indispositions intestinales frappent en moyenne un visiteur sur dix et sont dues au changement de régime alimentaire, notamment aux huiles de coton ou à d'autres ingrédients qui surprennent les Européens. Se munir de médicaments antidiarrhéiques et de reconstituants de la flore intestinale (levure), veiller à se réhydrater (bouillons et sodas) et se nourrir de riz. Si les troubles persistent au-delà de 48 h, consulter un médecin.

Hydratation
Outre la diarrhée, la chaleur, les transports et la marche en plein air déshydratent beaucoup. À l'instar des autochtones, veiller à marcher à l'ombre lorsque c'est possible et boire beaucoup et régulièrement. Si l'on entreprend l'ascension d'un volcan ou une randonnée en forêt, faire provision de boisson. Sur les sites archéologiques, on trouve des vendeurs de sodas et d'eau minérale.

Baignades

Aucune maladie endémique liée à la baignade en rivière ou en mer ne sévit dans le monde maya. En revanche, on ne saurait trop insister sur la nécessité d'être particulièrement vigilant si l'on se baigne dans le Pacifique : sur toutes les côtes, des courants puissants, le ressac et, dans une moindre mesure, les requins représentent des dangers réels. Comme les plages ne sont pas surveillées, on fera attention à avoir toujours pied.

Pharmacies
Nombreuses dans toute la région, même dans les petites villes, et en général bien pourvues. On ne trouvera pas aisément de médicaments génériques. La plupart du temps, les médicaments coûtent cher.

Médicaments
Sur place, contre les fortes diarrhées, se procurer en pharmacie (et non sur les marchés) du Lemotil ; contre les maux d'estomac, Entocid est assez efficace (environ 2 US$ la boîte). Attention, les marques peuvent varier selon les pays. Les insectifuges locaux sont souvent bien plus efficaces que les produits importés.

Hôpitaux
Sauf en cas d'urgence dans des régions reculées, il vaut mieux éviter d'avoir recours aux postes ou centres de santé publics, tenus par des infirmiers de bonne volonté mais très démunis la plupart du temps. En revanche, les hôpitaux privés de la région et leurs médecins sont d'excellent niveau, mais ils coûtent cher et il n'y en a que dans les grandes villes. Il est conseillé de faire très attention aux enfants en bas âge, et les femmes enceintes ainsi que les personnes âgées doivent être vigilantes.

US ET COUTUMES

Les Mexicains et Centraméricains ont des relations chaleureuses avec les étrangers, plus directes pour les premiers, plus empreintes de formalisme et de conformisme pour les seconds. L'absence de réelle formation professionnelle et la nonchalance qui prévaut dans la plupart des activités conduisent parfois à des situations déroutantes, dans lesquelles la difficulté à résoudre les problèmes est compensée par beaucoup de bonne volonté. Il ne faut jamais mettre un interlocuteur directement face à ses responsabilités, c'est-à-dire dans une situation qui peut être dévalorisante pour lui. Il convient d'user de circonlocutions, d'amabilité et de répéter si nécessaire plusieurs fois sa demande pour se faire comprendre. Quelques mots d'espagnol mal maîtrisés seront toujours préférables à de grands discours en anglais. Enfin, on n'entre pas chez les gens sans y avoir été clairement invité, notamment dans les maisons indiennes, où il faut observer tout un rituel.

LANGUE

Malgré la vivacité des langues mayas et le développement de l'anglais consécutif à l'affluence touristique, l'espagnol reste bel et bien la première langue parlée du pays maya. L'apprentissage de l'espagnol sur place peut être associé à un hébergement chez l'habitant et n'empêchera en rien la découverte du pays : une enrichissante entrée en matière. Les villes de Quetzaltenango et d'Antigua Guatemala, au Guatemala, de San Cristóbal de Las Casas, au Mexique, sont les pôles principaux d'apprentissage de l'espagnol. On peut cependant faire ses armes ou se perfectionner dans toutes les villes du Guatemala, du Mexique et du Honduras (deux écoles à Copán). Le prix moyen pour quatre heures de cours particulier par jour pendant une semaine est de 65 US$ (cours et logement : environ 100 US$). Pour ceux qui souhaitent suivre une telle formation, il faut prévoir une escale de sept jours minimum. Il existe un grand nombre d'écoles de langues ; se renseigner auprès des offices du tourisme et des anciens élèves qui séjournent encore dans le pays.

Formules usuelles
Oui : *sí*
Non : *no*
S'il vous plaît : *por favor*
Merci : *gracias*
Pardon : *perdón*
Excusez-moi : *disculpe* ou *con su permiso*
À votre service : *a su ordén*
Bonjour : *buenos días*
Bon après-midi (soir) : *buenas tardes*
Bonne nuit : *buenas noches*
Bien sûr : *¡Cómo no !*, *¡Por supuesto !*
Aujourd'hui : *hoy*
Maintenant : *ahora*
Demain : *mañana*
Hier : *ayer*
Autorisé : *autorizado*
Interdit : *prohibido*
Je suis français, belge, suisse : *soy francés(esa)*, *belgo(a)*, *suizo(a)*
Je parle un peu espagnol : *hablo un poquito de español*
Je ne comprends pas : *no entiendo*
Pouvez-vous répéter ? : *¿Puede repetirlo ?*
Pouvez-vous parler plus lentement, s'il vous plaît ? : *¿Puede hablar más despacio por favor ?*
Comment dit-on ? : *¿Cómo se dice ?*
Que veut dire… ? : *¿Qué significa… ?*
Pouvez-vous m'aider ? : *¿Me puede ayudar ?*
Quelle heure est-il ? : *¿Qué hora(s) es(son) ?*
Il est 3 h de l'après-midi : *son las tres de la tarde*
Est-ce que je peux prendre une photo ? : *¿Puedo sacar una foto ?*
Quel âge avez-vous ? : *¿Cuantos años tiene ?*
Bonne chance : *¡Suerte !*

Les jours de la semaine
Lundi : *lunes*
Mardi : *martes*

Mercredi : *miércoles*
Jeudi : *jueves*
Vendredi : *viernes*
Samedi : *sábado*
Dimanche : *domingo*

Les mois de l'année
Janvier : *enero*
Février : *febrero*
Mars : *marzo*
Avril : *abril*
Mai : *mayo*
Juin : *junio*
Juillet : *julio*
Août : *agosto*
Septembre : *septiembre*
Octobre : *octubre*
Novembre : *noviembre*
Décembre : *diciembre*

Les chiffres
Un : *uno*
Deux : *dos*
Trois : *tres*
Quatre : *cuatro*
Cinq : *cinco*
Six : *seis*
Sept : *siete*
Huit : *ocho*
Neuf : *nueve*
Dix : *diez*
Cinquante : *cincuenta*
Cent : *cien*
Mille : *mil*

Les gens, la famille
Métis : *ladino*
Indien : *indígena* (le terme *indio* est péjoratif)
Femme : *mujer*
Homme : *hombre*
Nom de famille : *apellido*
Comment t'appelles-tu ? : *¿Cómo te llamas?*
Prénom : *nombre*
Mère : *madre*
Père : *padre*
Fille : *hija*
Fils : *hijo*
Sœur : *hermana*
Frère : *hermano*
Tante : *tía*
Oncle : *tío*
Je : *yo*
Tu : *tú*
Vous (de politesse) : *usted*
Vous (collectif) : *ustedes*
Il : *él*

Elle : *ella*
Nous : *nosotros*
Ma femme : *mi esposa*
Mon mari : *mi marido*, *mi esposo*
Monsieur : *Señor*
Madame : *Señora*
Mademoiselle : *Señorita*

Voyager
Voyager : *viajar*
Avion : *avión*
Aéroport : *aeropuerto*
Bagages : *equipaje*
Billet : *boleto*
Change : *cambio*
Douane : *aduana*
Frontière : *frontera*
Visa : *visado*
Départ : *salida*
Arrivée : *llegada*
Agence de voyages : *agencia de viaje*

Se repérer
Rue : *calle*
Boulevard : *bulevar*
Avenue : *avenida*
Route : *carretera*
Angle de : *esquina de*
Pâté de maisons : *cuadra*
Où est… ? : *¿Dónde se encuentra…?*
Est-ce près d'ici ? : *¿Está cerca de aquí?*
Est-ce loin d'ici ? : *¿Está lejos de aquí?*
Tout droit : *todo recto*
À gauche : *a la izquierda*
À droite : *a la derecha*
Combien de temps en voiture ? : *¿Cuánto tiempo en coche?*
Combien de temps à pied ? : *¿Cuánto tiempo caminando?*
Combien de kilomètres ? : *¿Cuántos kilómetros son?*
Le musée : *el museo*
L'ambassade de… : *la embajada de…*
Le marché : *el mercado*

Se déplacer
Autobus : *camión* (Mex.), *camioneta* (Guat.)
Autobus de luxe : *pullman*
Première classe : *primera clase*
Seconde classe : *segunda clase*
Gare routière : *terminal* ou *central de autobuses*
À quelle heure part le prochain bus ? : *¿Cuándo sale el próximo autobus?*
Voiture : *coche, carro*
Petite voiture : *cochecito, carro compacto*
Véhicule tout terrain : *cuatro-cuatro* ou *doble tracción*

Louer : *alquilar* ou *rentar* (Mex.)
Assurance : *seguro*
Kilométrage illimité : *kilometraje libre*
Permis de conduire : *licencia de conducir*
Station essence : *gasolinera*
Carburant : *gasolina*
Sans plomb : *sin plomo*
Faites le plein : *llene el tanque*
Huile : *aceite*
Pneu : *llanta*
Y a-t-il un garage près d'ici ? : *¿Hay un garaje cerca de aquí ?*
Taxi : *taxi*
Taxi collectif : *taxi colectivo*
Pouvez-vous m'emmener à… ? : *¿Puede llevarme a…?*
Train : *tren*
Gare : *estación de ferrocarriles*
Bicyclette : *bicicleta*

Se loger

Hôtel : *hotel*
Chambre : *cuarto* ou *habitación*
Pour une personne : *cuarto sencillo*
Pour deux personnes : *cuarto doble* ou *cuarto matrimonial*
Clef : *llave*
Lit : *cama*
Lit double : *cama matrimonial*
Douche : *ducha*
Toilettes : *baños, servicios*
Eau chaude : *agua caliente*
Eau froide : *agua fría*
Savon : *jabón*
Salle de bains : *cuarto de baño*
Serviette : *toalla*
Climatisation : *aíre acondicionado*
Où se trouve l'hôtel le plus proche ? : *¿Dónde se encuentra el hotel más cercana ?*
J'ai une chambre : *tengo un cuarto reservado*
Je voudrais une chambre : *quisiera un cuarto*
Montrez-moi la chambre : *quiero ver el cuarto*
Veuillez me réveiller : *¿Me puede despertar ?*
Camper : *acampar*

Au restaurant

Restaurant : *restaurante*
Table : *mesa*
Assiette : *plato*
Couteau : *cuchillo*
Fourchette : *tenedor*
Cuillère : *cuchara*
Verre : *vaso*
Eau purifiée : *agua purificada*
Vin rouge : *vino tinto*
Vin blanc : *vino blanco*

Bière : *cerveza*
Café (véritable) : *café de cafetera*
Café (soluble) : *Nescafé*
Café au lait : *café con leche*
Thé : *té negro*
Tisane : *té de hierbas*
Jus de fruits : *jugo*
Jus de fruits à l'eau : *agua de fruta*
Jus de fruits au lait : *licuado con leche*
Petit déjeuner : *desayuno*
Déjeuner : *comida*
Menu du jour : *comida corrida*
Dîner : *cenar*
Carte : *carta*
Piment : *chile*
Surtout sans piment : *sobre todo sín chile*
Soupe : *sopa, caldo* ou *sopa de verduras*
Œufs : *huevos*
Œufs brouillés : *huevos revueltos*
Œufs au plat : *huevos estrellados*
Pain grillé : *pan tostado*
Beurre : *mantequilla*
Confiture : *marmelada*
Sandwich (viande, salade, tomate) : *torta*
Haricots rouges : *frijoles*
Galettes de maïs : *tortilla*
Galette de maïs garnie : *taco*
Viande : *carne*
Viande de bœuf : *carne de res*
Poulet frit avec des frites : *pollo frito con papas*
Poulet frit avec du riz : *pollo frito con arroz*
Filet de porc : *lomo de cerdo*
Côte de porc : *chuleta de cerdo*
Steak frites : *bistek con papas*
Saucisse : *salchicha*
Cochon de lait : *cochinito*
Lapin : *conejo*
Agneau : *cordero*
Canard : *pato*
Dinde : *pavo*
Blanc de volaille : *pechuga*
Côtelettes : *costillas*
Hamburger : *hamburguesa*
Jambon : *jamón*
Bacon : *tocineta*
Poisson : *pescado*
Thon : *atún*
Loup, bar : *róbalo*
Truite : *trucha*
Crevettes : *camarones*
Gambas : *camarones gigantes*
Crabe : *cangrejo*
Homard, langouste : *langosta*
Crustacés : *mariscos*

Purée d'avocats : *guacamole*
Sauce tomate verte : *salsa verde*
Légumes : *verduras*
Salade : *ensalada*
Fromage : *queso*
Dessert : *postre*
Gâteau : *pastel*
Glace : *helado*
Glace au lait : *helado de leche*
Fruit : *fruta*
Assiette de fruits : *plato de frutas*
Banane : *plátano* ou *banana*
Orange : *naranja*
Papaye : *papaya*
Ananas : *piña*
L'addition s'il vous plaît : *la cuenta por favor*
Pourboire : *propina*
Service compris : *servicio incluido*

Visiter

Visiter : *visitar*
Ouvert : *abierto*
Fermé : *cerrado*
Billet : *boleto*
Ville : *ciudad*
Village : *pueblo*
Quartier : *barrio*, *zona*, *colonia*
Rue : *calle*
Avenue : *avenida*
Boulevard du bord de mer : *malecón*
Maison : *casa*
Jardin : *jardín*
Théâtre : *teatro*
Cinéma : *cinema*
Musée : *museo*
Site archéologique : *ruinas*
ou *sitio arqueológico*

À la poste

La poste : *oficina de correos*
Téléphoner : *telefonear* ou *hacer una llamada*
Carte téléphonique : *tarjeta telefónica*
PCV : *por cobrar*
Fax : *fax*
Timbre-poste : *estampilla*, *sello*, *timbre*
Pour l'Europe : *para Europa*
Télégramme : *telegrama*
Enveloppe : *sobre*
Par avion : *por avión*
Lettre : *carta*
Carte postale : *postal*

Sécurité

Police fédérale : *policía federal*
Police municipale : *policía municipal*
Pompiers : *bomberos*

Hôpital : *hospital*
Pharmacie : *farmacia*
Médecin : *doctor*
Appelez le médecin s'il vous plaît : *llama al doctor por favor*

L'argent

Banque : *banco*
Carte de crédit : *tarjeta de crédito*
Chèques de voyage : *cheques de viajero*
Je voudrais changer de l'argent : *quisiera cambiar dinero*
Y a-t-il une commission ? : *¿Cobra comisión?*
Comptant : *efectivo*
Le prix : *el precio*
Combien ça coûte ? : *¿Cuánto vale ?*
ou *¿Qué precio ?*
C'est trop cher : *es demasiado caro*
Reçu : *comprobante*
Paquet de cigarettes : *cajetilla de cigarros*
Journal : *periódico*
À quelle heure le magasin ouvre-t-il ? :
¿A qué hora abre la tienda ?
À quelle heure ferme le magasin ? : *¿A que hora cierra la tienda ?*
Où puis-je trouver…? :
¿Dónde se puede encontrar…?

CULTURE ET LOISIRS

FÊTES ET FESTIVALS

La plupart des fêtes du monde maya célèbrent le saint patron de la communauté ou encore la fondation du village. À l'exception des évangélistes, une grande partie des villageois participe aux processions religieuses. Les danses traditionnelles, souvent d'origine préhispanique, sont exécutées par des groupes de jeunes, constitués pour l'occasion, qui ont acquitté le coût de la location de costumes magnifiques, propres à chaque danse, et répété durant plusieurs mois. Les Hautes Terres guatémaltèques, où vit la plus importante communauté indienne d'Amérique centrale, offrent les fêtes les plus authentiques.

Pâques à Antigua Guatemala

Lors de la Semaine sainte à Antigua Guatemala, la Passion est célébrée avec ferveur par les fidèles. Les rues pavées se couvrent de fleurs et de longs rubans aux couleurs vives. Le dimanche des Rameaux, qui précède la Semaine sainte, et du mercredi au Vendredi saint, les familles d'Antigua Guatemala recouvrent les rues pavées de tapis de sciure multicolore, réalisant au pochoir des motifs symboliques et des dessins, à l'aide de fleurs, de fruits, etc. Le Vendredi saint, les grandes processions de la paroisse de la Merced ou des églises des faubourgs regroupent, plusieurs heures durant, des centaines de pénitents costumés. Les éphémères tapis de sciure colorée disparaissent à leur passage pour faire place à la fête, qui durera jusqu'à l'aube.

L'Assomption à Sololá

Le 15 août, les Indiens des communautés quichés et cakchiquels de Sololá (Guatemala) célèbrent l'assomption de la Vierge. La journée débute par le marché traditionnel de Sololá, ses femmes vêtues de *huipiles* fleuris rouges et de jupes rayées bleues. La grand-messe, qui s'achève vers 11 h, est suivie, sur le parvis de la cathédrale, des longs préparatifs de la procession en l'honneur de la Vierge. Le cortège s'ébranle vers midi. Les membres des confréries, en costume traditionnel d'apparat, défilent autour de la statue de Marie ou du saint dont ils ont la charge, accompagnés de leurs épouses en *huipil* de cérémonie (*nim pot*), accomplissant les rites de circonstance, et suivis de fanfares.

La Toussaint à Todos Santos

La fête de Todos Santos (Guatemala) commence le 31 octobre par des danses masquées (danses de la Conquête) au son des marimbas sur la place de l'église. Dans la cour de certaines maisons, ce sont les cavaliers qui, buvant force rasades et dansant de longues heures durant, se préparent pour la course du lendemain.

La course à cheval se déroule le 1er novembre à la sortie du village : du lever du jour à la tombée de la nuit, une quinzaine de chevaux (montés à tour de rôle par les habitants) vont parcourir une piste d'une centaine de mètres, jusqu'à épuisement.

Le 2 novembre, les cérémonies religieuses sont suivies d'une procession costumée qui s'achemine dans l'ivresse jusqu'au cimetière, où les familles se livrent à des manifestations qui mêlent les rires et les larmes. On n'accède au petit village de Todos Santos, perdu dans les montagnes de la Sierra des Cuchumatanes, à 2 400 m d'altitude, que par bus ou en prenant place sur la plate-forme de pick-up. Départ une fois par jour depuis Huehuetenango, à 14 h. Réserver impérativement sa place le matin. Le même bus ne redescend que le lendemain matin à 5 h. Il faut compter trois jours pour le trajet aller-retour et la visite de Todos Santos.

Noël dans le monde maya

Des semaines de processions, les *posadas*, qui retracent la recherche d'un logis par Marie et Joseph, précèdent le jour de Noël. Cette fête est célébrée partout par des danses costumées et de la musique. La fête du village de Chichicastenango au Guatemala, dont

on célèbre le saint patron du 13 au 21 décembre, est l'une des plus spectaculaires. Les danseurs, figurant des personnages du *Popol Vuh*, se hissent au *palo volador* et s'élancent dans le vide, tournoyant la tête en bas autour du mât. Cette épreuve plus spirituelle que physique simule la course des astres autour du Soleil.

GUIDES

Au Guatemala

On ne trouve des guides qu'à l'entrée du site de Tikal, sur la place centrale d'Antigua Guatemala et à l'aéroport de Flores. Compter 20 US$ pour une visite de 3 h. Les guides agréés par l'Inguat (l'office du tourisme guatémaltèque) portent un badge. Ce n'est, évidemment, pas le cas des jeunes de San Pedro La Laguna qui accompagnent les étrangers lors de l'ascension du volcan du même nom ou des enfants qui se proposent de conduire les visiteurs au sanctuaire indigène de Pascual Abaj à Chichicastenango. Dans ce cas, il vaut mieux se mettre d'accord sur les prix au préalable.

Au Belize

Sur les sites mayas on ne trouvera aucun guide en dehors de ceux qui accompagnent les excursions organisées au départ des villes proches des sites majeurs (San Ignacio pour Caracol et Orange Walk pour Lamanai). De nombreux guides (parlant anglais, parfois espagnol) sont disponibles à l'entrée des parcs naturels.

Au Mexique

Le Mexique possède sans doute le réseau d'offices du tourisme le plus efficace du monde maya. S'adresser à eux si l'on souhaite entrer en contact avec un guide. Pour la visite des sites archéologiques ou pour parcourir la Ruta Puuc, par exemple, le plus simple consiste souvent à se joindre à un circuit organisé.

ALLER AU MARCHÉ

Les plus beaux marchés de la Route maya sont ceux des Hautes Terres guatémaltèques. Vitrines colorées de l'artisanat local, les marchés de l'*altiplano* offrent l'occasion d'acquérir des vêtements traditionnels, des tissages et autres objets de la vie quotidienne à des prix raisonnables.

Traditions et vie sociale

Les marchés rythment la vie sociale et économique des Indiens. C'est l'occasion de se rencontrer, de faire la fête. Pour nombre d'entre eux, c'est même l'unique occasion de descendre des montagnes.

Contrairement aux marchés mexicains, ceux de l'*altiplano* guatémaltèque ont gardé une grande authenticité : c'est-à-dire qu'ils restent avant tout fréquentés par les Indiens eux-mêmes.

Que rapporter ?

Textiles et vêtements
De couleurs vives, tissés à la main. Leurs motifs et leurs matériaux sont caractéristiques de leur village d'origine.

Céramiques
À Santa Cruz Chinautla, Jalapa, Huehuetenango, Totonicapán, Antigua Guatemala.

Bijoux en jade
Pierre travaillée depuis l'époque maya, que l'on trouve aujourd'hui dans de nombreuses bijouteries, à Antigua Guatemala notamment.

Chapeaux de paille cerclés de rubans colorés
Caractéristiques à Todos Santos Cuchumatán, Huehuetenango.

Instruments de musique et objets en bois décoré
Si l'Amérique centrale n'est pas la terre de la quena et autres flûtes des Andes, on trouve néanmoins sur les marchés tous les instruments populaires. À l'intérieur du marché de Chichicastenango, on trouvera de petits marimbas pour enfants, des *chirimías* (flûtes nasillardes), des *chinchines* (calebasses à manche originaires de Rabinal, similaires aux maracas) et des sifflets.

Masques
Ceux que l'on trouve dans le commerce, principalement à Chichicastenango et à Antigua, ne sont pas authentiques mais fabriqués et vieillis artificiellement pour la vente. Cependant, ils reproduisent assez fidèlement les figures humaines (les Indiens, les conquistadors, les goitreux…), animales (singe, taureau, lion…) ou mythologiques (diables) que l'on voit sur les masques utilisés à l'occasion des danses traditionnelles.

Marchés, mode d'emploi
Les marchés commencent tôt le matin. Il est préférable d'arriver la veille au soir dans le village pour être à pied d'œuvre aux premières heures du jour. On évitera ainsi la masse de touristes qui arrivent généralement en fin de matinée. Évidemment, sur les marchés, tous les prix sont négociables : diviser toujours par deux le premier prix annoncé pour disposer d'une base de négociation.

Une semaine de marchés au Guatemala
-Tous les jours
Avec le développement touristique de la région, un nombre croissant de marchés sont quotidiens, notamment à Guatemala Ciudad, Antigua, Palín, Chimaltenango, Santa Cruz del Quiché, Almolonga, Zunil, Huehuetenango et Esquipulas.

-Mardi
Comalapa, Patzún, Sololá, San Lucas Tolimán, Santa Clara la Laguna, Tucuru
-Mercredi
Momostenango, Patzicia, Sacapulas
-Jeudi
Chichicastenango, Nebaj, Patzún, Sacapulas, San Mateo Ixtatán, San Miguel Ixtahuacán, Tecpán Guatemala, Totonicapán, Tucuru
-Vendredi
Comalapa, San Andrés Itzapa, San Lucas Tolimán, San Pedro Sacatepéquez, Santiago Atitlán, Sololá
-Samedi
Patzicia, Santa Clara la Laguna, Santiago Sacatepéquez, Todos Santos
-Dimanche
Chichicastenango, Momostenango, Rabinal

ARTISANAT

Au Mexique
L'artisanat du Yucatán ressemble beaucoup à celui des autres pays du monde maya. *Huipiles* tissés aux couleurs vives, blouses brodées, panamas (chapeau tressé en fibre de palmier)…

Si l'on a le choix, c'est à Mérida qu'on fera ses achats. Son marché regorge de boutiques, et la **Casa de la Artesanía** (*Calle 63*, ouverte du lundi au samedi, de 8 h à 20 h et le dimanche, de 9 h à 13 h 30), magasin soutenu par l'État, propose un bel éventail de produits locaux : céramiques, vannerie, figurines mayas… et les incontournables hamacs, que l'on trouve partout en ville. Pour ces derniers, veiller à la qualité du tissage (préférer les matières naturelles) et à la largeur du tissu (qui détermine le prix). Attention, de nombreux produits, notamment textiles, vendus sur tout le territoire mexicain proviennent du Guatemala. On trouve aussi de plus en plus de produits fabriqués localement sur le modèle de l'artisanat guatémaltèque.

Au Guatemala
L'artisanat guatémaltèque est bien représenté sur les marchés des grandes villes, notamment à Antigua, à Chichicastenango et à Guatemala Ciudad.

Artisanat textile
Présent sur les marchés des grandes villes – mais plus cher que dans le village d'origine –, l'artisanat textile guatémaltèque va du coton tissé main et/ou brodé, dont on fait des vêtements et des accessoires, aux couvre-lits, nappes, sacs de voyage, etc. inspirés de motifs traditionnels. On trouve aussi des articles en laine (tapis, vestes…) provenant de la région de Momostenango.

Maroquinerie
Des articles en cuir sont faits sur mesure dans la région d'Antigua : sacoches, cartables, ceintures, bottes…

Travail du bois

Des objets en bois (masques d'animaux aux couleurs bigarrées, coffres…) sont travaillés à Nahualá ou à Totonicapán…

Chapeaux

On en trouve quasiment sur tous les marchés guatémaltèques mais à Todos Santos et à San Juan de Atitlán, ils ont une forme particulière.

Hamacs

Tissés à partir de fibres naturelles (coton) ou synthétiques : sur les marchés d'Antigua et de Guatemala Ciudad et, de manière générale, sur les côtes pacifique et atlantique.

Céramique

Brute ou émaillée, elle sert à la fabrication de vaisselle (tasses, assiettes…) et de bibelots. Très belles crèches fabriquées à Chinautla (en vente aussi sur les marchés de Chichicastenango et d'Antigua).

Jade

Un petit nombre d'ateliers cisèlent encore le jade à Antigua. Les prix sont élevés mais le travail est très fin. Ne jamais acheter dans la rue.

Au Belize

L'artisanat se résume à la reproduction de pièces mayas ou de glyphes. Beaucoup d'objets simples sont fabriqués par des enfants (colliers de graines…).

SPORTS

La terre du monde maya, ses volcans, ses chutes d'eau, ses réserves naturelles, ses lacs et les deux océans qui la baignent, offrent l'opportunité de découvrir autrement cette région aux mille facettes.

Fleuves et rafting

Des excursions sont organisées au Belize depuis San Ignacio et Belize City, au Guatemala depuis Flores, Antigua ou Guatemala Ciudad. La plus longue rivière du monde maya, l'Usumacinta, s'écoule du Guatemala vers le golfe du Mexique. Elle fut autrefois une voie importante pour les Mayas, ce qui explique la présence de nombreux sites le long de ses rives. Bien loin de l'affluence des ruines les plus accessibles, on n'est dérangé que par les cris des singes. Les trois autres cours navigables importants sont le Grijalva, le Hondo et le Motagua.

Maya Expeditions (rafting et saut à l'élastique)
15ª Calle 1-91, Zona 10
Guatemala Ciudad
Tél. 337 46 66, fax 594 77 48
mayaex@guate.net

Pêche

La pêche sous-marine se pratique en rivière et en mer. Les amateurs de sensations fortes pourront surtout essayer la pêche sportive (*game fishing*), qui consiste à attraper, au terme d'un long rapport de forces, les poissons de mer les plus coriaces (tarpons, thons, espadons, pagres…) avant de les remettre à l'eau. Pour les moins téméraires, la pêche des écrevisses, au Belize, à quelques mètres de profondeur, restera plus abordable. Sur les îles, les restaurants cuisinent volontiers les fruits de la pêche. La période légale de pêche des langoustes dure du 15 juin au 15 mars.

Plongée

Découvrir un monde à part, qui mérite à lui seul le voyage : longeant la côte atlantique depuis le Quintana Roo jusqu'aux îles de la Bahía (Honduras), la plus belle barrière de corail des Caraïbes (la plus grande du monde après celle d'Australie) offre près de 1 000 km d'un paradis écologique parsemé d'îles. La plongée sous-marine et la natation avec masque et tuba sont pratiquées toute l'année. La faune et la flore sont d'une infinie richesse, et les fonds marins sont préservés : il est d'ailleurs formellement interdit d'y prélever du corail.

Masque et tuba

Sans brevet de plongée, on peut louer masque, palmes et tuba sur place (3 US$ la journée) afin d'admirer, à de faibles profondeurs, les coraux et les poissons. L'île de Cozumel abrite de nombreuses réserves naturelles aménagées pour les plongeurs. Des promenades en mer d'une journée, en bateau à moteur, permettent de découvrir les hauts fonds. Le conducteur fournit masque et tuba pour plonger. Compter environ 25 US$.

Brevet de plongée

Il est possible de passer son brevet international de plongée : compter de trois à cinq jours pour l'obtenir (cinq plongées plus un test écrit).

Cancún et Isla Mujeres

La réserve des requins dormeurs se trouve à 5 km au nord de l'île (à 23 m de profondeur). La faible oxygénation des grottes sous-marines rend les requins léthargiques et, en principe, inoffensifs.

Playa del Carmen et Cozumel

Plus de vingt-cinq sites de plongée autour de l'île de Cozumel et au large de Playa del Carmen, remarquables pour l'étendue et les couleurs de la barrière corallienne.

Caulker, Ambergris et autres *cayes* du Belize

-**Le Blue Hole :** une véritable cheminée de plongée à 40 m de profondeur dans la mer, au large des îles Turneffe. Cette formation unique au monde, étudiée par Jacques-Yves Cousteau, laisse apercevoir, à la lampe torche, des grottes sous-marines striées d'immenses stalagtites et stalagmites… Compter cinq heures de navigation pour s'y rendre depuis Caye Caulker.

-**Hol Chan Marine :** ce canyon submergé à 30 m de profondeur est extrêmement poissonneux et couvert de coraux.

-Half Moon Caye (Lighthouse Reef) : à 113 km à l'est de Belize City apparaît un des trois atolls de l'hémisphère nord, une île corallienne formée d'un anneau de terre émergé autour d'une lagune.

Randonnées

La marche constitue un moyen agréable de découvrir la région à son rythme, hors des sentiers battus. Les Hautes Terres du pays maya comptent parmi les plus volcaniques du globe. L'ascension des volcans comblera les randonneurs, tandis que les marcheurs de fond pourront s'attaquer aux plaines et plateaux immenses qui, de village en village, offrent un paysage certes moins grandiose mais tout aussi pittoresque. Les itinéraires les plus beaux et aisément réalisables avec la logistique indispensable (guides et bivouacs) relient Chichicastenango à Sololá, les villages de Sololá à San Pedro, les hameaux de la Sierra des Cuchumatanes vers Todos Santos ou vers Nebaj et enfin, au prix d'un effort soutenu, les sommets de l'arc volcanique qui s'étire autour de Quetzaltenango.

Turismo Ek Chuah
3ª Calle 6-24, Zona 2, Guatemala Ciudad
Tél. 220 14 91, fax 232 43 75
ekchuah@intelnet.net.gt
www.ekchuah.f2s.com

Spéléologie

Jadis, les grottes et les rivières souterraines furent souvent le cadre de cérémonies sacrées mayas.
Poptún et ses environs
Les sites de spéléologie des alentours de Poptún (à mi-chemin sur la route reliant Flores au río Dulce) sont accessibles grâce aux excursions organisées depuis la Finca Ixobel à Poptún et l'hôtel Villa de los Castellanos à Machaquilá.
Candelaria
La grotte et la rivière de Candelaria forment un réseau souterrain de 12 km de long où la rivière peut atteindre jusqu'à 30 m de large. La visite comporte un parcours à pied et en barque sur la rivière d'une durée minimale de deux heures.
STP
2ª Avenida 7-78, Zona 10, Guatemala Ciudad
Tél. et fax 334 62 36

Voile

Les amateurs de planche à voile navigueront sur les lacs (Atitlán, Petén Itzá et Izabal au Guatemala) et près des côtes. Le matériel se loue à proximité de chaque spot. À **Panajachel** (lac Atitlán), s'adresser à René Portillo sur la *playa pública*, au pied de la tour Marlboro. Il organise des journées en bateau autour du lac, des matinées nautiques (*mañana acuática*) et met à la disposition des ama-

teurs du matériel (pédalos, barques et canoës) l'espace d'une matinée.

Sur le **lac Izabal**, près de Lívingston, s'adresser à : **Adventure Travel Center**
5 Avenida Norte 25 B, Antigua Guatemala

VOLCANS GUATÉMALTÈQUES

Les hauts plateaux du Guatemala présentent une densité exceptionnelle de volcans. Le plus beau « son et lumière » que la terre puisse offrir a lieu au sommet de ces géants en activité, qui réservent de somptueux panoramas.

Escalader un volcan

On évitera d'escalader seul un volcan en raison des nombreuses agressions signalées chaque année dans ces lieux périlleux. Dans chaque ville de départ des randonnées, grand choix d'agences et de guides. On descend souvent à la tombée de la nuit après avoir assisté au coucher de soleil du sommet et, sur les volcans en activité, pour admirer la lave lumineuse dans le noir. Prévoir de la nourriture, des boissons et des vêtements chauds : il fait très froid en altitude, surtout la nuit (seule la terre, très, chaude à proximité des cratères en feu, peut réchauffer les marcheurs).
Mayan Bike Tours
3ª Calle Poniente y 7ª Avenida Norte
Antigua Guatemala
Tél. 832 37 43
Pour les volcans de la région de Quetzaltenango (Santa María, Santiaguito, Chicabal, Cerro Quemado) :
Adrenalina Tours
Pasaje Enríquez, Zona 1, Guatemala Ciudad
Tél. 503 30 95

Ascension facile
Pacaya
Le Pacaya (2 552 m) est le volcan en activité le plus connu du Guatemala. Compter deux heures de minibus au départ d'Antigua ou de Guatemala Ciudad et deux heures et demie de marche pour arriver jusqu'au sommet. À la tombée de la nuit, le magma en ébullition crache sa lave dans un ciel noir et froid.

Ascensions de difficulté moyenne
San Pedro
L'un des trois volcans (3 020 m) qui se mirent dans le lac Atitlán. En langue maya cakchiquel, on l'appelle Choyjuyub, ce qui signifie « volcan de la lagune ». Une fois au sommet (l'ascension dure quatre heures), le point de vue « le Mirador » offre un panorama unique sur le lac et les deux autres volcans, Tolimán et Atitlán.
Santa María
À proximité de Quetzaltenango, l'ascension démarre aux Llanos del Pinal. La montée (quatre heures et demie)

se déroule en sous-bois, avec de belles vues sur la vallée de Quetzaltenango et de Zunil. On découvre un sanctuaire indien une demi-heure avant l'arrivée au sommet. De celui-ci, la vue s'étend sur l'ensemble de la chaîne volcanique et jusqu'à la plaine et l'océan Pacifique, avec un premier plan fourni par le volcan Santiaguito, fréquemment en éruption.

Ascensions difficiles au Guatemala
Par ordre de préférence :
Santiaguito
Autre volcan du Guatemala en activité. On peut en approcher le cône depuis Quetzaltenango au terme d'une longue marche, mais pas l'escalader en raison des risques d'explosions. Pour ceux qui n'oseraient pas tenter cet effort, la vue depuis le sommet du volcan Santa María est splendide ou même depuis l'un des deux miradors, situés au pied du Santa María ou au sud, dans la plaine bordant le Pacifique.
Fuego et Acatenango
Ascension directe du volcan Fuego depuis Alotenango, au sud d'Antigua, en dix heures, ou combinée en deux jours à celle, préalable, du volcan Acatenango. Possibilité de camper au refuge de ce dernier ou entre les deux volcans. Le Fuego connaît actuellement une phase très active : il est donc impératif de se renseigner.
Atitlán et Tolimán
L'ascension démarre à San Lucas (ou à Santiago Atitlán). Compter quatre heures pour atteindre le creux qui sépare les deux volcans, où les andinistes guatémaltèques ont l'habitude de passer la nuit avant de repartir à l'aube pour accomplir les quatre heures de marche restantes jusqu'au sommet de l'Atitlán (3 537 m). La vue sur le lac Atitlán et sur la chaîne volcanique est magnifique. Quant au volcan Tolimán, l'absence de sentier au milieu d'une végétation très dense et l'absence de visibilité depuis le sommet ôtent tout intérêt à quelque tentative d'y parvenir.
Santo Tomás
L'ascension du volcan Santo Tomás est sans doute une des plus ardues de la région (3 542 m). Départ pour une longue et belle randonnée en faux plat de la Cumbre de Alaska (km 169 de la route Panaméricaine) avant la montée vers le sommet. La descente s'opère vers les Fuentes Georginas (hébergement rustique possible) puis vers le village de Zunil (compter dix heures de marche). On peut faire l'ascension en sens inverse, depuis Zunil et Las Georginas, mais le parcours est beaucoup plus escarpé.
Tajumulco
Le volcan le plus élevé du Guatemala (4 220 m) est très apprécié des marcheurs en raison d'une grande facilité d'accès malgré sa hauteur impressionnante. Accès à 25 km de la ville de San Marcos sur la piste de San Lorenzo puis de Tuichán. Compter ensuite cinq heures de marche.

Tacaná
À 4 092 m, c'est le deuxième sommet du pays maya. Son nom signifie « la maison du feu ». Il se trouve à la frontière du Mexique et du Guatemala. L'ascension commence au village de Sibinal, que l'on atteint au départ de San Marcos (65 km de piste) *via* Ixchiguán et Tacaná. Compter ensuite dix heures de montée.
Agua
Le volcan Agua, ou Hunapu (3 776 m), a un cratère très profond dans lequel on peut descendre et rejoindre un refuge qui accueille jusqu'à trente personnes. Compter trois à quatre heures pour monter (départ d'Antigua). C'est sans doute l'excursion la moins intéressante : le site est déboisé et abîmé et il y a beaucoup de monde.

VIE NOCTURNE

Les bars ferment un peu après minuit. Il est interdit de vendre de l'alcool après 21 h et même d'en consommer dans les lieux publics entre 1 h et 6 h du matin. Dans l'ensemble de ces pays, les cinémas ne présentent que des programmations médiocres (films populaires nord-américains ou mexicains). Ils sont souvent en version originale sous-titrée, ce qui peut présenter tout au moins un intérêt linguistique. De même pour les matches de football, qui passionnent les supporters locaux sans toutefois être de qualité.

Au Guatemala
Nombreux bars et discothèques dans la Zona Viva de Guatemala Ciudad (le quartier chic, toujours très animé), à Antigua et à Panajachel. En dehors de ces villes, une fois la nuit tombée, tout est plutôt calme.

Au Belize
Dans les stations balnéaires du littoral, bien plus touristique que l'intérieur du pays, nombreux bars et discothèques surtout destinés aux visiteurs.

Au Mexique
Au Mexique, où la vie nocturne est la plus animée, on pratique généreusement la formule des *happy hours* : deux consommations pour le prix d'une. Sur la côte atlantique (à Cozumel, Playa del Carmen…), bars et discothèques se succèdent sur les plages et sont souvent ouverts jusqu'au petit matin.

COMMENT SE DÉPLACER

Pour certains trajets, l'avion est le moyen de transport idéal : il épargne de longues heures de voyage, souvent inconfortables. Voir la rubrique « Comment s'y rendre, en avion », présentée précédemment.

EN VOITURE

On peut louer une voiture dans toutes les grandes villes et dans tous les aéroports internationaux (où le tarif est plus élevé). Sous réserve d'être muni d'un permis de conduire international (sauf au Guatemala) et d'être âgé au moins de vingt-cinq ans. Le paiement par carte bancaire (prévoir 5 % de taxes en sus) est possible partout. Quand on rend le véhicule dans une ville différente du lieu de location, on paye un supplément. Il est interdit de se rendre dans le Petén (nord du Guatemala) avec un véhicule loué ailleurs qu'à l'aéroport Santa Elena de Flores.

Passer les frontières

Le passage d'une frontière avec une voiture de location est interdit, sauf dans certaines agences qui, moyennant un supplément ou l'obligation d'utiliser un véhicule tout terrain, autorisent le passage au Honduras (pour visiter Copán) du Guatemala.

Location avec chauffeur

Il est possible de louer une voiture avec chauffeur moyennant un supplément d'environ 25 US$ par jour. Prévoir également l'hébergement et les repas.

Circulation

En dehors des grands axes routiers, les revêtements sont de qualité médiocre, et la signalisation est souvent inexistante. On pourra se procurer de bonnes cartes à l'American Automobile Association (AAA), ainsi que dans les stations-service Texaco et Esso. Il est déconseillé de laisser des objets de valeur dans un véhicule. Si l'on circule en ville, les avenues ont priorité sur les rues. La vitesse maximale autorisée est de 50 km/h. L'essence est très bon marché dans les cinq pays (0,30-0,45 € le litre) et se paie au *galón* (1 *galón* équivaut à 3,8 litres). Les stations-service sont rares en dehors des grands axes.

Signalisation

Stop : *alto*
Ralentir : *despacio*
Danger : *peligro*
Cédez la priorité : *ceda el paso*
Stationnement : *estacionamiento*
Hauteur maximale : *altura máxima*
Largeur maximale : *ancho libre*
Défense de tourner : *no girar*
Voie sans issue : *no hay paso*

EN AUTOCAR

Bus interurbains

Le réseau d'*extraurbanos*, également très développé,

permet de se rendre dans presque tous les villages (même les plus reculés) du monde maya. La durée des trajets dépend de la route, du véhicule et surtout du climat. Les prix varient de 1, 5 à 3 US$ pour 100 km. Tous les bus (de première ou de seconde classe) appartiennent à des compagnies privées.

Gares routières

Chaque grande ville a sa gare routière, voire parfois plusieurs (à Mérida, par exemple). Cependant, le point de vente des billets et le lieu de départ de l'autocar dépendent de la compagnie. Il faudra donc s'assurer auprès de l'office du tourisme des destinations desservies et des modalités du voyage. Si le voyage s'annonce long, il est plus prudent de s'approvisionner en boissons, sandwiches, etc. en dehors de la gare routière (où les prix pratiqués sont particulièrement rédhibitoire).

Bus de 1re classe

Plus spacieux que les bus de seconde classe, les pullmans sont plus confortables et s'arrêtent moins fréquemment. Ils assurent plus rapidement les liaisons entre les principales villes, et la différence de prix par rapport aux bus de seconde classe s'en trouve justifiée. Le titre de transport se règle normalement à l'avance au guichet de la compagnie, où l'on pourra aussi, en principe, la veille du départ, réserver sa place. Les prix et horaires y sont affichés et respectés. Ces bus circulent souvent la nuit, en particulier pour les longs trajets.

Bus de 2de classe

Ils sont peu confortables et bondés. Il s'agit d'anciens bus scolaires américains. Faire confiance au chauffeur, qui maîtrise son véhicule. En général, un jeune homme, étonnamment agile, l'*ayudante*, se charge de faire monter les passagers – il crie par la portière la destination du bus à chaque carrefour – puis de les faire descendre à bon port, sans omettre de hisser les bagages encombrants sur le toit ni de récupérer la taxe de transport (*tasa de pasaje*) auprès de chacun. Le prix du transport étant variable, se renseigner auprès des passagers locaux. Ces bus circulent surtout le matin, à partir de 5 h. Ils sont moins fréquents l'après-midi. Sans aucun doute plus pittoresques que leurs concurrents de 1re classe, ces bus sont aussi moins sûrs : risque de panne, de vols… et l'on n'est pas sûr de voyager assis !

EN TRAIN

Très peu utilisé par les voyageurs, le réseau ferroviaire est majoritairement affecté au transport des marchandises. Assez lent et dangereux (surveiller ses bagages).

Au Mexique

Le réseau ferroviaire mexicain, autrefois efficace et étendu, est en passe d'être réduit à quelques lignes qui appartiennent encore à la compagnie nationale (Ferrocarriles Nacionales de México). Seules les 1res classes ont été conservées (sans pour autant être très confortables). Beaucoup moins cher que le bus, ce moyen de déplacement est aussi beaucoup plus lent (quasiment deux fois plus de temps). Dans la péninsule du Yucatán, on dit que les trains sont devenus la cible des voleurs... Il vaut donc mieux privilégier les déplacements en autocar.

EN BATEAU

Ferries

Cancún-Isla Mujeres
Cinq points d'embarquement : Punto Sam, Puerto Juárez, Playa Linda, Playa Tortugas, Club Náutico.
Cancún-Cozumel
Plusieurs départs par jour de Puerto Morelos. Traversée de deux heures et demie à quatre heures selon la météo. De Playa del Carmen, la traversée est beaucoup plus courte : trois quarts d'heure, départs toutes les heures.
Puerto Barrios-Lívingston-Punta Gorda
Deux liaisons régulières quotidiennes entre Puerto Barrios et Lívingston (Guatemala). En dehors de ce service, des *colectivos* assurent aussi la traversée en une heure s'ils parviennent à réunir une douzaine de passagers. De ces deux villes, départs pour Punta Gorda (Belize). Ne pas oublier de s'acquitter de la taxe de sortie (10 US$) à la douane de l'embarcadère.

«Lanchas»

Ces petits bateaux à moteur permettent d'atteindre les villages isolés en bordure des lacs ou les sites accessibles exclusivement par voie fluviale (environ 2 US$). Les services réguliers sont souvent interrompus en fin d'après-midi. Lorsque la fréquentation touristique n'est pas suffisante, il faut négocier sur place une *lancha privada*. Le prix, de préférence aller-retour, doit être convenu dès le départ. Il est jusqu'à dix fois supérieur à celui des *lanchas* collectives.

TRANSPORTS URBAINS

Bus

Toutes les grandes agglomérations telles que Guatemala Ciudad, Quetzaltenango, Mérida et Cancún possèdent un réseau de bus urbains. Le numéro indiqué sur les voitures correspond à l'itinéraire emprunté : se renseigner auprès des offices du tourisme. Il n'existe pas de stations fixes, sinon les carrefours où le bus a l'habitude de ralentir pour prendre et déposer des passagers : il suffit de faire signe au conducteur. Un parcours n'excède jamais l'équi-

valent de 1 US$. Le montant se règle dès la montée à bord.

«Colectivos»

Ces minibus ou fourgonnettes pouvant embarquer une dizaine de passagers assurent principalement les liaisons entre les aéroports (ou le terminal portuaire) et le centre de certaines villes. Ce service, rapide, revient, pour la même course, en moyenne dix fois moins cher qu'un taxi.

Taxis

À côté des fameuses coccinelles mexicaines et autres voitures, chapeautées accessoirement du sigle « taxi », souvent dépourvues de taximètres (négocier impérativement le prix de la course avant le départ), de nombreuses compagnies fiables desservent maintenant les capitales et les grandes villes de la région.

Cycles

Il est possible de louer bicyclettes et mobylettes dans les grandes villes du monde maya. Cependant, à l'écart des grandes agglomérations, il faut être particulièrement prudent : peu d'automobilistes sont habitués à partager la chaussée (de mauvaise qualité) avec les cycles... S'assurer du bon état de marche de son engin (notamment de l'éclairage).

D'UN PAYS À L'AUTRE

Passer une frontière

Les formalités douanières sont effectuées au poste frontière terrestre, en deux temps : présentation du passeport, pour lequel le douanier du pays que l'on quitte délivre un tampon, à quoi s'ajoute le règlement de la taxe de sortie. Même scénario au poste du pays d'accueil, où l'on paie un droit de douane très variable, et souvent sans justificatif. On demande également au touriste combien de temps il compte séjourner dans le pays (délai maximal de trois mois). La durée du passage varie toutefois en fonction du nombre de personnes qui s'y présentent (compter une vingtaine de minutes en moyenne) et de l'attente du bus qui permettra de poursuivre sa route.

Guatemala / Mexique

-Bus interurbains
De nombreux postes frontières permettent le passage du Guatemala au Mexique. Les villes frontières (et leur vis-à-vis au Mexique) sont : Tecún Umán (Ciudad Hidalgo), El Carmen (Talismán) et La Mesilla (Ciudad Cuauhtemoc), qui est la mieux desservie.
-Bateaux
On peut passer directement du Petén (nord du Guatemala) au Chiapas (Mexique) en franchissant le fleuve Usumacinta à Bethel vers Frontera Echeverría (ex-

Corozal) en vingt minutes. Passer par les *ríos* San Pedro ou Pasión est beaucoup plus long et onéreux.

-Trains
La ligne ferroviaire qui relie Puerto Barrios à Guatemala Ciudad et à Tecún Umán (sur la frontière mexicaine) et qui rejoint les États-Unis en longeant la côte ouest du Mexique n'est pas en service actuellement.

-Navettes de tourisme
Un minibus quitte Flores tous les jours à 5 h pour atteindre Palenque à 13 h, *via* Bethel et un court transfert en *lancha* à Frontera Echeverría. Pour réserver, se renseigner auprès des agences de voyages du pays ou dans les hôtels de Flores.

Guatemala / Belize
-Ferries
Un bateau quitte Puerto Barrios (Guatemala) tous les mardis et vendredis à 7 h 30 et fait escale vers 9 h à Lívingston (Guatemala), avant de repartir pour Punta Gorda (Belize). Le retour a lieu ces mêmes jours à 14 h 30. On achète son billet le jour même avant de monter à bord. Arriver deux heures à l'avance, si l'on veut avoir une place assise et disposer de suffisamment de temps pour les formalités douanières d'immigration.

-Bus
Liaison quotidienne directe de Flores (Guatemala) à Chetumal (Mexique) *via* San Ignacio, Belize City et Orange Walk (Belize). Départ tous les matins de Flores à 5 h (réservations à l'hôtel San Juan, Santa Elena).

-Avion
Tropic Air et Maya Island Air assurent deux rotations tous les jours.

Mexique / Belize
-Bus
Chetumal (Mexique) est la ville de départ (ou d'arrivée) des bus à destination (ou en provenance) du Belize. Batty's Brothers et Venus sont les deux compagnies qui desservent le Nord, depuis Belize City. Elles assurent plusieurs fois par jour, dans les deux sens, la liaison Chetumal-Belize City, *via* Corozal et Orange Walk. Compter trois ou quatre heures de voyage et environ 7 US$ par personne.

-Avion
Liaisons quotidiennes depuis Belize City vers Cancún et Mérida.

OÙ LOGER

Sachant que sous ces latitudes on vit au rythme du soleil, qui se lève très tôt et se couche vers 18 h, il ne faut pas attendre le soir pour se soucier de son hébergement. Sur la Route maya, variété infinie de prix et de cadres, des plus luxueux aux plus rustiques.

Inutile de réserver sa chambre à l'avance en dehors des périodes de grande affluence touristique et des grands hôtels… Elle sera de toute façon offerte sans remords au premier client qui se présentera (seuls les grands hôtels respectent les réservations). Il convient donc d'arriver de préférence avant la tombée de la nuit pour choisir son hôtel et surtout sa chambre : demander à la visiter. Le prix d'une chambre, dans un petit hôtel, lors de la saison touristique, peut se négocier.

Les plus grands hôtels internationaux de la région se trouvent à Villahermosa, à Guatemala Ciudad, à Belize City et surtout à Cancún. Tarifs élevés (100 US$ à 400 US$ pour une chambre double) qui se justifient par des prestations d'une très grande qualité. Dès que l'on s'éloigne de ces villes, qualité de l'hébergement variable mais prix très raisonnables.

Les auberges de jeunesse n'existent quasiment pas au Guatemala, elles sont très rares au Belize et plus fréquentes au Mexique. Ces dernières années, des auberges assez confortables ont ouvert dans les grandes villes mexicaines (à Mérida et à San Cristóbal de Las Casas, par exemple) et constituent un choix aussi intéressant que les hôtels bon marché, en particulier pour ceux qui voyagent seuls. Compter entre 4 et 20 US$ par lit. Certaines exigent la carte internationale des auberges de jeunesse, d'autres s'en passent. Se renseigner auprès de :
www.hostelling-mexico.com
www.hostels.com.mx

Les *cabañas* (cabanes au toit de palmes) équipées de hamacs sont une forme d'hébergement assez typique en Amérique centrale. D'apparence sommaire (éclairage à la bougie, sol couvert de sable…), les huttes sont souvent situées dans des lieux qui s'y prêtent parfaitement, face à la mer ou en pleine nature. Pour ceux qui ne voyagent pas avec un hamac, il est toujours possible d'en louer un sur place. Le prix d'une nuit varie de 1 à 10 US$ (*cabaña* privée et hamac fourni).

Cependant, un certain nombre d'établissements ont détourné cette architecture traditionnelle pour offrir de véritables « bungalows de luxe », toujours très bien situés et très confortables : mobilier de charme, ventilation…

Bien qu'il ne soit interdit nulle part, le camping sauvage est à éviter à tout prix. Les campings gardés demandent entre 1 et 10 US$ par nuit. À Chichén Itzá (Mexique) et à Tikal (Guatemala), le camping facilite la visite des temples mayas dès le lever du soleil : les terrains sont situés à proximité des vestiges.

Les tarifs indiqués ci-dessous sont sujets à modification. Ils concernent, en général, le prix d'une chambre double standard pour les hôtels, et d'un menu complet pour les restaurants.

À Antigua Guatemala, les artères sont numérotées à partir de la place centrale. Une rue située à l'est de celle-ci sera appelée Calle Oriente ; à l'ouest Calle Poniente. De la même façon, une avenue située au nord, Avenida Norte, et au sud, Avenida Sur. Ainsi, l'adresse *5ª Avenida Norte 9* désigne-t-elle le numéro neuf de la cinquième (*quinta*) avenue au nord de la place centrale.

À Guatemala Ciudad, ville divisée en *zonas*, les chiffres séparés par un trait d'union indiquent, le premier la voie perpendiculaire la plus proche (une avenue à l'ouest si l'adresse recherchée est dans une rue, une rue au nord si l'adresse est dans une avenue) de celle précisée initialement, le second la distance en mètres qui sépare l'adresse de l'intersection. L'établissement situé *12ª Calle 4-61, Zona 10* se trouve donc dans la douzième rue de la zone dix, à 61 m (environ) du croisement avec la quatrième avenue.

AU GUATEMALA

Guatemala Ciudad
Casa Santa Clara
12ª Calle 4-61, Zona 10
Tél. 339 18 11, fax 332 07 75
Hôtel intime dans le quartier de la Zona Viva. Très reposant, chambres impeccables. De 50 à 100 US$.
Holiday Inn **
1ª Avenida 13-22, Zona 10
Tél. 332 25 70, fax 332 25 84
Une adresse sans surprise dans la Zona Viva : normes de confort international et service efficace. Préférer les étages supérieurs pour jouir d'une vue sur la ville. De 50 à 100 US$.
Hotel Camino Real ***
Avenida La Reforma 14-1, Zona 10
Tél. 333 46 63, fax 337 43 13
Palace international, prix en conséquence. Plus de 100 US$.
Hotel Centenario **
6ª Calle 5-33, Zona 1
Tél. 238 03 81, fax 238 20 39
Chambres confortables et propres. De 20 à 50 US$.
Hotel del Centro **
13ª Calle 4-55, Zona 1
Tél. 232 55 80, fax 230 02 08
Chambres bien équipées mais sans charme particulier. Éviter celles qui donnent sur la rue. De 20 à 50 US$.
Hotel Chalet Suizo **
14ª Calle 6-82, Zona 1
Tél. 251 37 86
Une maison typique et chaleureuse. Chambres avec ou sans sanitaires, autour d'une courette. Moins de 20 US$.
Hotel Colonial **
7ª Avenida 14-19, Zona 1

Tél. 232 67 22 ou 232 29 55, fax 232 86 71
Charmant hôtel de style colonial, propre et calme. De 20 à 50 US$.
Hotel La Casa Grande
Avenida La Reforma 7-67, Zona 10
Tél. 331 09 07 ou 331 78 93, fax 332 27 36
Bâtisse blanche et carrée, d'inspiration espagnole. Belles chambres lumineuses avec douches et toilettes. De 50 à 100 US$.
Hotel Marriott Guatemala ***
7ª Avenida 15-45, Zona 9
Tél. 331 77 77, fax 332 18 77
Un immense hôtel de luxe (385 chambres), très moderne. Piscine, sauna, salle de gymnastique… Plus de 100 US$.
Hotel Meliá Las Américas **
Avenida Las Américas 9-08, Zona 13
Tél. 339 06 76, fax 339 06 90
Près de l'aéroport, hôtel de grand standing avec piscine. Service irréprochable. Plus de 100 US$.
Hotel PanAmerican **
9ª Calle 5-63, Zona 1
Tél. 232 68 07 à 68 09, fax 232 64 02
Cet établissement s'enorgueillit d'avoir été l'hôtel de luxe de la ville le plus coté dans les années 1940. Le beau mobilier Arts déco, bien entretenu, attire encore des générations de touristes. De 20 à 50 US$.
Hotel Ritz Continental**
9ª Avenida A 10-13, Zona 1
Tél. 238 16 71 à 16 75, fax 232 46 59
Chambres rénovées récemment. Bon restaurant. Plus de 100 US$.
Hotel Spring **
8ª Avenida 12-65, Zona 1
Tél. 230 29 58, fax 232 01 07
Une bonne adresse : grandes chambres lumineuses dont les fenêtres donnent sur un vaste patio. Hôtel bien situé et économique ! De 20 à 50 US$.
Hotel Villa Española **
2ª Calle 7-51, Zona 9
Tél. 336 54 17
À côté de la tour du Réformateur, discrète imitation de la tour Eiffel. Hôtel de charme dans le style espagnol. De 20 à 50 US$.
Posada Belén **
13ª Calle A 10-30, Zona 1
Tél. 253 45 30, fax 251 34 78
Courrier électronique : pbelen@guatemalaweb.com
Superbe demeure coloniale, installée dans une rue tranquille du centre-ville. Il est indispensable de réserver. De 20 à 50 US$.

L'est du Guatemala -Cobán
Casa d'Acuña **
4ª Calle 3-11, Zona 2

Tél. 952 15 47
Courrier électronique : uisa@infovia.com.gt
Auberge confortable et économique. Inutile de chercher un endroit pour déjeuner ou dîner : on savoure au Bistro d'Acuña une bonne cuisine italienne, un excellent café régional et de délicieux desserts. Moins de 20 US$.

Hotel La Posada **
1ª Calle 4-12, Zona 2
Tél. 952 14 95
Très bien situé, en plein centre. Demeure de style colonial aux chambres agréables. Bon restaurant de spécialités régionales. De 20 à 50 US$.

Hotel Oxib Peck *
1ª Calle 12-11, Zona 1
Tél. 952 10 39
Chambres avec douche, sans charme particulier mais propres. Moins de 20 US$.

-Lívingston
Hotel Tucán Dugu ***
Tél. 948 15 88
L'hôtel chic de Lívingston, à quelques pas de l'embarcadère, sur la rue principale. Chambres très confortables et piscine. De 50 à 100 US$.

Casa Rosada *
Au bord de la rivière, à 700 m de l'embarcadère
Tél. 947 03 03
Si le confort est assez rudimentaire (douche commune), la propreté est irréprochable. Le site a beaucoup de charme. Son restaurant est l'un des meilleurs : peu de spécialités mais des produits toujours frais. Moins de 20 US$.

Hotel Garífuna *
Tél. 947 01 83
Assez banal et sans grand charme, mais excellent rapport qualité-prix. Moins de 20 US$.

-Puerto Barrios
Hotel Del Norte **
1ª Avenida entre la 6ª et la 7ª Calle, en bord de mer
Tél. 948 21 16, fax 948 00 87
Colonial, vieillot et plein de charme. Service très attentionné. Grande salle à manger. Moins de 20 US$.

Hotel Europa *
8ª Avenida entre la 8ª et la 9ª Calle
Tél. 948 01 27
Chambres propres avec ou sans ventilateur, toutes avec douche. Très calme. Salle à manger agréable. Moins de 20 US$.

-Río Dulce
Bruno
Accès sous le pont
Petite marina appartenant à un Canadien. Restaurant devant la rivière. De 20 à 50 US$.

Hacienda Tijax
Au bord de la rivière, en aval du pont ou accès par bateau
Tél. 902 08 58
Chambres et bungalows, avec ou sans salle de bains, à des prix raisonnables. Installé dans une *finca* que l'on peut parcourir à cheval et dont on peut visiter la plantation d'hévéas. Moins de 20 US$.

Hotel Catamaran ***
En aval du pont, accessible en dix minutes par bateau
Tél. 947 83 61 ou à Guatemala Ciudad, 367 15 45
Bungalows avec ou sans climatisation. Le restaurant y sert, entre autres spécialités, l'excellent poisson de la rivière, la *mojarra*. Piscine et magnifique jardin. De 20 à 50 US$.

Hotel La Ensenada**
Finca Marimonte, km 275 (avant le pont, à 500 m à droite en venant de Guatemala Ciudad)
Tél. (à Guatemala Ciudad) 367 54 44
Bungalows éparpillés sous les arbres. De 20 à 50 US$.

La côte pacifique
-Champerico
Hotel Miramar
À l'angle de la 2ª Avenida et de l'Avenida Coatepeque
Tél. 773 72 31
Un hôtel convivial tenu par un Espagnol, où règne une atmosphère nostalgique. Moins de 40 US$.

-Monterrico
Johnny's Place
Tél. 337 41 91
Vastes bungalows avec kitchenette et piscine individuelle. De 20 à 50 US$.

Pez de Oro
Tél. 368 36 84
Bungalows décorés avec beaucoup de charme. Piscine et restaurant. La meilleure adresse à Monterrico. De 20 à 50 US$.

Le Petén
-Flores
Hotel Casa Azul
Calle Unión, au nord de l'île
Tél. 926 11 38
Quelques belles chambres tranquilles, notamment celles qui donnent sur le lac. De 20 à 50 US$.

Hotel del Patio-Tikal ***
Près de l'aéroport de Santa Elena
Tél. 926 01 04
Un édifice récent de style colonial offrant des chambres confortables à un bon rapport qualité-prix. De 20 à 50 US$.

Hotel Maya Internacional **
Près de l'aéroport de Santa Elena
Tél. 926 12 76

Donnant sur la lagune, des bungalows que l'on gagne par une passerelle. Restaurant sous une large paillote au bord de l'eau. De 50 à 100 US$.

Hotel Petén **
Calle Centroamérica
Tél. 926 06 92
Chambres bien tenues et confortables. Belle vue sur le lac depuis la terrasse et depuis les chambres situées au dernier étage. De 20 à 50 US$.

La Casona de la Isla **
Calle Centroamérica
Tél. 926 05 23, fax 926 05 93
Une maison récente au décor pimpant, à proximité du lac, qui propose des chambres impeccables. De 20 à 50 US$.

-El Remate
El Gringo Perdido
Réservation à Guatemala Ciudad :
12ª Calle 1-55, Zona 9
Tél. 334 23 05, 334 69 67
www.elgringoperdido.com
Établissement très bien situé, au nord du lac Petén Itzá, qui dispose de bungalows charmants et bien équipés. De 20 à 50 US$.

-Tikal
Hotel Camino Real ****
À mi-chemin entre Flores et Tikal, près du village d'El Remate
Tél. 926 02 07, fax 926 02 22
Idéalement situé au bord du lac Petén Itzá, cet hôtel ne propose pas un service à la hauteur de ses prétentions. Plus de 100 US$.

Jaguar Inn *
À l'entrée du site, près du musée
Tél. 926 00 02
Neuf bungalows avec douche et W.-C. Il est prudent de réserver. De 20 à 50 US$.

Jungle Lodge **
Près de l'entrée du site. Réservations à Guatemala Ciudad
Tél. 476 02 94, 476 87 75
Offre deux types d'hébergement avec confort différent. Chambres refaites à neuf dans de petits bungalows et chambres moyennement équipées, avec douche et toilettes. De 20 à 50 US$.

Tikal Inn *
À l'entrée des ruines
Tél. 599 62 12, fax 594 69 44
Chambres et bungalows confortables qui encadrent une belle piscine. De 20 à 50 US$.

Hautes Terres
-Antigua Guatemala
Casa de los Cántaros
5ª Avenida Sur 5

Tél. 832 06 74
Trois très belles chambres d'hôte dans une demeure ancienne. Plus de 100 US$.

Hotel Antigua ****
Callejón San José, 8ª Calle y 5ª Avenida esquina
Tél. 832 28 01/04
Des chambres décorées avec soin, une végétation luxuriante tout autour... l'ensemble aménagé dans le plus grand confort. Plus de 100 US$.

Hotel Casa Santo Domingo *****
3ª Calle Oriente 28
Tél. 832 01 40, fax 832 01 02
Un ancien couvent magnifiquement restauré. Cadre superbe. Immense piscine. Plus de 100 US$.

Hotel El Descanso **
5ª Avenida Norte 9
Tél. 832 0142
Maison particulière avec cinq chambres très agréables pour deux, trois, ou quatre personnes. De 20 à 50 US$.

Hotel Las Farolas
9ª Calle Oriente y 5ª Avenida Sur esquina
Tél. 832 19 13
Hôtel récent, chambres spacieuses et très confortables. Grand jardin et piscine. Prix raisonnables. De 50 à 100 US$.

Posada de Don Rodrigo ***
5ª Avenida Norte 17
Tél. 832 02 91, 832 03 87
Très bel espace colonial où trente-cinq chambres au charme désuet entourent un patio animé. Orchestre de marimba tous les jours au restaurant. De 50 à 100 US$.

Posada Santa Clara
2ª Avenida Sur 20 (Calle de Santa Clara)
Tél. 832 03 42
Chambres propres et calmes. Joli jardin. Moins de 20 US$.

Radisson Omega Villa Antigua *****
9ª Calle Poniente, à la sortie de Ciudad Vieja
Tél. 832 00 11
Le plus grand hôtel et le plus moderne de la ville. Plus de 100 US$.

-Chichicastenango
Hotel Girón *
6ª Calle 4-52
Tél. 756 11 56
Autour d'une petite cour intérieure, l'hôtel le moins cher du centre-ville. Moins de 20 US$.

Hotel Santo Tomás ***
7ª Avenida 5-32
Tél. 756 10 61
Bon hôtel de style colonial avec un élégant patio à arcades. Piscine et jacuzzi. De 50 à 100 US$.

Mayan Inn ***
Barrio Santo Tomás, près de la place du marché
Tél. 756 11 76
Chambres superbes de style colonial, toutes avec che-

minée. Restaurant et service soigné. De 50 à 100 US$.

Pensión Chugüilá **
5ª Avenida 5-24, au nord de la place centrale
Tél. 756 11 34
Les chambres donnent sur une cour intérieure agréable, et il y a quelques suites avec cheminée. Bon restaurant. De 20 à 50 US$.

Posada del Arco *
Calle del Puente Gucumatz
Tél. 756 12 55
Sept chambres bien tenues par un couple très accueillant. Très bon rapport qualité-prix. Moins de 20 US$.

-Huehuetenango
Hotel Casa Blanca
7ª Avenida 3-41, Zona 1
Tél. 769 07 75, 769 07 81
Quelques chambres agréables à prix modéré. De 20 à 50 US$.

Hotel San Luis de la Sierra
2ª Calle 7-0, Zona 1
Tél. 764 92 16, 764 92 18
Central, propre et économique. Copieux petits déjeuners. De 20 à 50 US$.

Hotel Zaculeu **
5ª Avenida 1-14, Zona 1
Tél. 764 10 86, fax 764 15 65
Un édifice colonial récemment restauré. Joli patio verdoyant. Bon restaurant. De 20 à 50 US$.

Los Cuchumatanes **
Quartier Brasilia, Zona 7
Tél. 764 93 56 / 61, 764 28 15
Chambres très confortables et piscine, mais il faut disposer d'une voiture pour y accéder. De 50 à 100 US$.

-Jaibalito
La Casa del Mundo
À proximité du lac Atitlán
Tél. 204 55 58
Situé dans un petit village entre Tzununá et Santa Cruz la Laguna, cet hôtel bon marché dispose de chambres confortables avec une vue spectaculaire. Très chaleureux. Moins de 20 US$.

-Panajachel
Hotel Atitlán ****
Au bord du lac Atitlán, à 2 km du centre sur la route de Los Encuentros
Tél. 762 14 41, 762 14 29
Le meilleur hôtel de Panajachel. Chambres luxueuses, piscine chauffée et bon restaurant. La vue sur le lac et les jardins est superbe. De 50 à 100 US$.

Hotel Barceló del Lago ****
Sur la plage, au bout de la Calle Rancho Grande, au bord du lac Atitlán
Tél. 762 15 55

Belles chambres avec balcon et salle de bains en marbre. Piscine, restaurants et jardins. Plus de 100 US$.

Hotel Cacique Inn
Calle del Embarcadero
Tél. 762 12 05
Chambres spacieuses avec cheminée. Excellent restaurant, petite piscine et très joli jardin. De 50 à 100 US$.

Hotel Galindo *
Calle Real
Tél. 762 11 68
Restaurant et hôtel dans un jardin tropical. Moins de 20 US$.

Hotel Monterrey **
Calle 15 de Febrero
Tél. 762 11 26
L'un des rares hôtels avec un jardin donnant sur le lac. De 20 à 50 US$.

Hotel Primavera **
Calle Santander
Tél. 762 11 57
Petit hôtel sympathique. Restaurant et jardin. Moins de 20 US$.

Minimotel Riva Bella
À la sortie de Panajachel, en direction de Sololá
Pour les petits budgets. Moins de 20 US$.

Playa Linda *** *(sur le port)*
Tél. 762 11 59
Chambres avec cheminée. Superbes vues sur le lac. De 20 à 50 US$.

-Quetzaltenango
Hotel Modelo **
14ª Avenida A 2-31, Zona 1
Tél. 761 25 29, 761 27 15
Autour d'un beau jardin fleuri, une galerie dessert de grandes chambres bien équipées. De 20 à 50 US$.

Hotel Río Azul
2ª Calle 12-15, Zona 1
Tél. 763 06 54
Bon rapport qualité-prix. Bâtiment impersonnel mais chambres bien tenues. Moins de 20 US$.

Pensión Bonifaz ****
4ª Calle 10-50, Zona 1
Tél. 761 29 59, 761 21 82, fax 761 28 50
Cadre ancien superbe et service irréprochable. De 50 à 100 US$.

-Santa Cruz la Laguna
La Iguana Perdida
À côté de l'« Arca de Noé »
Tél. 762 26 40
Courrier électronique : santacruz@guate.net
Un hôtel bon marché réputé, qui offre une vue magnifique sur le lac et les volcans. C'est aussi le siège de l'agence ATI Divers, qui propose des cours de plongée dans le lac. Moins de 20 US$.

-San Pedro la Laguna
Hotel Puerto Bella
Près de l'embarcadère et du restaurant Nick's. Pas de tél. Sommaire, comme la plupart des hôtels de San Pedro, mais propre et bon marché. Moins de 20 US$.

-Santiago Atitlán
Hotel Bambú
À l'entrée du village
Tél. 721 71 97, 832 47 07
Courrier électronique : hotel@ecobambu.com
Deux bungalows tournés vers le lac et le volcan San Pedro, et trois chambres situées à l'arrière. De 20 à 50 US$.
Posada de Santiago
À la sortie du village
Tél. et fax 721 71 67
Courrier électronique : posdesantiago@guate.net.
Bungalows avec cheminée face au volcan San Pedro. Bonne table d'hôte. De 20 à 50 US$.

AU BELIZE

Belize City
Glenthorne Manor
27 Barrack Road
Tél. 24 42 12
Belle et grande maison de bois tenue par une famille sympathique qui propose huit chambres propres, avec douche et toilettes. De 50 à 100 US$.
Fort St. Guest house
4 Fort Street
Tél. 23 01 16, fax 27 88 08
Courrier électronique : forst@btl.net
Belle demeure coloniale dont le cachet extérieur ne se retrouve pas dans l'aménagement des chambres, ordinaires. Salles de bains communes. De 50 à 100 US$.
Hotel Chateau Caribbean ***
6 Marine Parade
Tél. 23 08 00, fax 23 09 00
Courrier électronique : chateaucar@btl.net
Ancien hôpital converti en hôtel assez confortable, avec des chambres climatisées et un bon restaurant. De 50 à 100 US$.
Fort George Hotel ****
2 Marine Parade
Tél. 23 33 33, fax 27 38 20
Courrier électronique : rdfgh@btl.net
Hôtel luxueux avec piscine, plusieurs restaurants et bars. Plus de 100 US$.
Sea Side Guest House *
3 Prince Street
Tél. 27 83 39
Courrier électronique : friends@btl.net
Maison en bois au bord de l'eau. Propre et calme. De 20 à 50 US$.

District de Belize
Birds Eye View Resort
Crooked Tree
Tél. 023 20 40, fax 022 24 869
Courrier électronique : birdseye@btl.net
L'établissement manque peut-être de charme mais il est situé au bord d'une réserve naturelle où il est possible d'observer deux cent cinquante espèces d'oiseaux ! Chambres confortables (standards ou dortoirs) et cuisine locale succulente. De 50 à 100 US$.
Crooked Tree Resort
Crooked Tree Village
Tél. 027 58 19, fax 027 40 07
Des cabanes en bois au toit de chaume situées idéalement, juste au bord de l'eau, pour permettre aux hôtes d'observer les oiseaux. De 50 à 100 US$.
Maruba Resort and Jungle Spa
40,5 mile post, Old Northern Highway, Maskall Village
Tél. 32 21 99, fax 21 20 49
www.maruba-spa.com
Un lieu de rêve pour se détendre et goûter aux délices d'une cure thermale ! Accueil attentif et décor soigné. Plus de 100 US$.

Ambergris Caye
Lily's Caribbean Lodge ***
Beach Front, à l'est de Caribbean Street
Tél. 26 20 59
Chambres avec terrasse donnant sur la mer. De 20 à 50 US$.
Milo's Hotel *
Village de San Pedro
Tél. 26 20 33, 26 21 96
Hôtel assez calme et très bon marché, et donc très souvent complet. Mieux vaut arriver tôt dans la journée. Moins de 20 US$.
Ramon's Village Resort ***
Coconut Drive, San Pedro
Tél. 26 20 71, fax 26 22 14
Courrier électronique : info@ramons.com
Ensemble de *cabañas* qui donne sur une plage protégée, bar entouré de cocotiers, voiliers, sports maritimes. Atmosphère résolument vouée au farniente. Plus de 100 US$.

Belmopan et les environs
Belmopan Hotel **
Bliss Parade / Constitution Drive
Tél. 82 23 27, fax 82 30 66
Sans attrait particulier, assez cher mais confortable. De 50 à 100 US$.
Caves Branch Adventure & Jungle Lodge
Hummingbird Highway, mile 41
Tél. 82 28 00, courrier électronique : caves@pobox.com
À peine franchie l'entrée du parc naturel de Caves Branch, un lodge au cœur d'une réserve privée, au bord

d'une rivière. Découverte des grottes et expéditions dans la jungle. Dépaysement garanti ! De 50 à 100 US$.

Caye Caulker

La particularité de cette île est de n'offrir aucune infrastructure hôtelière de luxe… et c'est sans doute ce qui attire aussi les visiteurs. La plupart des établissements sont simples mais agréables. Une promenade autour de l'île permet de faire son choix rapidement.

Rainbow Hotel ★★
Sur la plage
Tél. 22 21 23
Chambres simples mais propres. De 20 à 50 US$.

Shirley's Guest House
Au sud du village
Tél. 22 21 45, fax 22 22 64
Plutôt isolé, cet hôtel plaira à ceux qui recherchent la tranquillité et un peu d'intimité sur cette île renommée pour son animation. *Cabañas* confortables et très bien entretenues. De 50 à 100 US$.

Tropical Paradise
Sur la plage
Tél. 22 21 24, fax 22 22 25
Sans doute l'hôtel le plus équipé de l'île. Chambres propres et lumineuses et bungalows agréables. Restaurant et bar. De 50 à 100 US$.

Corozal

Hokol Kin Guest House
À l'angle de la 4th Avenue et de la 3rd Street
Tél. 42 33 29
Courrier électronique : maya@btl.net
Toutes les chambres sont pourvues d'un balcon tourné vers l'océan pour avoir une vue imprenable sur le coucher de soleil. De 20 à 50 US$.

Tony's Inn and Resort
À l'extrême sud de Corozal
Tél. 42 20 55, fax 42 28 29
Un établissement très bien équipé, situé en bord de mer. Propose également des circuits dans les environs. De 50 à 100 US$.

Lighthouse Reef

Lighthouse Reef Resort
Northern Two Caye, PO Box 26, Belize City
Tél. (aux USA) + 1 941 439 66 00
www.scubabelize.com
Courrier électronique : larc1@worldnet.att.net
Cabañas luxueuses, climatisées, dans un ensemble bien équipé : restaurant, bar et boutique de souvenirs. Forfaits qui incluent le séjour ainsi que des stages de plongée ou de pêche.

Orange Walk

D'Victoria Hotel
40 Belize-Corozal Road
Tél. 32 25 18
Courrier électronique : dvictoria@btl.net
Une bonne adresse, en dépit du manque de charme, compensé par le confort du lieu. De 20 à 50 US$.

Lamanai Outpost Lodge
Indian Church, à 4 km du site, accessible depuis Corozal par piste ou en bateau par la New River Lagoon
Tél. 23 35 78, fax 21 20 61
Courrier électronique : lamanai@btl.net
Les alentours et les nombreuses activités possibles comptent sans doute pour beaucoup dans la magie de ce lieu très confortable : observation d'oiseaux et de crocodiles, safaris nocturnes sur la rivière, visite du site archéologique… Plus de 100 US$.

St George's Caye

Cottage Colony
PO Box 428, Belize City
Tél. 21 20 30, fax 27 32 53
Courrier électronique : fins@btl.net
Une adresse de charme, avec ses *cabañas* en bois peintes de toutes les couleurs, juste au bord de l'eau, et parfaitement équipées : air conditionné, salles de bains privatives. Des forfaits d'activités sont proposés aux hôtes (plongée, pêche…) à un bon tarif. De 50 à 100 US$.

St George's Lodge
PO Box 625, Belize City
Tél. 24 41 90, fax 23 14 60
Idéal pour les plongeurs, cet établissement luxueux propose un encadrement sérieux et un équipement de plongée de très bonne qualité. *Cabañas* de charme, couvertes de chaume et montées sur pilotis, face à la mer. Forfaits ouverts aux plongeurs et aux non-plongeurs. Plus de 100 US$.

San Ignacio et les environs

La plupart des visiteurs choisissent de séjourner dans les environs de San Ignacio où de nombreux lodges ont été aménagés avec beaucoup de goût, au cœur d'une région au paysage exceptionnel.

Chaa Creek Cottage
77 Burns Avenue
Tél. 92 20 37, fax 92 25 01
Courrier électronique : chaacreek@btl.net
Très beau site, point de départ de randonnées équestres. Plus de 100 US$.

Five Sisters Lodge
Route de Caracol
Tél. 91 20 05, 91 20 24
Courrier électronique : fivesislo@btl.net
Bungalows au cœur de la Mountain Pine Ridge Forest Reserve, avec un restaurant panoramique qui surplombe cinq cascades. Nombreuses possibilités d'hébergement, pour tous les prix. De 50 à 100 US$.

Maya Mountain Lodge
3/4 Mile Cristo Rey Road
Tél. 92 21 64, fax 92 20 29
Courrier électronique : jungle@mayamountain.com
Des bungalows très confortables en pleine jungle, repas compris dans le prix. Point de départ de nombreuses excursions vers les sites de Tikal, Xunantunich ou Caracol, de promenades en kayak... De 50 à 100 US$.

San Ignacio Hotel ★★★
18 Buena Vista Street
Tél. 92 20 34, fax 92 21 34
Courrier électronique : sanighot@btl.net
L'exception à San Ignacio : sur une colline avec une vue superbe sur la jungle et la rivière, un hôtel sympathique avec restaurant, bar et piscine. Souvent complet. Plus de 100 US$.

Chan Chich

Chan Chich Lodge
Accessible depuis Orange Walk par Blue Creek et Gallon Jug, sur le site archéologique
Tél. 23 44 19
Courrier électronique : info@chanchich.com
Un site exceptionnel ! Une douzaine de bungalows au cœur de la forêt, sur la place de l'ancienne cité maya. Observation d'oiseaux et de jaguars, randonnées à cheval, canoë... Plus de 100 US$.

Dangriga

Pelican Beach Resort
À l'extrémité nord de la ville, avant l'aéroport, sur la plage
Tél. 52 20 44, fax 52 25 70
Courrier électronique :
sales@pelicanbeachbelize.com
Bel hôtel inspiré par l'architecture locale. Accueil chaleureux. De 50 à 100 US$.

Manatee Lodge
À Gales Point, sur la Coastal Road, qui relie Belize City à Dangriga
Tél. 21 20 40
Hôtel de charme pour les amateurs de tranquillité et de pêche en rivière. De 50 à 100 US$.

The Bonefish Hotel
15 Mahogany Street
Tél. 52 21 65, fax 52 22 96
Courrier électronique : bonefish@btl.net
Bel hôtel très confortable mais peut-être un peu cher. Ses propriétaires sont aussi ceux qui gèrent le Blue Marlin Lodge, à partir duquel il est possible d'organiser des journées de pêche dans les lagons et sur la barrière de corail. Plus de 100 US$.

Stann Creek District, Placencia

Jaguar Reef Lodge
Sur la plage, au sud du village de Hopkins
Tél. 51 20 91, fax 51 20 40
www.jaguarreef.com
Courrier électronique : jaguarreef@btl.net
Quinze *cabañas* traditionnelles, luxueusement aménagées, situées à proximité de la réserve de Cockscomb Jaguar. Le restaurant est une bonne adresse pour goûter la cuisine locale, dans un décor très agréable, à l'intérieur ou en plein air. Les forfaits de séjour peuvent inclure des activités de kayak, pêche, plongée, vélo... De plus, le service est efficace et chaleureux. Deux villas peuvent aussi être louées à proximité. Plus de 150 US$.

Kitty's Place
Situé à Placencia
Tél. 62 32 27, fax 62 32 26
www.kittysplace.com
Courrier électronique : info@kittysplace.com, kittys@btl.net
Un établissement très confortable, en bord de mer, à quelques minutes du village, vers le nord. Plusieurs formules d'hébergement, allant de chambres standards aux petits appartements équipés d'une kitchenette. La cuisine locale du restaurant est savoureuse et le bar est toujours animé, diffusant toutes les grandes manifestations sportives sur son écran géant. Très apprécié des plongeurs. De 80 à 120 US$.

Luba Hati
Seine Bight Village, sur la péninsule de Placencia
Tél. 62 34 02, fax 62 34 03
www.lubahati.com
Courrier électronique : lubahati@btl.net
Un *resort* qui propose à la fois des chambres et des *cabañas*, situées en bord de mer sur un site d'exception. Les propriétaires, un couple d'Italiens, ont particulièrement soigné le cadre, mis en valeur par de belles pièces d'art africain ou garífuna. Quelques chambres disposent de petites terrasses bien agréables, tournées vers les Caraïbes. Le restaurant est devenu une adresse renommée et il faudra réserver bien à l'avance si l'on ne séjourne pas dans l'hôtel. De 120 à 180 US$.

Rum Point Inn
Seine Bight Village, sur la péninsule de Placencia
Tél. 62 32 39, fax 62 32 40
www.rumpoint.com
Courrier électronique : rupel@btl.net
Bel ensemble de bungalows de charme, aux murs recouverts de chaux, décorés de tissus guatémaltèques. Des chambres très spacieuses, climatisées, sont aussi disponibles dans un bâtiment de deux étages. Pour les amateurs de plongée, c'est une adresse à ne pas manquer : leur bateau est parmi les plus modernes du Belize. De 120 à 180 US$.

Turtle Inn
Placencia
Tél. 62 32 44, fax 62 32 45

Courrier électronique : turtleinn@btl.net
Situé juste à côté du Kitty's Place, sur une des plus belles plages de la péninsule de Placencia. Hébergement dans des *cabañas* assez rustiques mais confortables, aux toits de feuilles de palmier. Il est aussi possible de louer un bungalow sur la plage. De 80 à 120 US$.

Toledo District
Blue Creek Rainforest Lodge
À l'entrée du Blue Creek Wildlife Sanctuary, hameau au-delà de Lubaantún
Tél. 72 00 13
Courrier électronique : bluecreek@btl.net
Randonnées au départ du lodge de Blue Creek, village maya au cœur de la jungle. Séjour mêlant détente et aventure : observation ornithologique, exploration de grottes… De 50 à 100 US$.
Fallen Stones Butterfly Ranch and Jungle Lodge
À 2 km à l'écart de la route de Lubaantún
Tél. et fax 72 21 67
www.fallenstones.co.uk
Lodge de charme avec des bungalows au cœur d'une végétation touffue, tournés vers les Maya Mountains. Le propriétaire se consacre aussi à un surprenant élevage de papillons de concours expédiés en Europe ! De 80 à 120 US$.
Punta Caliente *
108 José María Núñez Street
Tél. 72 25 61
Bon rapport qualité-prix pour un hôtel simple mais confortable. Accueil très chaleureux. Restaurant très animé, fréquenté par les étudiants de l'établissement voisin. De 20 à 50 US$.

Turneffe Atoll
Blackbird Caye Resort
1589 Seashore Dr Buttonwood Bay, Belize City
Tél. 23 27 72, fax 23 44 49
www.blackbirdresort.com
Courrier électronique : bbird@btl.net
Pour les amateurs d'écotourisme, ce *resort* dispose de simples *cabañas* situées sur l'un des *cayes* les plus sauvages de Belize où les dauphins s'aventurent jusqu'au rivage. Plongée, excursions dans des lagons féeriques et exploration de la barrière de corail… Des forfaits incluant séjour et activités sont possibles même pour quelques nuits. Plus de 100 US$.
Turneffe Island Lodge
Informations et réservations aux USA, 6633 Travis Street, Houston, Texas
Tél. + 1 770 30 13 08
www.turneffelodge.com
Courrier électronique : info@turneffelodge.com
Situé sur une île privée de cinq hectares seulement, ce *resort* de rêve est renommé pour son site de pêche et ses accès, à proximité, aux plus beaux lieux de plongée. Les chambres, bien équipées, sont situées sur la plage. Forfaits incluant séjour et activités. Plus de 100 US$.

AU YUCATÁN

Akumal
Akumal Caribe Villas Maya
Informations et réservations aux USA, PO Box 13326, El Paso, Texas 79913
Tél. + 1 915 584 35 52
www.hotelakumalcaribe.com
Courrier électronique : clubakumal@aol.com
Complexe hôtelier très confortable, situé sur la plage. Séjour en chambre standard, en bungalow, en appartement, ou en petite villa. Le restaurant Lol-Ha est une bonne adresse. De 60 à 150 US$.
Posada-restaurante Que Onda
Caleta Yalku
Tél. et fax 875 91 01 / 02
www.queondaakumal.com
Courrier électronique : info@queondaakumal.com
Situé à proximité du lagon, cet ensemble dispose de chambres au cadre traditionnel, bien équipées et confortables. Le restaurant est réputé pour ses spécialités italiennes (pâtes fraîches et fruits de mer). De 50 à 100 US$.

Campeche
Hotel Baluartes **
Avenida 16 de Septiembre 128
Tél. 816 39 11, fax 816 24 10
Chambres confortables et climatisées. Certaines donnent sur la mer. Piscine. De 20 à 50 US$.
Hotel del Mar ***
Avenida Ruiz Cortínez 51
Tél. 816 22 33
Récemment rebaptisé, l'ancien hôtel Ramada, situé face à la mer, n'a rien perdu de son confort et reste une des meilleures adresses en ville. Restaurant, bar, piscine et discothèque… De 50 à 100 US$.
Hotel del Paseo **
Calle 8 215
Tél. 811 00 77
Chambres climatisées. Bar et restaurant. Très bon rapport qualité-prix. De 50 à 100 US$.
Hotel Regis *
Calle 12 148
Tél. 816 31 75
Hôtel bien situé, chambres convenables. De 20 à 50 US$.
Posada del Ángel
Calle 10 307
Tél. 816 77 18
Quatorze chambres propres et bien équipées mais sans charme. Moins de 20 US$.

Cancún, hôtels en ville
Cancún Handall **
À l'angle de l'Avenida Tulum et de la Calle Jaleb
Tél. 884 11 22
Confort et accueil efficace dans cet hôtel bien équipé (climatisation, TV câblée). De 20 à 50 US$.
Hotel Antillano **
À l'angle de la Calle Claveles et de l'Avenida Tulum 1
Tél. 884 15 32, fax 884 18 78
L'un des meilleurs rapports qualité-prix de Cancún. Piscine, chambres climatisées et TV câblée. De 50 à 100 US$.
María de Lourdes **
Avenida Yaxchilán 80
Tél. 884 47 44
Tout confort : climatisation, piscine, service de lingerie et restaurant… à un prix raisonnable. De 50 à 100 US$.
Plaza Caribe **
À l'angle de l'Avenida Tulum et de l'Avenida Uxmal
Tél. 884 13 77
www.bestwestern.com
Face à la gare routière, un hôtel bien équipé (climatisation, piscine et restaurant). De 50 à 100 US$.

Cancún, hôtels sur la plage
La plupart des hôtels situés sur la plage sont des *resorts* très modernes, les uns plus confortables que les autres et à l'architecture toujours plus originale. En général, ces hôtels proposent des formules de séjour incluant également la demi-pension et des activités (excursions, plongée), épargnant ainsi à leur clientèle d'avoir à se rendre dans le centre.
Camino Real Cancún *****
Punta Cancún km 8,5
Tél. 848 70 00, fax 848 70 01
www.caminoreal.com
Courrier électronique : cun@caminoreal.com
Plus de trois cents chambres qui forment une immense pyramide moderne. Vue sur l'océan, courts de tennis, piscine : le grand luxe ! Plus de 100 US$.
Club Méditerranée *****
Punta Nizuc, Bulevar Kukulkán km 3,5
Tél. 881 82 00, fax 881 82 80
www.clubmed.com
Tous les équipements et les avantages du Club Med, la vue en plus : le village est situé à l'extrême pointe sud d'Isla Cancún. Plus de 100 US$.
Sheraton Cancún *****
Bulevar Kukulkán km 10
Tél. 883 19 88, fax 885 02 04
www.sheraton.com
L'élégance est de mise dans cet hôtel de luxe à l'atmosphère feutrée et de bon goût. Jardins raffinés, belles mosaïques dans le restaurant… Cela a un prix, mais il est ici évalué avec justesse. Plus de 100 US$.

Celestún
Eco Paraíso
Camino viejo a Sisal, km. 10
Tél. 916 21 00, 916 20 60, fax 916 21 11
Courrier électronique : ecoparaiso@prodigy.net.mx
Des *cabañas* confortables, des hamacs tendus à l'ombre, une piscine… L'ensemble est situé au bord de la mer et à proximité de la réserve ornithologique, où il est possible d'observer aigrettes, hérons, cormorans… et surtout des flamants roses. Plus de 100 US$.

Champóton
Hotel Geminis
À l'angle de la Calle 30 et de la Calle 10
Tél. 818 00 08, fax 818 00 94
Un hôtel très agréable, havre de tranquillité dans une ville plutôt anodine. Chambres confortables, air conditionné, piscine. Moins de 50 US$.

Chetumal
Holiday Inn
Avenida de los Héroes 171
Tél. 832 11 00
À quelques pas du magnifique musée de la Culture maya, cet hôtel est une des meilleures adresses à Chetumal. Très confortable, il est de surcroît décoré avec charme et bénéficie d'une belle piscine au milieu d'un jardin tropical. Bar et restaurant. De 50 à 100 US$.
Hotel Ucum *
Calle Gandhi 4
Tél. 832 07 11
Hôtel bien situé, sans charme particulier mais bien tenu et économique. Bon restaurant. Moins de 20 US$.
Los Cocos **
Avenida de los Héroes de Chapultepec 134
Tél. 832 05 30
Un hôtel agréable, bien équipé, avec piscine, parking gardé et un restaurant dont la terrasse ne désemplit pas. Moins de 20 à 50 US$.

Chichén Itzá
Hotel Hacienda Chichén
À 300 m de l'entrée est du site archéologique
Tél. (à Mérida) 924 21 50, fax 924 50 11
Ici étaient logés les archéologues qui fouillaient le site voisin dans les années 1920. Leurs bungalows, situés sur une ancienne propriété coloniale datant du XVIe siècle, ont été réaménagés, et l'ensemble a un charme unique, le confort en plus ! Piscine, climatisation, ventilateur au plafond… mais pas de télévision ni de téléphone dans les chambres. De 50 à 100 US$.
Hotel Dolores del Alba **
Route 180, km 122, entre les grottes de Balankanché

et le site archéologique
Tél. (à Mérida) 928 56 50
Immeuble moderne et confortable avec deux belles piscines. Bon restaurant de spécialités locales. Service de navette entre le site et l'hôtel. De 20 à 50 US$.

Hotel Mayaland *
À 200 m de l'entrée du site
Tél. (à Mérida) 928 30 55
www.mayaland.com
L'hôtel le plus élégant de Chichén Itzá. Vue magnifique sur le Caracol. Climatisation, salle de gym et tennis. Plus de 100 US$.

Pirámide Inn **
À 1 km de l'entrée ouest du site
Tél. 851 01 15
Très bien situé, cet hôtel tout confort a été entièrement rénové en 1999. Jardin tropical, piscine, sauna et un bon restaurant. De 20 à 50 US$.

Isla de Cozumel
Hotel Plaza *
Calle 2 Norte 3, San Miguel
Tél. 872 27 22
Piscine sur le toit et chambres climatisées. De 50 à 100 US$.

Hotel Mary-Carmen *
Avenida 5 Sur 4, San Miguel
Tél. 872 05 81
Ses chambres à l'atmosphère espagnole donnent sur un patio lumineux. De 20 à 50 US$.

Park Royal Cozumel
Playa Paraíso km 3,5
Tél. 872 07 00, fax 872 13 01
www.parkroyal.com.mx
Courrier électronique :
cozumel@parkroyal.com.mx
Un hôtel de luxe tourné vers la plage, un peu à l'écart du centre, au cœur d'une végétation luxuriante. Chambres très modernes et sans charme particulier mais bien équipées et confortables. Plus de 100 US$.

Sun Village San Miguel
Avenida Juárez 2 bis, au centre du village de San Miguel
Tél. 872 02 33
Très bien situé, face à la place principale, ce complexe hôtelier bien équipé a l'avantage d'offrir à sa clientèle son propre club d'activités nautiques. Prix accessibles. De 50 à100 US$.

Isla Holbox
Villas Delfines
Sur la plage, à 1 km du village de Holbox. L'île est située à deux heures et demie de Cancún (150 km au nord par la route, puis 10 km de bateau)
Tél. 874 40 14, 884 86 06, fax 884 63 42

Ce site exceptionnel, qui s'étend sur un îlot isolé ne mesurant pas plus de 35 km de long sur 2 km de large, est idéal pour ceux que l'observation des oiseaux passionne. Une dizaine de *cabañas* éparpillées sur la plage, sable blanc, calme absolu. Le village de pêcheurs de Holbox, situé à proximité, ne compte que mille cinq cents habitants.

Isla Mujeres
Cabañas María del Mar
Avenida Carlos Lazo, près de la Playa Norte, à l'extrémité nord de l'île
Tél. 877 02 13
Une trentaine de bungalows luxueux et des chambres très confortables autour d'une piscine. De 50 à 100 US$.

Hotel Belmar
Calle Hidalgo entre Calle Abasolo y Calle Madero
Tél. 877 04 30
Un hôtel familial, très bien tenu. Bon rapport qualité-prix. Pâtes, pizzas et *calzone* au feu de bois à la pizzeria **Rolandi**. De 20 à 50 US$.

Hotel Perla del Caribe **
Madero 2
Tél. 877 04 44
Familial et plein de charme. Chambres impeccables et spacieuses, décorées avec goût. Piscine. De 50 à 100 US$.

Hotel Rocamar
À l'extrême est de la Calle Guerrero
Tél. 877 01 01
Un des hôtels les plus anciens de l'île. Quelques-unes des vingt-quatre chambres rénovées récemment jouissent d'un balcon et d'une vue magnifique sur la mer. Piscine. De 50 à 100 US$.

Na Balam
Calle Zazil-Há 118, Playa Norte
Tél. 877 02 79, fax 877 04 46
Vue à couper le souffle : on est ici à la pointe nord de l'île et les trente et une suites sont tournées vers le large. Atmosphère soignée dans les moindres détails (très belle décoration). Piscine. Plus de 100 US$.

Mérida
Dans les environs de Mérida, il est possible de loger dans une *hacienda* traditionnelle, dont plusieurs ont été restaurées. Il s'agit souvent de sites exceptionnels et d'une occasion unique d'être au cœur de l'arrière-pays du Yucatán, à l'écart de l'effervescence touristique. On trouvera de nombreuses références sur Internet : *www.haciendas-mundomaya.com* et *www.cityview.com.mx*

Casa Mexilio
Calle 68 59
Tél. 992 82 55
www.mexicoholiday.com

Courrier électronique : info@turqreef.com
Un *bed-and-breakfast* charmant, où les huit chambres sont toutes décorées avec beaucoup de goût. Jardins, terrasse, piscine. De 50 à 80 US$.

Fiesta Americana *****
Paseo Montejo 451
Tél. 942 11 11
Grand luxe et toutes les commodités. Plus de 100 US$.

Gran Hotel ***
Calle 60 496
Tél. 923 69 63
Courrier électronique : granh@sureste.com
Situé sur la plus jolie place de la ville. Merveille coloniale avec ses galeries qui desservent les deux étages de chambres ; des mosaïques et un patio à la végétation luxuriante. Prix très raisonnables. De 20 à 50 US$.

Hacienda Katanchel
Km 26 sur la route Mérida-Cancún
Tél. 923 40 20, fax 923 40 00
www.hacienda-katanchel.com
Courrier électronique : hacienda@mda.com.mx
Trois cents hectares au cœur de la forêt tropicale entourent une somptueuse *hacienda* restaurée. Les chambres possèdent toutes leur terrasse privée couverte de bougainvillées ainsi qu'une piscine thermale. Le restaurant est réputé pour ses spécialités régionales. Une adresse unique ! Plus de 100 US$.

Hotel Caribe
Calle 59 500
Tél. 924 90 22, fax 924 97 33
www.hotelcaribe.com.mx
Cet ancien séminaire catholique est très agréable. Il n'a pas pour seuls atouts l'atmosphère coloniale qui y règne, ses chambres soignées qui s'ouvrent sur un patio fleuri, mais aussi sa position idéale, à deux pas de la Plaza Mayor et de la cathédrale. Les chambres doubles meublées de deux lits sont plus spacieuses que celles qui ont un lit à deux places. Piscine sur le toit. Bon restaurant. De 20 à 50 US$.

Hotel Colonial **
Calle 62 476
Tél. 923 64 44
Comme son nom l'indique, c'est aux voûtes et à son atmosphère inspirée des demeures coloniales que cet hôtel doit son charme. Bon rapport qualité-prix. De 20 à 50 US$.

Hotel Santa Lucía *
Calle 65 508
Tél. 924 62 33
Hôtel bien situé et très bien tenu. Climatisation, piscine, télévision et téléphone dans les chambres... Un confort rare pour un si petit prix. À ne pas manquer, dans le Parque Santa Lucía, les concerts gratuits tous les jeudis soir à 21 h et les dimanches à 11 h. De 20 à 50 US$.

Hotel Trinidad
Calle 62 464
Tél. 923 20 33
Courrier électronique : ohm@sureste.com
Dans un bel édifice colonial, dix-neuf chambres sans prétention mais agréables. L'ensemble, un peu défraîchi, n'est pas sans charme. Accueil chaleureux. De 20 à 50 US$.

Palenque
Chan-kah Resort Village
Sur la Route des vestiges, à 4 km de l'entrée du site
Tél. 5 11 00, fax 5 08 20
Des jardins exubérants, une immense piscine et beaucoup de goût dans le choix des matériaux : en plus d'être très confortable, ce complexe a beaucoup de charme. De 50 à 100 US$.

Hotel La Cañada **
Prolongación Hidalgo 12
Tél. 5 01 02
Bungalows disséminés dans la jungle. Chambres doubles, spacieuses et propres. Restaurant bon marché. Moins de 20 US$.

Hotel Maya Tulipanes **
La Cañada 6
Tél. 5 02 01
À l'écart du centre, l'adresse la plus confortable de Palenque : chambres climatisées avec télévision et téléphone, une piscine et un bon restaurant. De 20 à 50 US$.

Hotel Palenque **
Avenida 5 de Mayo 15
Tél. 5 02 58
Le plus vieil hôtel de la ville, rénové et bien équipé. Chambres climatisées ou avec ventilateur. Joli jardin. De 20 à 50 US$.

Playa del Carmen
L'agence Turquoise Reef Travel propose plusieurs adresses de caractère dans tout le Yucatán, et particulièrement à Playa del Carmen (Shangri-La Caribe, The Pelicano Inn, Albatros Royale, Chichan Baal Kah, Casa Jacques, Quinta Mija) ou à proximité (Posada del Capitán Lafitte, Costa de Cocos et Zamas). Toutes les formules de séjour sont possibles (*cabañas*, chambres standards, appartements, villas...). Se renseigner à Playa del Carmen :
Avenida 38
Tél. 873 19 31, 873 19 32, fax 873 19 35
www.mexicoholiday.com
Courrier électronique : info@turqreef.com

Blue Parrot Inn
Calle 12, le long de la plage, à gauche de l'embarcadère
Tél. 873 00 83, fax 873 00 49
Le complexe hôtelier le plus agréable de Playa del

Carmen. La plupart des chambres sont tournées vers le large, toutes très confortables. Bungalows et villas à louer. *Happy hours* (deux consommations pour le prix d'une) presque toute la journée. Décor original, les sièges du bar sont remplacés par des balançoires. Bon restaurant. De 50 à 100 US$.

Maya Bric
5ª Avenida entre la Calle 8 et la Calle 10
Tél. 873 00 11
Chambres autour d'un patio fleuri. Très silencieux. Piscine. De 20 à 50 US$.

Punta Bete
Cabañas del Capitán Lafitte
Tél. 873 02 14
Encadré par un paysage paradisiaque (la plage de Punta Bete est protégée de la mer par une barrière de corail), ce site est idéal pour ceux qui recherchent la tranquillité… ou souhaitent s'initier à la plongée. Plus de 100 US$.

Tulum
Cabañas La Perla
Route Tulum-Punta Allen km 5
Tél. 871 20 81
Deux *cabañas* rustiques et six chambres confortables avec accès à une plage privée. De 20 à 50 US$.

Hotel Acuario
Le long de la route d'accès au site
Tél. 871 21 95, fax 871 21 94
Cet établissement n'a pas le charme des *cabañas* de la côte, mais il est situé à proximité du site. Tout confort : climatisation, piscine, TV et bon restaurant. De 20 à 50 US$.

Maya Tulum
Route Tulum-Boca Paila km 7
Tél. 871 20 94
www.mayatulum.com
Trente-quatre *cabañas* luxueuses et deux maisons à proximité d'une plage de rêve… Salle de yoga, massages, restaurant végétarien. De 50 à 100 US$.

Zamas
Route Tulum-Boca Paila km 5
Fax 871 20 67
www.zamas.com
Disséminées çà et là sur une plage de sable blanc, les *cabañas* de Zamas sont implantées dans un cadre idéal. Très bon restaurant de poissons. De 50 à 100 US$.

Uxmal
Hotel Hacienda Uxmal
Route Mérida-Campeche km 78, à 500 m du site
Tél. 926 20 12
Ici logèrent les archéologues qui fouillèrent le site d'Uxmal. Magnifique piscine, beau patio et des

chambres spacieuses et aérées. De 50 à 100 US$.

Hotel Misión Uxmal
Route Mérida-Campeche km 78, à 2 km du site
Tél. 924 73 08
Au sommet d'une colline, un bel établissement dont certaines chambres ont vue sur Uxmal. Piscine très agréable. De 50 à 100 US$.

Rancho Uxmal
En venant de Mérida, 4 km avant le site, sur la droite de la route 261
Chambres avec eau chaude, ventilateur et moustiquaire. Hébergement rustique mais bon marché pour Uxmal. De 20 à 50 US$.

Valladolid
El Mesón del Marqués
Calle 39 203, sur la place centrale
Tél. 856 20 73
Superbe patio verdoyant et chambres extrêmement confortables, rénovées récemment. Son restaurant est le meilleur de la région. De 20 à 50 US$.

Hotel María de la Luz
Calle 42
Tél. 856 20 71
Chambres climatisées. Cadre agréable et jolie végétation autour d'une piscine. Restaurant avec terrasse qui donne sur le *zócalo*. Moins de 20 US$.

Hotel San Clemente
Calle 41 206
Tél. 856 22 08
Soixante-quatre chambres climatisées ou avec ventilateur. Atmosphère coloniale. Belle piscine. De 20 à 50 US$.

OÙ SE RESTAURER

Variations sur un même thème : le maïs, le poulet et le haricot noir forment la base d'une cuisine qui plonge ses racines au cœur de la culture maya. Sans accéder à la haute gastronomie, elle reste suffisamment variée pour être alléchante.

Si l'on décide d'adopter les coutumes locales, on grignote toute la journée et on ne prend qu'un repas complet : le déjeuner.

Servi jusqu'à 10 h, le *desayuno* est un repas très riche. Au Mexique, il se compose d'un choix de plusieurs plats d'œufs dont les *huevos rancheros* (œufs au plat à la sauce au chile sur une *tortilla*) ou les *huevos a la mejicana* (brouillés à la tomate et au *chile*). Dans les autres pays du monde maya, on déjeune d'un jus de fruits naturel ou d'une assiette de fruits et d'œufs brouillés (*revueltos*), au plat (*estrellados* ou *fritos*) ou à la tomate (*a la ranchera*). On accompagne les œufs de *tortillas*, de tartines ou de *pan-*

queques (les crêpes épaisses de farine de blé levée, équivalent des *pancakes* américaines).

La *comida* (au Mexique) peut se prendre jusqu'à 15 h. En Amérique centrale, on déjeune plus tôt (*almuerzo*). Au Mexique, la *cena* est servie jusqu'à 22 h, tandis qu'on dîne plus tôt en Amérique centrale (vers 18 h dans les campagnes). Ce repas est souvent remplacé par un goûter (*merienda* ou *refacción* selon les pays) avec des pains sucrés et du café.

Dans chaque village, il existe un **mercado de la comida** ou une section de *comedores* dans les marchés, où l'on peut prendre un repas sur place jusqu'à 15 h pour une somme dérisoire (environ 1 US\$ pour un plat chaud, une boisson et un café). Les plats mijotent pendant des heures sur le feu : ne pas hésiter à goûter les *caldos*, bouillons de poulet, de porc ou de bœuf relevés d'herbes aromatiques. Servis avec du riz et des *tortillas*, ils constituent un plat unique. Pour varier, dans les grandes villes, il est possible de manger facilement italien ou américain. Le Belize compte de nombreux restaurants chinois.

La base de la cuisine locale est le **maïs**, que l'on retrouve dans un grand nombre de préparations, par exemple, sous forme de *tortilla*. À mi-chemin entre la crêpe et la galette, celle-ci sert de pain, d'assiette, de cuillère et de serviette. Farcie de fromage ou de viande hachée (*enchilada*), couverte de fromage (*quesadilla*), farcie et frite (*taco*), elle constitue un plat unique. On peut aussi la rouler et la tremper dans le *guacamole*, une purée épaisse d'avocat, de piment et d'oignon agrémentés à la coriandre. Souvent de fabrication industrielle au Mexique, plus plates et plus larges, les *tortillas* sont au contraire toujours faites à la main, plus petites et plus épaisses en Amérique centrale. Le petit goût indéfinissable qui les caractérise est celui de la chaux qui, mélangée à la pâte de maïs, rend cette dernière digeste.

Les *frijoles*, haricots rouges (au Mexique) ou noirs (dans les autres pays), et le **riz blanc** (*arroz*) ou agrémenté de petits légumes émincés garnissent la plupart des plats. La viande de bœuf est un produit très rare dans la région ; seule la volaille est consommée en quantité. Le **poulet** (*pollo*) et la **dinde** (*guajolote* au Mexique, *chompipe* ailleurs) sont servis dans une sauce brune aromatique (*mole*) à base de piments roussis mais peu piquants et de chocolat, dans laquelle n'entrent pas moins de vingt ingrédients différents.

Les **poissons et crustacés** sont à l'honneur sur les côtes : les crevettes (*camarones*), dotées souvent de noms locaux suivant la taille (*jumbo*, par exemple pour les plus grandes), huîtres (*ostiones*) de septembre à avril, langoustes (*langosta*, ou *lobster* en anglais) de juin à février. La salade de poisson cru (*ceviche*) mariné dans du jus de citron est aussi un grand classique. Parmi les nombreux poissons de mer, on peut goûter au requin et surtout à l'excellent *barracuda*.

Quant au **pain**, il se décline en un grand nombre de variétés : petits pains (*bollillos*), pain bis ou pain noir (*pan negro*), pain à la noix de coco (*pan de coco*), pain sucré (*pan dulce*) ou salé (*pan francés*).

Les **desserts** consistent souvent en une simple salade de fruits ; pamplemousse, orange, banane, melon, mangue et papaye poussent en abondance. Les restaurants préparent aussi différentes variétés de flans (*flan*) et de glaces (*helados*). Se méfier des *tortas* : ce ne sont pas des tartes mais des sandwiches garnis !

Quelques spécialités :

Barbaco : morceaux de mouton ou de chèvre enveloppés dans des feuilles de bananier et cuits dans la braise.

Carnitas : petits morceaux de porc frits, mangés chauds.

Chicharrón : couenne de porc frite, mangée froide.

Chiles rellenos : poivrons farcis de viande, de poisson ou de fromage.

Tamales : la pâte de maïs, *nixtamal*, est aussi la matière première des *tamales* : enveloppés de deux feuilles, l'une de bananier, l'autre de *maxán* (bananier sauvage), qui contiennent un petit morceau de poulet ou de porc agrémenté de divers condiments (des lanières de poivron et de piment, par exemple), ils sont cuits longuement à la vapeur. C'est traditionnellement le mets du samedi soir, des repas de fête et du soir de Noël. Cuite dans une feuille de maïs, la pâte prend le nom de *tamalito* ou *chuchito* (avec un peu de tomate et/ou un petit morceau de poulet).

Poc-chuc : tranches de filet de porc marinées dans du jus d'orange servies avec une sauce et des oignons relevés.

Pollo pibil : plat de morceaux de poulet marinés dans une sauce non épicée (à base de graines de roucou, de jus d'orange, d'ail, de sel et de poivre), enveloppés dans des feuilles de banane et cuits au four.

Quant aux **boissons**, il faut savoir que l'eau du robinet n'est pas potable ! Au restaurant, demander des bouteilles d'eau minérale et s'assurer qu'elles ne sont pas décapsulées.

Les délicieux **jus de fruits** vendus dans la rue, fraîchement pressés, sont parfaitement inoffensifs (ce qui n'est pas toujours le cas des boissons locales à base de fruits pressés, d'eau, de jus de maïs ou de lait de coco). Goûter aux cocktails de fruits à la banane, à la pastèque ou à l'ananas…

Paradoxalement, dans ces pays grands producteurs de café, le **café** noir est souvent médiocre, léger et très sucré. Préciser *sin azúcar* lorsqu'on le souhaite sans sucre et *sin leche* si on le consomme sans lait.

Les **bières** locales sont légères, alors que le **rhum**, production régionale par excellence, devra au contraire être abordé avec précaution et modération !

Au **Mexique**, on peut déguster plus de vingt-cinq marques de bières mexicaines, blondes et brunes, toujours servies glacées. Bohemia et Corona de Barril sont considérées comme les meilleures (variété « de luxe »). Fabriqués à partir de la sève du *maguey* (ou agave), le **mezcal** et la **tequila**, alcools typiques du Mexique, se consomment nature, d'une seule traite (en léchant au préalable le dos de sa main saupoudrée de sel puis en suçant un citron vert) ou en cocktails. Le plus célèbre d'entre eux, la **margarita**, est un mélange de tequila, jus de citron vert et liqueur d'orange, servi dans un verre givré au sel. Moins populaire que la bière ou la tequila, le vin produit sur place est néanmoins de bonne qualité.

Au **Guatemala**, toutes les marques de bière proviennent de la même brasserie. La Gallo, la bière blonde la plus populaire, commercialisée en France sous le nom de Pacaya, existe aussi en version « light ». Les autres blondes sont la Monte Carlo et la Cabro (brassée à Quetzaltenango). La bière brune est la Moza. Comme dans les pays voisins, le **cuba libre** (1/5 de rhum, 4/5 de Coca-Cola et un filet de jus de citron vert) est la boisson nationale. Les rhums guatémaltèques, tel le plus courant, le Venado, sont légers. Pour les amateurs, parmi les rhums vieux : le Zacapa Centenario, dans un bel étui tressé en lanières de palme, et le Solera. Quelques curiosités : à Salcajá, dans la région de Quetzaltenango, le *caldo de fruta*, version locale de la « confiture de vieux garçon », eau-de-vie mélangée à des fruits de saison, et le *rompopo*, mélange très doux mais détonnant de rhum, de lait et de jaune d'œuf. Au cours des fêtes de village, au moment des banquets rituels des confréries, on peut découvrir un alcool non commercialisé, fait maison à base de maïs fermenté : le *boj* (à Cobán) ou *cucha*…

Au **Belize**, l'incontournable **bière** blonde Belikin est présente partout, mais aussi la bière brune Guinness, fabriquée sur place. Nombreux **cocktails** à base de rhum ou de tequila, mélangés à des jus de fruits, à de la noix de coco…

AU GUATEMALA

Guatemala Ciudad

Altuna
5ª Avenida 12-31, Zona 1
Tél. 232 06 69
Spécialités espagnoles de fruits de mer et poissons. De 5 à 15 US$.

Arrin Cuan *
5ª Avenida 3-27, Zona 1
Tél. 238 02 42, 238 07 84

Cuisine guatémaltèque.

Café de Imeri
6ª Calle 7-79, Zona 1
Un café populaire et simple proposant de bonnes pâtisseries. Idéal pour faire une halte au cours d'une visite du centre historique. De 5 à 15 US$.

El Gran Pavo **
6ª Avenida 12-72, Zona 10
Tél. 362 06 08
Le menu comprend presque toutes les spécialités guatémaltèques imaginables. De 15 à 25 US$.

El Parador **
Calzada Roosevelt 30-92, Zona 7
Cuisine locale (*platos típicos* excellents). De 5 à 15 US$.

El Rodeo **
7ª Avenida 14-84, Zona 9
Tél. 331 40 28
Un des meilleurs steak-houses de la ville, très apprécié des Guatémaltèques. De 15 à 25 US$.

Hacienda de los Sánchez
12ª Calle 2-25, Zona 10
Tél. 360 54 28
Steak-house très réputé dans le quartier de la Zona Viva, le quartier résidentiel de la capitale. De 5 à 15 US$.

Jean-François ***
Diagonal 6 (Villa de Guadalupe) 13-63, Zona 10
Tél. 333 47 85
Cuisine française. De 5 à 15 US$.

Kacao **
2ª Avenida 13-44, Zona 10
Tél. 337 41 88
Gastronomie guatémaltèque dans un décor tropical. De 15 à 25 US$.

Los Antojitos **
Calzada Roosevelt 30-50, Zona 7
Tél. 594 64 84
Cuisine guatémaltèque. Spécialisé dans la préparation des plats des différentes ethnies du pays. De 5 à 15 US$.

Los Cebollines *
12ª Calle 6-36, Zona 9
Tél. 331 70 65
Autre adresse : 6ª Avenida 9-75, Zona 1
Tél. 232 77 50
Cuisine mexicaine très réussie. De 5 à 15 US$.

Montano
12ª Calle 3-28, Zona 10
Tél. 332 68 32, 360 31 25
Steak-house. De 5 à 15 US$.

Nais *
Edificio Plaza, 7ª Avenida 6-52, Plaza 6-26, Zona 9
Tél. 331 90 95
Fondues au fromage, steaks grillés. Très abordable. De 5 à 15 US$.

Puerto Barrios ***
7ª Avenida 12-35, Zona 9
Tél. 334 13 02, fax 331 83 77
Restaurant à la mode, les prix sont à l'avenant. Décoration d'un goût plutôt discutable. Spécialité de poissons et fruits de mer. Plus de 25 US$.

Zurich *
4ª Avenida 12-09, Zona 10
Tél. 336 33 12
Cafétéria très agréable pendant l'après-midi (thé, café, chocolat, pâtisseries…). Moins de 5 US$.

L'est du Guatemala
-Cobán
Café Centro *
1ª Calle 3-13, Zona 1
Rue principale, à proximité de la place. Idéal pour prendre son petit déjeuner, un goûter ou un repas léger : pain et sandwiches maison, grand choix de pâtisseries et café de la région. Cadre rafraîchissant. Moins de 5 US$.

Café Tirol
1ª Calle entre 1ª Avenida y 2ª Avenida
Tél. 952 21 92
Pour goûter aux différents cafés de la région et aux bonnes pâtisseries maison. Moins de 5 US$.

El Refugio
2ª Avenida, Zona 4
Carte soignée, proposant un vaste choix de spécialités locales et internationales. Bonnes viandes. De 5 à 15 US$.

-Lívingston
African Place
Au bout de la rue principale
Spécialités espagnoles et internationales dans un bâtiment inspiré de l'architecture maure. Moins de 20 US$.

Bahía Azul
Rue principale
Un café-restaurant simple, idéal pour le petit déjeuner. Moins de 10 US$.

Casa Rosada
Hôtel Casa Rosada, à 700 m de l'embarcadère
La meilleure cuisine de la ville dans un restaurant charmant, avec vue sur la baie. De 20 à 40 US$.

Puerto Barrios
La Fonda de Enrique
9ª Calle
Juste en face du marché, une adresse raffinée où savourer une des meilleures cuisines de la région. Entre 20 et 40 US$.

Rincón Uruguayo
7ª Avenida # 16ª Calle
Une bonne adresse pour les viandes grillées. Moins de 20 US$.

Safari
5ª Avenida
Un restaurant en plein air, tourné vers la baie d'Amatique, où déguster des spécialités de poissons et fruits de mer. Moins de 20 US$.

La côte pacifique
-Monterrico
Bahía Azul
Calle Principal
Tél. 947 02 65
Café-restaurant populaire, idéal pour le petit déjeuner. Internet et organisation d'excursions. Moins de 5 US$.

El Tiburón Gato
Calle Principal
Cuisine locale : poissons et *tapado* (poissons et fruits de mer cuits dans du lait de coco). Moins de 5 US$.

El Malecón *
À une centaine de mètres du débarcadère
Grande salle où l'on sert du bon poisson grillé. Délicieux *tapado*. Moins de 5 US$.

Happy Fish
Barrio Marcos Sánchez
Tél. 947 02 65
Cybercafé et tour-opérateur (promenade en bateau sur le río Dulce). Moins de 5 US$.

Le Petén
-Flores
El Tucán **
Calle Centroamérica
Tél. 926 05 77
Très bons plats et cadre agréable dans ce restaurant d'hôtel. Vue superbe sur le lac à la tombée du jour. Cuisine régionale. De 5 à 15 US$.

Gran Jaguar
Tél. 926 08 44
Des spécialités locales à savourer sur une terrasse au bord du lac. Atmosphère animée et chaleureuse. De 5 à 15 US$.

La Mesa de los Mayas **
Sur la gauche en venant de Santa Elena
Tél. 926 12 40
Cuisine régionale. De 5 à 15 US$.

-Tikal
Restaurante Parque Tikal ***
Dans le bâtiment en ciment du musée des Stèles
Cuisine variée. Viande de bœuf tendre. De 5 à 15 US$.

Comedores Tikal
Sur le site de Tikal, en entrant sur la droite
Une série de trois *comedores* rivalisent pour nourrir les touristes affamés après quatre heures de visite. Le Comedor Pirámide est sans doute le meilleur et le moins cher d'entre eux. Cuisine régionale. Moins de 5 US$.

Hautes Terres
-Antigua Guatemala
Café Condesa
5ª Avenida Norte 4, Parque Central
Pour petit-déjeuner, prendre un café, un repas léger… Dans l'arrière-cour d'une librairie, sur la place centrale, en face de l'église. Brunch le dimanche, de 10 h à 14 h. Moins de 5 US$.
Café Ópera
6ª Avenida Norte 17
Café-bar-restaurant. Cuisine italienne. Excellent *espresso* sur des airs d'opéra. De 5 à 15 US$.
Doña Luisa
4ª Calle Oriente 12 (à l'est de la place)
Cette grande demeure coloniale avec patio, plusieurs fois détruite par des tremblements de terre et totalement restaurée, fait aujourd'hui salon de thé et boulangerie et sert de somptueux petits déjeuners. Délicieux pain à la banane. Une des meilleures adresses de la ville. Moins de 5 US$.
El Capuchino
6ª Avenida Norte 10, entre Calle Poniente 4 y Calle Poniente 5
Tél. 832 06 13
Un petit restaurant peu coûteux qui propose de délicieuses spécialités italiennes. Excellents petits déjeuners. Moins de 5 US$.
El Sereno
4ª Avenida Norte 16
Tél. 832 05 01
Très beau restaurant dans une vieille maison de style colonial. La carte de spécialités régionales et internationales change au gré des produits du marché. Très apprécié des gourmets : il est donc recommandé de réserver. Plus de 25 US$.
Fonda de la Calle Real
Trois adresses pour trois atmosphères différentes :
5ª Avenida Norte 5
Tél. 832 26 96
Décor traditionnel.
5ª Avenida Norte 12
Le dernier-né, juste en face du précédent.
3ª Calle Poniente 7
Tél. 832 05 07
Le plus chic des trois, dans une vieille demeure coloniale. Cuisine guatémaltèque. Restaurants chaleureux dont la renommée n'est plus à faire. Une spécialité à ne pas manquer : les fondues au fromage. De 5 à 15 US$.
Las Antorchas
3ª Avenida Sur 1
Tél. 832 08 06
La cuisine guatémaltèque est ici combinée à la cuisine française. Très bonnes viandes. De 5 à 15 US$.
Los Asados de la Calle del Arco
5ª Avenida Norte

Une bonne adresse pour savourer des spécialités de viandes grillées. De 5 à 15 US$.
Welten
4ª Calle Oriente 21A
Tél. 832 06 30
Menu assez cher mais excellent. Cadre agréable (jardin). Projections de films en soirée. Plus de 25 US$.

-Chichicastenango
La Villa de los Cofrades
Centro comercial Santo Tomás
Cette adresse est sans conteste la meilleure du village (en dehors des restaurants des hôtels, tous plutôt bons) pour goûter une cuisine guatémaltèque simple mais authentique. Excellent café. Moins de 5 US$.

-Panajachel
Al Chisme **
3ª Avenida 0-42
Cuisine simple, salades et sandwiches. Très prisé des voyageurs. De 5 à 15 US$.
Delicia
Calle Santander
Charcuteries, fromages et pains de qualité pour préparer de bons sandwiches. Moins de 5 US$.
El Patio **
Avenida Santander 2-21
Pour la situation face au marché et la cuisine. De 5 à 15 US$.
El Toyocal, Los Pumpos
Plage publique
Dans ces deux restaurants, comme dans tous ceux de Panajachel, on sert la *mojarra*, petit poisson du lac très savoureux (attention aux arêtes !), le *blackbass* et la soupe de poisson… mais ici, on a la vue sur le lac ! De 5 à 15 US$.
La Laguna **
À l'angle de la Calle Principal et de la Calle Los Árboles
Cuisine locale et délicieux petit déjeuner. Moins de 5 US$.
The Last Resort **
À l'angle de la Calle 14 de Febrero et de l'Avenida Santander, à gauche avant la plage
Repas excellents à prix modérés. Le soir, au bar, les Américains se retrouvent autour d'un verre. Un rendez-vous incontournable. Moins de 5 US$.

-Quetzaltenango
Albamar
Sur la place centrale
Bonne viande, cuisine locale et service attentionné. De 5 à 15 US$.
Café Baviera *
5ª Calle 12-50, Zona 1

Coffee-shop où l'on sert à toute heure gâteaux, thé, café, plats cuisinés, boissons… Moins de 5 US$.

El Kopetín ***
14ª Avenida 3-51, Zona 1
Carte très variée qui fait la part belle aux spécialités de fruits de mer. De 5 à 15 US$.

Rincón de los Antojitos
À l'angle de la 15ª Avenida et de la 5ª Calle, Zona 1
Spécialités locales bien réussies dans une ambiance simple et chaleureuse. De 5 à 15 US$.

Royal París **
2ª Calle 14 A 32, Zona 1
Tél. 761 21 49
Petit restaurant à l'atmosphère agréable. Bon rapport qualité-prix. Les crêpes au chocolat sont recommandées. Cuisine européenne et française. De 5 à 15 US$.

Shanghai *
4ª Calle 12-22, Zona 1
Tél. 761 41 54
Une intéressante version guatémaltèque de la cuisine chinoise. Moins de 5 US$.

-Huehuetenango

Ebony Restaurant *
2ª Calle / 5ª Avenida, au coin de la place centrale
Le patron est de bon conseil. On peut lui demander tout renseignement quant aux activités, horaires, transports… Cuisine locale. Bons petits déjeuners et jus de fruits.

Las Vegas **
Au carrefour de la Panaméricaine.
Cuisine locale et internationale. De 5 à 15 US$.

Pizzeria El Patio
2ª Calle entre la 5ª Avenida et la 6ª Avenida, dans le centre
Bonnes pizzas dans un cadre agréable. De 5 à 15 US$.

Restaurant de l'Hotel Casa Blanca
7ª Avenida 3-41, Zona 1
Tél. 769 07 75, 769 07 81
Restaurant en plein air très agréable. De 5 à 15 US$.

AU BELIZE

Belize City

Fort Street Restaurant
4 Fort Street
Tél. 23 01 16
Un des restaurants les plus réputés de Belize City. Spécialités américaines et créoles dans un cadre traditionnel très agréable. De 10 à 20 US$.

Macy's Café *
18 Bishop Street
Tél. 27 34 19

Menus différents chaque jour. Maîtresse de maison très sympathique. Cuisine créole. De 5 à 15 US$.

Mango's
164 Newton Barracks
Tél. 23 42 01
Une des meilleures tables de la ville, tournée vers la mer et proposant de savoureuses spécialités de fruits de mer et de poissons grillés. Plus de 25 US$.

Ambergris Caye

Capricorn Resort
Nord de l'île
Tél. 26 28 09
Une courte balade en bateau permet de rallier ce restaurant fabuleux, situé sur la plage, où la cuisine est savoureuse. Fortement recommandé ! Plus de 25 US$.

Elvi's Kitchen **
Pescador Drive (près d'Ambergris Street)
Tél. 26 21 76, 26 24 04
Un rendez-vous très populaire… De 10 à 20 US$.

Jade Garden
Coconut Drive
Tél. 26 52 06
Le meilleur restaurant chinois de l'île. Moins de 10 US$.

The Reef
À l'extrême nord de Pescador Drive
Pour goûter d'excellentes spécialités locales. Se laisser conseiller ! De 10 à 20 US$.

Belmopan

Bull Frog Inn
23 Half Moon Avenida
Tél. 82 21 11
Le meilleur restaurant de la ville. Plus de 25 US$.

San Ignacio

Eva's Restaurant
22 Burns Avenue
Tél. 92 22 67
Devenu très renommé, ce restaurant fait office de centre d'informations pour voyageurs de tous horizons. Bonnes spécialités locales. De 5 à 15 US$.

Maxim's Chinese Restaurant
À l'angle de Far West et de Bull Tree Roads
Local sombre mais les spécialités asiatiques sont excellentes. De 5 à 15 US$.

The Running W Restaurant
18 Buena Vista Street
Tél. 92 20 34
Un lieu animé à l'heure du déjeuner où la carte propose aussi bien du riz et des haricots que des brochettes ou du homard. De 10 à 20 US$.

Caye Caulker

The Sand Box **
Front Street

Tél. 22 22 00
Cuisine internationale. Plats variés et copieux. Service à l'intérieur ou à l'extérieur, avec une superbe vue sur la mer. De 15 à 25 US$.

Placencia
BJ's Restaurant
Rue principale
Tél. 62 31 08
Une adresse populaire qui propose de bonnes spécialités régionales, notamment du poisson et des fruits de mer ainsi que d'excellents jus de fruits. De 10 à 20 US$.
The Galley
Juste à côté des terrains de sport
Un des meilleurs restaurants de poisson. Ne pas manquer les beignets de coquillages. De 10 à 20 US$.
Tentacles Bar
En bord de mer, à l'extrême sud du village
Spécialités créoles, steaks, pâtes et savoureux plats de poissons et fruits de mer… C'est une adresse idéale pour dîner tout en profitant du coucher de soleil sur la mer. De 10 à 20 US$.

AU YUCATÁN

Akumal
La Buena Vida
Half Moon Bay
Restaurant et bar autour d'une piscine. Cadre agréable. De 10 à 25 US$.
La Cueva del Pescador
Baie d'Akumal
Spécialités de poissons et fruits de mer. De 10 à 25 US$.
Turtle Bay Bakery
Près de la place principale
Un endroit idéal pour le petit déjeuner. Moins de 10 US$.

Campeche
Restaurant-bar El Guacamayo **
Miguel Alemán 147
Tél. 819 46 36
Cuisine régionale. De 5 à 15 US$.
Restaurant-bar La Parroquia
Calle 55 8
Tél. 816 80 86
Lieu de rendez-vous très populaire, du matin au soir. Petit déjeuner (moins de 4 US$), déjeuner et dîner copieux (moins de 10 US$).
Restaurant-bar Marganzo
Calle 8 267, face à la mer entre la Calle 57 et la Calle 59
Cuisine mexicaine et de fruits de mer. De 5 à 15 US$.

Cancún
El Pescador
Calle Tulipanes 28
Tél. 884 26 79
Au centre, un restaurant dont les habitués savent qu'on y mange de bons fruits de mer et poissons. De 5 à 15 US$.
La Habichuela ***
Margaritas 25, Parque Las Palmas
Tél. 887 17 16
Jardin intérieur et décor maya raffiné. Spécialités de la région agrémentées d'un soupçon de « nouvelle cuisine ». Table de grande qualité. De 15 à 25 US$.
Los Almendros **
Avenida Bonampak, à proximité de la Calle Sayil
Restaurant populaire. La renommée de ses spécialités n'est plus à faire : *poc-chuc* (porc cuit avec de l'oignon, du citron et des piments), *papadzules* (*tortillas* avec œuf et sauce tomate). De 5 à 15 US$.
Matilda
Plaza Las Américas
Tél. 884 91 74
Cuisine française dans un bistrot charmant du centre de Cancún. Pain et pâtisseries maison. De 15 à 25 US$.
OK Magüey
Plaza Kukulkán
Tél. 885 05 03
Cuisine mexicaine. Le soir, dîner avec mariachis… De 15 à 25 US$.
Restaurant-bar La Parrilla
Avenida Yaxchilán 51
Serveurs affairés et mariachis, *azulejos* et fer forgé… On sert ici de bonnes viandes grillées ainsi que du poisson et des fruits de mer. De 15 à 25 US$.
Rosa Mexicana ***
Calle Claveles 4
Un des plus grands restaurants de Cancún, dans un décor d'hacienda. Spécialités locales. Plus de 25 US$.
Sanborn's
À l'angle de l'Avenida Tulum et de l'Avenida Uxmal
Tél. 884 05 32
La cafétéria de cette chaîne de drugstores ne présente aucun charme particulier mais propose une cuisine simple et efficace. Moins de 5 US$.
100 % Natural
À l'angle de l'Avenida Yaxchilán et de l'Avenida Sunyaxchén
Tél. 884 36 17
Cadre agréable dans ce grand café aéré aux tons pastel. Cuisine locale et végétarienne. De 5 à 15 US$.

Celestún
La Palapa
En bord de mer

Tél. 916 20 63
Plats régionaux, grand choix de boissons. Moins de
15 US$.

Chetumal
Cactus Grill
5 de Mayo 61
Tél. 832 95 88
On vient ici pour savourer d'excellents *tacos*. Moins
de 10 US$.
El Fenicio
Avenida de los Héroes 74
Spécialités mexicaines qu'on savoure en plein air
mais à l'abri du soleil sur une vaste terrasse. Très
bon marché. Moins de 5 US$.
Sergio's Pizza
Calle Álvaro Obregón 182
Tél. 832 04 91
Un restaurant très populaire qui sert de succulentes
pizzas et des bières bien fraîches. Dans une salle
contiguë, chez Maria's, on sert des spécialités mexi-
caines ou européennes. De 5 à 15 US$.

Chichén Itzá
Ruinas de Chichén Itzá
Au bord de la route qui traverse Pisté
Pour reprendre des forces après la visite du site :
tacos, *fajitas* et autres spécialités. Sans prétention,
agréable et bon marché. De 5 à 15 US$.

Isla de Cozumel
La Choza **
*À l'angle de la Calle Adolfo Rosado Salas 198, au
coin de l'Avenida 10 Sur*
Tél. 872 29 20
Très bon marché pour Cozumel. Plats locaux. De 5 à
15 US$.
Pepe's Grill ***
*À l'angle de l'Avenida Rafael Melgar et de la Calle
Adolfo Rosado Salas*
Tél. 872 58 66
Une des meilleures tables de Cozumel. Fruits
de mer, langoustes, plats originaux et délicieux. Plus
de 25 US$.
Pizza Rolandi *
*Avenida Rafael Melgar 23, entre les calles 6 et 8
Norte*
Tél. 872 09 46
Pour savourer une excellente pizza cuite au feu de bois,
dans une atmosphère effervescente. De 5 à 15 US$.
Restaurante Las Palmeras *
*À l'angle de l'Avenida Rafael Melgar et de l'Ave-
nida Juárez*
Tél. 872 29 20
Plats régionaux servis sur une terrasse charmante.
De 5 à 15 US$.

Isla Mujeres
Bien qu'on trouve de nombreux restaurants en ville, les
plus renommés sont les restaurants d'hôtels : le **Buho's**
pour ses fruits de mer (hôtel Cabañas del Mar), les
spécialités françaises de **Maria's Kan-Kin** (hôtel du
même nom), les plats mayas et créoles de **Zahil-Ha**
(hôtel Na Balam) et la cuisine internationale de **Barlo-
vento** (hôtel Perla del Caribe). Pour les petits déjeuners,
on peut aller au **Café Cito**, *Avenida Matamoros 42*
(croissants, fruits, crêpes…) dans un décor original.

Mérida
Albert's Continental
Calle 64 482
Tél. 928 53 67
Des mosaïques cubaines au sol, un patio entouré
d'arbres et une cuisine succulente. Une excellente
adresse. Plus de 25 US$.
Bar Latino
Calle 59 461
Tapas à volonté et bières fraîches dans ce bar fré-
quenté par des habitués. Moins de 5 US$.
Café La Habana
Calle 59 511
Tél. 928 06 08
C'est sans doute l'endroit le plus à la mode à
Mérida : il y a toujours beaucoup de monde, du petit
déjeuner au dîner. La cuisine est bonne et l'ambiance
agréable. De 5 à 15 US$.
La Casona ***
Calle 60 434
Tél. 923 83 48
Bonne cuisine italienne et mexicaine dans une atmo-
sphère chaleureuse. De 15 à 25 US$.
Laredos ***
Prolongación Paseo Montejo 306
Tél. 944 36 54
Pour savourer de succulentes viandes grillées. De 5 à
15 US$.
Los Almendros **
Calle 50, face au parc Mejorada
Tél. 928 54 59
Cuisine variée, avec une prédominance de spécialités
du Yucatán, bons cocktails. Restaurant climatisé,
très populaire à Mérida. De 5 à 15 US$.
Pancho's ***
Calle 59 509
Tél. 923 09 42
Une fois le seuil franchi, les immenses *sombreros*
des serveurs annoncent la couleur : ici, le Mexique et
ses spécialités sont mis en scène. La cuisine n'a
aucune prétention mais on passe un bon moment.
Concerts presque tous les soirs. De 15 à 25 US$.
Pizzas Giorgio
Calle 60 496 B
Une pizzeria très populaire parmi les habitants, dont

la terrasse est toujours bondée. Succulentes pizzas, très généreuses. De 5 à 15 US$.

Pop *
Calle 57 501
Cuisine savoureuse et bon marché. Très populaire. De 5 à 15 US$.

Pórtico del Peregrino ***
Calle 57 501, entre la Calle 60 et la Calle 62
Tél. 928 61 63
Spécialités locales (*pavo*, *poc-chuc*) dans un décor traditionnel. De 15 à 25 US$.

Playa del Carmen
Blue Lobster
5ª Avenida entre la Calle 4 et la Calle 6
Tél. 873 13 60
C'est assez cher mais les langoustes et les poissons sont savoureux et d'une fraîcheur irréprochable. Plus de 25 US$.

Capitán Tutix
Calle 4, sur la plage
Tél. 873 17 48
Cuisine mexicaine rapide, bon marché et de qualité. De 5 à 15 US$.

El Chirinquito
À l'angle de la Calle 2 et de la 5ª Avenida
Cuisine espagnole, bonne paella, tapas et flamenco tous les jeudis. De 15 à 25 US$.

La Parrilla
À l'angle de la 5ª Avenida et de la Calle 8 Norte
Tél. 873 06 87
Bonne cuisine mexicaine, au son des mariachis ou de la musique sud-américaine. De 15 à 25 US$.

Media Luna
À l'angle de la Calle 10 et de la 5ª Avenida
Spécialités végétariennes, poissons et fruits de mer. De 15 à 25 US$.

Tulum
Comida Mexicana
Avenida Tulum
Tél. 871 21 36
Cadre soigné pour ce restaurant très agréable. Bar et jardin. De 5 à 15 US$.

Il Giardino di Toni e Simone
Avenida Satélite
Spécialités italiennes, poissons et fruits de mer, steaks. De 15 à 25 US$.

Valladolid
Restaurant del Parque
Sur la place principale
Un restaurant sans prétention mais la cuisine est bonne. Bon marché. Moins de 10 US$.

Los Flamboyanes
Calle 41 227

Bons plats de poulet et de porc, steaks et *enchiladas*. Bon marché. Moins de 10 US$.

VIE NOCTURNE

AU GUATEMALA

Guatemala Ciudad
Bodeguita del Centro
12ª Calle entre 3ª y 4ª Avenida, Zona 1
Musique latino-américaine dans une ambiance bohème.
La Tercera Luna
1ª Avenida entre 12ª y 13ª Calle, Zona 10
Musique reggae, colombienne…
Motown
13ª Calle y 1ª Avenida, zona 10, Torre Santa Clara, Local 6, Planta Baja
Musique afro-américaine, reggae, hip-hop, disco, funk, blues… Ouvert tous les jours de 18 h à 1 h.

Antigua Guatemala
Bar Picasso
7ª Avenida Norte entre 2ª y 3ª Calle Poniente
Bonne musique, très populaire. Ouvert de jeudi à mardi de 19 h à minuit.
El Afro
6ª Calle Poniente 9
Musique cubaine, salsa, merengue, jazz… À Antigua, c'est le bar à la mode. Ouvert de mardi à dimanche, de 18 h à 23 h.
Jazz Grucia
Calle Santa Lucía 17
Groupes et orchestres de jazz une ou deux fois par semaine.
Mistral
4ª Calle Oriente 7
Bar-cinéma très populaire auprès des voyageurs.
Moscas y Miel
5ª Calle Poniente 6
Pour danser ou écouter de la musique. C'est aussi une boîte de nuit.

Flores
Bar La Luna
À l'angle de la Calle del 30 de Junio et de la Calle 10 de Noviembre
Un bar très en vogue. Pour boire un café ou prendre un verre. Ouvert de mardi à dimanche, de 12 h à 23 h.
El Balcón del Cielo
Sur la place centrale
Cocktails, musique tropicale en soirée et une terrasse tournée vers le lac : l'endroit idéal pour profiter du coucher de soleil.

Panajachel
Chapiteau
Avenida de los Árboles, dans le centre
Boîte de nuit en face du Circus Bar.
Sunset Café
Calle Santander final
Concerts certains soirs.

Quetzaltenango
Garage Club
Centre commercial Ciani
Une immense discothèque, dont les consommations et entrée sont bon marché.
Tecún
Pasaje Enríquez (sur la place centrale)
Cybercafé fréquenté par les jeunes de Quetzaltenango et par les voyageurs.

AU BELIZE

On ne vient pas au Belize pour faire la fête tous les soirs... Contrairement aux pays voisins (notamment la côte de la péninsule du Yucatán), les discothèques et les nightclubs ne se serrent pas dans les rues des villes du Belize, même à San Pedro qui est plutôt touristique. Cependant, on trouve tout de même de nombreux bars chaleureux, qui programment parfois des concerts. Il vaut mieux éviter de s'y rendre avant 23 h ou minuit : c'est seulement à cette heure-là que l'animation commence !

AU YUCATÁN

Cancún
Tous les hôtels-clubs proposent en général des animations le soir (spectacles, soirées dansantes).
Carlos "n" Charlies
Bulevar Kukulkán km 5,5
Tél. 883 08 46
Ce bar-restaurant jouit d'une bonne réputation auprès des touristes américains. Atmosphère festive.
La Boom
Bulevar Kukulkán km 3,5
Beaucoup de bruit dans cette boîte de nuit qui diffuse les tubes du moment.

Isla de Cozumel
Discothèques et bars-karaoké à foison... Le plus réputé est le **Neptuno**. Sur la place centrale de San Miguel, concerts en plein air le dimanche soir.

Mérida
Dans toute la ville, il est possible d'écouter des concerts de musique régionale ou de voir des spectacles de danse folklorique. Se renseigner à la **Casa de la Cultura**. Sur le Paseo de Montejo, plusieurs bars à la suite où écouter de la bonne musique pop ou disco et danser.

Playa del Carmen
Comme dans les autres lieux touristiques du Yucatán, on ne manquera pas d'occasions de faire la fête : bars et discothèques dans toutes les rues ou presque !
Concert-spectacle de musique latino-américaine au **Fiesta Latina**
Angle de la Calle 8 et de l'Avenida 25.

BIBLIOGRAPHIE

GÉNÉRALITÉS

Brainerd (G. W.), Morley (S. G.) et Sharer (R. J.), *The Ancient Maya*, Stanford, 1983.
Breton (A.) et Arnauld (J. et M. C.), *Mayas*, Autrement, Paris, 1991.
Brunhouse (R. L.), *In Search of the Maya*, Univ. of New Mexico Press, 1973.
Butor (M.), *Terre Maya*, Casterman, Paris, 1993.
Camp (A.) et Fouchet (M. P), *Le Mexique que j'aime*, Paris, 1967.
Chenevière (A.), *Mayas, peuple d'Amérique centrale*, Denoël, Paris, 1989.
Collectif, *Monde maya*, Guides Gallimard, Éditions Nouveaux-Loisirs, 2001.
Gendrop (P.), *Les Mayas*, PUF, Paris, 1978.
Gilard (M.), *Sortilège Maya*, La Farandole, Paris, 1977.
Morris (W.), *Living Mayas*, Harry N. Abrams Inc., 1987.
Musset (A.), *L'Amérique centrale et les Antilles*, Masson, Paris, 1994.
Pisani (F.), *Huracán, cœur du ciel*, Lattès, Paris, 1991.
Prescott (W. H.), *Mexico and the Life of the Conqueror Hernán Cortés*, P. F. Collier, 1902.
Soustelle (J.), *Les Mayas*, Flammarion, Paris, 1987.
Street-Porter (T.), *L'Art de vivre au Mexique*, Flammarion, Paris, 1990.
Stuart (G. S.) et Stuart (G. E.), *Lost Kingdoms of the Maya*, National Geographic Society, 1993.
Wauchope (R.) et Willey (G.), *Handbook of Middle American Indians*, vol. 2 et 3, University of Texas Press, 1965.

HISTOIRE

Adams (R. E. W.), *The Origins of Maya Civilization*, Albuquerque, 1977.
Baudez (C. F.) et Picasso (S.), *Les Cités perdues des Mayas*, Gallimard, Paris, 1987.

Bernal (I.), *Mexique précolombien*, Hachette Réalités, Paris, 1979.

Bernal (I.), *A History of Mexican Archaeology*, Thames and Hudson, 1980.

Castillo (B. D. de), *Histoire véridique de la conquête de la nouvelle Espagne*, Maspero, Paris, 1980.

Chamberlain (R. S.), *The Conquest and Colonization of Yucatán*, Carnegie Inst. of Washington, Pub. 582, 1948.

Clendinnen (I.), *Ambivalent Conquest. Maya and Spaniards in Yucatán*, Cambridge Univ. Press, 1987.

Coe (M. D.), *Les Mayas ; Mille ans de splendeur d'un peuple*, Armand Colin, Paris, 1987.

Collectif, *Amérique centrale. Les Indiens, la guerre et la paix*, Survival International, 1986.

De Vos (J.), *La paz de Dios y del rey. La Conquista de la selva Lacandona*, Gobierno de Chiapas, 1980.

Flannery (K. V.), *Maya Subsistence*, New York, 1982.

Favre (H.), *Changement et continuité chez les Mayas du Mexique*, Anthropos, 1971.

Gruzinski (S.), *La Colonisation de l'Imaginaire : sociétés indigènes et occidentalisation dans le Mexique espagnol, XVIᵉ-XVIIᵉ siècle*, Gallimard, Paris, 1988.

Gruzinski (S.) et Bernand (C.), *De la découverte à la conquête : une expérience européenne, 1492-1550*, Fayard, Paris, 1991.

Gruzinski (S.) et Bernand (C.), *Les Métissages*, Fayard, Paris, 1993.

Jones (G. D.), *Anthropology and History in Yucatán*, Univ. of Texas Press, 1977.

Rouquié (A.), *Guerres et paix en Amérique centrale*, Seuil, Paris, 1992.

Rouquié (A.), *Les Forces politiques en Amérique centrale*, Seuil, Paris, 1992.

Ruz Lhuillier (A.), *La civilización de los antiguos Mayas*, México, 1972.

Schele (l.) et Freidel (D.), *A Forest of Kings. The Untold Story of the Ancient Maya*, Quill-W. Morrow, 1990.

Stone (D.), *Precolumbian Man finds Central America*, Cambridge, 1972.

Stuart (G. S.) et Stuart (G. E.), *The Mysterious Maya*, National Geographic Society, 1977.

Thompson (J. E. S.), *The Dresden Codex*, American Philosophical Society, 1972.

Thompson (J. E. S.), *Grandeur et décadence de la civilisation maya*, Payot, Paris, 1958.

Thompson (J. E. S.), *Maya History and Religion*, Univ. of Oklahoma Press, 1970.

Weaver (M. P.), *The Aztecs, Mayas, and their Predecessors*, New York, 1981.

Zavala (S.), *Histoire du Mexique*, Éditions Amérique latine, 1968.

RELIGION ET SOCIÉTÉ

Aubry (A.), *Les Tzotzil par eux-mêmes*, L'Harmattan, Paris, 1988.

Boccara (M.), *La Religion populaire des Mayas*, L'Harmattan, Paris, 1990.

Boone (N.), *Ritual Human Sacrifice in Mesoamerica*, Washington, 1983.

Boremanse (D.), *Contes et mythologie des Indiens Lacandons*, L'Harmattan, Paris, 1986.

Bowditch (C. P.), *The Numeration, Calendar Systems and Astronomical Knowledge of the Mayas*, Cambridge University Press, 1910.

Bricker (V. R.), *The Indian Christ, the Indian King*, University of Texas Press, 1981.

Buhrer (J. C.) et Levenson (C.), *Le Guatemala et ses populations*, Éditions Complexe, 1980.

Carmack (R. M.), *The Quiché Mayas of Utatlán*, University of Oklahoma Press, 1981.

Coe (M. D.), *The Maya Scribe and his World*, Grolier Club, New York, 1973.

Coggins (C.) et Shane (O. C.), *Cenote of Sacrifice : Maya Treasures from the Sacred Well of Chichén Itzá*, University of Texas Press, 1986.

Monod (A.), *Feu maya. Le soulèvement du Chiapas*, Survival International, 1994.

Nicholson (I.), *Mexican and Central American Mythology*, Hamlyn, 1967.

Pettersen (C. L.), *Maya de Guatemala. Vida y traje*, Museo Ixchel, 1976.

Robicsek (F.) et Hales (D.), *The Maya Book of the Dead. The Ceramic Codex*, University of Virginia Museum, 1982.

Robicsek (F.), *Copán : Home of the Maya Gods*, New York, 1972.

Roys (R. L.) et Scholes (F. V.), *The Maya Chontal Indians of Acalan-Tixchel*, Washington, 1948.

Roys (R. L.), *Ritual of the Bacabs*, University of Oklahoma Press, 1965.

Teeple (J. E.), *Maya Astronomy*, Carnegie Inst. of Washington, 1930.

Thompson (E. H.), *People of the Serpent*, Houghton Mifflin, 1932.

Tompkins (P.), *Mysteries of Mexican Pyramids*, Thames and Hudson, 1987.

Vogt (E. Z.), *Tortillas for the Gods : a Symbolic Analysis of the Zinacanteco Rituals*, Harvard University Press, 1976.

Wolf (E. R.), *Peuples et civilisations de l'Amérique centrale, des origines à nos jours*, Payot, Paris, 1962.

POLITIQUE ET ÉCONOMIE

Aguirre-Beltrán (G.), *El gobierno indígena en México y el proceso de aculturación*, México, 1953.

Barry (T.), *Roots of Rebellion. Land and Hunger in Central America*, South End Press, 1987.

Carmack (R. M.), *Harvest of Violence. The Maya Indians and the Guatemalan Crisis*, University of Oklahoma Press, 1988.

Culbert (T. P.), *Belize : Ecotourism in action*, Mac Millan Caribbean, 1997.

Farriss (N. M.), *Maya Society Under Colonial Rule : The Collective Enterprise of Survival*, Princeton University Press, 1984.

Fletcher (L.), Folan (W. J.) et Kintz (E.), *Cobán, a Classic Maya Metropolis*, New York, 1983.

Le Bot (Y.), *Le Rêve zapatiste*, Seuil, Paris, 1997.

Manz (B.), *Refugees of a Hidden War. The Aftermath of Counter-Insurgency in Guatemala*, University of New York Press, 1987.

Marcus (J.), *Emblem and State in the Classic Maya Lowlands*, Washington, 1976.

Rousseau (I.), *Mexique : une révolution silencieuse. Élites gouvernementales et projet de modernisation*, L'Harmattan, Paris, 1999.

Simon (J. M.), *Guatemala, Eternal Spring, Eternal Tyranny*, Norton and Company, 1987.

Sullivan (P.), *Unfinished Conversations. Mayas and Foreigners Between two Wars*, New York, 1989.

ART ET ARCHITECTURE

Andrews (G. F.), *Maya Cities : Placemaking and urbanization*, University of Oklahoma Press, 1974.

Baudez (C. F.), *Maya Sculpture of Copán : The Iconography*, University of Oklahoma Press, 1994.

Baudez (C. F.), *J.-F. Waldeck, peintre. Le premier explorateur des ruines mayas*, Hazan, Paris, 1993.

Baudez (C. F.) et Becquelin (P.), *Les Mayas*, Gallimard, Paris, 1990.

Bullard (W. J.), *Maya Settlement Patterns in Northeastern Petén*, Guatemala, American Antiquity, vol. 25, n° 3, 1960.

Coe (M. D.), *Lords of the Underworld. Masterpieces of Classic Maya Ceramics*, Princeton University Press, 1978.

Coe (W. R.), *Tikal ; a Handbook of the Ancient Maya Ruins*, University of Pennsylvania Press, 1967.

Collectif, *Les Passeports de l'Art : Yucatán, terre maya*, Éditions Atlas, Paris, 1987.

Covarrubias (M.), *Indian Art of Mexico and Central America*, New York, 1957.

Fettweis-Viénot (M.), *Cobá, Xelhá : une lecture de l'image maya*, Institut d'ethnologie, 1988.

Friederichstal (E. de), *Les Monuments de Yucatán*, Ères nouvelles, 1841.

Gendrop (P.), *Los estilos Río Bec, Chenes y Puuc en la arquitectura maya*, Universidad Nacional Autónoma de México, 1983.

Gendrop (P.) et Heyden (D.), *Architecture mesoaméricaine*, Berger-Levrault, 1980.

Hanks (W.) et Rice (D.), *Word and Image in Maya Culture*, University of Utah Press, 1989.

Longyear (J. M.), *Copán Ceramics*, Carnegie Inst. of Washington, Pub. 597, 1952.

Lothrop (S. K.), *Tulum : an Archaeological Study of the East Coast of Yucatán*, Carnegie Institute of Washington, 1924.

Miller (A. G.), *On the Edge of the Sea : Mural Painting at Tancah-Tulum*, Washington, 1982.

Miller (M. E.), *The Art of Mesoamerica from Olmec to Aztec*, Thames and Hudson, 1986.

Miller (M. E.), *The Murals of Bonampak*, Princeton, 1986.

Proskouriakoff (T.), *A Study of Classic Maya Sculpture*, Carnegie Institute of Washington, Pub. 593, 1950.

Proskouriakoff (T.), *An Album of Maya Architecture*, Carnegie Institute of Washington, 1950.

Schele (l.) et Miller (M.), *The Blood of Kings. Dynasty and Ritual in Maya Art*, George Brazillier Inc., 1986.

Spinden (H.), *A Study of Maya Art, its Subject Matter and its Historical Development*, Harvard University Press, 1913.

Stierlin (H.), *Maya*, Architecture universelle, 1964.

Stierlin (H.), *L'Art maya*, Seuil, Paris, 1982.

Sutton (A.), *Among the Maya Ruins*, Rand-McNally, 1967.

Thompson (J. E.), *A Preliminary Study of the Ruins of Cobán*, Carnegie Inst. of Washington, Pub. 424, 1932.

LANGUE ET LITTÉRATURE

Arias (A.), *Literaturas aborígenas de América, Azteca, Incaica, Maya, Quiché*, Larreta, 1968.

Asturias (M. A.), *Légendes du Guatemala*, Gallimard, Paris, 1953.

Barrera Vasquez (A.) et Morley (S. G.), *The Maya Chronicles*, Carnegie Institution of Washington, 1949.

Breton (A.), *Rabinal Achi. Un drame dynastique maya du XVᵉ siècle*, Société d'ethnologie, 1994.

Castellanos (R.), *Le Christ des ténèbres*, Gallimard, Paris, 1970.

Chavez (A. I.), *Pop Wuh. Le livre des événements*, Gallimard, Paris, 1990.

Edmonson (M.), *Heaven Born Mérida and its Destiny : The Book of Chilam Balam of Chumayel*, University of Texas Press, 1986.

Edmonson (M.), *The Ancient Future of the Itzá : The Book of Chilam Balam of Tizimin*, University of Texas Press, 1982.

Eisenberg (D.), *Semaine sainte*, in *Petits désordres sans importance*, Le Promeneur, 1994.

Garza (M. de la), *Literatura maya*, Editorial Galaxis, 1980.

Graham (J. A.), *Studies in Ancient Mesoamerica*, Berkeley, 1978.

Ivanoff (P.), *Découvertes chez les Mayas*, Laffont, Paris, 1970.

Justeson (J. S.), *The Foreign Impact on Lowland Mayan Language and Script*, New Orleans, 1985.

Kelley (D.), *Deciphering the Maya Script*, University of Texas Press, 1976.

Le Clézio (J.-M. G.), *Le Rêve mexicain ou la Pensée interrompue*, Gallimard, Paris, 1988.

Le Clézio (J.-M. G.), *Les Prophéties du Chilam Balam*, Gallimard, Paris, 1976.

Lowry (M.), *Au-dessous du volcan*, Gallimard, Paris, 1973.

Manzur Sbir (J.), *Yikal Maya Than*, Mérida, 1926.

Mcquown (N. A.), *The Classification of the Maya Languages*, International Journal of American Linguistics, vol. XXII, 1956.

Recinos (A.), *Crónicas indígenas de Guatemala*, Guatemala, 1957.

Rey Rosa (R.), *Le Silence des eaux*, Gallimard, Paris, 2000.

Rey Rosa (R.), *Un rêve en forêt*, Gallimard, Paris, 1997.

Sodi (M. D.), *La poesía maya*, México, 1963.

Tedlock (D.), *Popol Vuh. The Mayan Book of the Dawn of Life*, New York, 1985.

Thompson (J. E. S.), *Maya Hieroglyphics Without Tears*, British Museum Publications, 1972.

Thompson (J. E. S.), *Maya Hieroglyphic Writing. An Introduction*, University of Oklahoma Press, 1971.

RÉCITS ET TÉMOIGNAGES

Burgos (E.), *Moi, Rigoberta Menchú*, Gallimard, Paris, 1983.

Catherwood (F.), *Un monde perdu et retrouvé : les cités mayas*, Bibliothèque de l'image, 1993.

Charnay (D.), *Le Mexique. Souvenirs et impressions de voyage*, Éditions Du Griot, 1987.

Gage (T.), *Nouvelle relation des Indes occidentales*, Collection Ressources, 1979.

Huxley (A.), *Croisière d'hiver en Amérique centrale*, Plon, Paris, 1935.

Landa (D. de), *Relation des choses de Yucatán*, Genet, 1928.

Las Casas (F. B. de), *Très brève relation sur la destruction des Indes*, Mouton, 1974.

Parker (F. D.), *Travels in Central America 1821-1840*, University of Florida Press, 1970.

Paz (O.), *Le Labyrinthe de la solitude*, Gallimard, Paris, 1990.

Rojas González (F.), *El diosero*, Fondo de Cultura Económica, 1992.

Soustelle (J.), *Mexique, terre indienne*, Grasset, Paris, 1936.

Sexton (J.), *Campesino : The Diary of a Guatemalan Indian*, University of Arizona Press, 1985.

Stephens (J. L.), *Aventures de voyage en pays Maya*, Pygmalion, 1993.

CRÉDITS PHOTOGRAPHIQUES

Couverture
– Premier plat
Jour de marché à Chichicastenango (Guatemala),
© Giovanni Simeone/Diaf
– **Dos** (de haut en bas)
Mireille Vautier, Gonzalo M. Azumendi, Andreas M.
Gross, Mireille Vautier, Darrell Jones
– **Quatrième plat** (de gauche à droite)
Mireille Vautier, Jamie Marshall, Andrea Pistolesi

Intérieur
AKG London 22, 33, 34, 260-261
Artarchive 25, 29, 181
Azumendi, Gonzalo M. 14, 51, 290, 292, 299, 325, 326h, 326, 327, 330
Butchofsky-Houser, Jan 115
Cephas 52
Cohen, Steve 95
Denman, Haydn 162h
Deuss, K. 64-65, 73
Mary Evans Picture Library 35, 76, 78
Fogden, Michael et Patricia 99
Fried, Robert 4-5, 41, 54, 91, 107, 149, 149h, 165h, 272, 280, 282, 283, 295h, 301h, 315, 316, 318, 323
Fossez, Fabienne/ffotograff 119
Getty, Hulton 182, 183
Gross, Andreas M. 1, 2-3, 4, 5d, 8-9, 20-21, 24, 26, 27, 30, 32, 43, 44, 45, 93, 96, 109h, 110, 112h, 114, 116, 118h, 121h, 126h, 134h, 136h, 140, 142h, 143h, 144, 145, 147, 151, 155h, 155, 156, 167h, 185, 191, 193, 203, 204-205, 210, 211, 214, 215h, 215, 219, 223, 228h, 228, 230, 232h, 232, 234, 237, 241, 242, 252-253, 262, 277, 281, 292h, 298h, 301, 308, 323h, 332, 333, 334, 335h, 335
Robert Harding Picture Library 59
Harrington, Blaine 248, 310, 313, 336
Houser, Dave G. 5g, 50, 97, 110h, 117h, 118, 121, 122, 128, 159, 161h, 162, 163d, 166g/d, 235, 236, 238, 256
Jones, Darrell 57, 58, 61, 170-171, 172-173, 174, 177, 188, 190, 192, 196, 197, 198, 199, 208, 217, 220h, 222, 222h, 230h, 238h
Marshall, Jamie 6-7, 10-11, 19, 40, 48, 63, 70, 74-75, 77, 79, 81, 88, 89, 90, 92, 100-101, 113, 123, 124, 125, 127, 130, 131h, 131, 133, 134, 141, 269
Martino, E. 2, 42, 53, 84-85, 94, 129h, 186-187, 220, 221, 226h, 231, 237h, 239, 240, 254, 257, 274, 276, 302, 312h, 318h, 319
Mays, Buddy 55, 273, 275, 298, 305
Oxford Scientific Films 62
Paine, Sheila/ffotograff 12-13
Pettypool, Michael J. 106, 286, 311, 312
Pistolesi, Andrea 17, 47, 49, 86, 87, 102, 109, 120, 153, 154, 161, 163g, 167, 246-247, 251, 259, 267, 270-271, 284-285, 291, 293, 294, 295, 296, 297, 300, 304, 307, 309, 314, 317, 320, 321, 322, 323h
Popperfoto 80, 82, 184
Rath, Tony 200, 201
Rex Features/Sipa Press 23
Reyes-Manzo, Carlos/Andes Press Agency 83
Sanger, David 60, 189, 202, 213h, 213, 216, 218, 224, 225, 226, 233, 240h, 242h, 243
Stewart, Ian 135, 136, 150
Tom Till Photography 158
Vautier, Mireille 28, 31, 38-39, 46, 56, 66-67, 98, 111, 129, 132, 137, 146, 152, 152h, 164, 178-179, 180, 244-245, 255, 258, 263, 264, 265, 266, 268, 278, 279, 303, 304h, 306, 315h, 324, 328, 329h, 329, 331, 332h

– Pages 36-37
De gauche à droite à partir du haut : **Andreas M. Gross, Gonzalo M. Azumendi, Andreas M. Gross, Andreas M. Gross, Mireille Vautier, Robert Fried, Andreas M. Gross, Andreas M. Gross, Darrell Jones, Darrell Jones.**

– Pages 138-139
Toutes les photographies sont de **Jamie Marshall** excepté le portrait de la tisserande (centre/haut), signé **Andreas M. Gross.**

– Pages 168-169
De gauche à droite à partir du haut : **Andreas M. Gross, Tom Till Photography, Robert Fried, Andreas M. Gross, Tom Till Photography, Andreas M. Gross, Andreas M. Gross, Robert Fried, Andrea Pistolesi, Andreas M. Gross, Andreas M. Gross.**

– Pages 194-195
De gauche à droite à partir du haut : **Andreas M. Gross, Darrell Jones, Darrell Jones, Darrell Jones, Jamie Marshall, Darrell Jones, E. Martino, Darrell Jones, Darrell Jones, E. Martino.**

Cartes
Cosmographics
© 2000 **Apa Publications** GmbH & Co.
Verlag KG (Singapour)
Édition : **Zoë Goodwin**

Conception graphique
Carlotta Junger, Graham Mitchener

Recherche iconographique
Hilary Genin, Monica Allende

Fabrication
Stuart A. Everitt

INDEX